6단계 완성 스케줄표

공부한 날	주	일	학습 내용
월 일	1주	도입	이번 주에는 무엇을 공부할까요?
		1일	입체도형 알아보기
월 일		2일	입체도형을 여러 방향에서 본 모양
월 일		3일	잘린 도형의 모양 알아보기
월 일		4일	각기둥의 전개도 알아보기
월 일		5일	전개도에서 둘레 구하기
		평가 / 특강	누구나 100점 맞는 테스트 / 중학 도형 맛보기
월 일	2주	도입	이번 주에는 무엇을 공부할까요?
		1일	원을 이용하여 길이 구하기
월 일		2일	원을 이용하여 넓이 구하기
월 일		3일	원이 굴러간 거리와 넓이 구하기
월 일		4일	사용한 끈의 길이 구하기
월 일		5일	움직일 수 있는 부분의 넓이 구하기
		평가 / 특강	누구나 100점 맞는 테스트 / 중학 도형 맛보기
월 일	3주	도입	이번 주에는 무엇을 공부할까요?
		1일	직육면체를 이용하여 부피 구하기
월 일		2일	위, 앞, 옆에서 본 모양으로 겉넓이 구하기
월 일		3일	여러 가지 입체도형의 겉넓이와 부피
월 일		4일	빼거나 더 필요한 쌓기나무의 개수
월 일		5일	위, 앞, 옆에서 본 모양
		평가 / 특강	누구나 100점 맞는 테스트 / 창의·융합·코딩
월 일	4주	도입	이번 주에는 무엇을 공부할까요?
		1일	규칙에 따라 쌓기나무 쌓기
월 일		2일	2층에 알맞는 모양
월 일		3일	더 쌓을 수 있는 쌓기나무의 개수
월 일		4일	색칠된 쌓기나무의 개수 구하기
월 일		5일	새로운 모양 만들기
		평가 / 특강	누구나 100점 맞는 테스트 / 창의·융합·코딩

공부한 날을 표시하고 하루하루 학습 내용을 살펴보세요.

Chunjae Maketh Chunjae

기획총괄	지유경
편집개발	정소현, 조선영, 원희정, 이정선, 최윤석, 김선주, 박선민
디자인총괄	김희정
표지디자인	윤순미, 안채리
내지디자인	박희춘, 이혜진
제작	황성진, 조규영

발행일	2020년 11월 15일 초판 2020년 11월 15일 1쇄
발행인	(주)천재교육
주소	서울시 금천구 가산로9길 54
신고번호	제2001-000018호
고객센터	1577-0902

※ 정답 분실 시에는 천재교육 홈페이지에서 내려받으세요.

※ KC 마크는 이 제품이 공통안전기준에 적합하였음을 의미합니다.

※ 주의

책 모서리에 다칠 수 있으니 주의하시기 바랍니다.

부주의로 인한 사고의 경우 책임지지 않습니다.

8세 미만의 어린이는 부모님의 관리가 필요합니다.

똑 똑 한

하루 도형

6단계

주별 Contents

이 책의 특징

도입 이번 주에는 무엇을 공부할까요?

▶ **이번 주에 공부할 내용**을 만화로 재미있게!

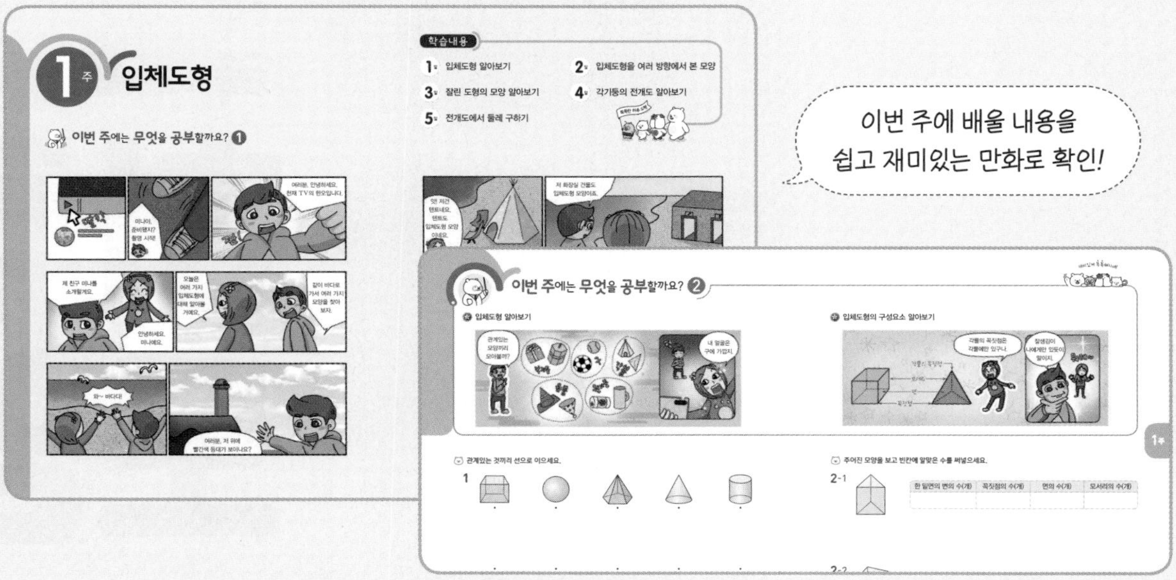

이번 주에 배울 내용을
쉽고 재미있는 만화로 확인!

개념완성 주 5일 학습

▶ **활동**을 통해 **도형 개념**을 쉽게 이해해요!

도형 개념을
만화로 쏙쏙!

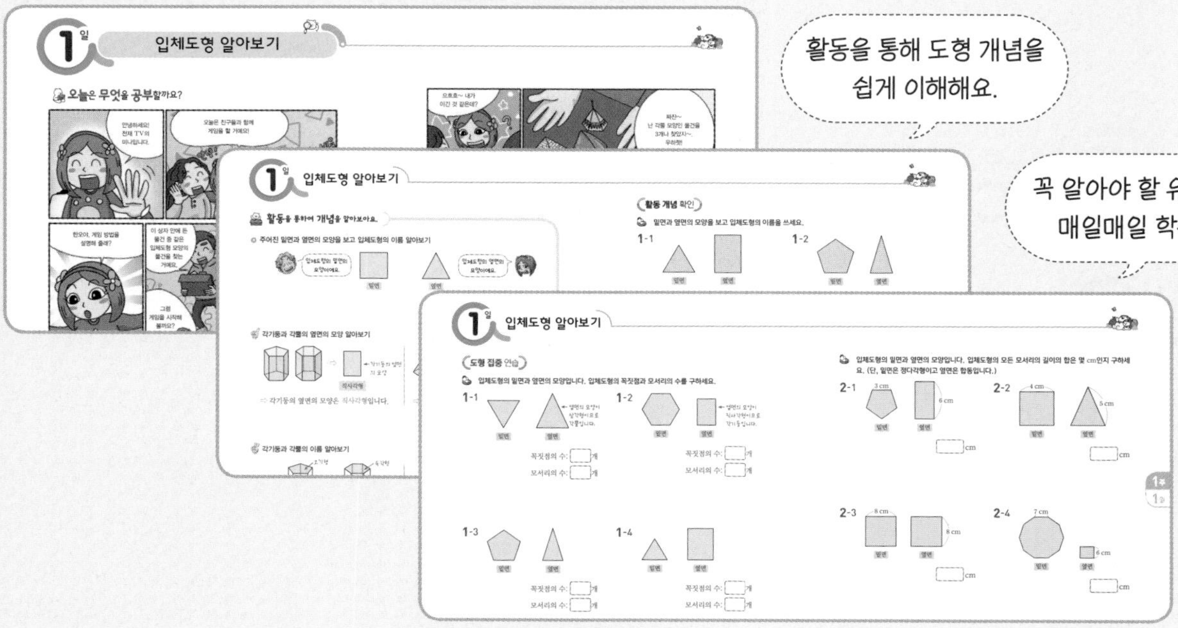

활동을 통해 도형 개념을
쉽게 이해해요.

꼭 알아야 할 유형을
매일매일 학습!

평가 주별 평가

▶ **한 주간 배운 내용**을 확인해요.

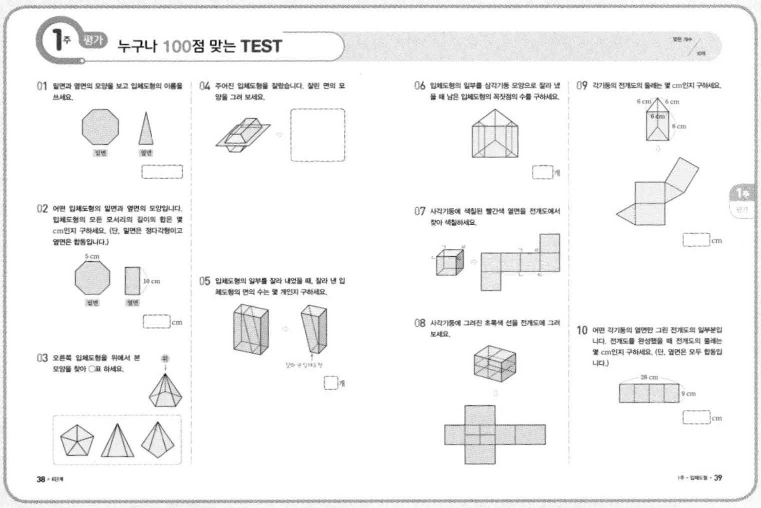

5일 동안 공부한 내용을 확인해요.

특강 창의 · 융합 · 코딩

▶ **창의 · 융합 · 코딩** 문제로 창의력과 사고력이 길러져요!

특강 문제까지 해결하면 창의력과 사고력이 쑥쑥!

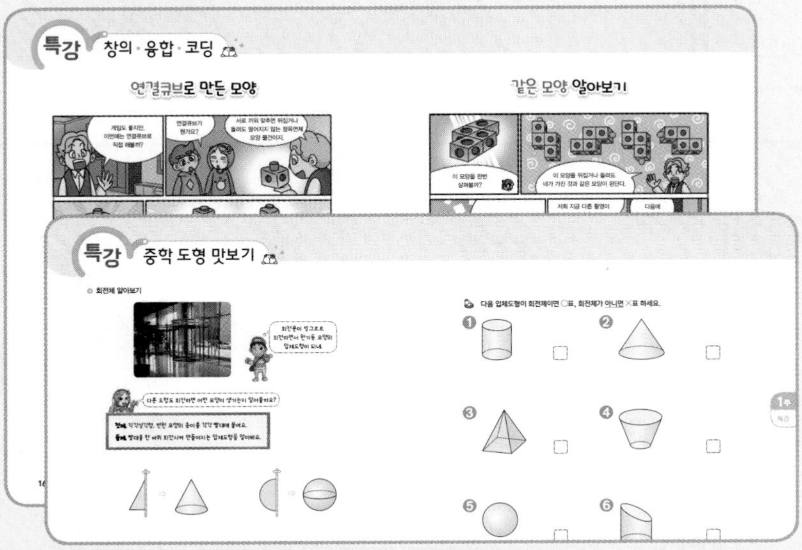

▲ **중학 도형** 문제에 도전해 봐요!

이 책에 나오는 인물

한오

최고의 도형 유튜버가 될 거야!
열정 가득한 멋쟁이!

미나

알고보면 내숭쟁이
한오와 함께 최고의 유튜버가 되고 싶은 소녀

강사 브리이에

크리에이터 아이들의 숨은 조력자!
난감한 상황에선 한국말을 못 알아 듣는 척

편집자 고동국

녹화하고 편집하고 바쁘다 바빠!
그래도 100만 구독자를 꿈꾼다!

1 주 입체도형

이번 주에는 무엇을 공부할까요? 1

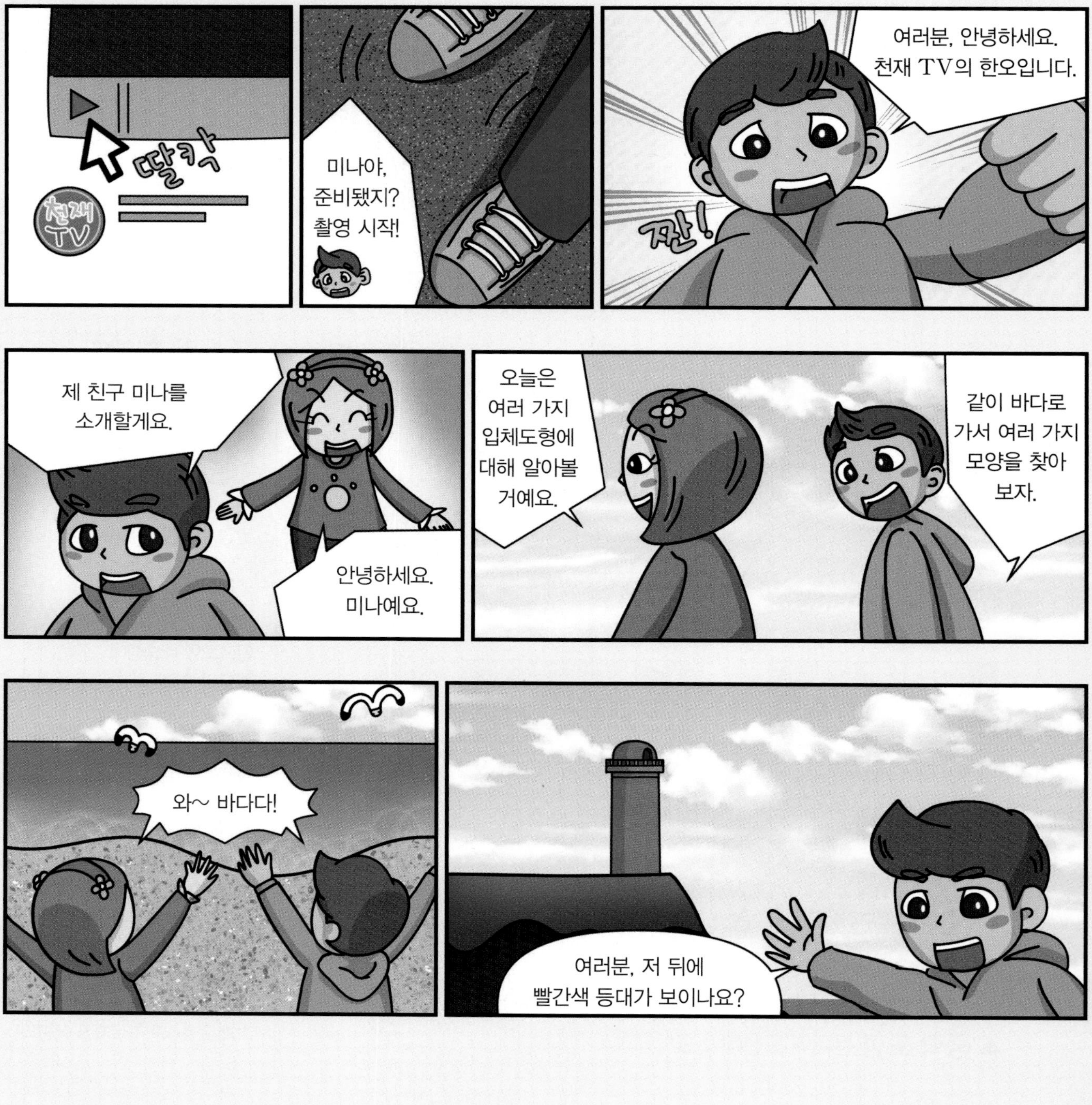
딸칵
천재 TV
미나야, 준비됐지? 촬영 시작!
여러분, 안녕하세요. 천재 TV의 한오입니다.
짠!
제 친구 미나를 소개할게요.
안녕하세요. 미나예요.
오늘은 여러 가지 입체도형에 대해 알아볼 거예요.
같이 바다로 가서 여러 가지 모양을 찾아 보자.
와~ 바다다!
여러분, 저 뒤에 빨간색 등대가 보이나요?

학습내용

1일 입체도형 알아보기

2일 입체도형을 여러 방향에서 본 모양

3일 잘린 도형의 모양 알아보기

4일 각기둥의 전개도 알아보기

5일 전개도에서 둘레 구하기

똑똑한 하루 도형

앗! 저건 텐트네요. 텐트도 입체도형 모양 이네요.
저 화장실 건물도 입체도형 모양이죠.
여러분은 텐트가 육각뿔 모양인 걸 알고 있나요?
등대는 원기둥 모양!
그럼, 화장실은 직육면체 모양인가?
응! 그렇다고 할 수도 있지만 사각기둥 모양이라고 할 수도 있지.
그렇구나. 우리 바다에는 여러 가지 모양이 있네.

이번 주에는 무엇을 공부할까요? ②

입체도형 알아보기

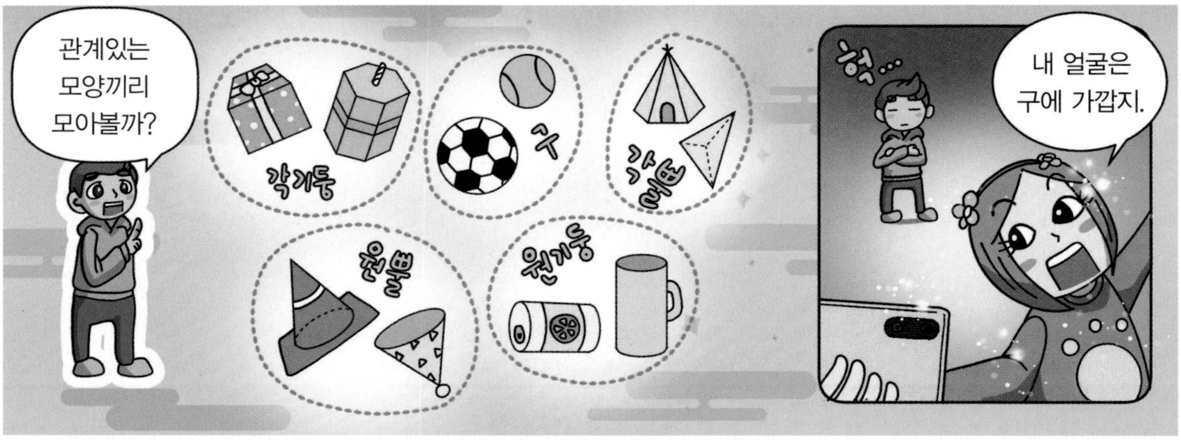
관계있는
모양끼리
모아볼까?
각기둥
구
각뿔
원뿔
원기둥
헉...
내 얼굴은
구에 가깝지.

관계있는 것끼리 선으로 이으세요.

1

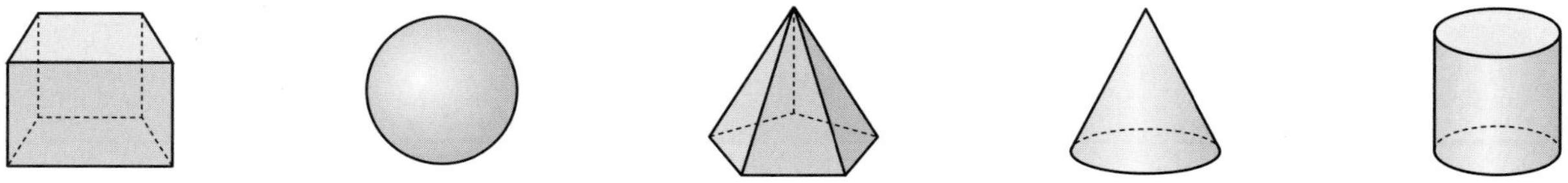

각뿔	각기둥	원뿔	구	원기둥

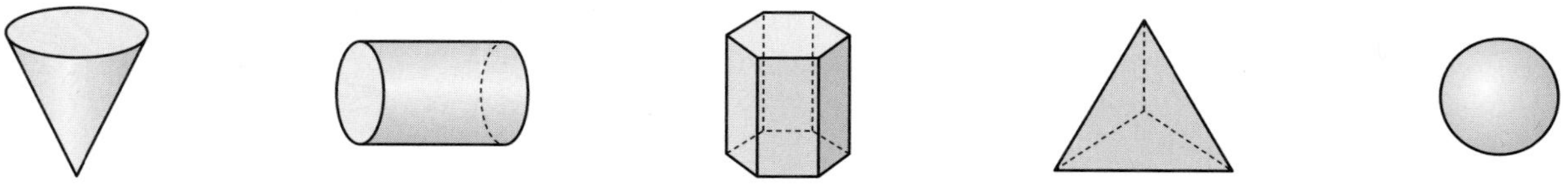

입체도형의 구성요소 알아보기

각뿔의 꼭짓점
모서리
면
꼭짓점
각뿔의 꼭짓점은
각뿔에만 있구나.
잘생김이
나에게만 있듯이
말이지.
뭐래~

주어진 모양을 보고 빈칸에 알맞은 수를 써넣으세요.

2-1

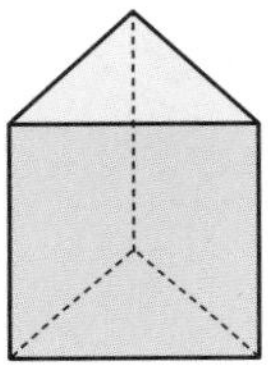

한 밑면의 변의 수(개)	꼭짓점의 수(개)	면의 수(개)	모서리의 수(개)

2-2

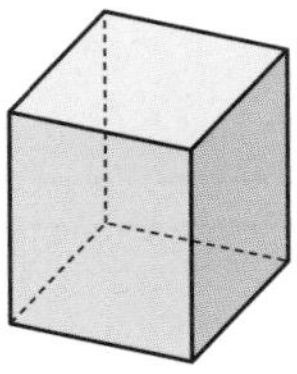

한 밑면의 변의 수(개)	꼭짓점의 수(개)	면의 수(개)	모서리의 수(개)

2-3

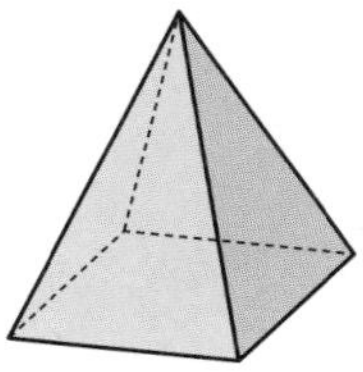

밑면의 변의 수(개)	꼭짓점의 수(개)	면의 수(개)	모서리의 수(개)

1일 입체도형 알아보기

오늘은 무엇을 공부할까요?

안녕하세요! 천재 TV의 미나입니다.
오늘은 친구들과 함께 게임을 할 거예요!
안녕!
안녕하세요
한오야, 게임 방법을 설명해 줄래?
이 상자 안에 든 물건 중 같은 입체도형 모양의 물건을 찾는 거예요.
그럼 게임을 시작해 볼까요?
자, 준비 됐지?
와르르~
Hello
같은 입체도형 모양을 가장 많이 찾는 사람이 이기는 거야.
시작!!
짠! 나는 각기둥 모양인 상자와 필통!
원뿔 모양은 고깔모자 하나 뿐이야.

으흐흐~ 내가
이긴 것 같은데?
짜잔~
난 각뿔 모양인 물건을
3개나 찾았지~.
우하핫!
초코우유
대단해~.
브이~.
멋지다!
여러분도 친구들과
한번 해보세요.
안녕~
그럼 오늘의
천재 TV 끝~!

1주
1일

도형 기본 개념

● ■각기둥의 구성 요소

- 한 밑면의 변의 수: ■개
- (꼭짓점의 수)=(■×2)개
- (면의 수)=(■+2)개
- (모서리의 수)=(■×3)개

예

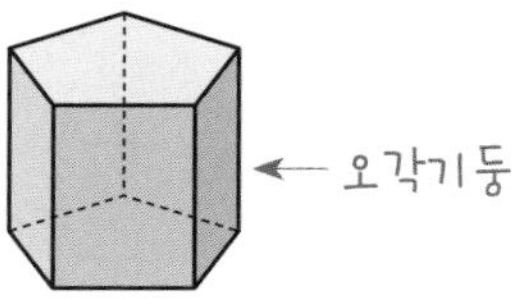

오각기둥

- 한 밑면의 변의 수: 5개
- (꼭짓점의 수)=5×2=10(개)
- (면의 수)=5+2=7(개)
- (모서리의 수)=5×3=❶ ☐(개)

● ▲각뿔의 구성 요소

- 밑면의 변의 수: ▲개
- (꼭짓점의 수)=(▲+1)개
- (면의 수)=(▲+1)개
- (모서리의 수)=(▲×2)개

예

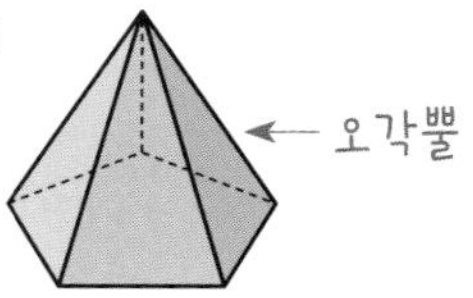

오각뿔

- 밑면의 변의 수: 5개
- (꼭짓점의 수)=5+1=6(개)
- (면의 수)=5+1=6(개)
- (모서리의 수)=5×2=❷ ☐(개)

정답 ❶ 15 ❷ 10

입체도형 알아보기

활동을 통하여 개념을 알아보아요.

○ 주어진 밑면과 옆면의 모양을 보고 입체도형의 이름 알아보기

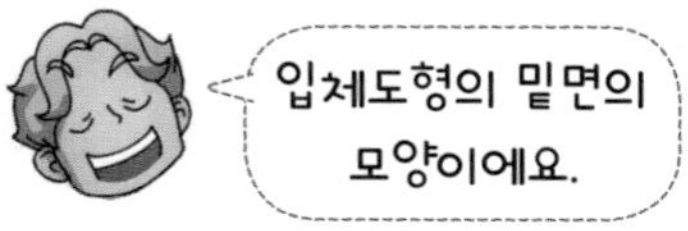

 입체도형의 밑면의 모양이에요.

밑면

옆면

 입체도형의 옆면의 모양이에요.

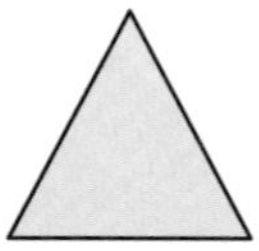

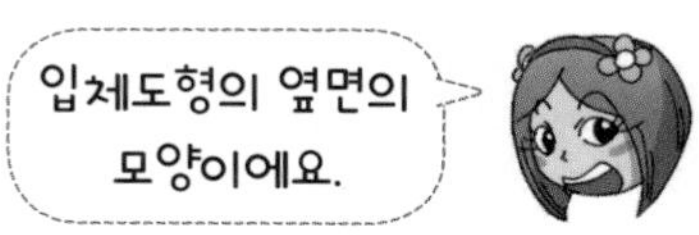

각기둥과 각뿔의 옆면의 모양 알아보기

 ←각기둥의 옆면의 모양

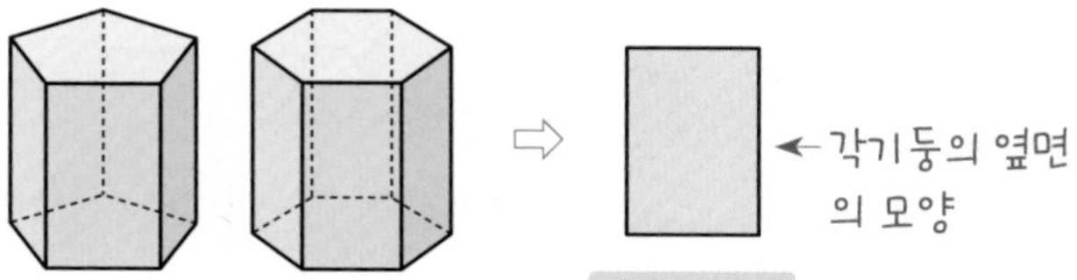

직사각형

⇨ 각기둥의 옆면의 모양은 직사각형입니다.

  ←각뿔의 옆면의 모양

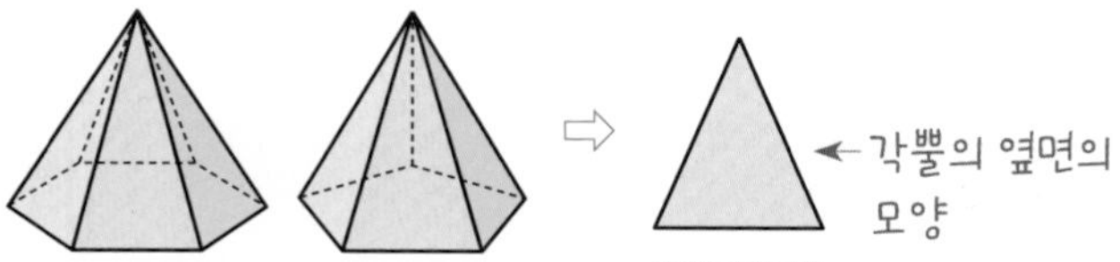

삼각형

⇨ 각뿔의 옆면의 모양은 삼각형입니다.

각기둥과 각뿔의 이름 알아보기

오각형   육각형

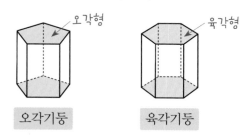

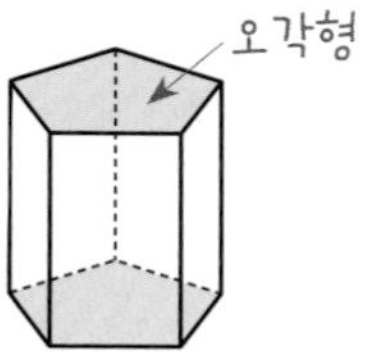

오각기둥   육각기둥

⇨ 각기둥은 밑면의 모양에 따라
오각기둥, 육각기둥……이라고 합니다.

오각형   육각형

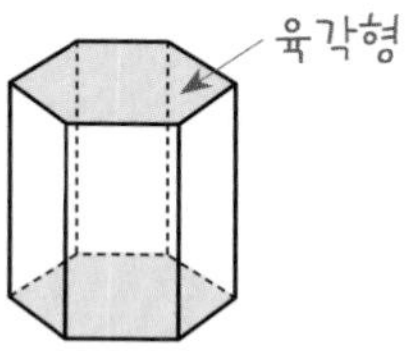

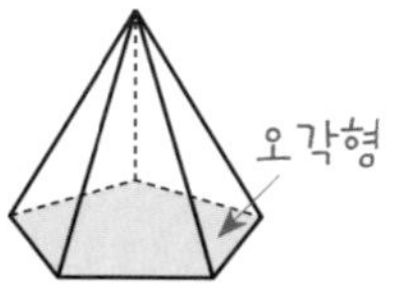

오각뿔   육각뿔

⇨ 각뿔은 밑면의 모양에 따라
오각뿔, 육각뿔……이라고 합니다.

따라서, 밑면이 모양이고 옆면이 모양이므로 입니다.

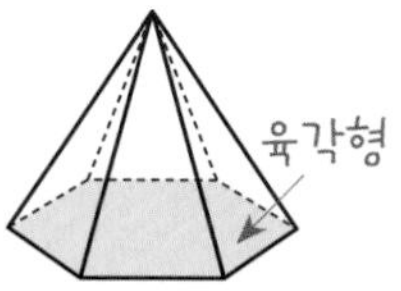

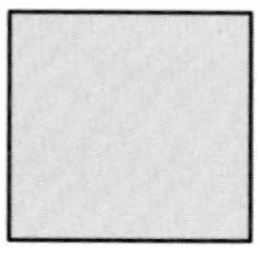

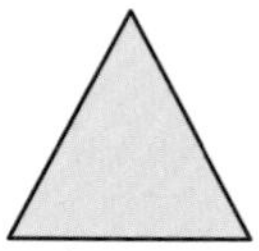

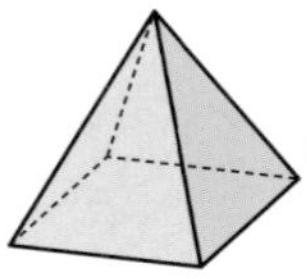

사각뿔

활동 개념 확인

밑면과 옆면의 모양을 보고 입체도형의 이름을 쓰세요.

1-1

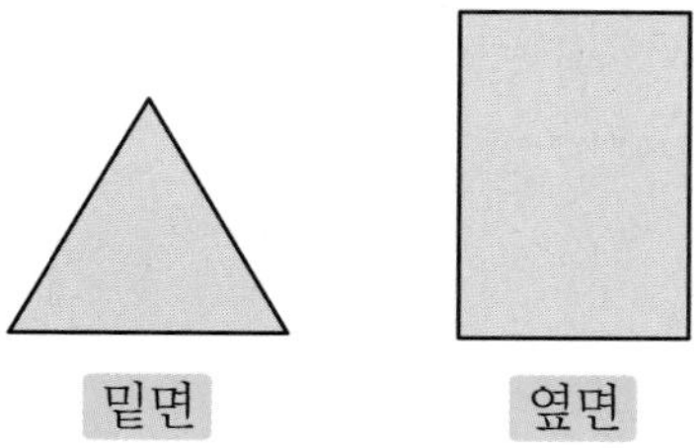

1-2

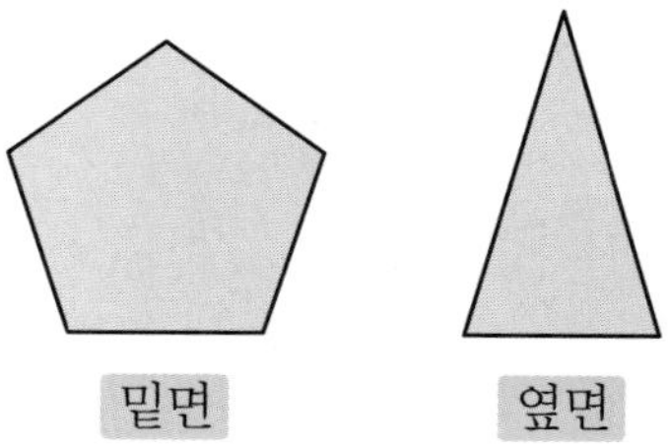

1-3

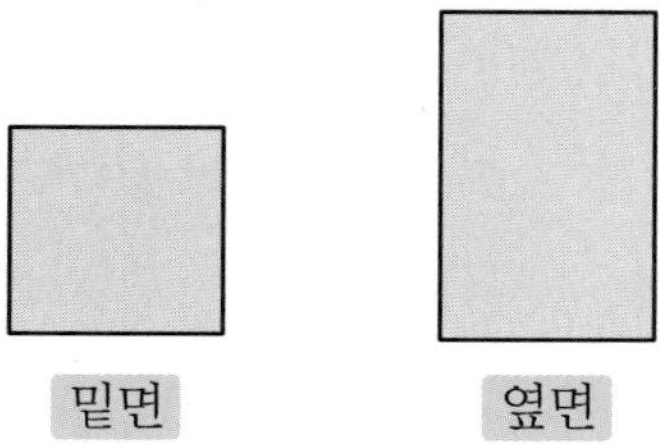

1-4

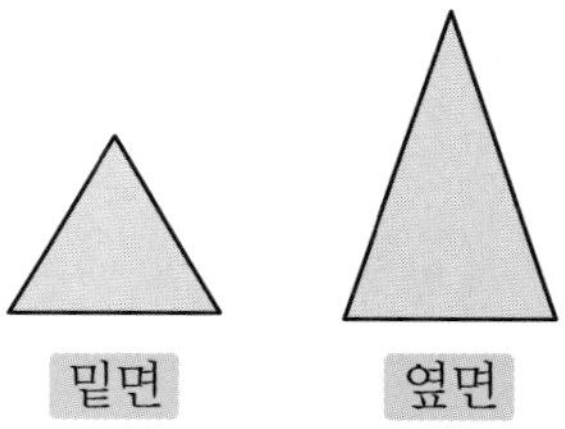

1-5

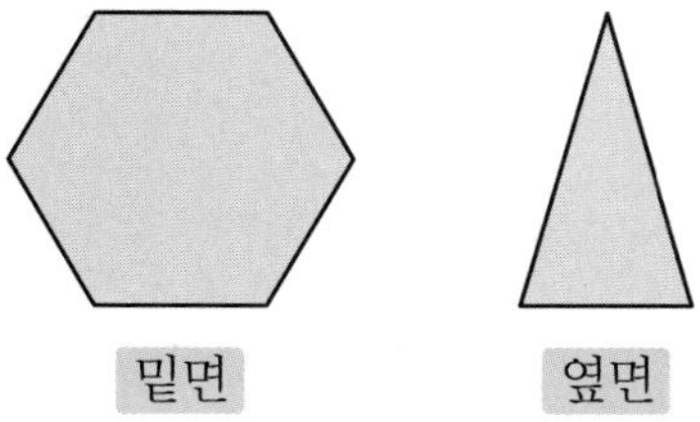

1-6

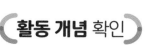

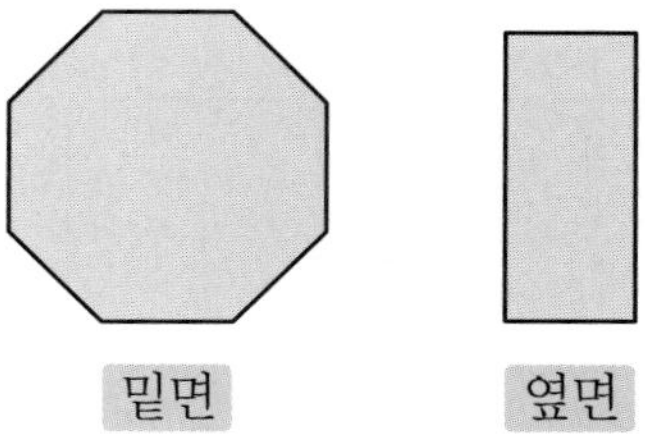

도형 집중 연습

🍳 입체도형의 밑면과 옆면의 모양입니다. 입체도형의 꼭짓점과 모서리의 수를 구하세요.

1-1

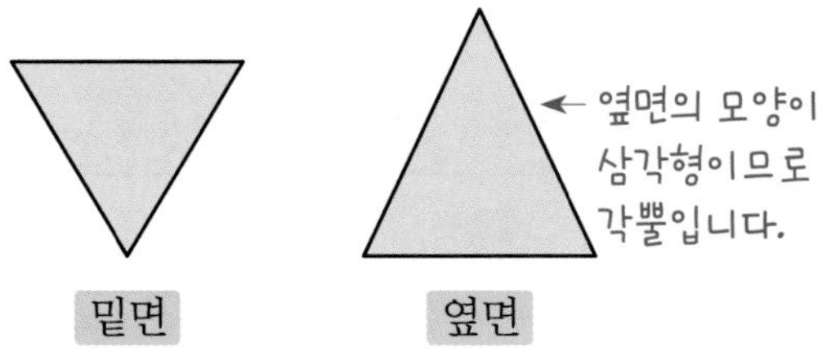

밑면   옆면

← 옆면의 모양이 삼각형이므로 각뿔입니다.

꼭짓점의 수: ☐ 개

모서리의 수: ☐ 개

1-2

밑면   옆면

← 옆면의 모양이 직사각형이므로 각기둥입니다.

꼭짓점의 수: ☐ 개

모서리의 수: ☐ 개

1-3

밑면   옆면

꼭짓점의 수: ☐ 개

모서리의 수: ☐ 개

1-4

밑면   옆면

꼭짓점의 수: ☐ 개

모서리의 수: ☐ 개

1-5

밑면   옆면

꼭짓점의 수: ☐ 개

모서리의 수: ☐ 개

1-6

밑면   옆면

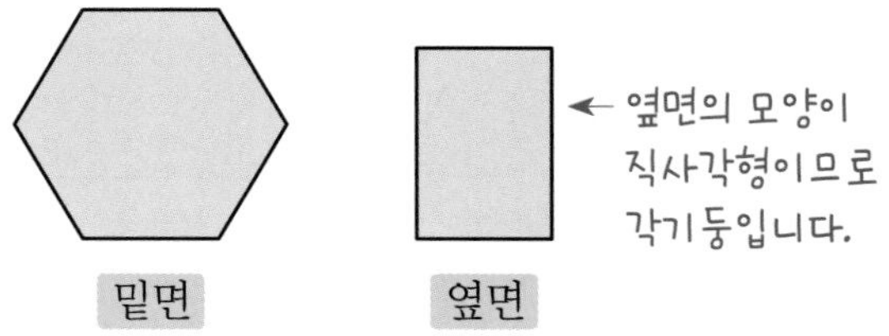

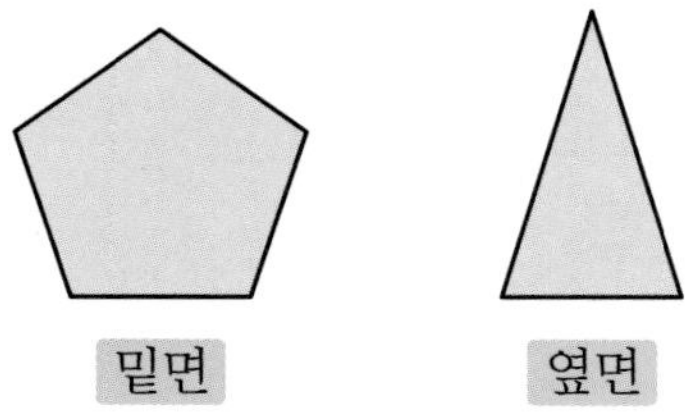

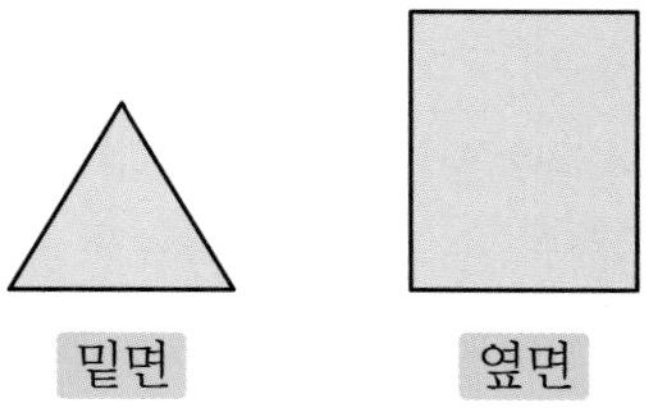

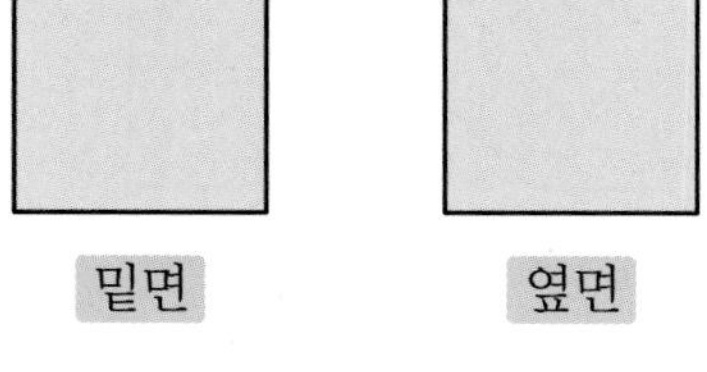

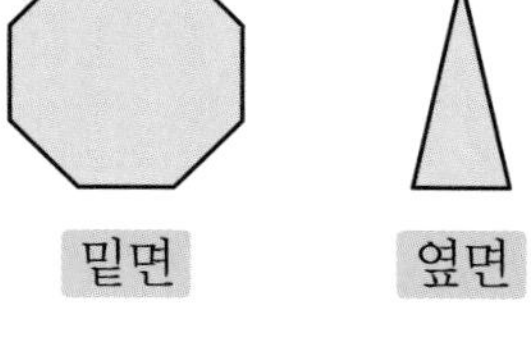

꼭짓점의 수: ☐ 개

모서리의 수: ☐ 개

입체도형의 밑면과 옆면의 모양입니다. 입체도형의 모든 모서리의 길이의 합은 몇 cm인지 구하세요. (단, 밑면은 정다각형이고 옆면은 합동입니다.)

2-1

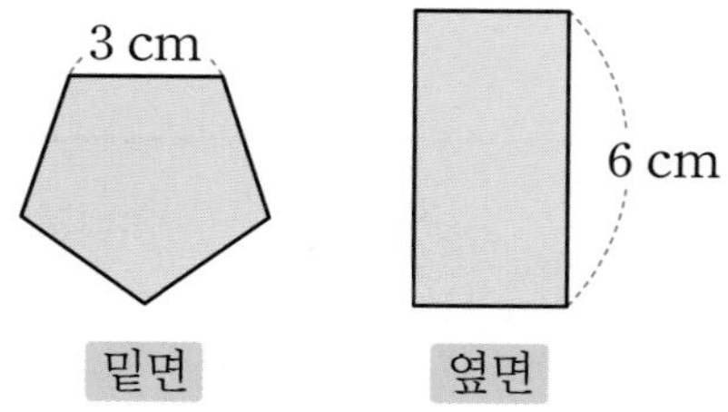

□ cm

2-2

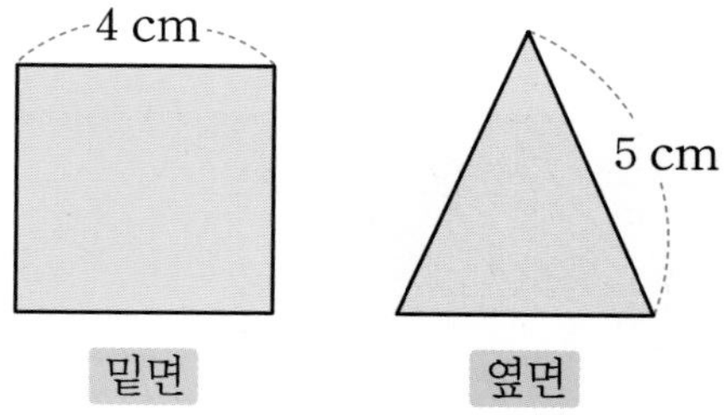

□ cm

2-3

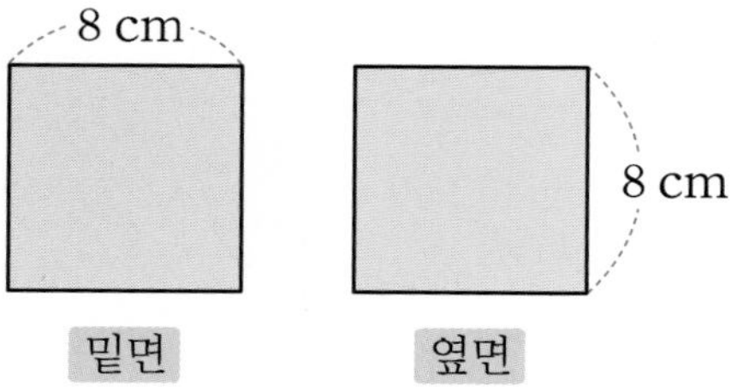

□ cm

2-4

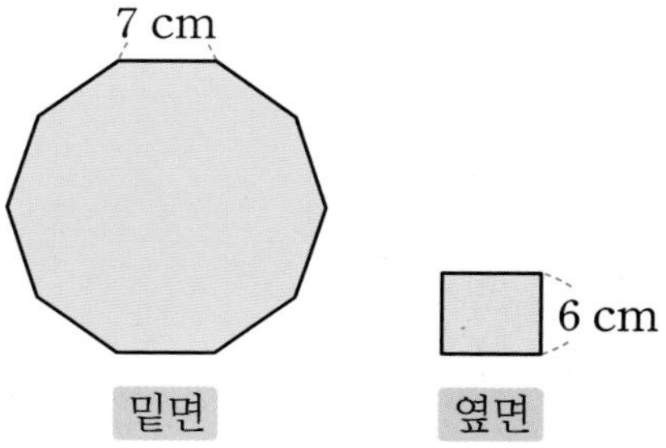

□ cm

2-5

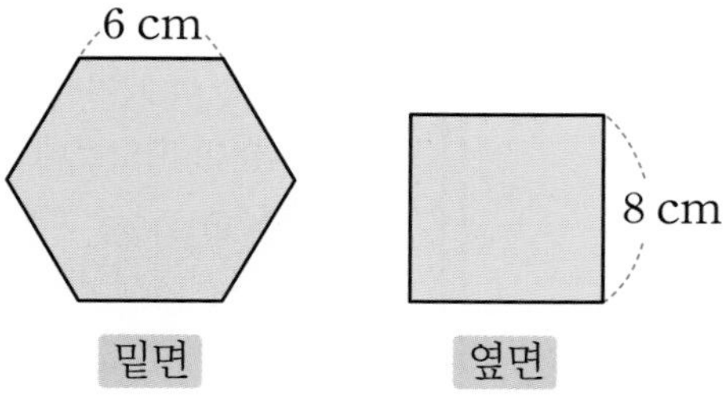

□ cm

2-6

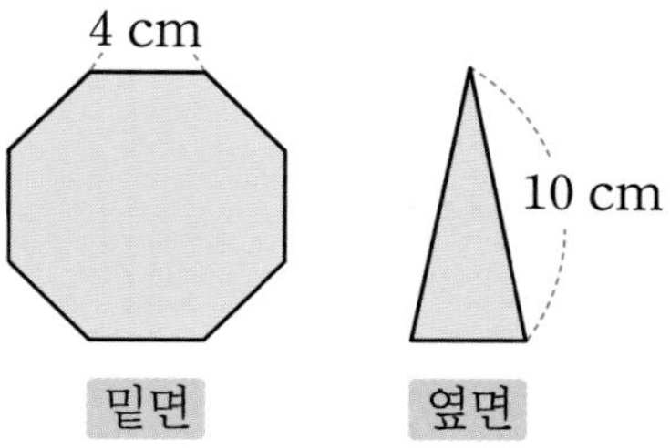

□ cm

2일 입체도형을 여러 방향에서 본 모양

오늘은 무엇을 공부할까요?

안녕! 오늘의 천재 TV는 이집트로 떠나는 여행이에요.
천재 TV
이집트로 떠나는 여행
여러분은 이집트 하면 무엇이 떠오르시나요?
불쑥
피라미드!!
하하~ 맞아요! 이집트의 피라미드가 유명하죠.
여러분은 피라미드에 대해 알고 있나요?
난 알아.
왕의 무덤으로 돌로 만들어진 건축물이죠.
어? 근데요. 피라미드를 보니 오늘 수학 시간에 배운 각뿔이 떠오르네요.
왜 갑자기?

피라미드를 앞에서 본 모양과 옆에서 본 모양은 삼각형이고, 위에서 본 모양은 사각형이에요!
앞
위
옆
한오야, 너도 오늘 배운 거 기억나지?
한오, 너 수학 시간에 설마 졸았던 거야?
지금은 이집트로 떠나는 여행인데……
그만그만!
도망가자
나 갑자기 급한 일이 생겨서 먼저 갈게. 뒷 마무리를 부탁해.
아직 방송 중인데 어디가?

도형 기본 개념

● 피라미드를 위, 앞, 옆에서 본 모양

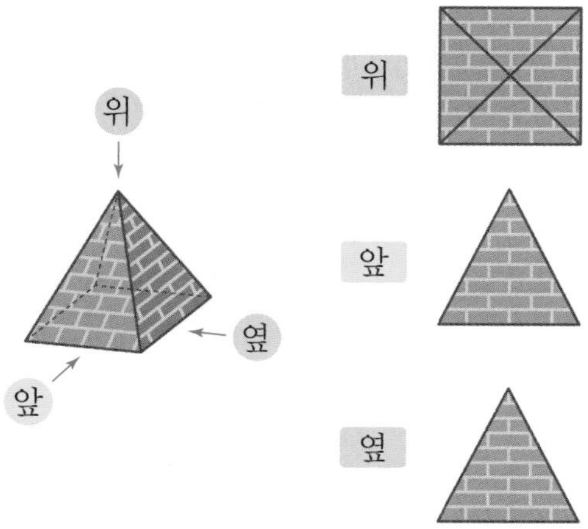
위
앞
옆
위
앞
옆

⇨ 피라미드의 옆면의 모양은 모두 삼각형입니다.

● 사각뿔을 위, 앞, 옆에서 본 모양

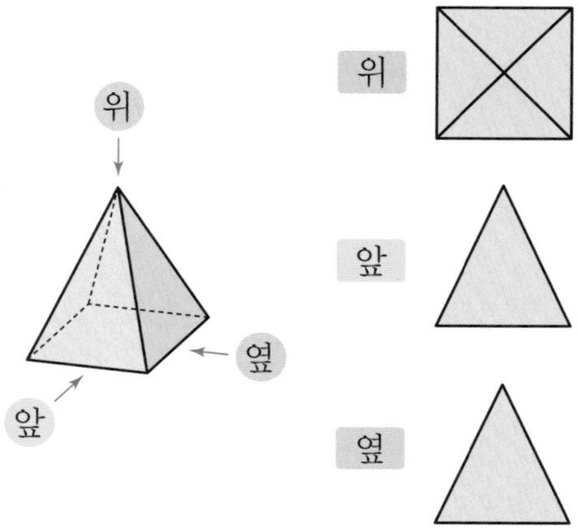
위
앞
옆
위
앞
옆

⇨ 사각뿔의 옆면의 모양은 모두 ❶ ______ 입니다.

정답 ❶ 삼각형

2^일 입체도형을 여러 방향에서 본 모양

🐻 **활동**을 통하여 **개념**을 알아보아요.

◉ 입체도형을 위, 앞에서 본 모양

위	위	위	위	위
앞	앞	앞	앞	앞
삼각기둥	사각뿔	원기둥	원뿔	구

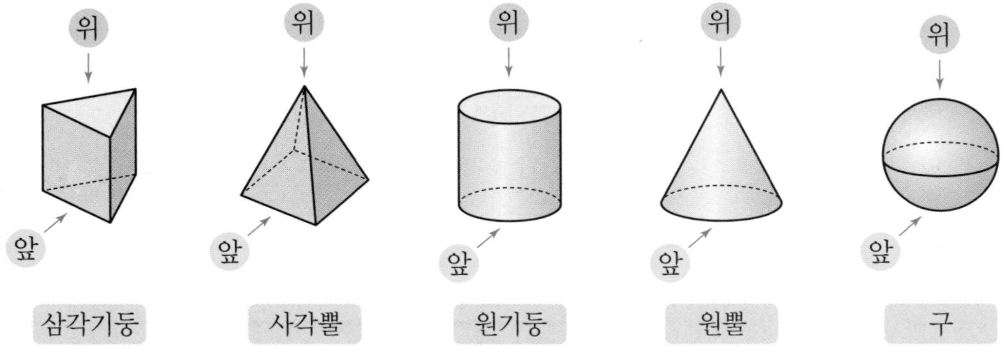

활동 1 앞에서 본 모양

삼각기둥	사각뿔	원기둥	원뿔	구
□	△	□	△	○

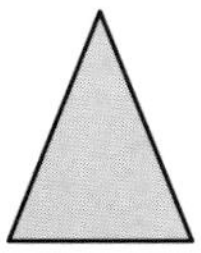

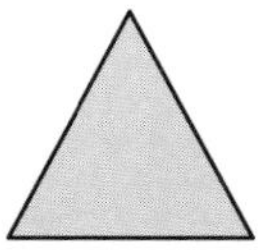

구는 앞과 위에서 본
모양이 같습니다.

활동 2 위에서 본 모양

삼각기둥	사각뿔	원기둥	원뿔	구
△	⊠	○	⊙	○

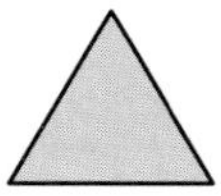

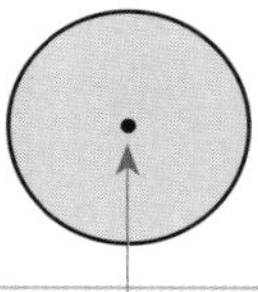

원뿔의 꼭짓점입니다.

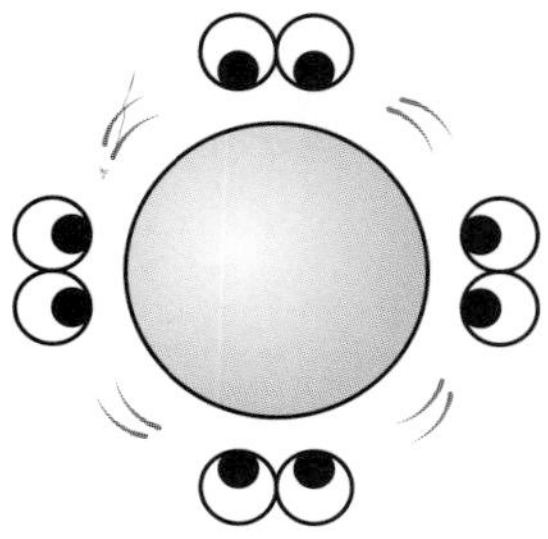

구는 어느 방향에서
보아도 모두
원 모양으로 보여요.

활동 개념 확인

밑면의 모양이 정다각형인 입체도형입니다. 입체도형을 앞에서 본 모양을 찾아 ◯표 하세요.

1-1

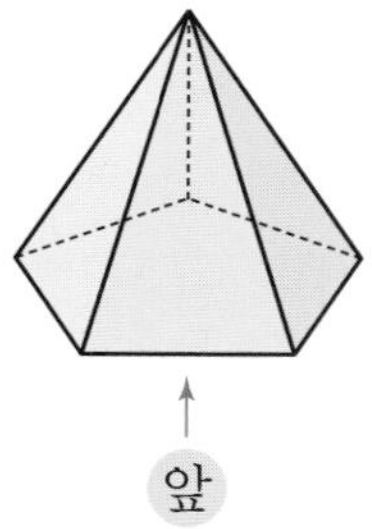

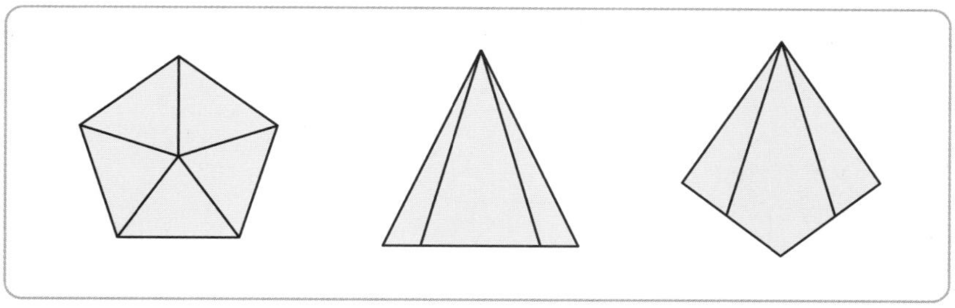

1-2

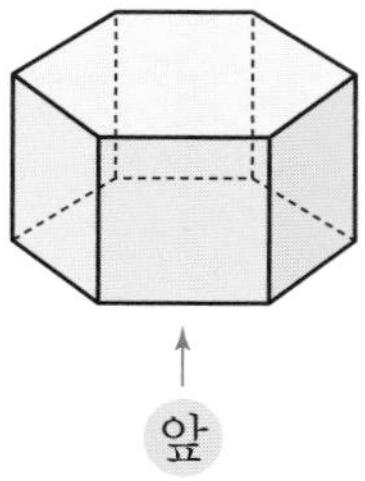

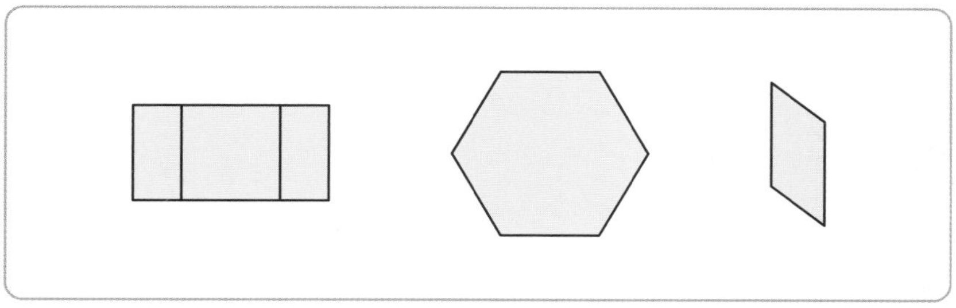

밑면의 모양이 정다각형인 입체도형입니다. 입체도형을 위에서 본 모양을 찾아 ◯표 하세요.

2-1

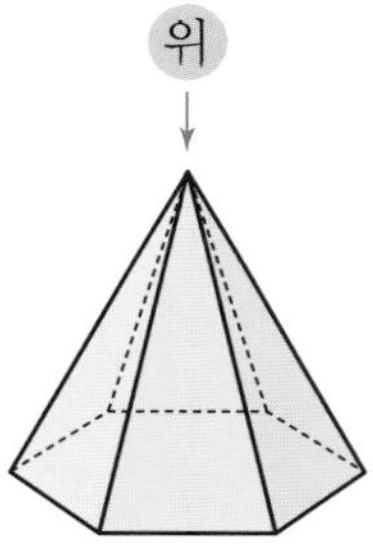

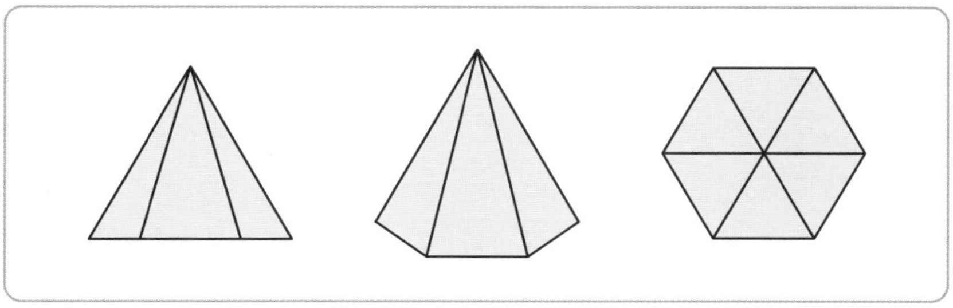

2-2

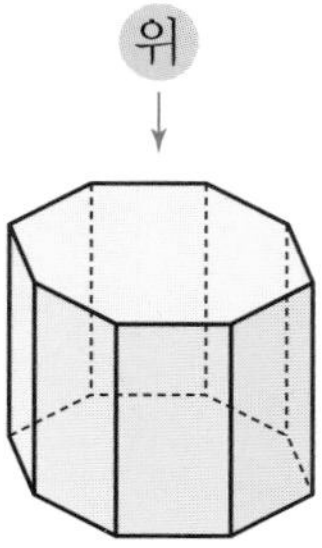

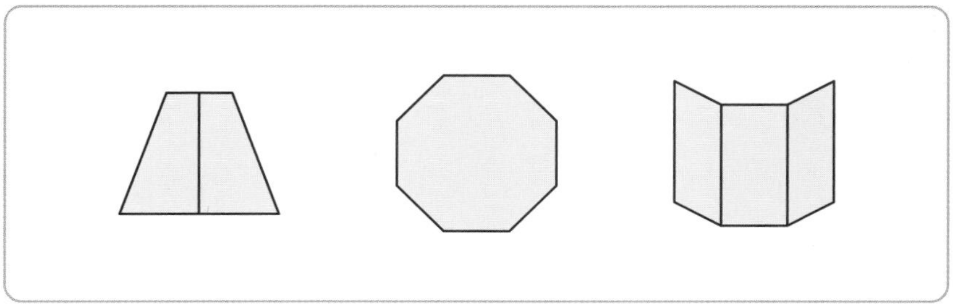

2일 입체도형을 여러 방향에서 본 모양

도형 집중 연습

보기 와 같이 밑면의 모양이 정다각형인 입체도형을 잘랐습니다. 잘린 면의 모양을 그려 보세요.

보기

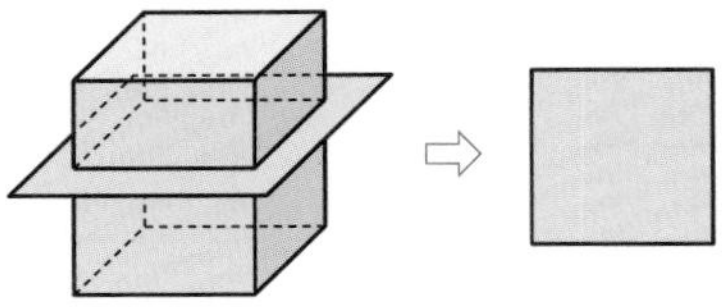

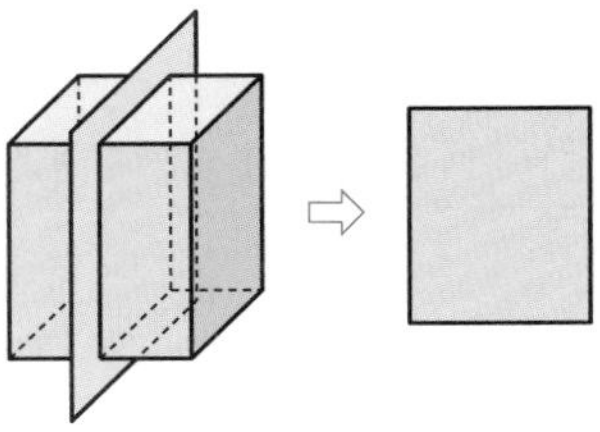

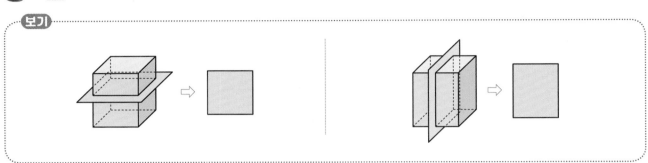

1-1

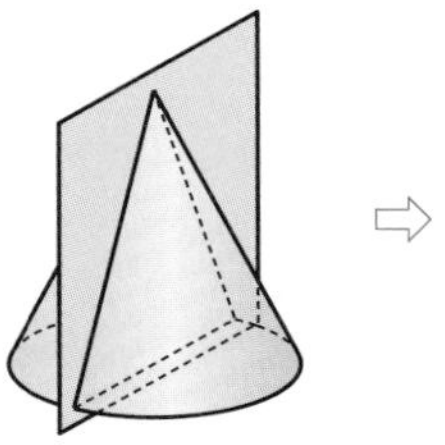

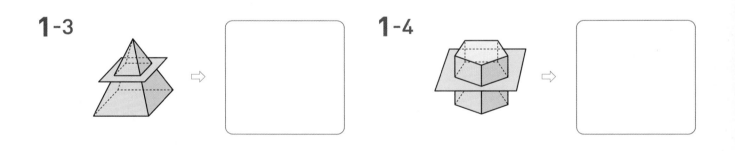

1-2

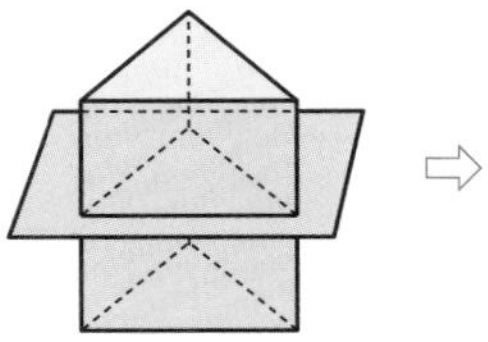

1-3

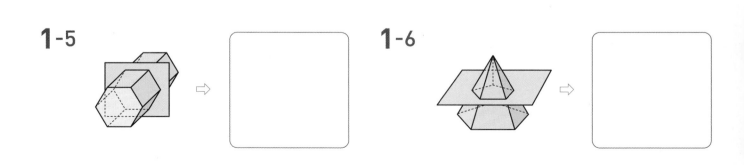

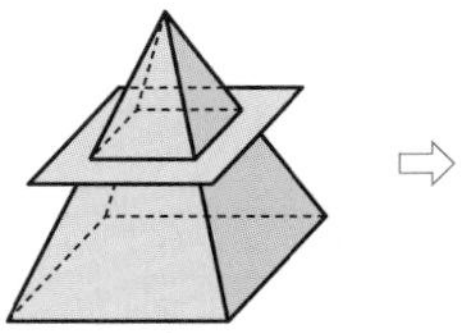

1-4

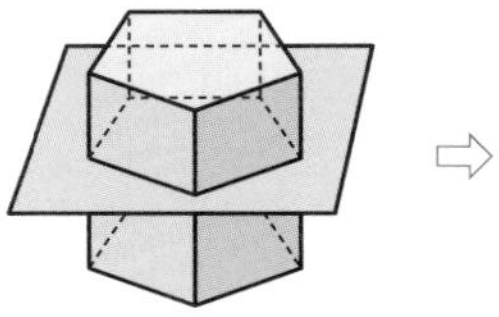

1-5

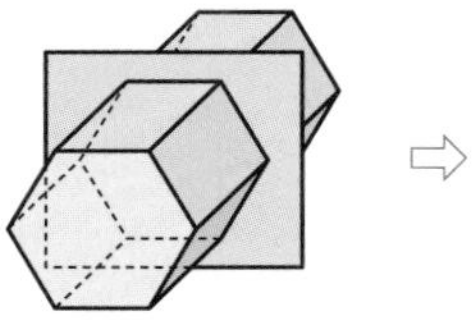

1-6

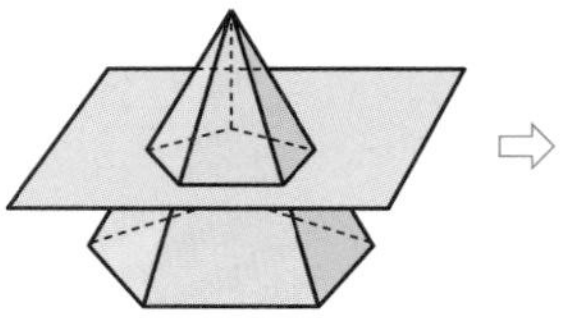

보기 와 같이 입체도형을 빨간 선을 따라 잘랐을 때 잘린 면의 모양은 삼각형, 사각형 중 어떤 도형인지 쓰세요.

보기

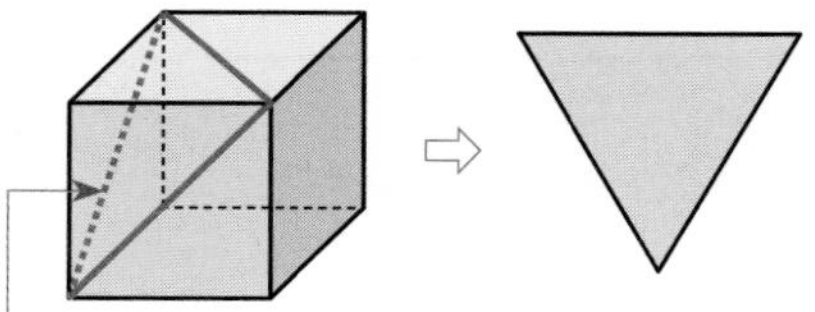

빨간 선으로 그린 모양은 삼각형입니다.

삼각형

2-1

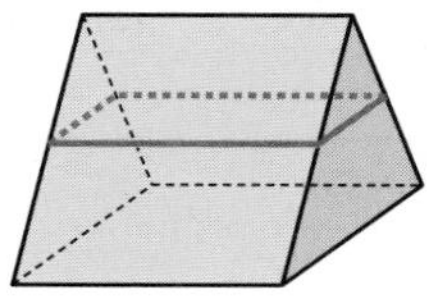

2-2

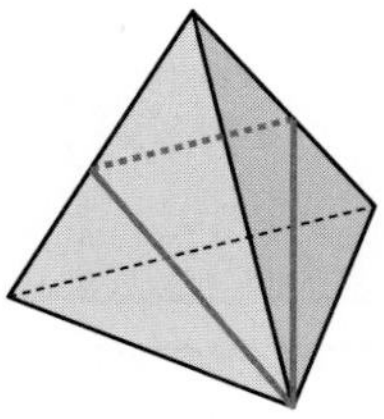

2-3

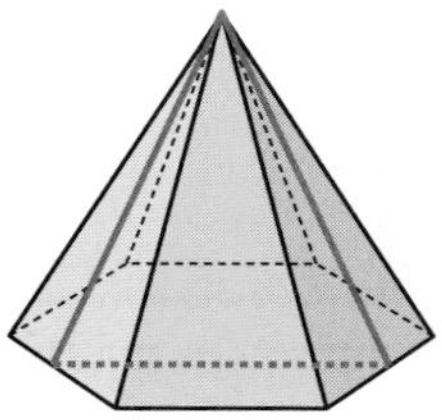

2-4

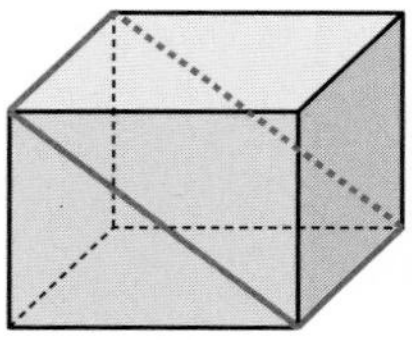

2-5

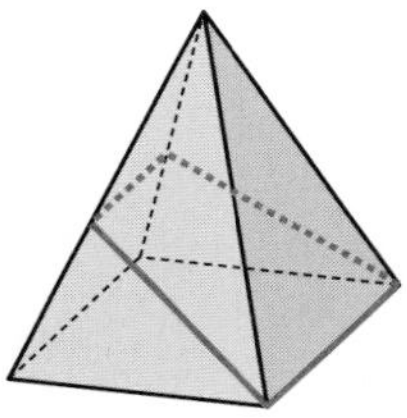

2-6

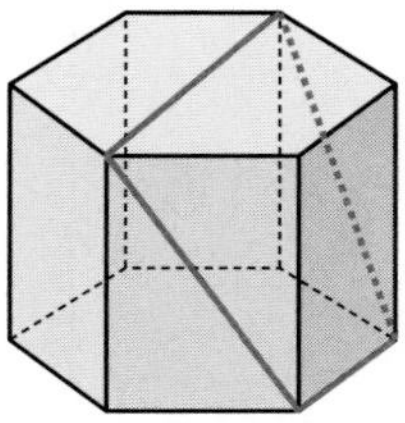

2-7

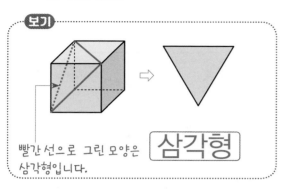

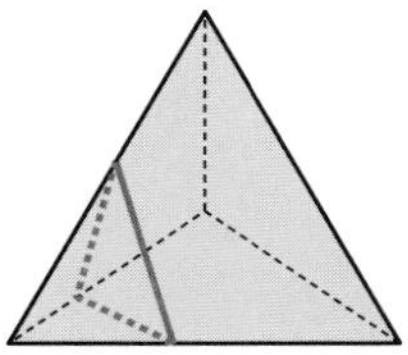

1주 2일

3일 잘린 도형의 모양 알아보기

오늘은 무엇을 공부할까요?

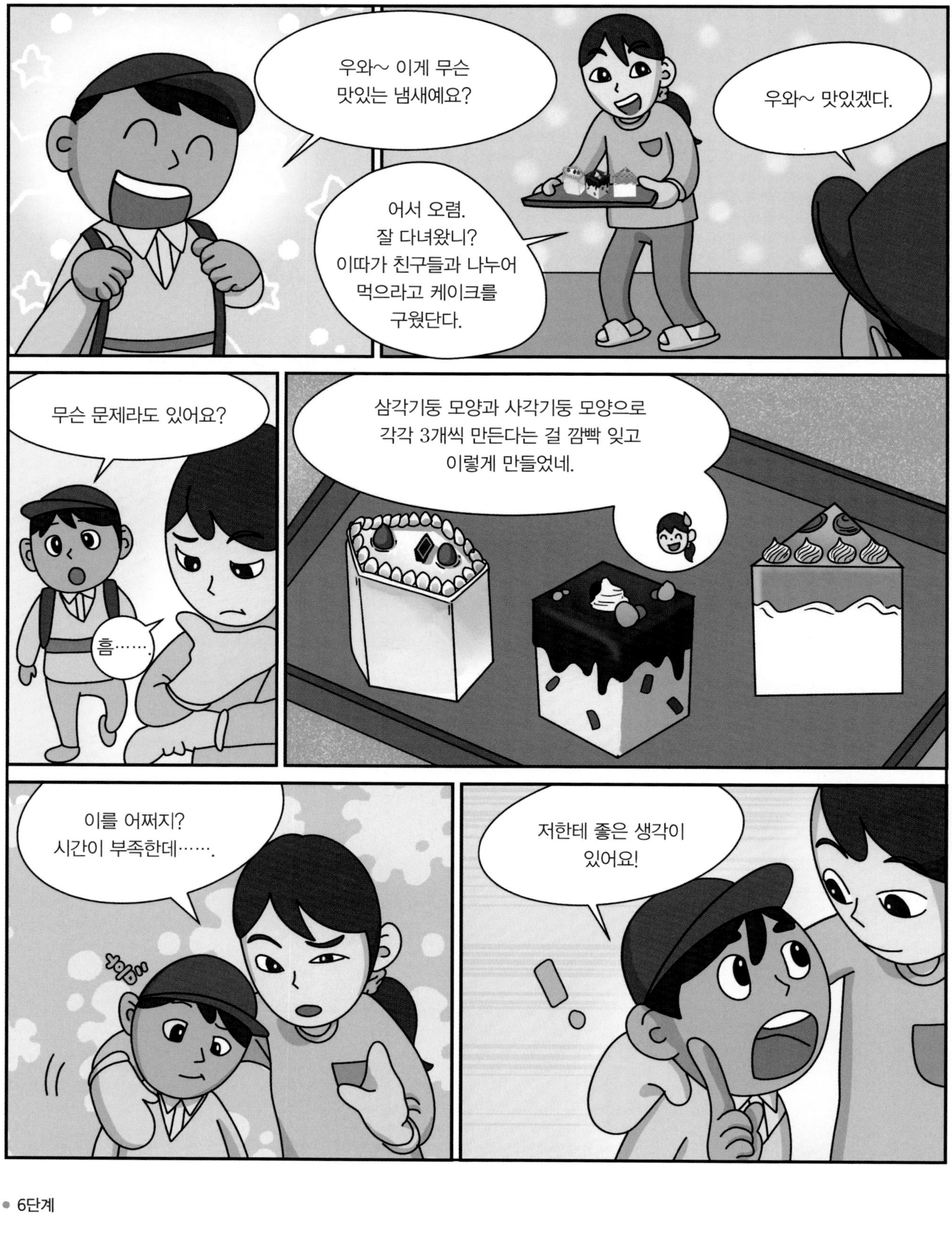
우와~ 이게 무슨 맛있는 냄새예요?
우와~ 맛있겠다.
어서 오렴. 잘 다녀왔니? 이따가 친구들과 나누어 먹으라고 케이크를 구웠단다.
무슨 문제라도 있어요?
흠…….
삼각기둥 모양과 사각기둥 모양으로 각각 3개씩 만든다는 걸 깜빡 잊고 이렇게 만들었네.
이를 어쩌지? 시간이 부족한데…….
저한테 좋은 생각이 있어요!

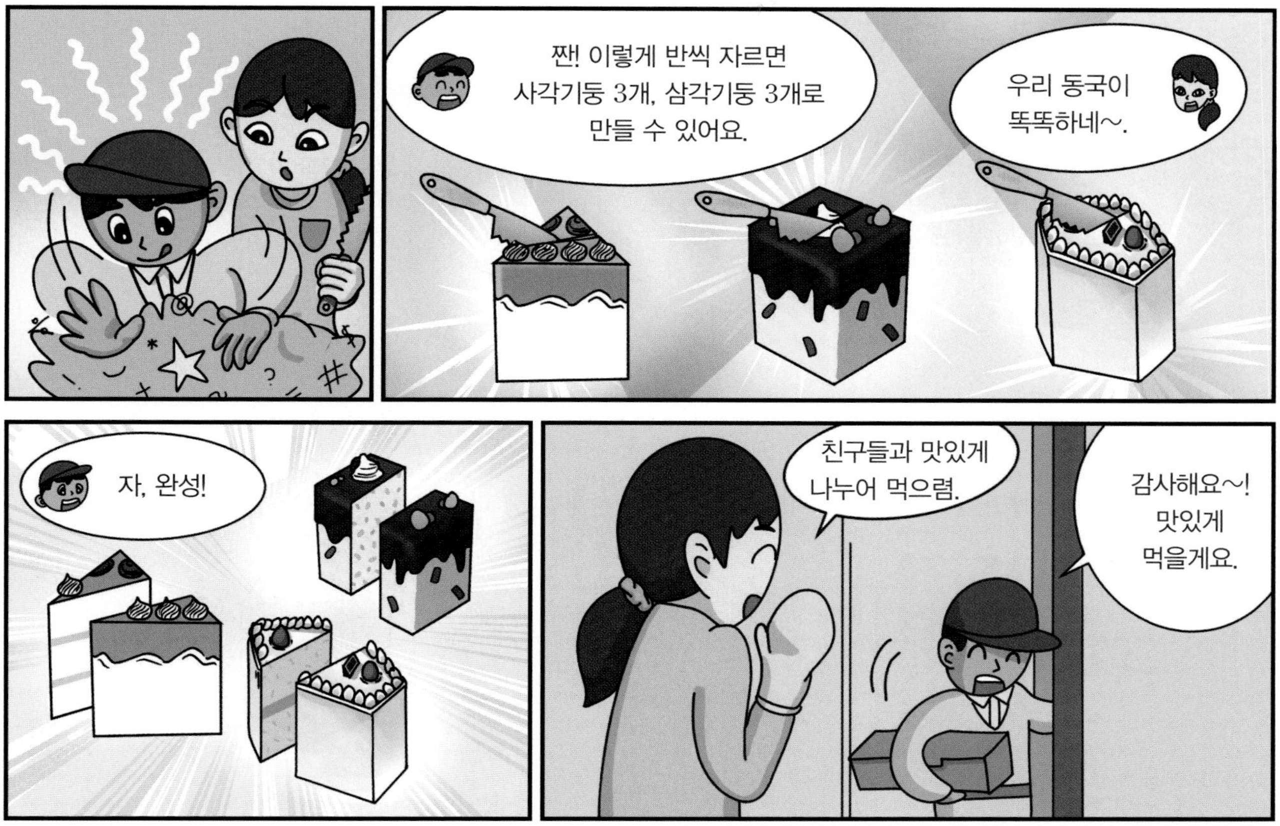
짠! 이렇게 반씩 자르면 사각기둥 3개, 삼각기둥 3개로 만들 수 있어요.
우리 동국이 똑똑하네~.
자, 완성!
친구들과 맛있게 나누어 먹으렴.
감사해요~! 맛있게 먹을게요.

도형 기본 개념

● **사각기둥 모양의 케이크 자르기**

• 삼각기둥 모양 2개로 자르기

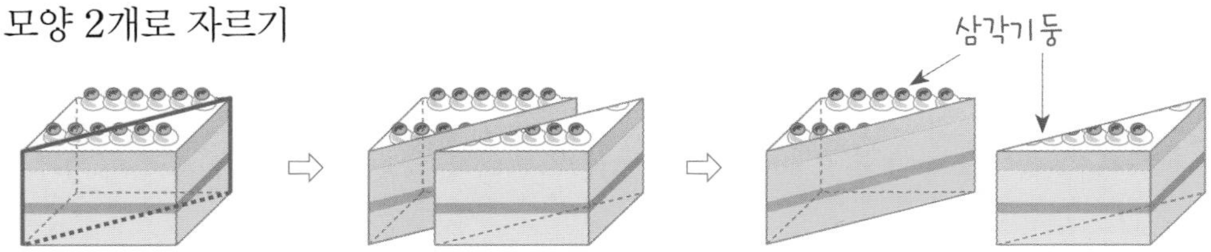
삼각기둥

• 삼각기둥 모양 1개, 사각기둥 모양 1개로 자르기

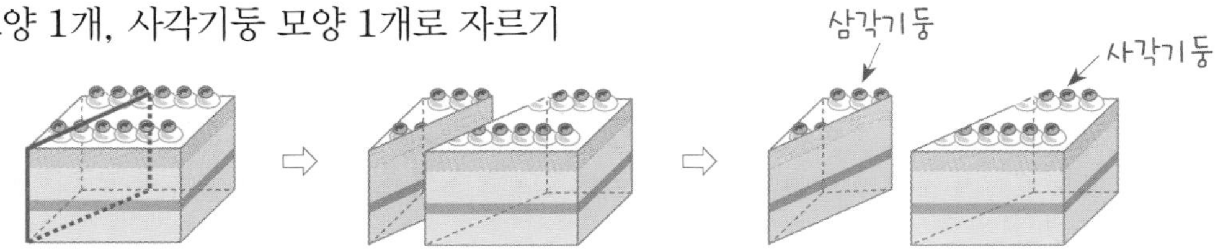
삼각기둥
사각기둥

3일 잘린 도형의 모양 알아보기

활동을 통하여 개념을 알아보아요.

◎ 선을 따라 잘린 도형의 모양 알아보기

오각기둥을 선을 따라 잘랐을 때 잘린 도형의 모양을 알아볼까?

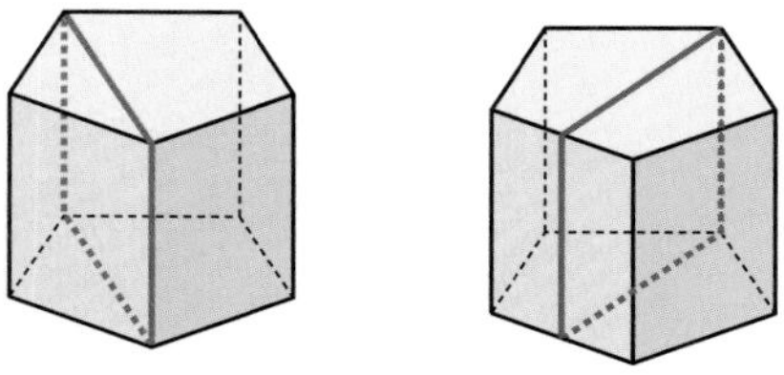

빨간 선과 파란 선을 따라 각각 잘라 알아볼게요.

활동 1 빨간 선을 따라 두 도형으로 자르기

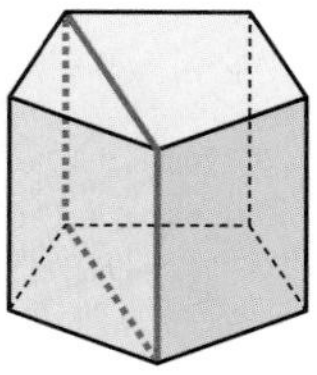

⇩

밑면의 모양이 삼각형이고 옆면의 모양이 직사각형이에요.

밑면의 모양이 사각형이고 옆면의 모양이 직사각형이에요.

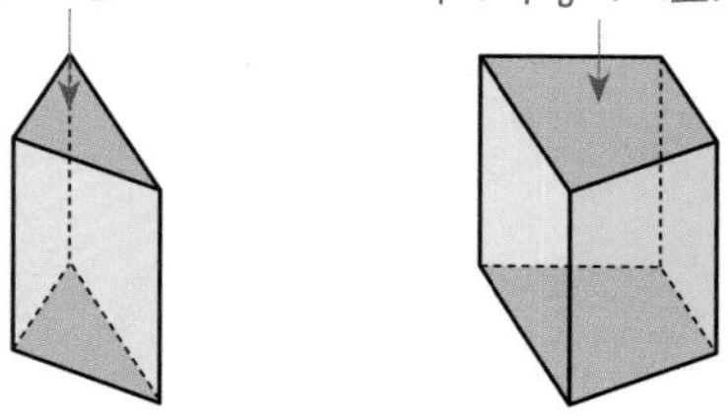

⇩

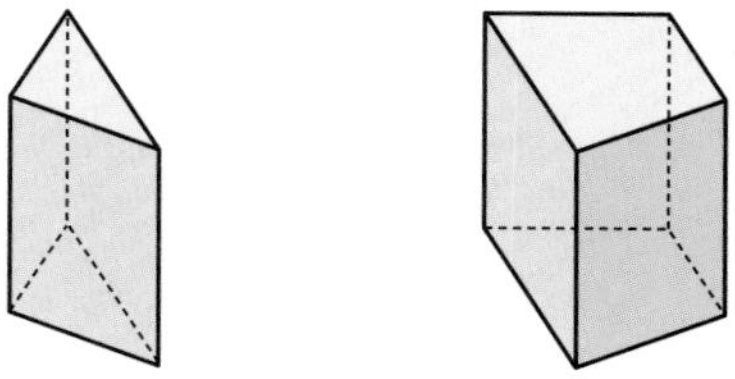

삼각기둥　　사각기둥

활동 2 파란 선을 따라 두 도형으로 자르기

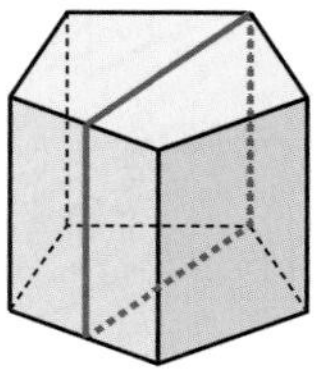

⇩

밑면의 모양이 사각형이고 옆면의 모양이 직사각형이에요.

밑면의 모양이 사각형이고 옆면의 모양이 직사각형이에요.

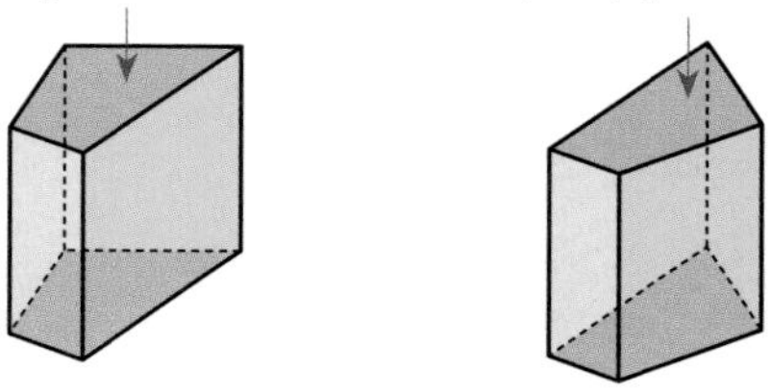

⇩

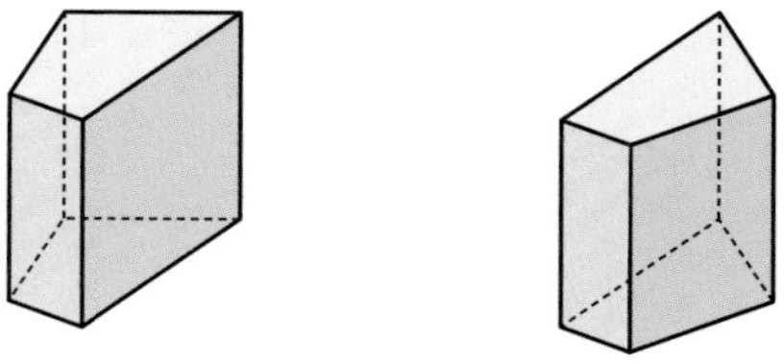

사각기둥　　사각기둥

활동 개념 확인

입체도형을 빨간 선을 따라 잘랐습니다. 잘라서 생긴 두 도형의 이름을 쓰세요.

1-1

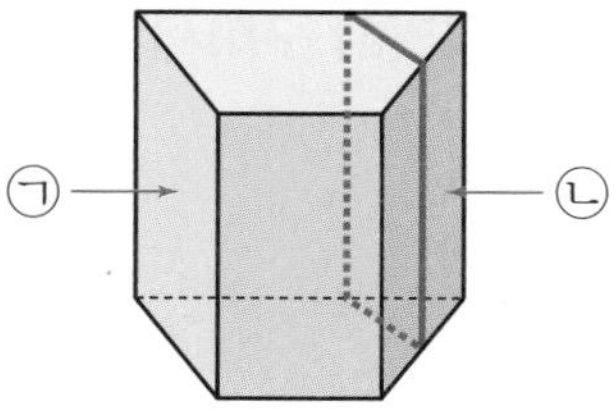

㉠:

㉡:

1-2

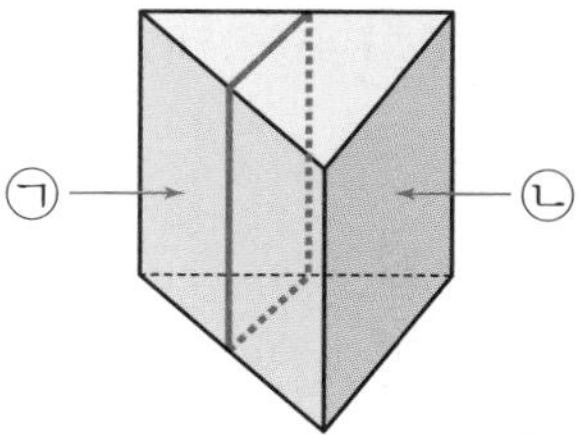

㉠:

㉡:

1-3

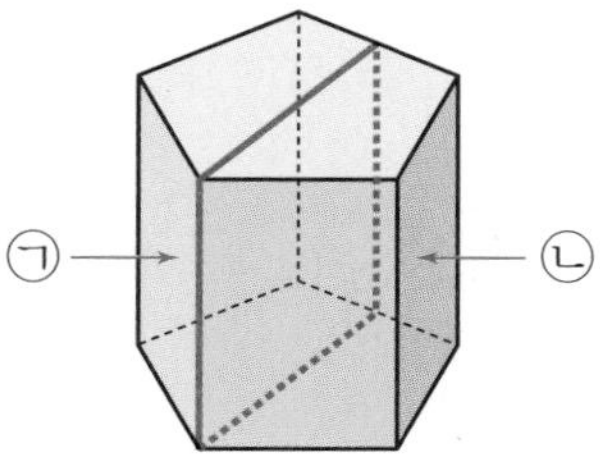

㉠:

㉡:

1-4

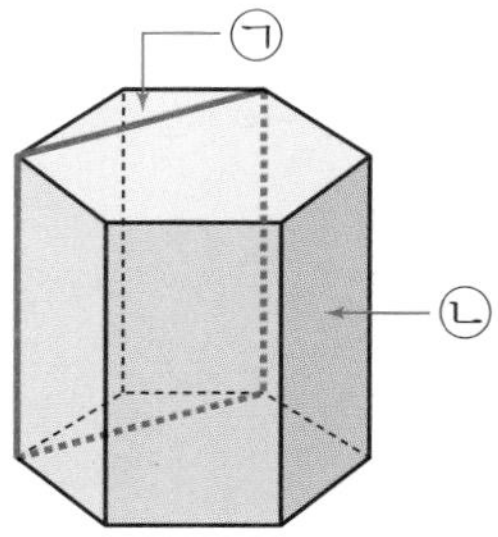

㉠:

㉡:

1-5

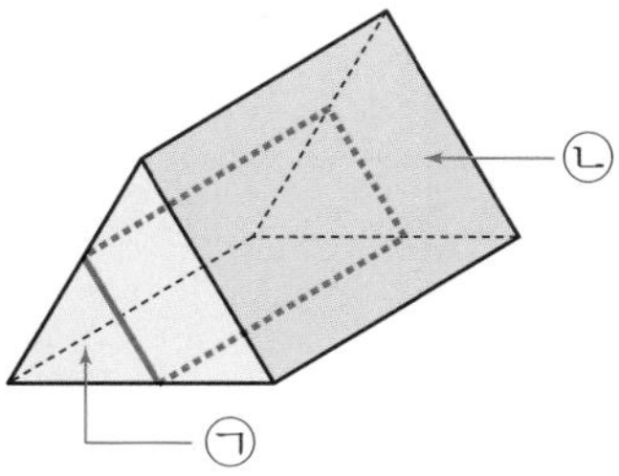

㉠:

㉡:

1-6

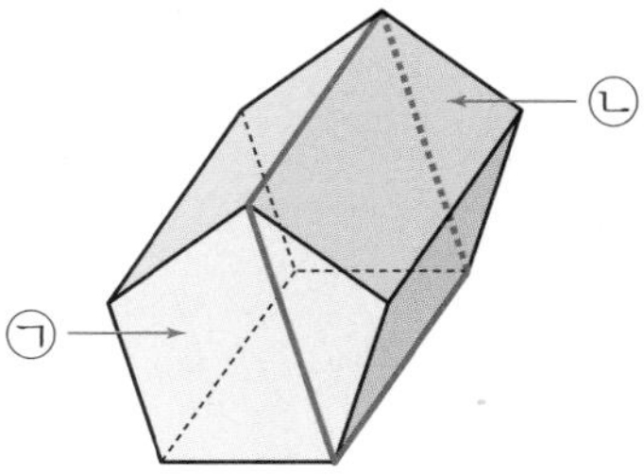

㉠:

㉡:

3일 잘린 도형의 모양 알아보기

도형 집중 연습

입체도형의 일부를 잘라 내었을 때, 잘라 낸 입체도형의 면의 수는 몇 개인지 구하세요.

1-1

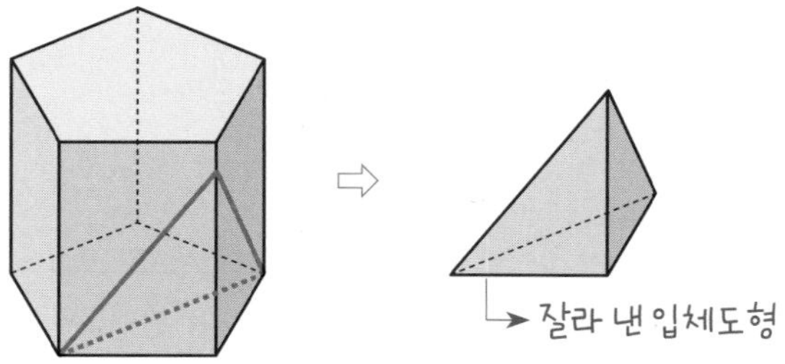

□개

1-2

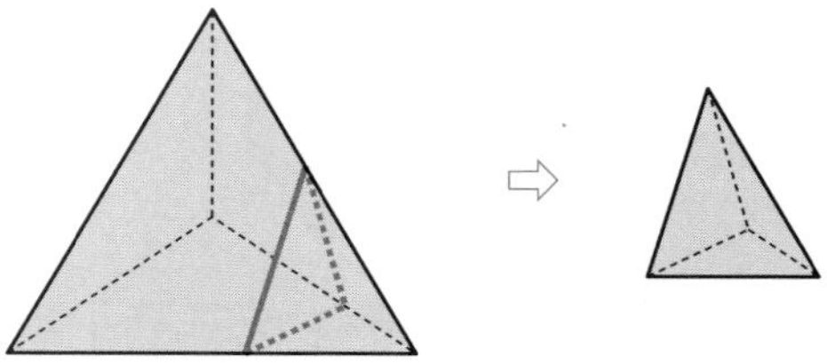

□개

1-3

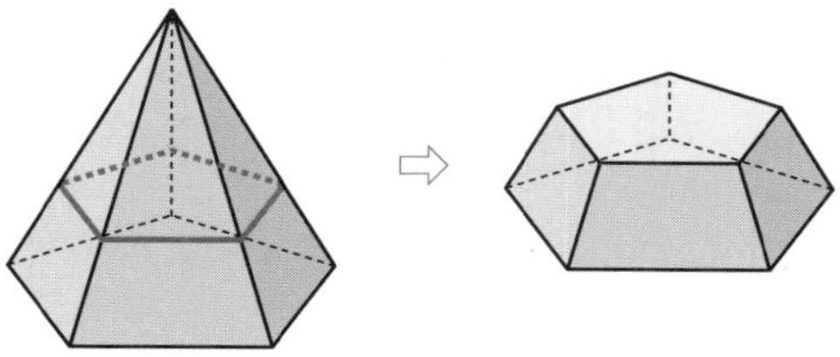

□개

1-4

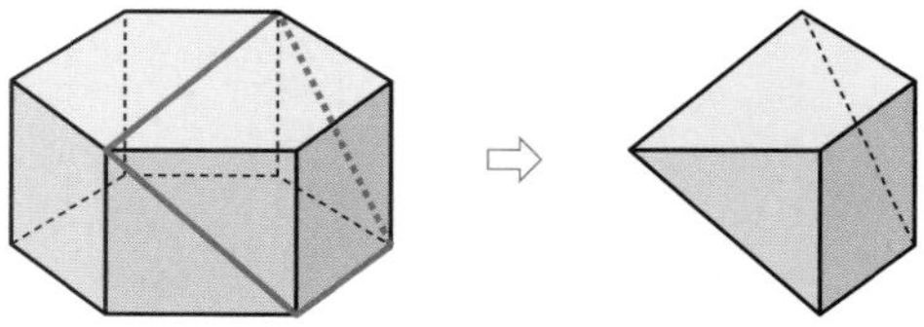

□개

1-5

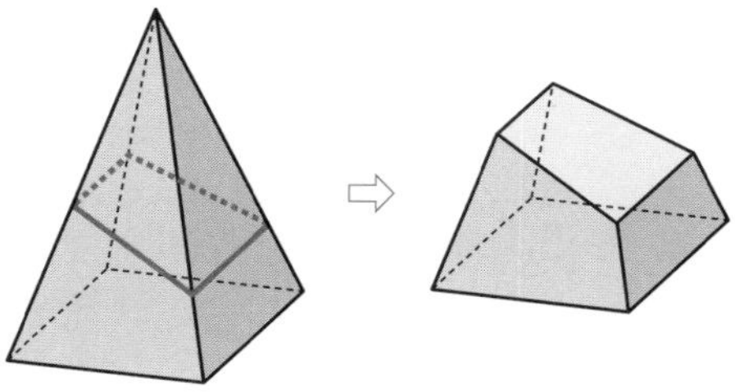

□개

1-6

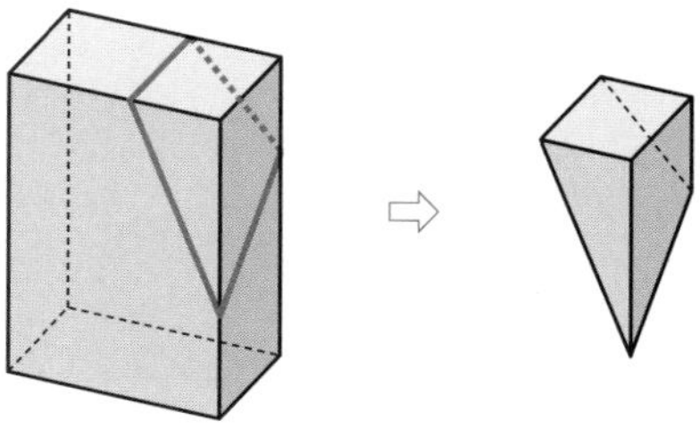

□개

🐸 입체도형의 일부를 삼각뿔 모양으로 잘라 냈을 때 남은 입체도형의 꼭짓점의 수를 구하세요.

2-1

☐ 개

2-2

☐ 개

2-3

☐ 개

2-4

☐ 개

삼각뿔 모양 2개를
잘라냅니다.

2-5

☐ 개

2-6

삼각뿔 모양 2개를
잘라냅니다.

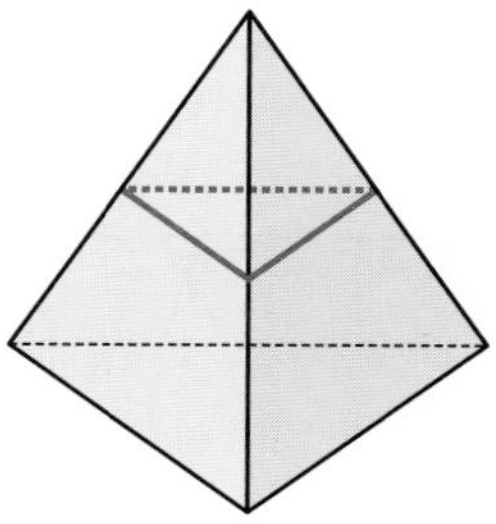

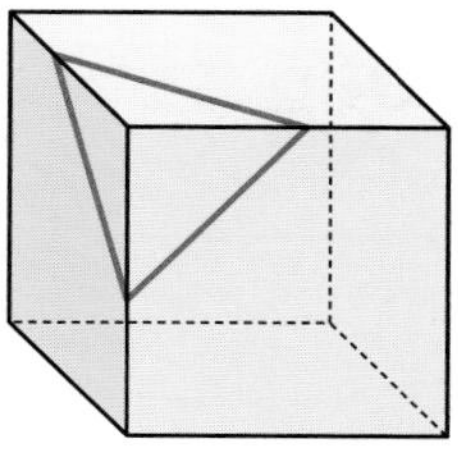

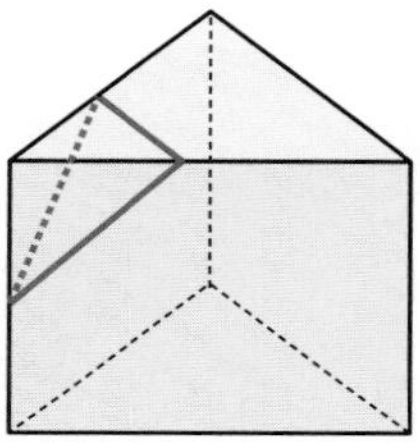

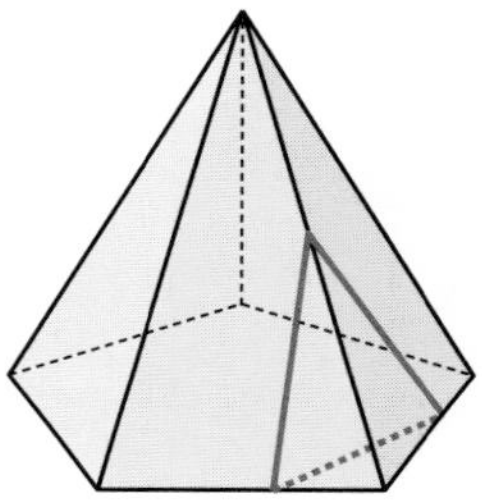

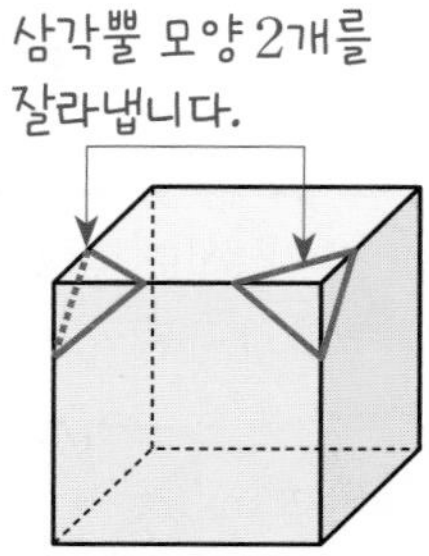

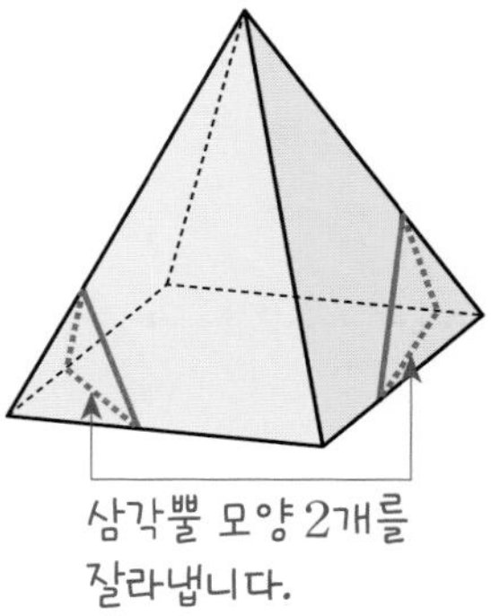

☐ 개

4일 각기둥의 전개도 알아보기

오늘은 무엇을 공부할까요?

안녕하세요! 천재 TV입니다!
딸깍!
짜잔! 제가 만든 각기둥 모양의 상자를 가지고 왔어요.
우와~ 멋지다 오늘은 친구들도 초대했어요. 얘들아, 들어와!!!
쿵쿵
쿵
우르르ㅡ
콰직
앗! 어떡해?
붙어있던 장식도 떨어졌네. 이를 어쩌지…….
흐음..
오각기둥의 모서리가 떨어지면서 전개도 모양이 되어 버렸어.

맞닿는 곳을 찾아 천천히 붙여 보자.
전개도를 이용하면 금방 할 수 있을 거야.
맞아! 각기둥의 전개도에서 맞닿는 모서리의 길이는 같으니까 잘 접어서 붙여 보자.
짠~ 완벽하지?
짝짝짝!
하하~!
오~ 좀 하는데!
야, 너희 방송 중이잖아~.
벌컥!
아, 맞다

도형 기본 개념

- **각기둥의 전개도**: 각기둥의 모서리를 잘라서 평면 위에 펼쳐 놓은 그림

  예) 사각기둥의 전개도

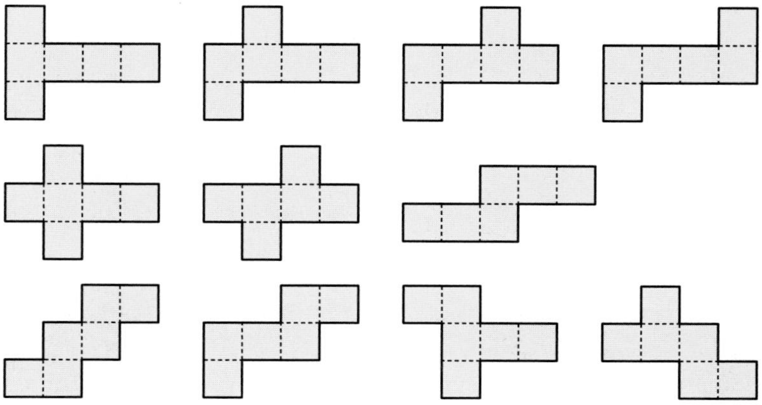

모서리를 자르는 방법에 따라 여러 가지 모양으로 전개도를 그릴 수 있어요.

4일 각기둥의 전개도 알아보기

활동을 통하여 개념을 알아보아요.

◎ 오각기둥의 옆면에 있는 모양(●)을 전개도에 그려 보기

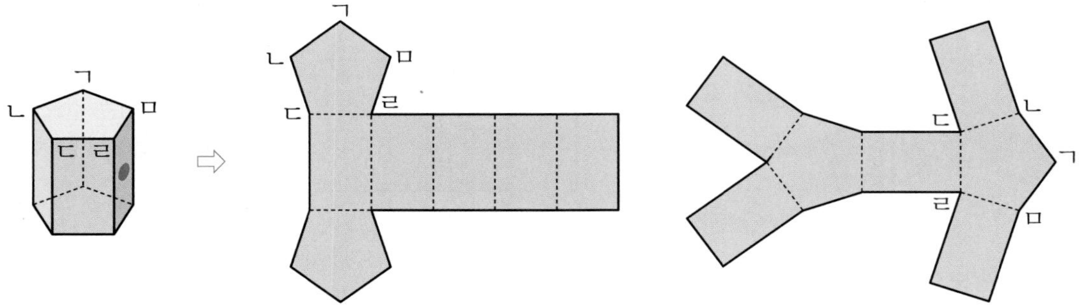

〈전개도 1〉 〈전개도 2〉

활동 1 〈전개도 1〉에 모양(●) 그리기

① 서로 맞닿는 꼭짓점을 찾아 표시해 봅니다.

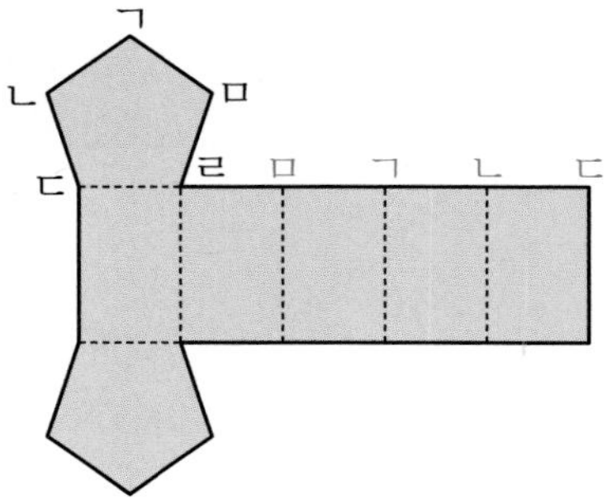

② 선분 ㄹㅁ이 있는 옆면을 찾아 모양(●)을 그립니다.

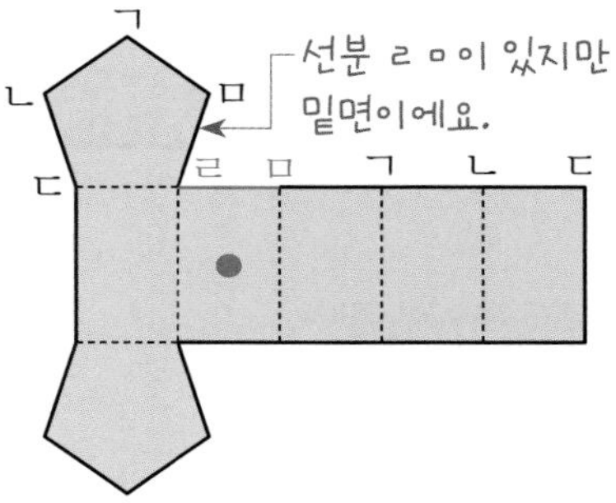

활동 2 〈전개도 2〉에 모양(●) 그리기

① 서로 맞닿는 꼭짓점을 찾아 표시해 봅니다.

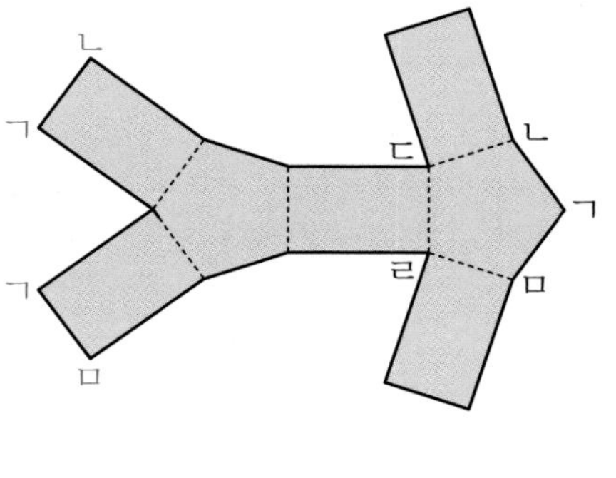

② 선분 ㄹㅁ이 있는 옆면을 찾아 모양(●)을 그립니다.

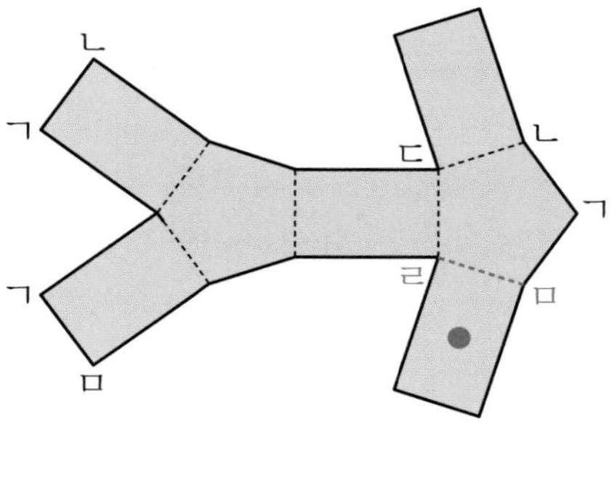

활동 개념 확인

각기둥에 색칠된 빨간색 옆면을 전개도에서 찾아 색칠하세요.

1-1

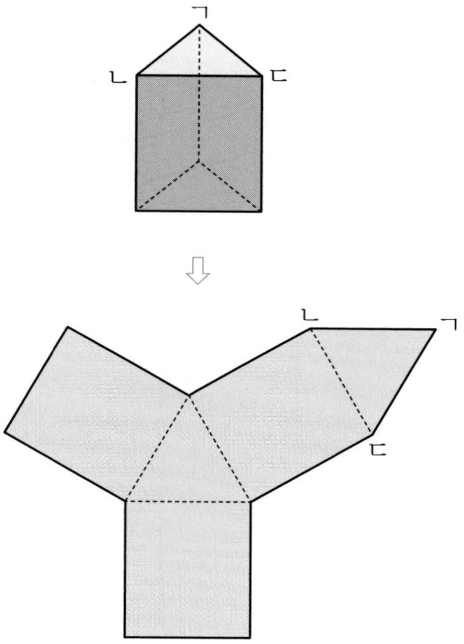

1-2

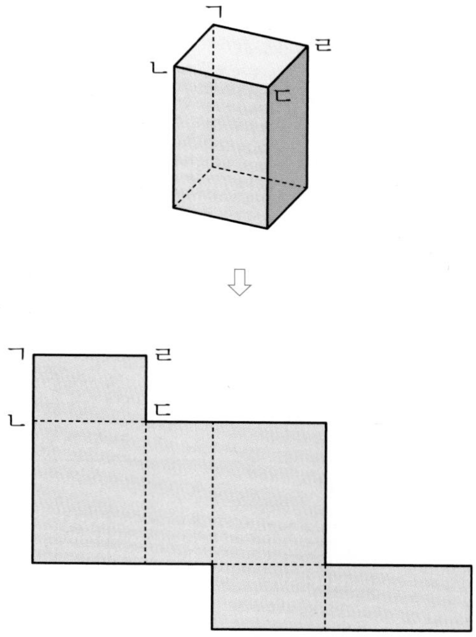

1-3

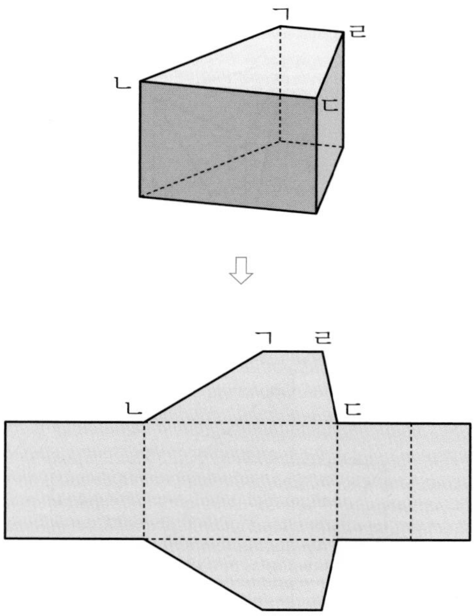

1-4

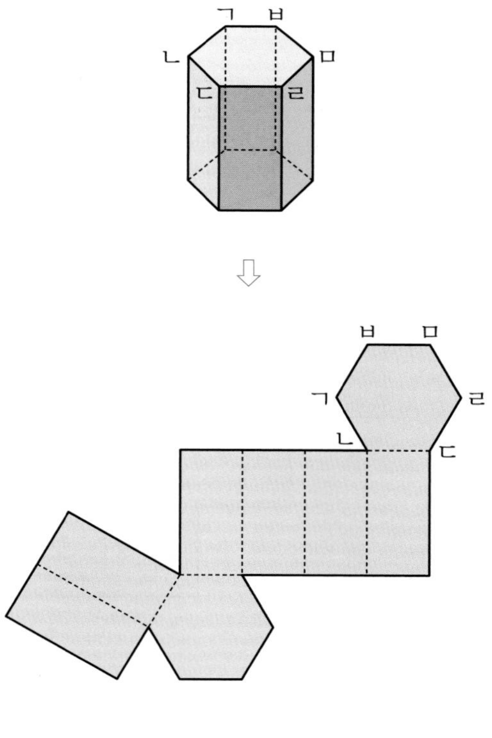

1주
4일

4일 각기둥의 전개도 알아보기

도형 집중 연습

각기둥에 그려진 초록색 선을 전개도에 그려 보세요.

1-1

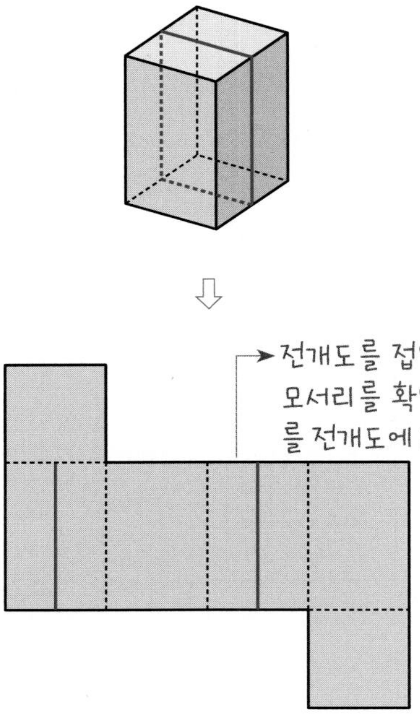

전개도를 접었을 때 맞닿는 꼭짓점과 모서리를 확인하여 선이 지나간 자리를 전개도에 그려 봅니다.

1-2

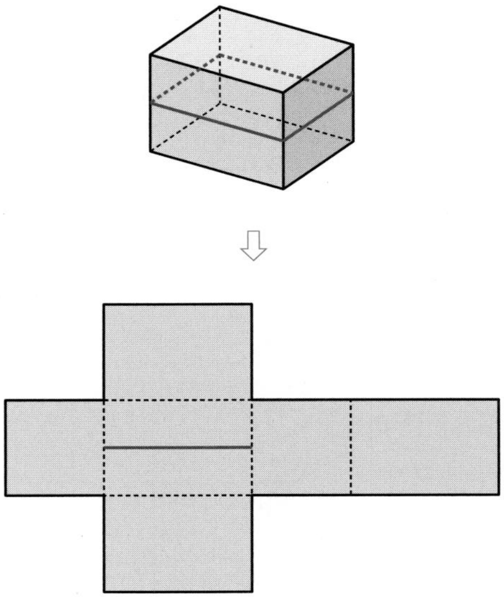

1-3

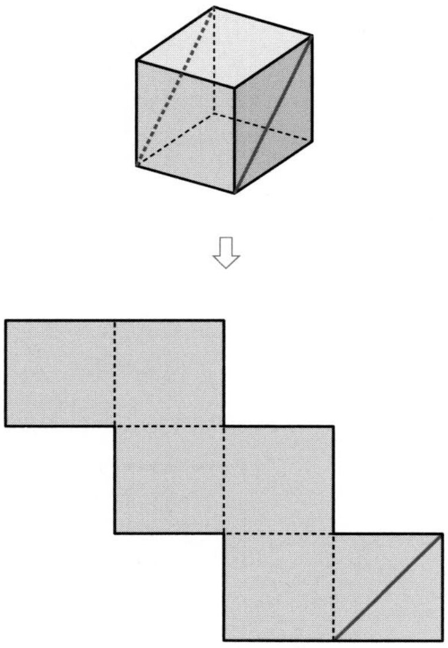

1-4

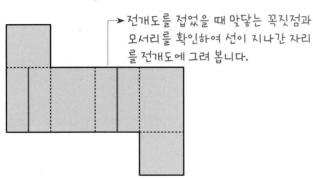

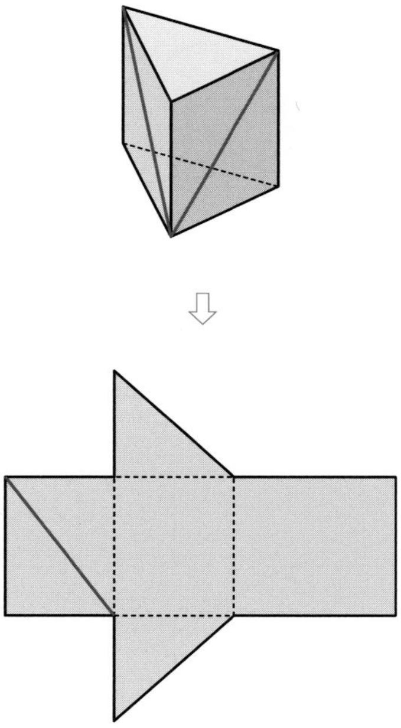

각기둥의 점 ㄱ에서 점 ㄴ까지 옆면을 지나는 초록색 선이 그어져 있습니다. 보기 와 같이 초록색 선의 길이가 가장 짧게 되도록 전개도에 그려 보세요.

보기

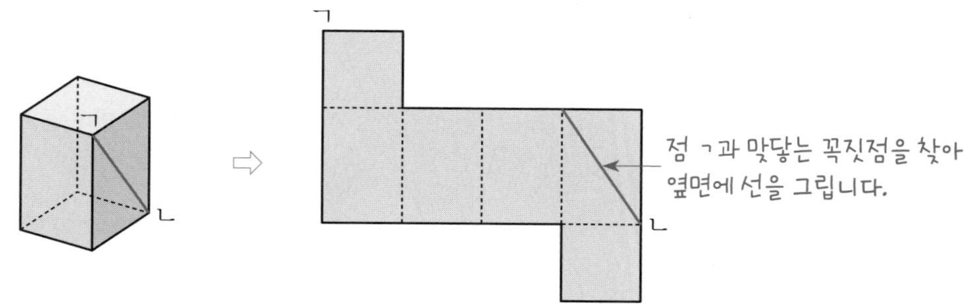

2-1

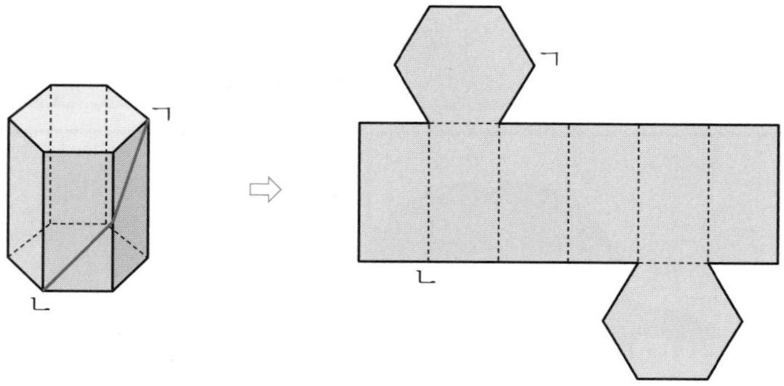

2-2

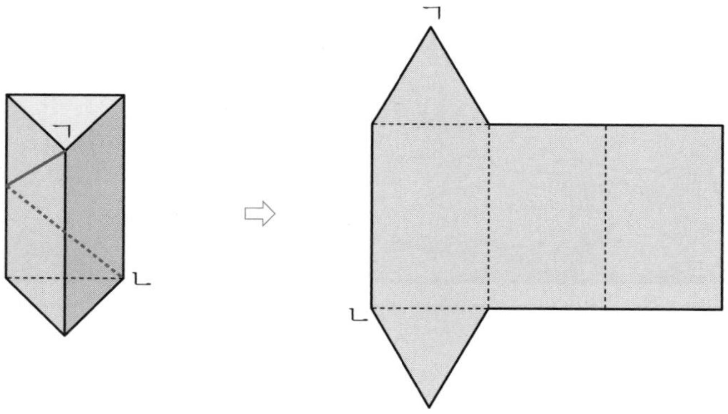

2-3

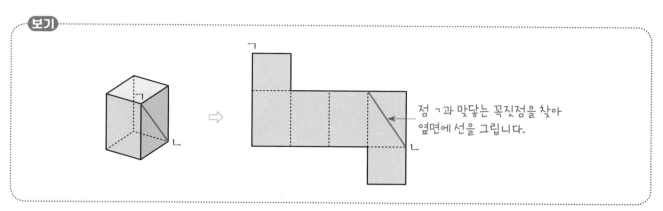

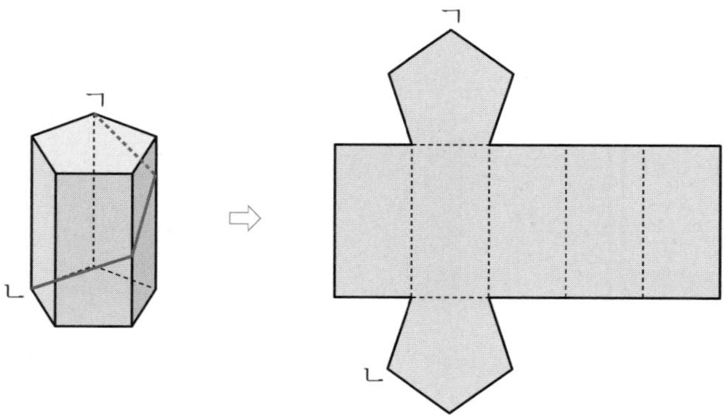

5일 전개도에서 둘레 구하기

오늘은 무엇을 공부할까요?

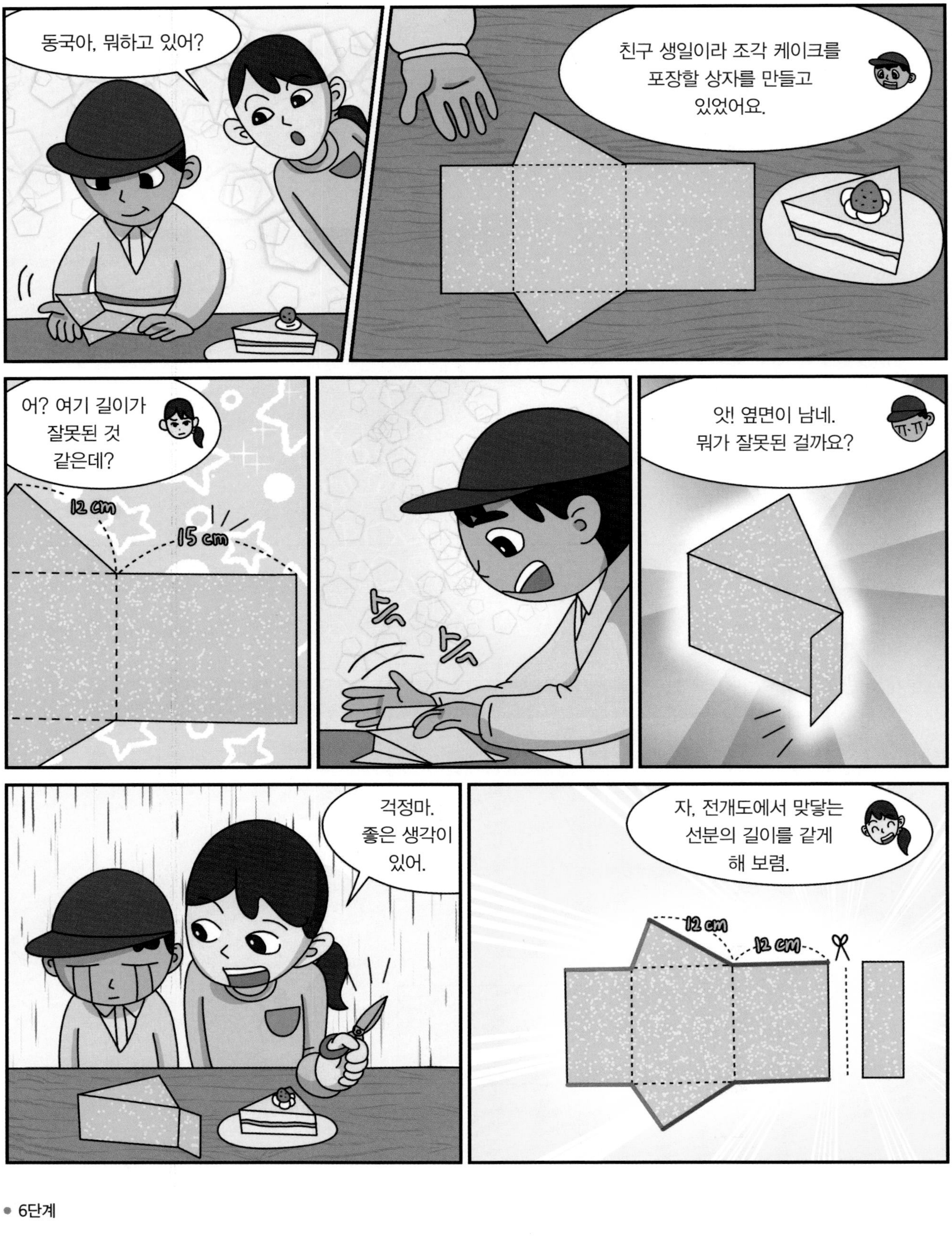

동국아, 뭐하고 있어?
친구 생일이라 조각 케이크를 포장할 상자를 만들고 있었어요.
어? 여기 길이가 잘못된 것 같은데?
12 cm
15 cm
앗! 옆면이 남네. 뭐가 잘못된 걸까요?
걱정마. 좋은 생각이 있어.
자, 전개도에서 맞닿는 선분의 길이를 같게 해 보렴.
12 cm
12 cm

자! 다시 해볼까?
네!
와! 딱맞고 예쁘게 포장 되었다!
그런데 혹시 좋아하는 친구 생일이니?
아, 아니에요!
귀엽긴~
잘 다녀와.
다녀오겠습니다~!

1주 5일

도형 기본 개념

● **전개도를 접었을 때 맞닿는 선분 알아보기**

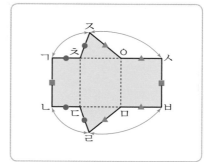

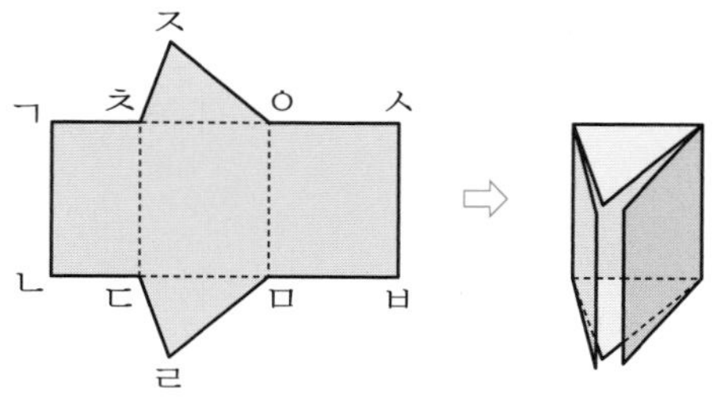

ㅈ
ㄱ
ㅊ
ㅇ
ㅅ
ㄴ
ㄷ
ㅁ
ㅂ
ㄹ

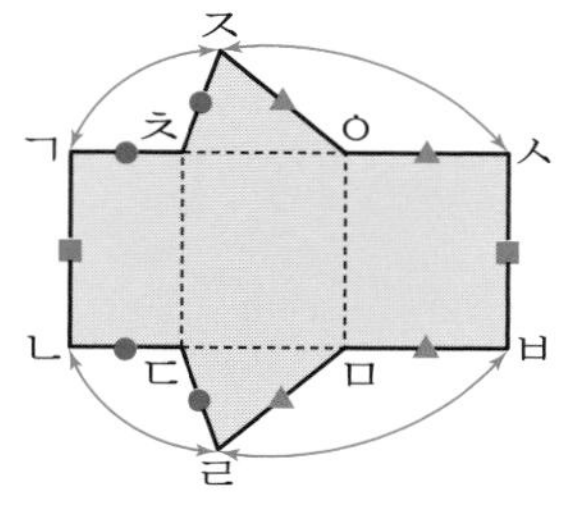

ㅈ
ㄱ
ㅊ
ㅇ
ㅅ
ㄴ
ㄷ
ㅁ
ㅂ
ㄹ

- 선분 ㄱㄴ과 맞닿는 선분: 선분 ㅅㅂ
- 선분 ㄴㄷ과 맞닿는 선분: 선분 ❶ ☐

참고

길이가 같은 선분이 몇 개씩 있는지 알아보면 전개도의 둘레를 구할 수 있습니다.

⇨ (전개도의 둘레) = (● × 4) + (▲ × 4) + (■ × 2)

정답 ❶ ㄹㄷ

5^일 전개도에서 둘레 구하기

 활동을 통하여 **해결 방법**을 알아보아요.

◉ 각기둥의 전개도에서 둘레 구하기

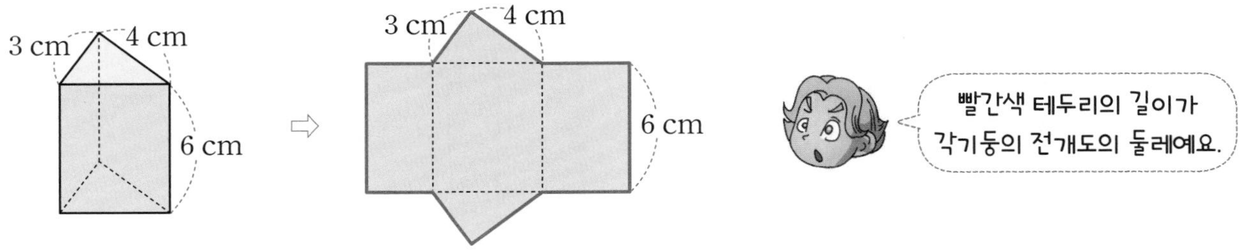

빨간색 테두리의 길이가 각기둥의 전개도의 둘레예요.

1 길이가 같은 선분 알아보기

3 cm, 4 cm, 6 cm인 선분이 각각 몇 개씩인지 세어 봐요.

접었을 때 맞닿는 선분의 길이는 같습니다.

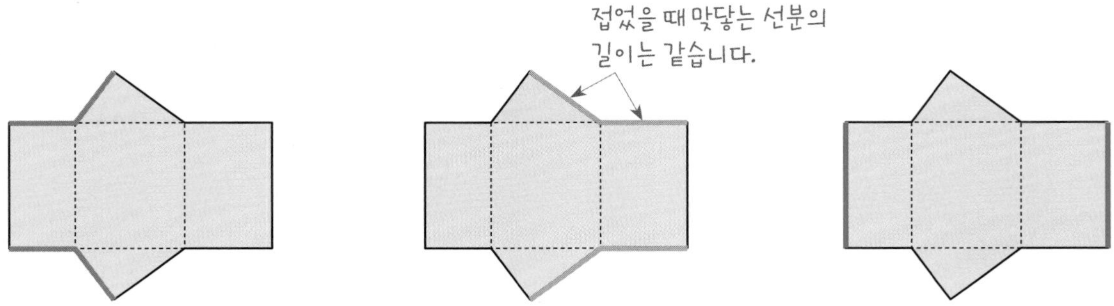

⇨ 3 cm짜리 선분 4개   ⇨ 4 cm짜리 선분 4개   ⇨ 6 cm짜리 선분 2개

2 전개도의 둘레 구하기

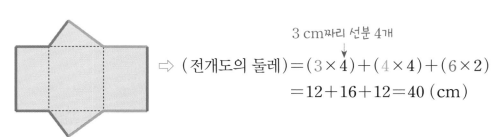

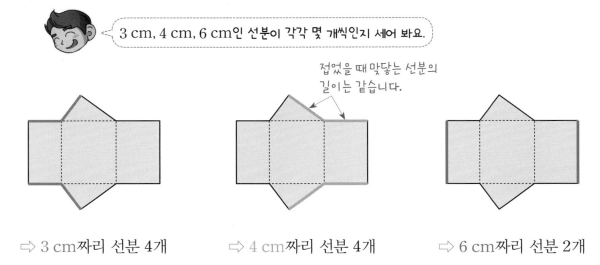

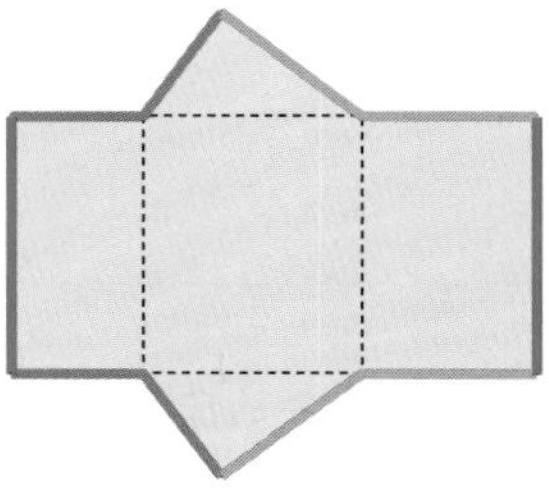

3 cm짜리 선분 4개

⇨ (전개도의 둘레) = (3 × 4) + (4 × 4) + (6 × 2)
　　　　　　　　 = 12 + 16 + 12 = 40 (cm)

해결 방법 확인

각기둥의 전개도의 둘레는 몇 cm인지 구하세요.

1-1

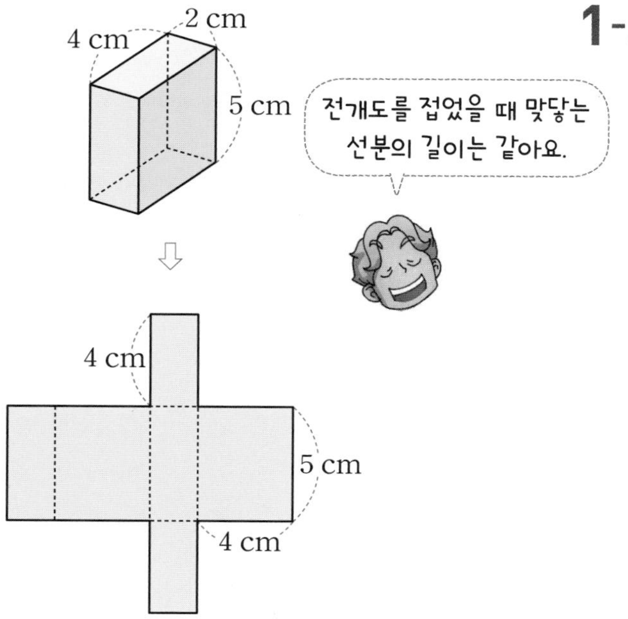

☐ cm

1-2

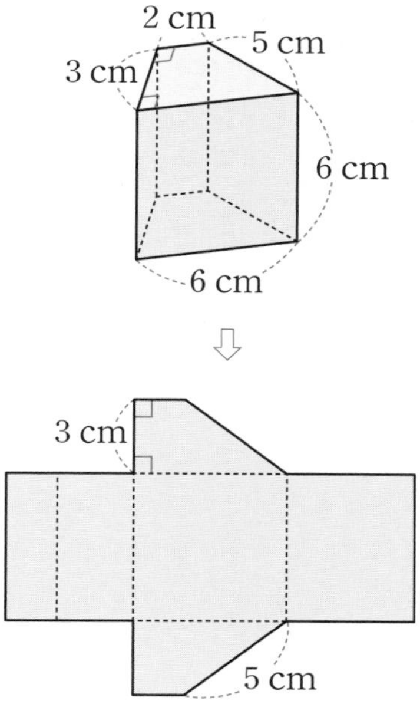

☐ cm

1-3

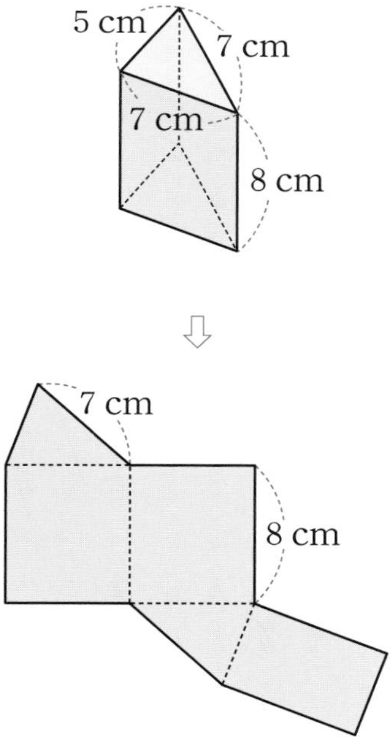

☐ cm

1-4

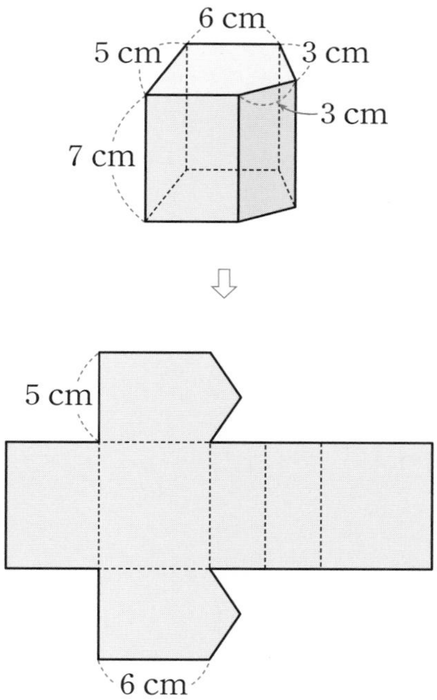

☐ cm

5일 전개도에서 둘레 구하기

도형 집중 연습

어떤 각기둥의 옆면만 그린 전개도의 일부분입니다. 전개도를 완성했을 때 전개도의 둘레는 몇 cm인지 구하세요. (단, 옆면은 모두 합동입니다.)

1-1

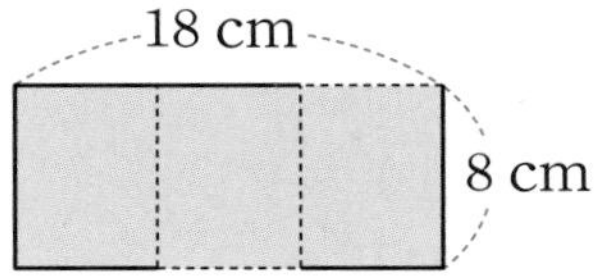

☐ cm

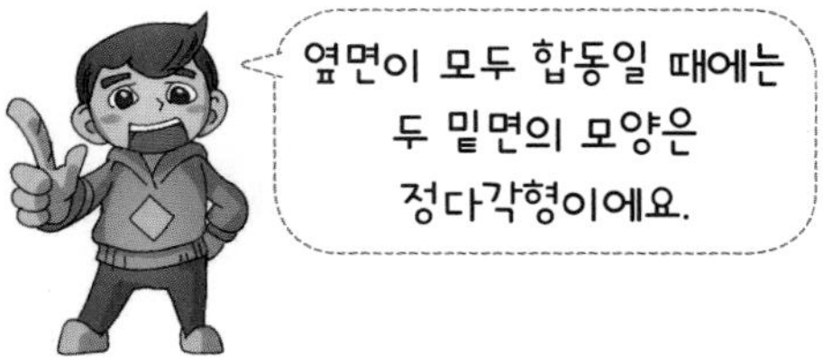

1-2

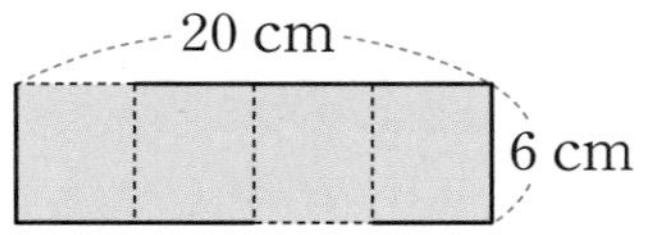

☐ cm

1-3

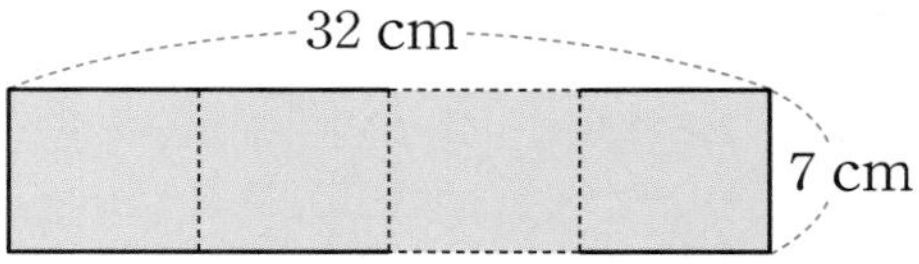

☐ cm

1-4

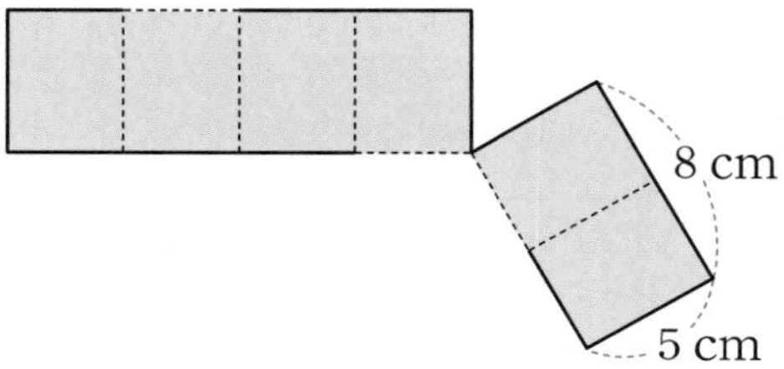

☐ cm

1-5

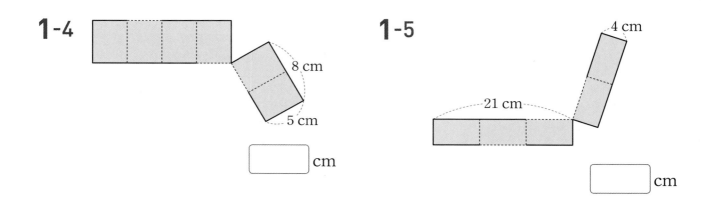

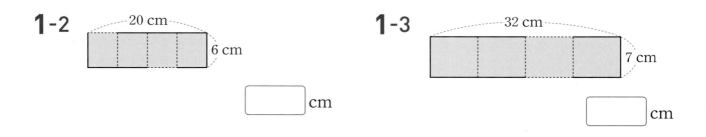

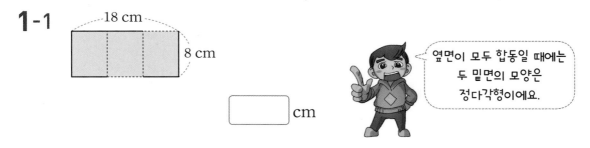

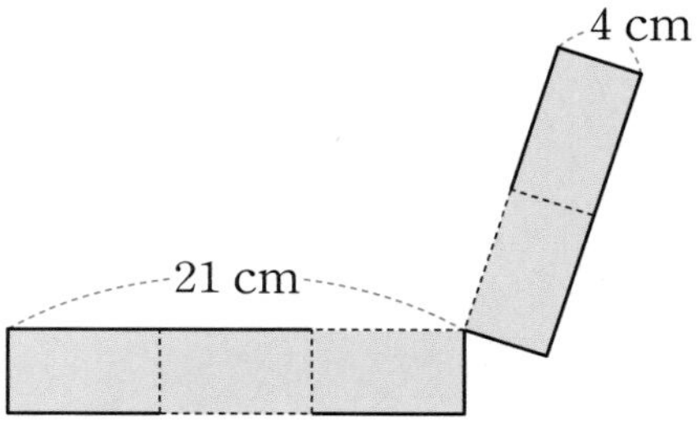

☐ cm

주어진 각기둥의 전개도를 완성하고 완성된 전개도의 둘레는 몇 cm인지 구하세요. (단, 각기둥의 밑면은 정다각형입니다.)

2-1

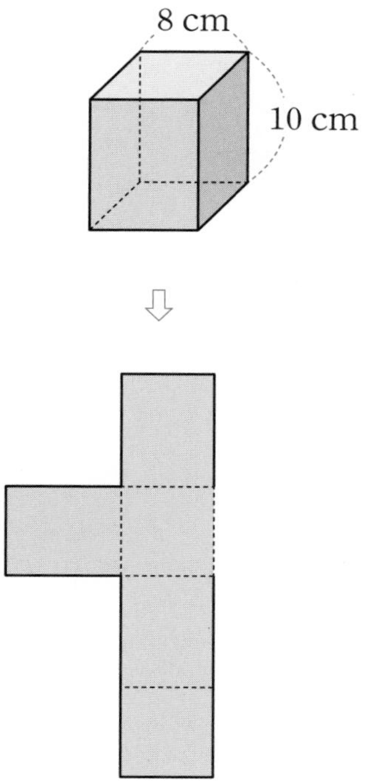

☐ cm

2-2

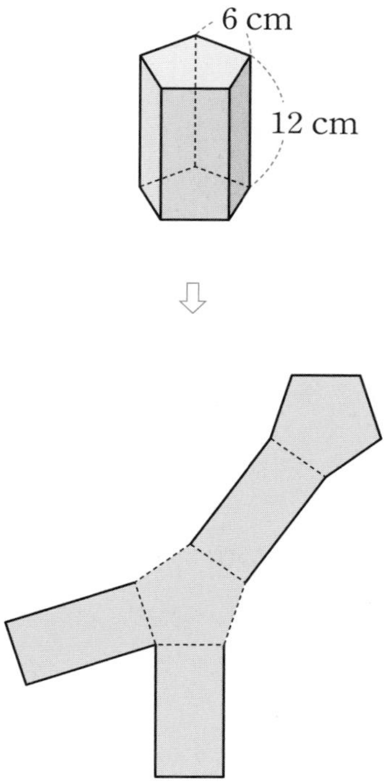

☐ cm

2-3

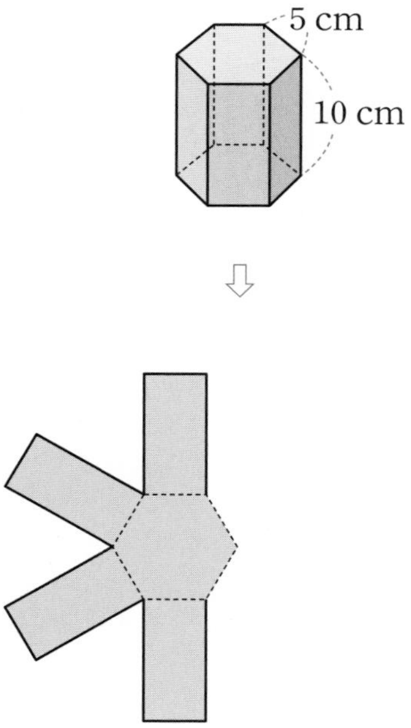

☐ cm

2-4

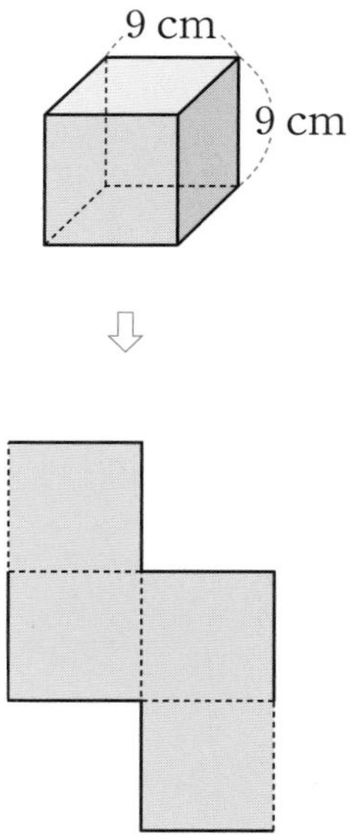

☐ cm

1주 평가 누구나 100점 맞는 TEST

01 밑면과 옆면의 모양을 보고 입체도형의 이름을 쓰세요.

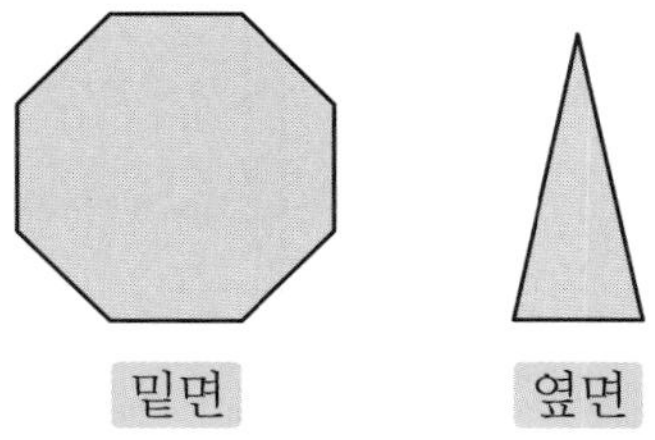

02 어떤 입체도형의 밑면과 옆면의 모양입니다. 입체도형의 모든 모서리의 길이의 합은 몇 cm인지 구하세요. (단, 밑면은 정다각형이고 옆면은 합동입니다.)

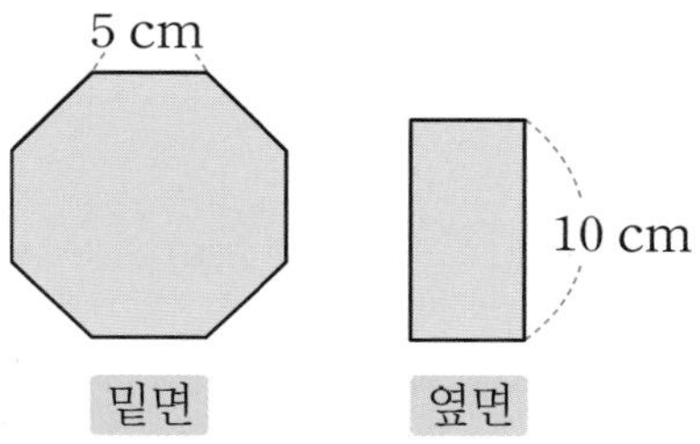

cm

03 오른쪽 입체도형을 위에서 본 모양을 찾아 ◯표 하세요.

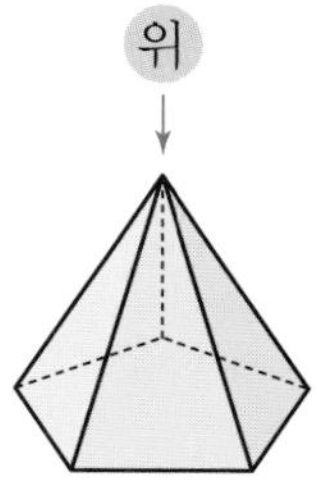

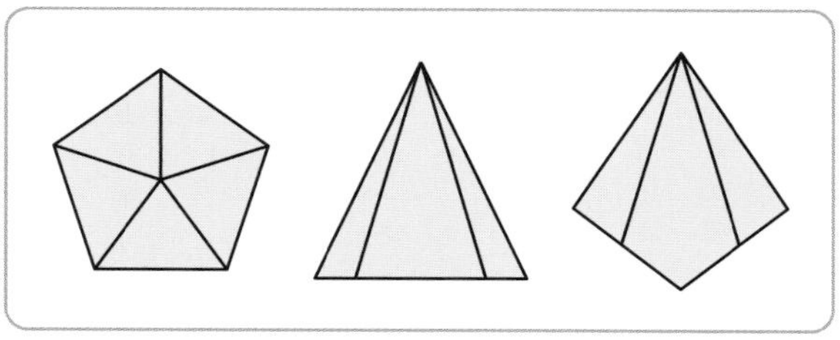

04 주어진 입체도형을 잘랐습니다. 잘린 면의 모양을 그려 보세요.

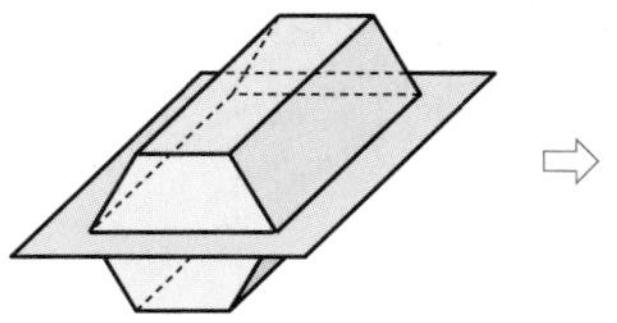

05 입체도형의 일부를 잘라 내었을 때, 잘라 낸 입체도형의 면의 수는 몇 개인지 구하세요.

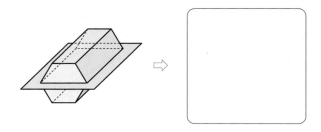

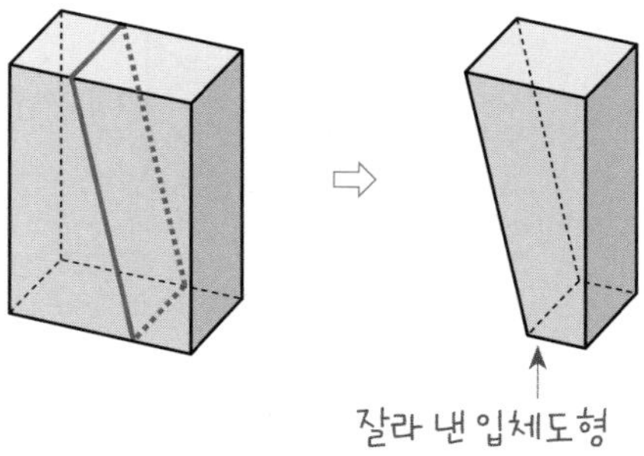

개

06 입체도형의 일부를 삼각기둥 모양으로 잘라 냈을 때 남은 입체도형의 꼭짓점의 수를 구하세요.

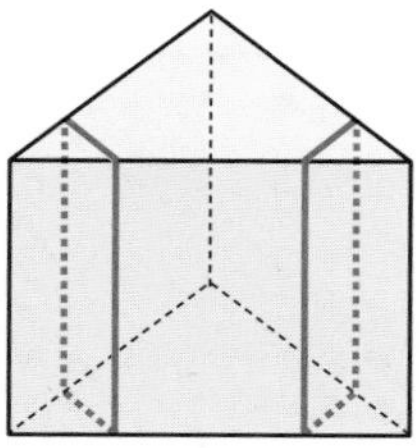

(　　　)개

07 사각기둥에 색칠된 빨간색 옆면을 전개도에서 찾아 색칠하세요.

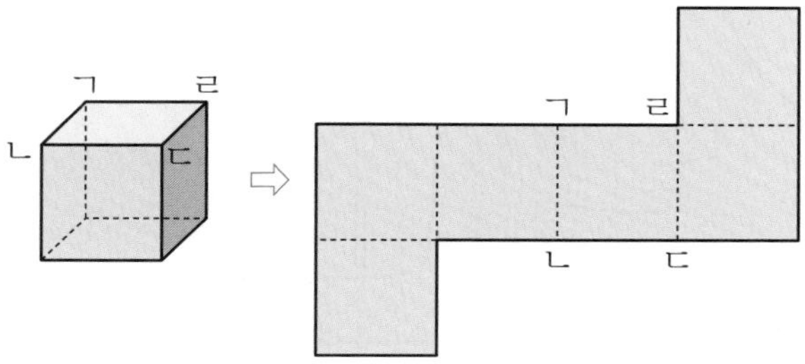

08 사각기둥에 그려진 초록색 선을 전개도에 그려 보세요.

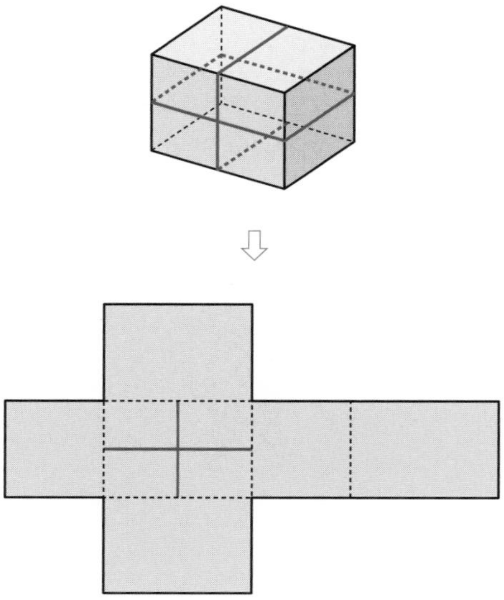

09 각기둥의 전개도의 둘레는 몇 cm인지 구하세요.

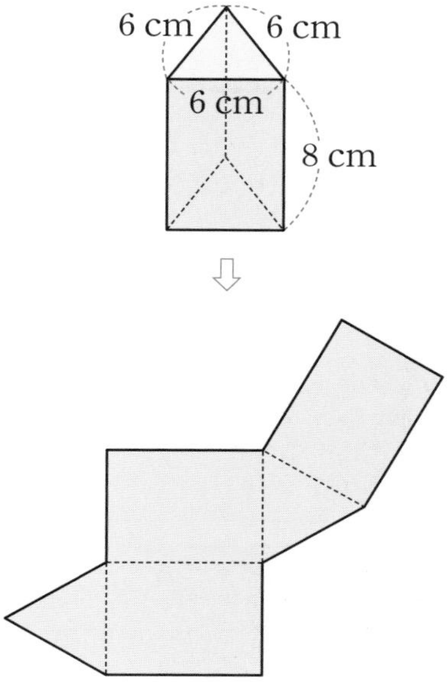

(　　　) cm

10 어떤 각기둥의 옆면만 그린 전개도의 일부분입니다. 전개도를 완성했을 때 전개도의 둘레는 몇 cm인지 구하세요. (단, 옆면은 모두 합동입니다.)

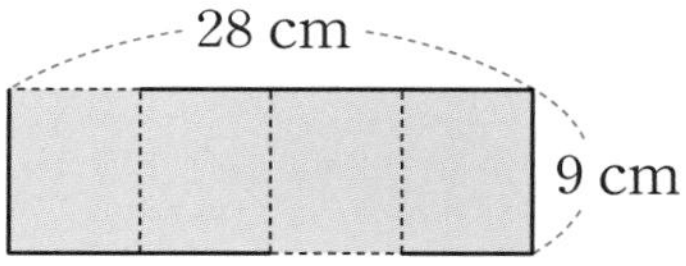

(　　　) cm

특강 중학 도형 맛보기

회전체 알아보기

훗, 안녕? 나는 브리이에라고 한단다.
오늘은 일상생활에서 볼 수 있는 회전체에 대해 알아볼까?
우와
회전체요?
쭈욱~
회전체는 평면도형을 한 직선을 축으로 1회전 시킬 때 생기는 입체도형이지.
자, 반원을 회전축으로 한 바퀴 돌리면~
휘릭~
짠! 구 모양을 만들 수 있단다.

- **회전체**: 평면도형을 한 직선을 축으로 1회전 시킬 때 생기는 입체도형

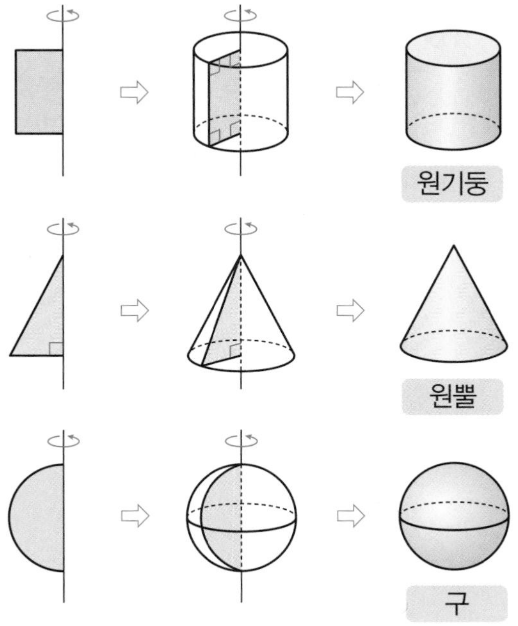
원기둥
원뿔
구

우와~ 평면도형을 회전시켜 만들 수 있구나.

속이 비어 있는 회전체 알아보기

이 화장지는
속이 빈 회전체란다.
회전축과 떨어진 직사각형을 1회전 하면 속이 비어 있게 된단다.
나도 회전체처럼 돌면? 어때? 우아한 회전체같이 보이지?
슝~
선생님! 천재 TV에 출현해 주세요~.
윽! 갑자기 배가 아프네. 회전체를 들고 화장실에 가야지~.

● **속이 비어 있는 회전체**

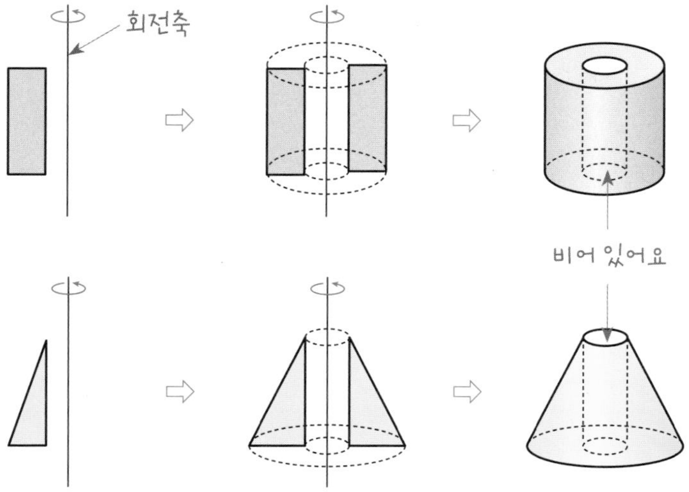

회전축
비어 있어요

원기둥의 안이 비어 있는 회전체 모양이에요.

⇨ 평면도형의 일부분이 회전축과 떨어져 있으면 회전체 속의 가운데 부분이 비어 있는 모양이 됩니다.

특강 중학 도형 맛보기

회전체 알아보기

회전문이 빙그르르
회전하면서 원기둥 모양의
입체도형이 되네.

다른 도형도 회전하면 어떤 모양이 생기는지 알아볼까요?

첫째, 직각삼각형, 반원 모양의 종이를 각각 빨대에 붙여요.

둘째, 빨대를 한 바퀴 회전시켜 만들어지는 입체도형을 알아봐요.

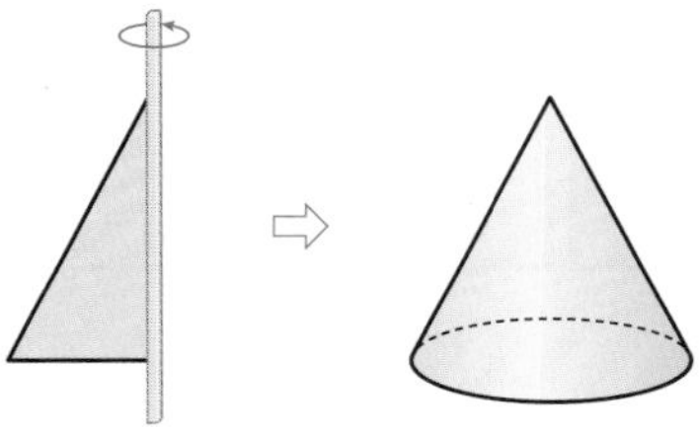

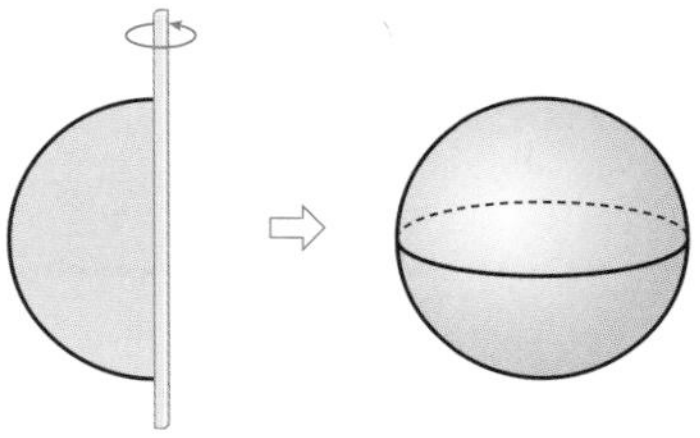

속이 비었으니 꽃을 심어 볼까?

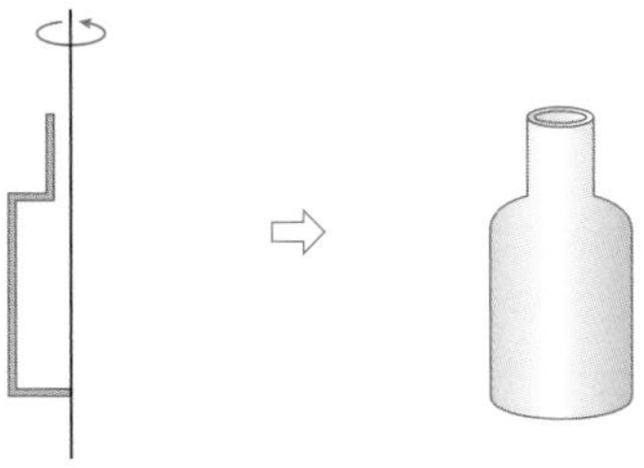

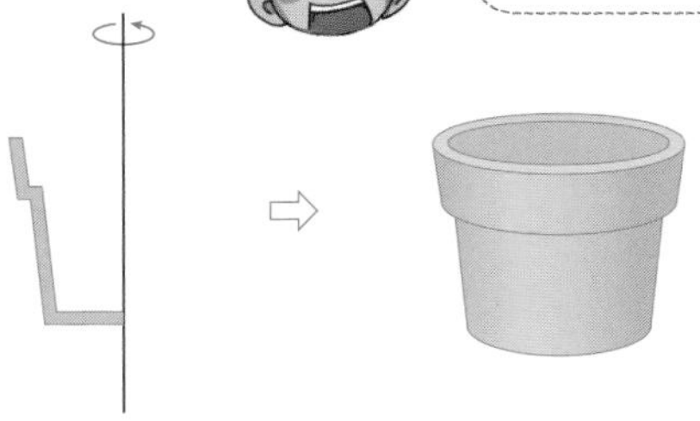

⇨ 위와 같이 한 직선을 축으로 1회전 시킬 때 생기는 입체도형을 회전체라고 합니다.

다음 입체도형이 회전체이면 ○표, 회전체가 아니면 ×표 하세요.

❶

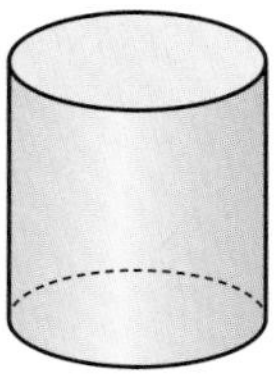

☐

❷

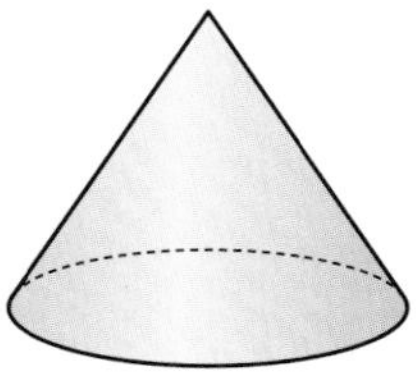

☐

❸

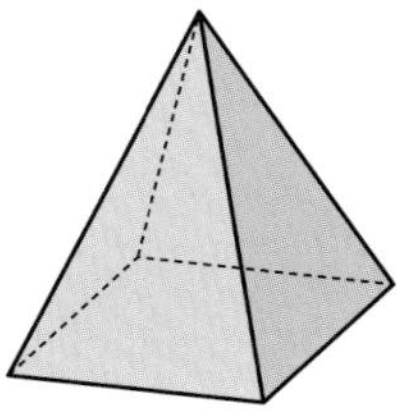

☐

❹

☐

❺

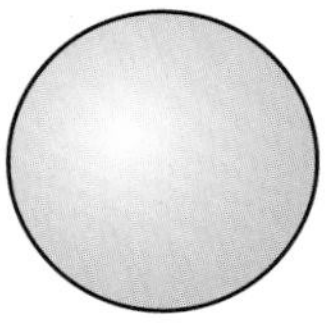

☐

❻

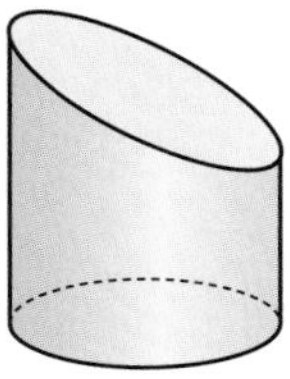

☐

❼

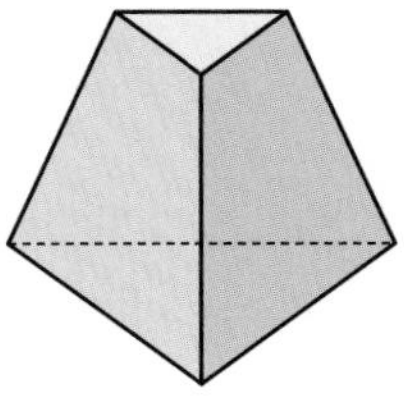

☐

❽

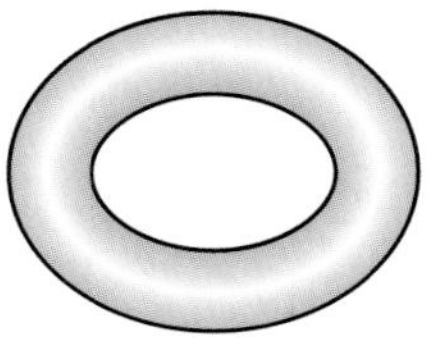

☐

특강 중학 도형 맛보기

그림자를 한 직선을 축으로 1회전 시켰을 때 생기는 모양을 찾아 선으로 이으세요.

9

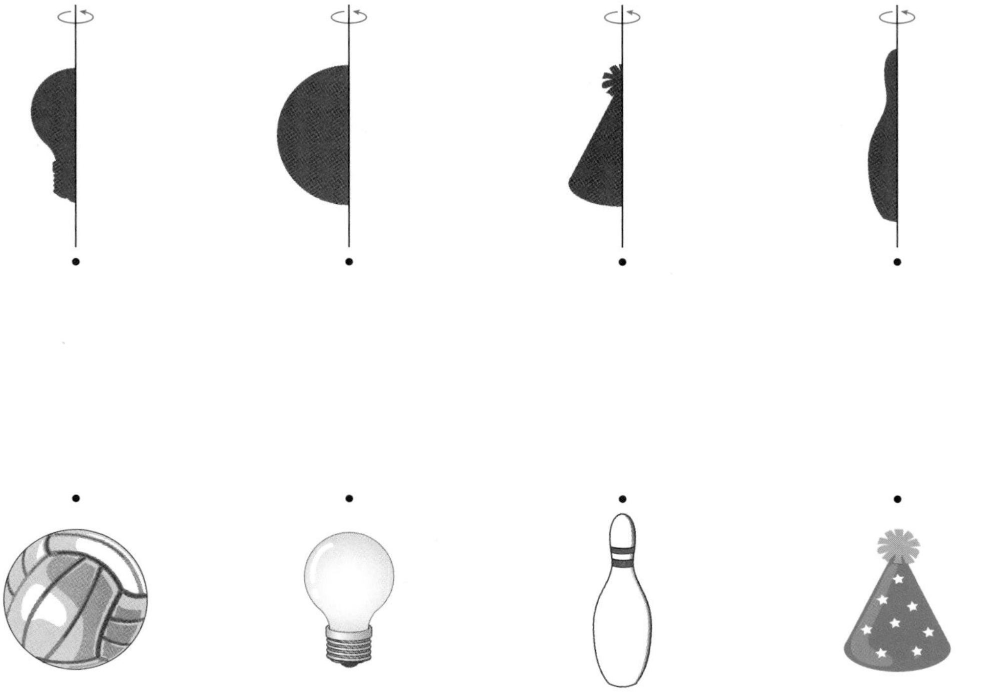

10

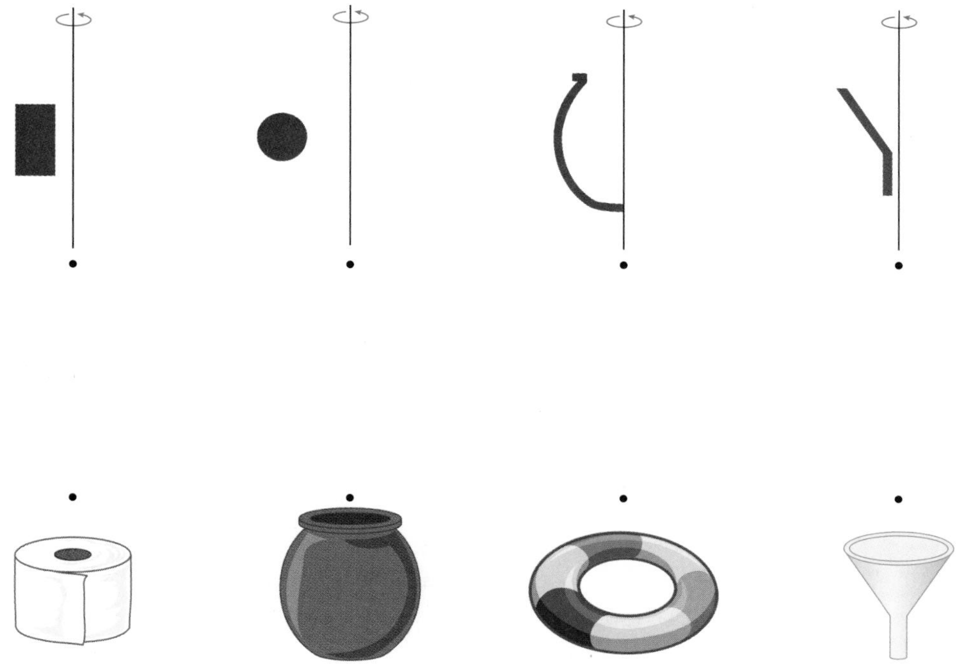

평면도형을 1회전 시켰을 때 만들어지는 입체도형을 그려 보세요.

11

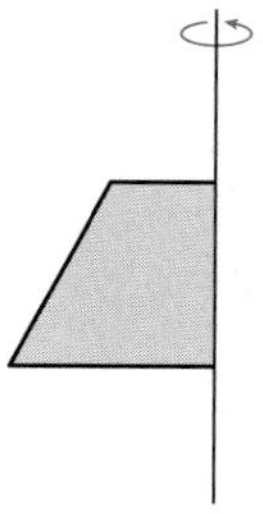

12

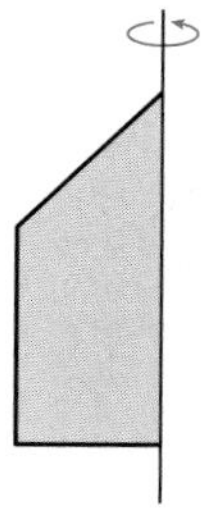

13

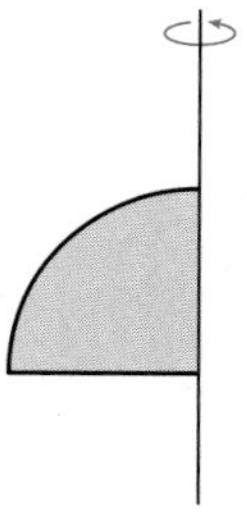

14

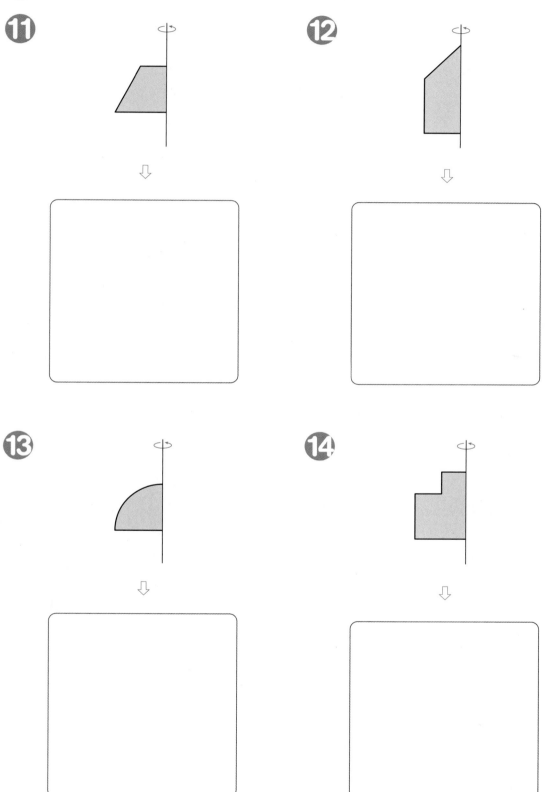

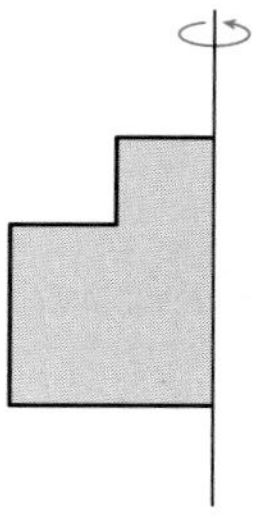

2주 원의 둘레와 넓이

이번 주에는 무엇을 공부할까요? 1

가구들이 엄청 많네요~.
가구점에 정말 오랜만에 오는구나.
원탁 코너는 저기 있어요!
TABLE
음…… 종류가 많이 있네. 뭐가 좋을까?
우선 놓을 면적에 맞아야 하지 않을까요?
한오, 정말 똑똑하구나~.
원의 넓이를 알 수 있으면 좋을텐데…….
원의 넓이를 구하려면 원주율을 알아야 해.
원주율이요?

학습내용

1일 원을 이용하여 길이 구하기

2일 원을 이용하여 넓이 구하기

3일 원이 굴러간 거리와 넓이 구하기

4일 사용한 끈의 길이 구하기

5일 움직일 수 있는 부분의 넓이 구하기

똑똑한 하루 도형

원주
원의 지름
(원주율)=(원주)÷(지름)
원주율은 원의 지름에 대한 원주의 비율을 말한단다.
그럼 모든 원의 원주율은 같나요?
맞아!
3.141592······
그 값을 소수로 나타내면 끝이 없지.
끝이 없다고요? 이걸 어떻게 다 외우죠?
호호호, 보통 3, 3.1, 3.14로 사용한단다.
그래~ 원주율! 바로 이거야!
한오야! 어디 가니?
죄송해요! 다음 컨텐츠가 떠올라서요! 먼저 갈게요.

이번 주에는 무엇을 공부할까요? ②

⊛ 원주 구하기

원의 둘레를 원주라고 해.

원주는 어떻게 잴 수 있어? 자로 재는 거야?

원의 지름을 이용하여 구하면 돼.

(원주율)＝(원주)÷(지름)
(원주)＝(지름)×(원주율)

🐻 동전의 원주는 몇 mm인지 구하세요. (원주율: 3)

1-1

─26.5 mm

(원주)＝(지름)×(원주율)로 구해요.

☐ mm

└→ 26.5×3

1-2 ─24 mm

☐ mm

1-3 ─21.6 mm

☐ mm

1-4 ─18 mm

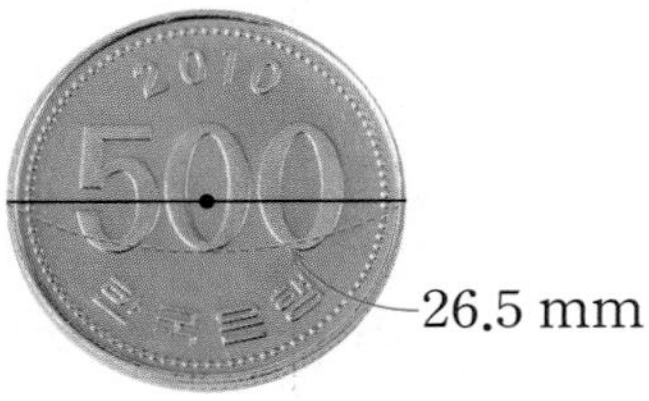

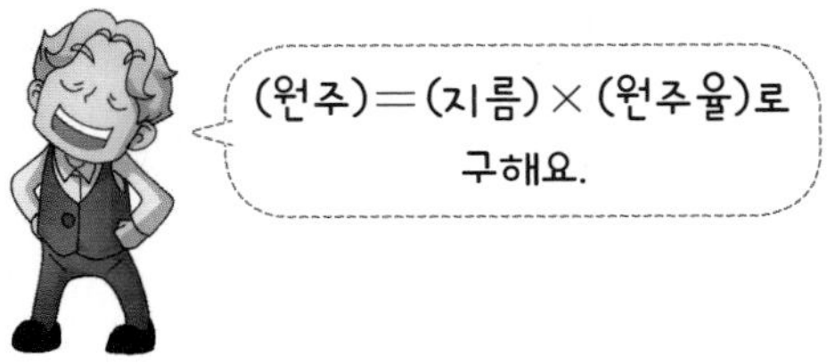

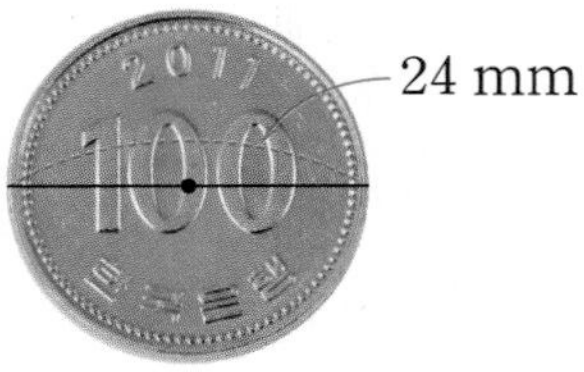

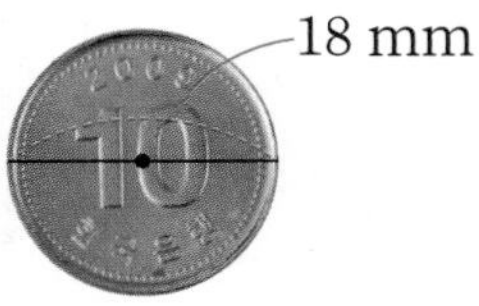

☐ mm

원의 넓이 구하기

원을 잘라서 이어 붙이면 직사각형에 가까워지므로 원의 넓이를 구할 수 있대.
(원주)×$\frac{1}{2}$
반지름
(원의 넓이)=(반지름)×(반지름)×(원주율)
원을 한없이 자를수록 직사각형에 더 가까워 진다는 거네.
더 잘게 더 잘게…….
눈 나빠진다~
집중

원의 넓이는 몇 cm^2인지 구하세요. (원주율: 3.1)

2-1

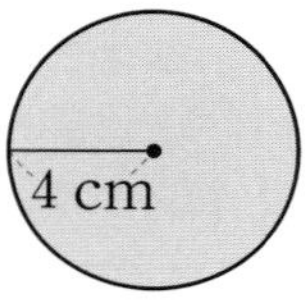
4 cm

☐ cm^2

→ $4 \times 4 \times 3.1$

2-2

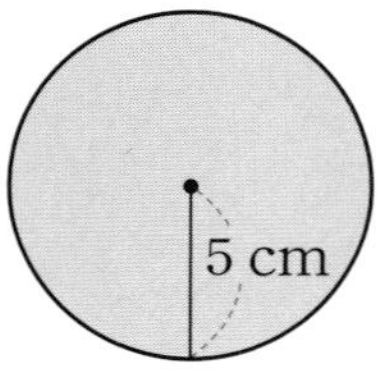
5 cm

☐ cm^2

2-3

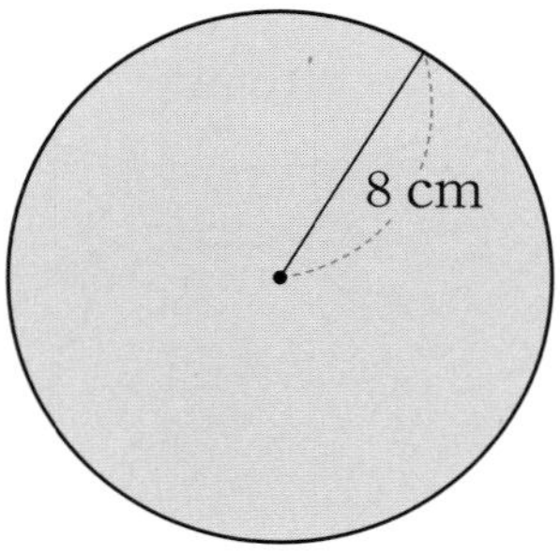
8 cm

☐ cm^2

2-4

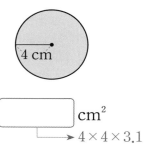

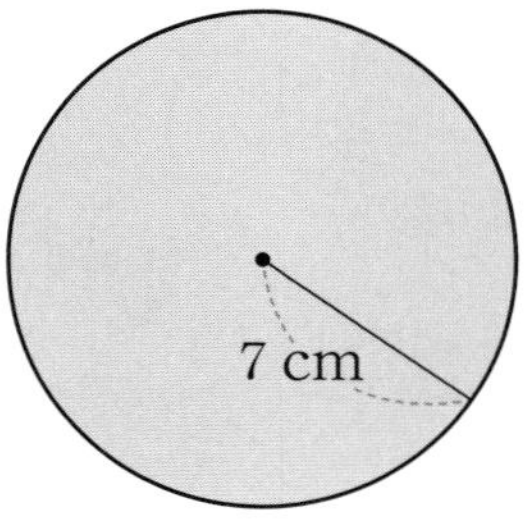
7 cm

☐ cm^2

2주

1일 원을 이용하여 길이 구하기

오늘은 무엇을 공부할까요?

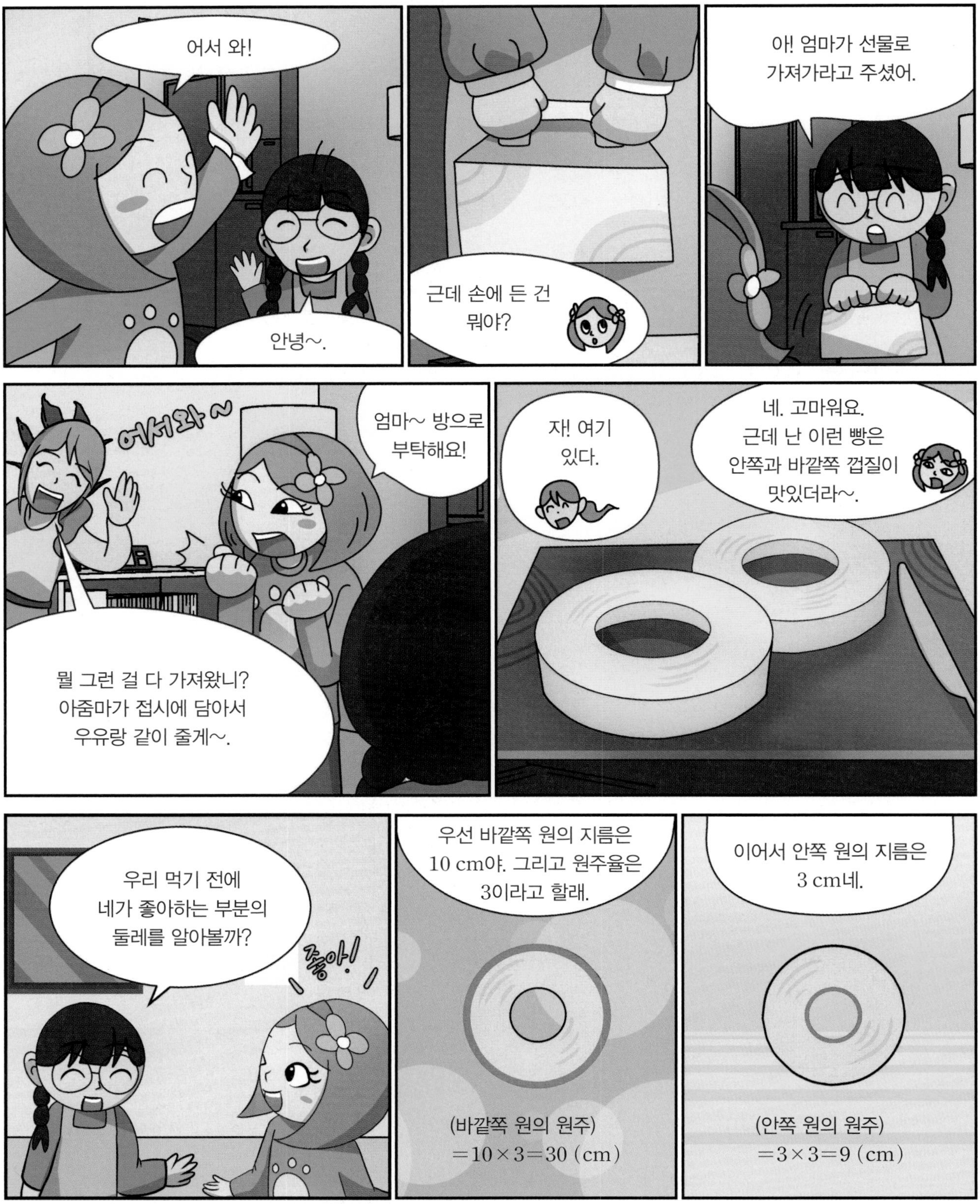

어서 와!
안녕~.
근데 손에 든 건 뭐야?
아! 엄마가 선물로 가져가라고 주셨어.
어서와~
엄마~ 방으로 부탁해요!
뭘 그런 걸 다 가져왔니? 아줌마가 접시에 담아서 우유랑 같이 줄게~.
자! 여기 있다.
네. 고마워요. 근데 난 이런 빵은 안쪽과 바깥쪽 껍질이 맛있더라~.
우리 먹기 전에 네가 좋아하는 부분의 둘레를 알아볼까?
좋아!
우선 바깥쪽 원의 지름은 10 cm야. 그리고 원주율은 3이라고 할래.
(바깥쪽 원의 원주)
=10×3=30 (cm)
이어서 안쪽 원의 지름은 3 cm네.
(안쪽 원의 원주)
=3×3=9 (cm)

내가 좋아하는 부분의 둘레는 30+9=39 (cm)가 되네.
오~
멋있어~!
짝짝
우리딸 제법인데~.
이 정도는 기본이라고요.
맞힌 건 칭찬하지만 빵은 벗기지 말고 모두 먹으렴!
네~!
우물
우물

도형 기본 개념

● 원으로 이루어진 도형에서 색칠한 부분의 둘레 구하는 방법 알아보기

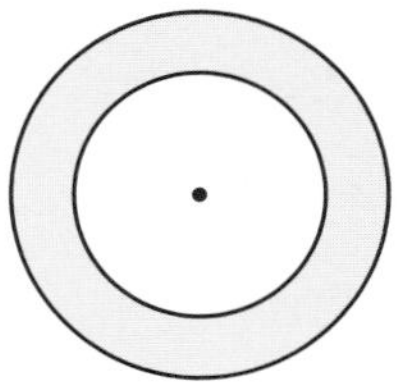

(큰 원의 원주)
+(작은 원의 원주)

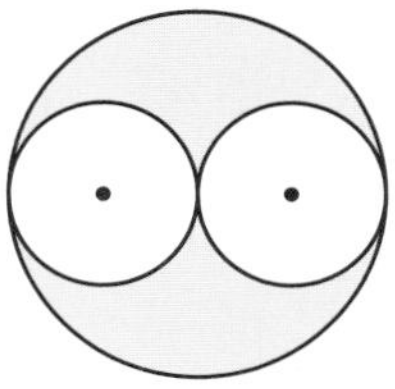

(큰 원의 원주)
+(작은 원의 원주)×2

● 원과 정사각형으로 이루어진 도형에서 색칠한 부분의 둘레 구하는 방법 알아보기

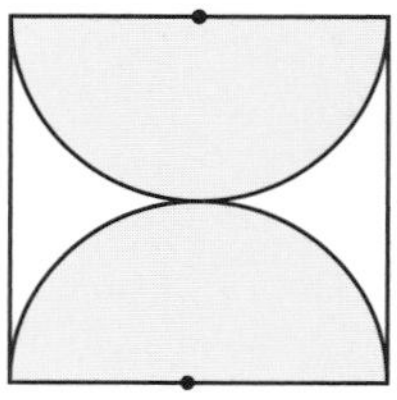

(원의 원주) → 반원 2개
+(한 변의 길이)×2

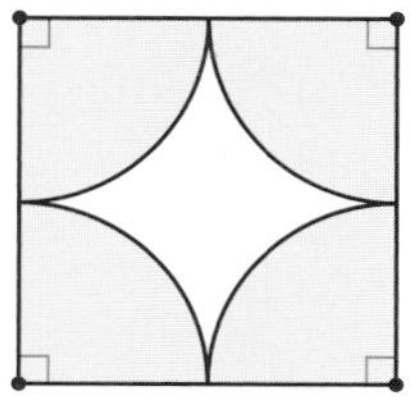

(원의 원주) → $\frac{1}{4}$원 4개
+(한 변의 길이)× ❶ ☐

정답 ❶ 4

일 원을 이용하여 길이 구하기

 활동을 통하여 **해결 방법**을 알아보아요.

○ 색칠한 부분의 둘레 구하기 (원주율: 3.14)

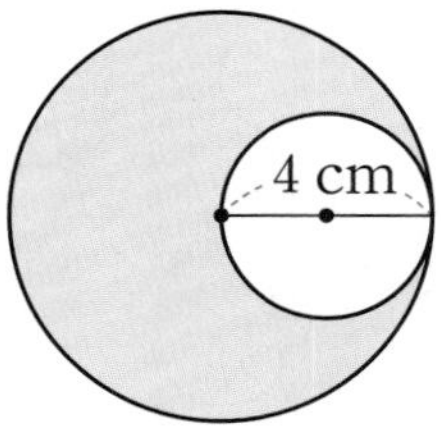

> **참고**
>
> (원주) = (지름) × (원주율)

순서 **1** 색칠한 부분의 둘레 알아보기

> 색칠한 부분의 둘레는
> 빨간색으로 색칠한 큰 원의 원주와
> 파란색으로 색칠한 작은 원의 원주의
> 합으로 구해요.

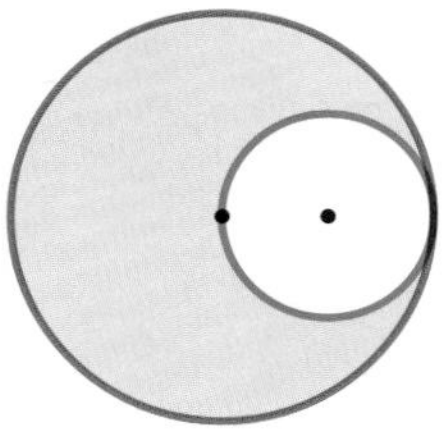

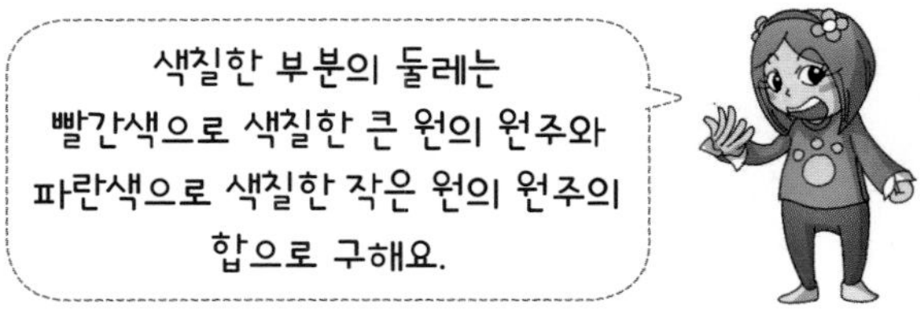

순서 **2** 큰 원과 작은 원의 원주 구하기

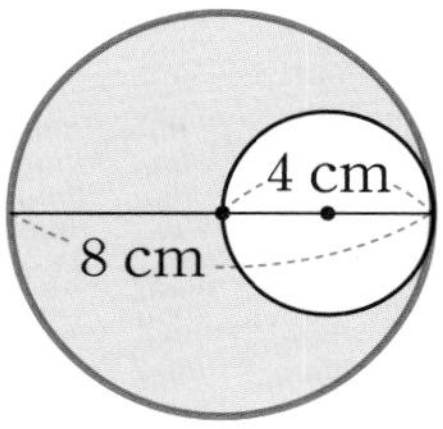

(큰 원의 원주) = (지름) × (원주율)
   = 8 × 3.14
   = 25.12 (cm)

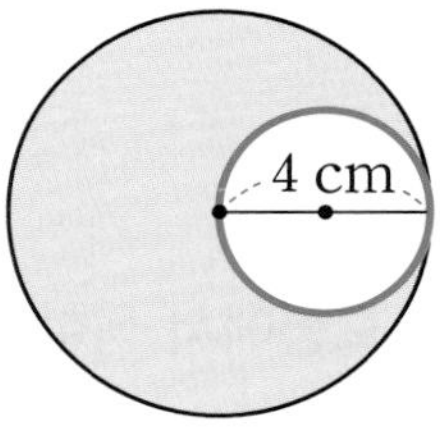

(작은 원의 원주) = (지름) × (원주율)
   = 4 × 3.14
   = 12.56 (cm)

순서 **3** 색칠한 부분의 둘레 구하기

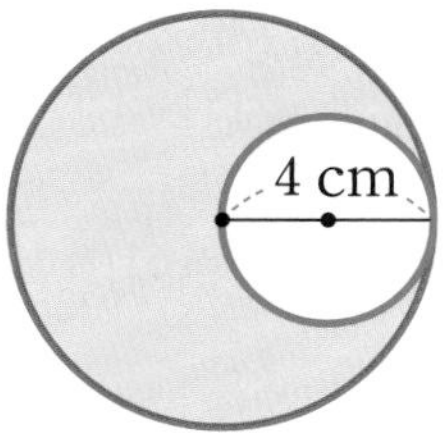

(색칠한 부분의 둘레) = (큰 원의 원주) + (작은 원의 원주)
   = 25.12 + 12.56
   = 37.68 (cm)

해결 방법 확인

색칠한 부분의 둘레는 몇 cm인지 구하세요. (원주율: 3)

1-1

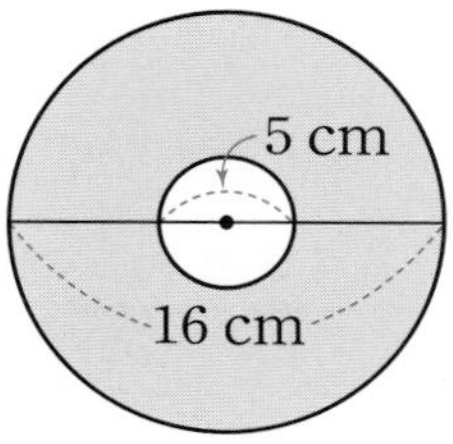

☐ cm

1-2

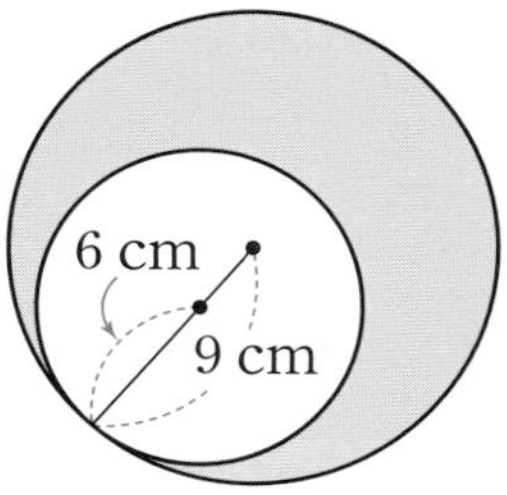

☐ cm

1-3

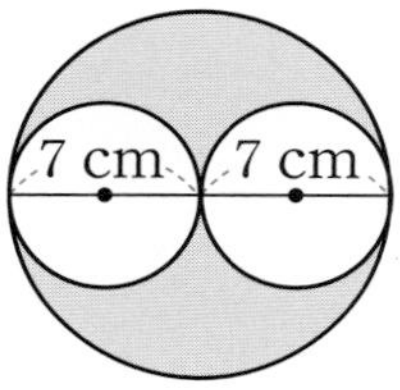

☐ cm

1-4

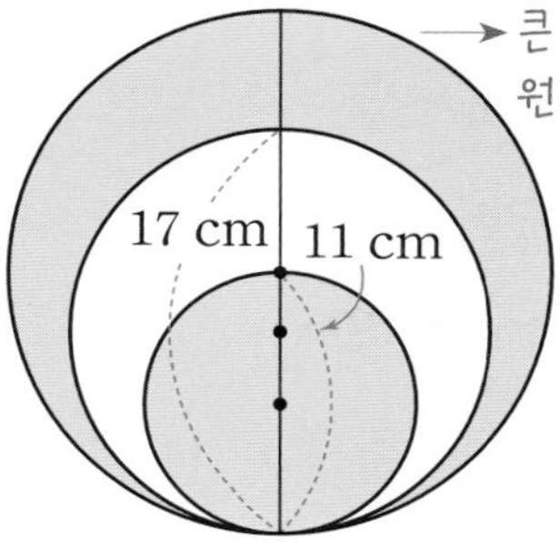

→ 큰 원, 중간 원, 작은 원의 원주의 합을 구합니다.

☐ cm

1-5

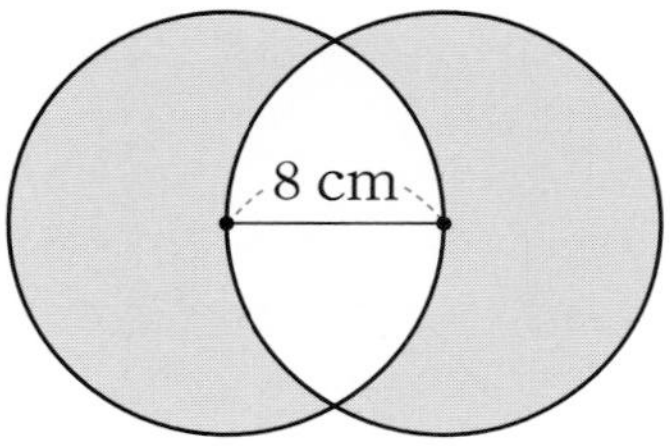

☐ cm

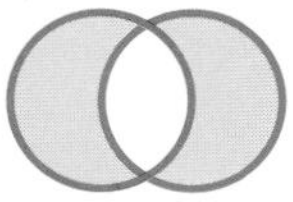

색칠한 부분의 둘레는 두 원의 원주의 합으로 구해요.

1일 원을 이용하여 길이 구하기

도형 집중 연습

운동장의 둘레는 몇 m인지 구하세요. (원주율: 3.1)

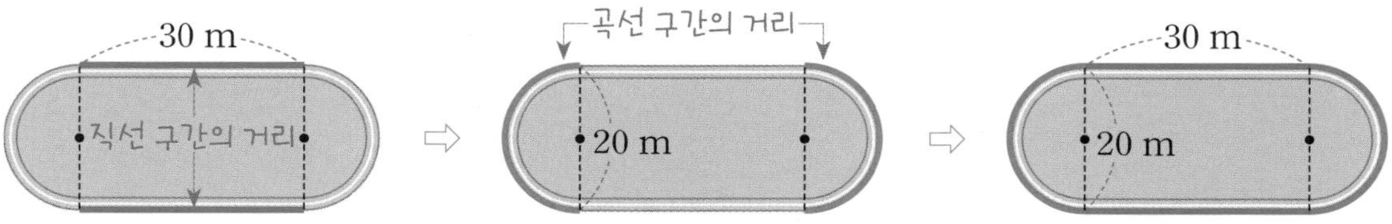

→ 반원 2개

(직선 구간의 거리)	(곡선 구간의 거리)	(운동장의 둘레)
$=30\times2=60$ (m)	$=$(원의 원주)	$=$(직선 구간의 거리)
	$=20\times3.1=62$ (m)	$+$(곡선 구간의 거리)
		$=60+62=122$ (m)

1-1

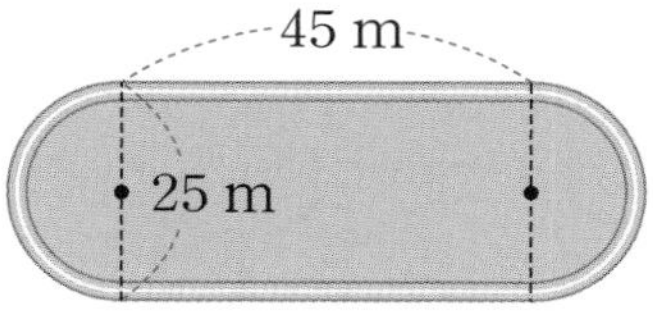

[ ] m

1-2

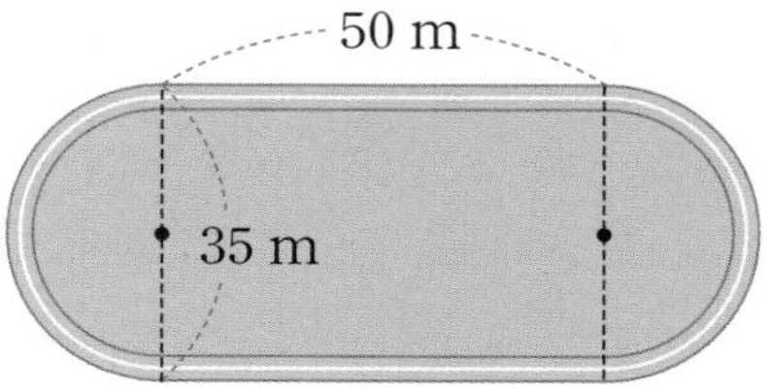

[ ] m

1-3

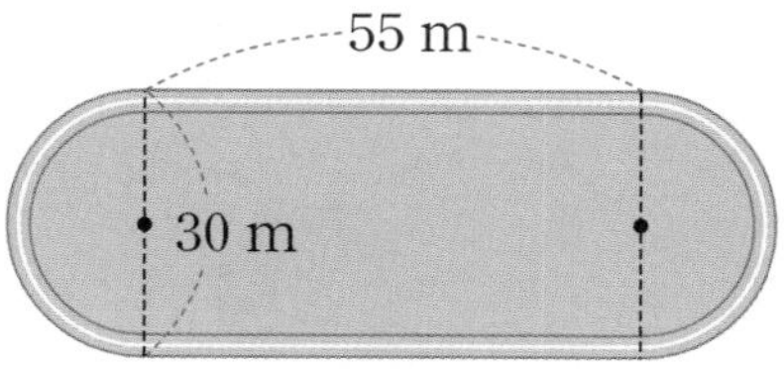

[ ] m

1-4

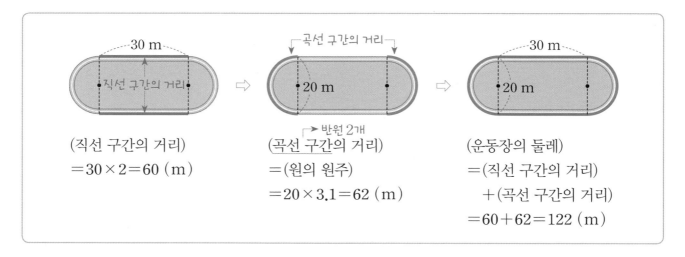

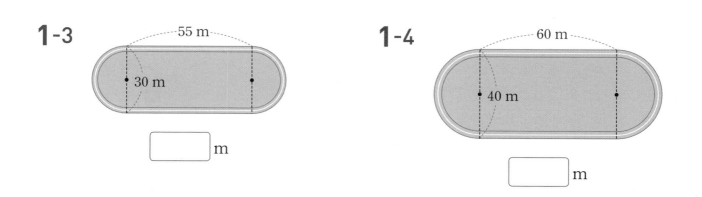

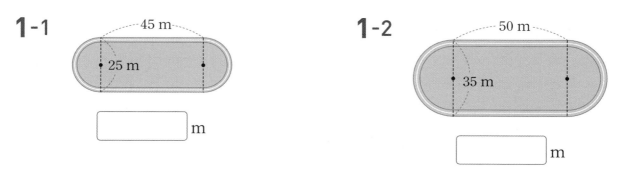

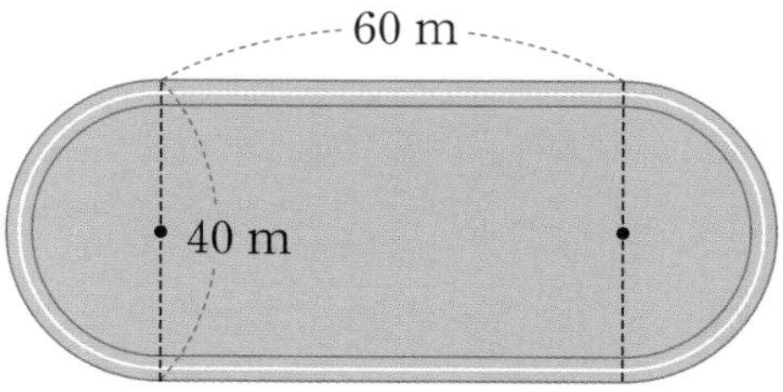

[ ] m

색칠한 부분의 둘레는 몇 cm인지 구하세요. (원주율: 3)

2-1

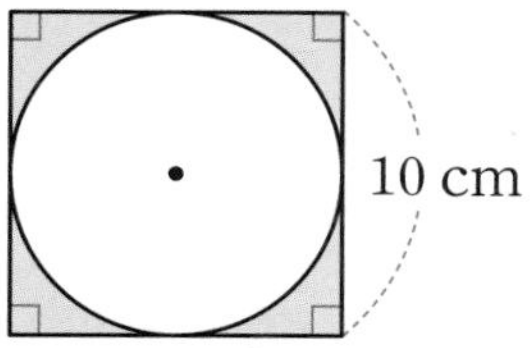

□ cm

2-2

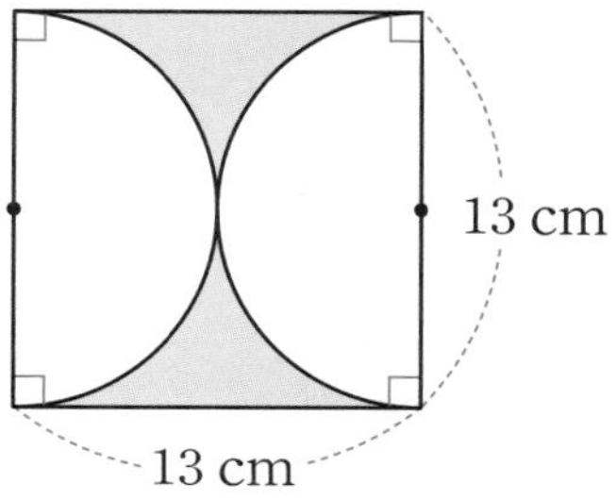

□ cm

2-3

→ 곡선 부분을 모두 합하면 원주가 됩니다.

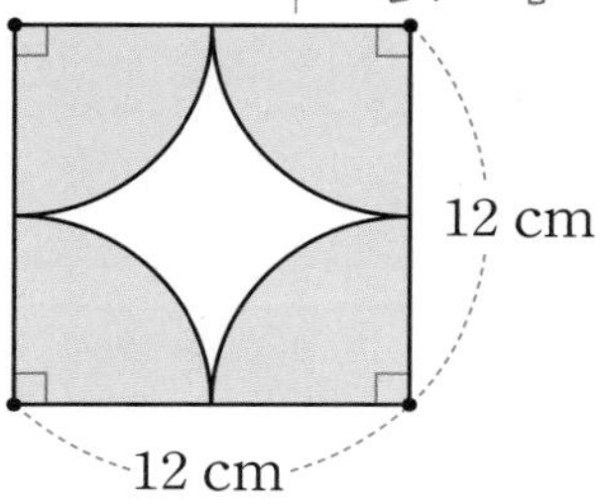

□ cm

2-4

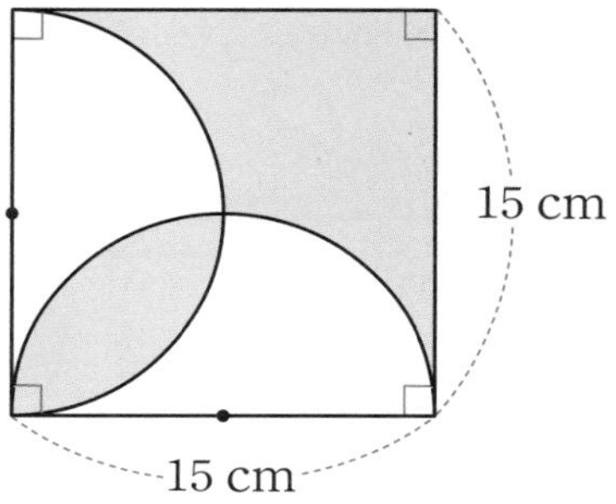

□ cm

2-5

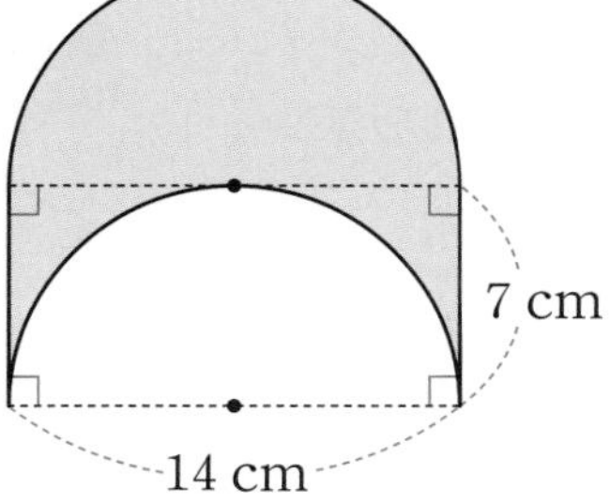

□ cm

2-6

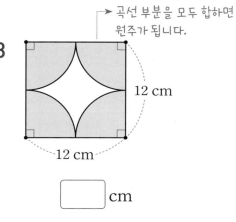

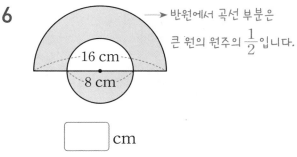

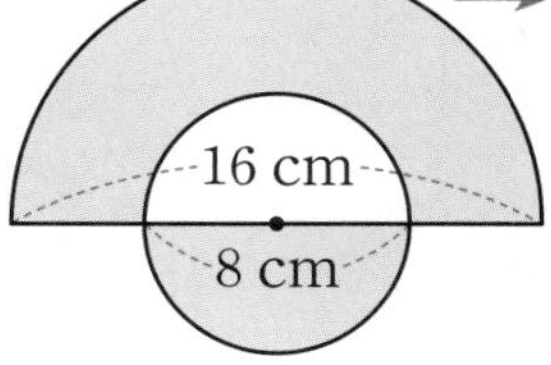

→ 반원에서 곡선 부분은 큰 원의 원주의 $\frac{1}{2}$입니다.

□ cm

2주 1일

2일 원을 이용하여 넓이 구하기

오늘은 무엇을 공부할까요?

안녕하세요!
천재 TV입니다.
오늘은 저희가 쿠키를 만들 거예요!
먼저 재료부터 소개할게요.
밀가루
버터
설탕
계란
소금
지금부터 재료를 넣고 반죽을 해요. 그리고 완성된 반죽을 얇게 잘 펴 봐요.
돌돌
전 직사각형에 꼭맞게 원 모양 틀로 찍어 봤어요.
8cm
이렇게 작은 원 모양 하나가 나오네요.
근데 여러분은 원의 넓이를 구할 수 있나요?
똑똑한 여러분은 원의 넓이쯤이야 당연히 알고 있겠죠~.
(원의 넓이)
=(반지름)×(반지름)×(원주율)
$=4\times4\times3=48\ (\mathrm{cm}^2)$

이제 같은 방법으로 여러 가지 모양 틀을 찍어 봐요.
마지막으로 오븐에 구워 줄게요!
10분 후
드디어 맛있는 쿠키 완성!
음~ 고소한 냄새!
잠깐! 먹방은 다음 영상에서 보여드릴게요.
그럼 구독과 좋아요 꾹꾹 눌러주세요~ 안녕~.

도형 기본 개념

- **직사각형 모양의 종이에 그릴 수 있는 가장 큰 원의 넓이 구하기 (원주율: 3)**

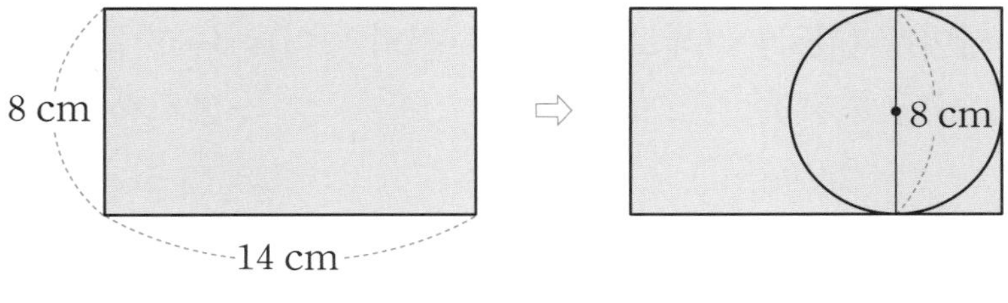

8 cm
14 cm
8 cm

그릴 수 있는 가장 큰 원의 지름은 직사각형의 세로의 길이와 같습니다.

⇨ (원의 넓이)=(반지름)×(반지름)×(원주율)=4×4×❶ ☐ =48 (cm^2)

참고

정사각형 모양의 종이에 그릴 수 있는 가장 큰 원의 지름은 정사각형의 한 변의 길이와 같습니다.

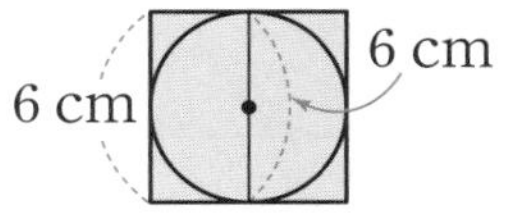

6 cm
6 cm

정답 ❶ 3

2일 원을 이용하여 넓이 구하기

활동을 통하여 해결 방법을 알아보아요.

◎ 직사각형 모양의 종이에서 원을 잘라내고 남은 넓이 구하기 (원주율: 3.14)

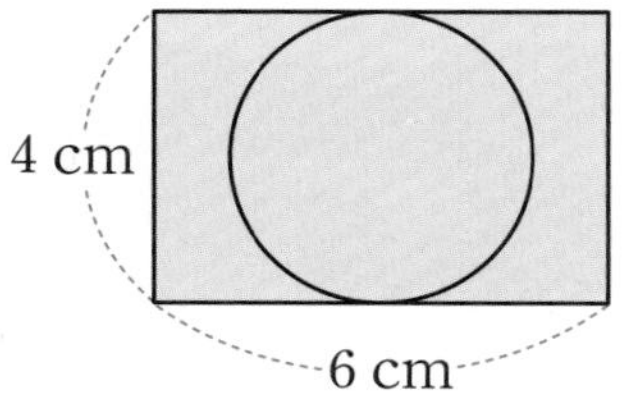
4 cm
6 cm

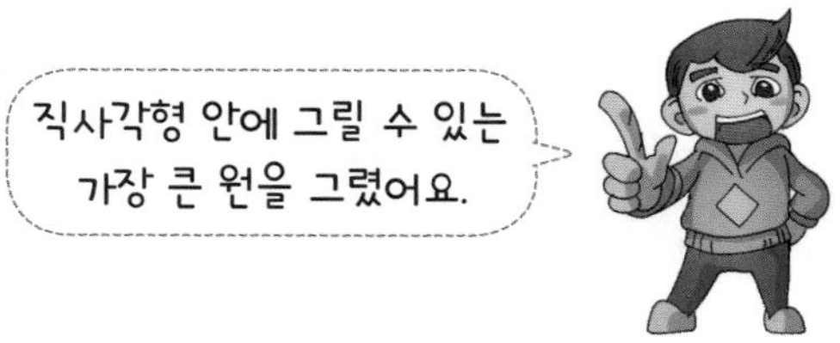
직사각형 안에 그릴 수 있는
가장 큰 원을 그렸어요.

순서 1 원을 잘라내고 남은 부분 알아보기

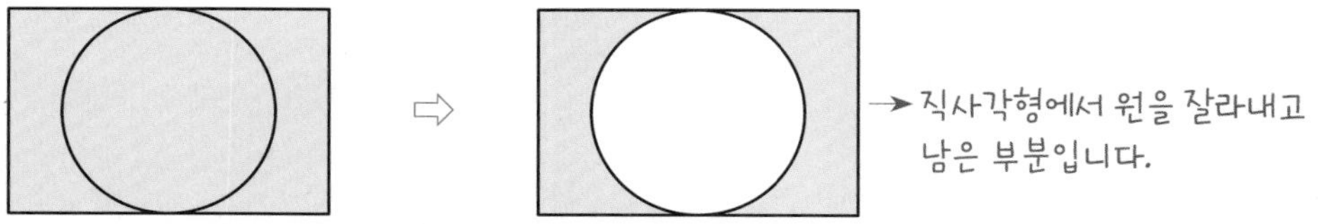
직사각형에서 원을 잘라내고
남은 부분입니다.

⇨ 남은 부분의 넓이는 직사각형의 넓이에서 원의 넓이를 뺀 것과 같습니다.

순서 2 직사각형과 원의 넓이 구하기

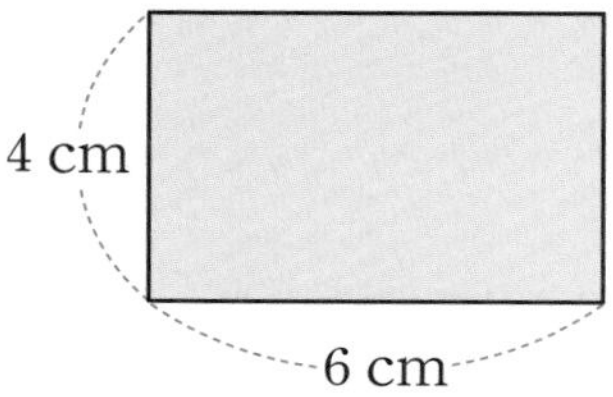
4 cm
6 cm

(직사각형의 넓이)=(가로)×(세로)

=6×4

=24 (cm²)

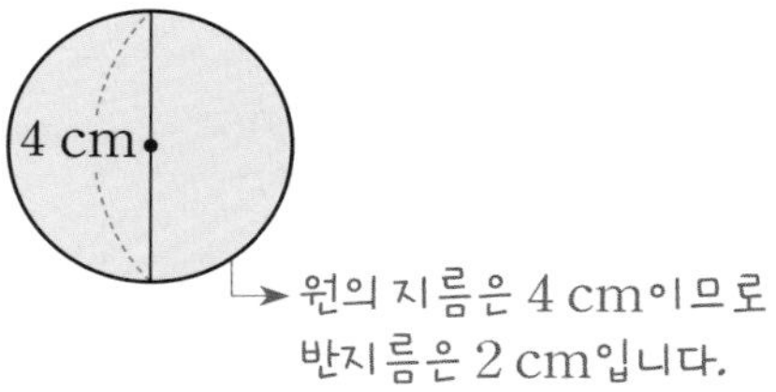
4 cm
원의 지름은 4 cm이므로
반지름은 2 cm입니다.

(원의 넓이)=(반지름)×(반지름)×(원주율)

=2×2×3.14

=12.56 (cm²)

순서 3 원을 잘라내고 남은 부분의 넓이 구하기

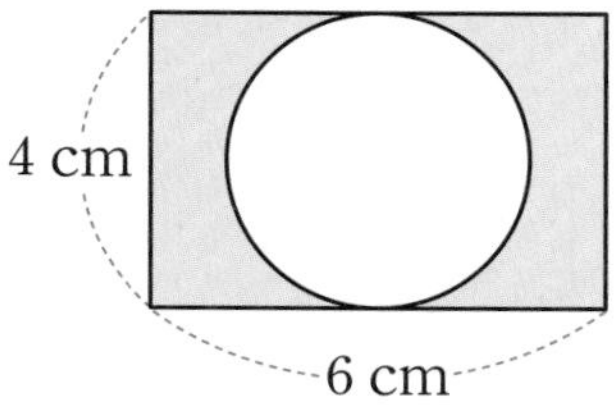
4 cm
6 cm

(남은 부분의 넓이)=(직사각형의 넓이)−(원의 넓이)

=24−12.56

=11.44 (cm²)

해결 방법 확인

직사각형에 그릴 수 있는 가장 큰 원을 그린 것입니다. 원을 잘라냈을 때 남은 부분의 넓이는 몇 cm^2인지 구하세요. (원주율: 3.1)

1-1

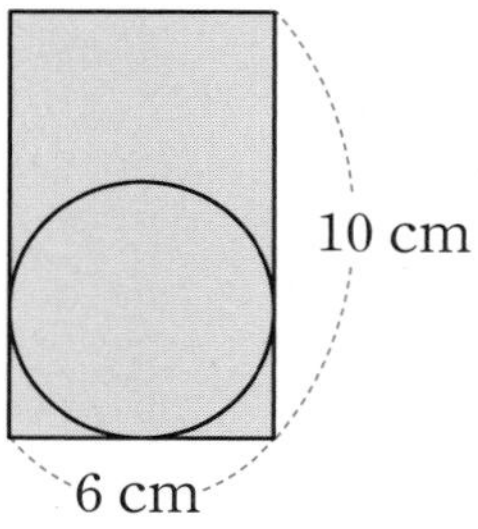

☐ cm^2

→ (직사각형의 넓이) − (원의 넓이)

1-2

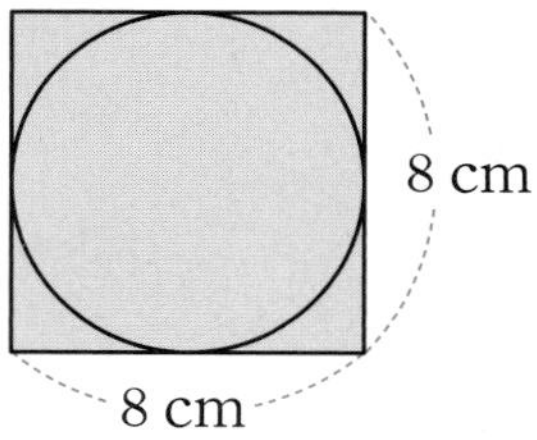

☐ cm^2

→ (정사각형의 넓이) − (원의 넓이)

직사각형에 그릴 수 있는 가장 큰 원을 그려 잘라냈을 때 남은 부분의 넓이는 몇 cm^2인지 구하세요. (원주율: 3)

2-1

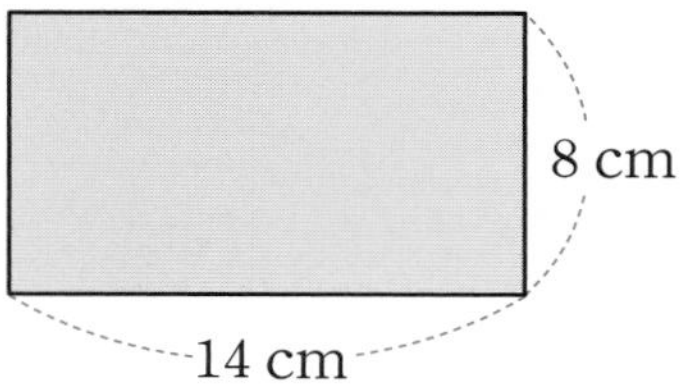

☐ cm^2

그릴 수 있는 가장 큰 원의 지름은 직사각형의 가로와 세로 중 짧은 쪽의 길이와 같아요.

2-2

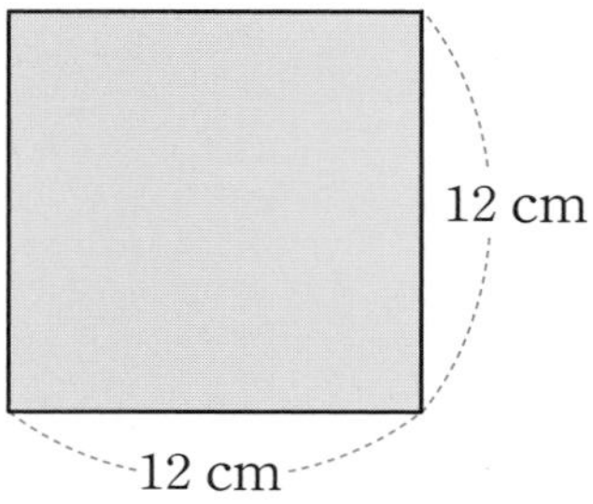

☐ cm^2

2-3

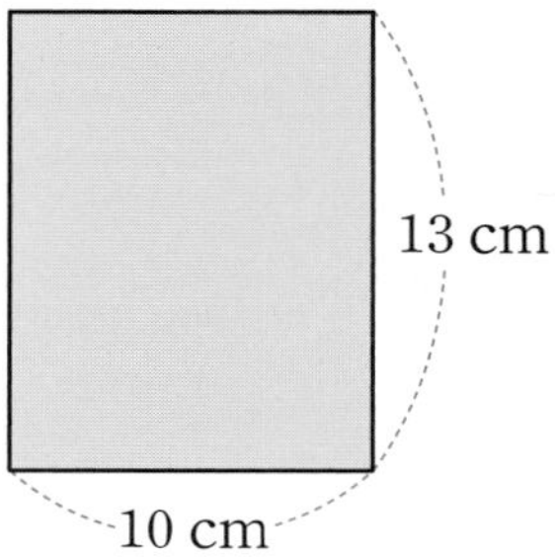

☐ cm^2

2주 2일

2일 원을 이용하여 넓이 구하기

도형 집중 연습

색칠한 부분의 넓이는 몇 cm^2인지 구하세요. (원주율: 3)

1-1

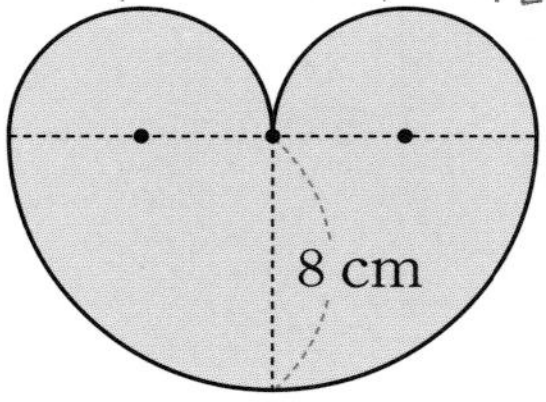

(작은 원의 넓이)$=4\times4\times3=\square$ (cm^2)

(큰 반원의 넓이)$=8\times8\times3\times\frac{1}{2}=\square$ (cm^2)

⇨ (색칠한 부분의 넓이)$=\square+\square=\square$ (cm^2)

작은 원의 넓이 / 큰 반원의 넓이

1-2

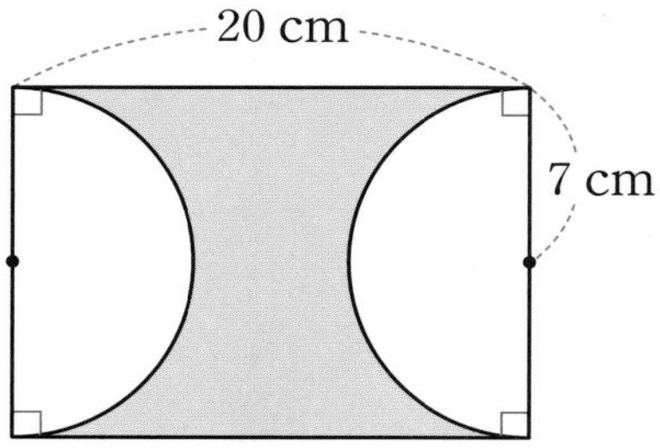

(직사각형의 넓이)$=20\times14=\square$ (cm^2)

(원의 넓이)$=7\times7\times\square=\square$ (cm^2)

⇨ (색칠한 부분의 넓이)

$=\square-\square=\square$ (cm^2)

직사각형의 넓이 / 원의 넓이

1-3

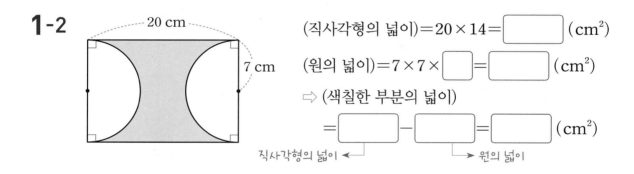

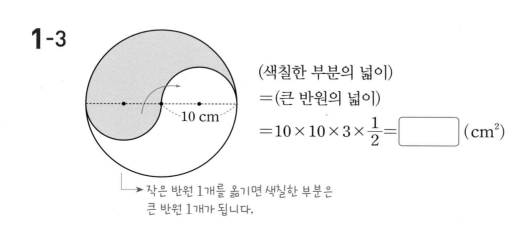

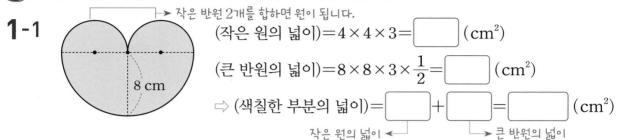

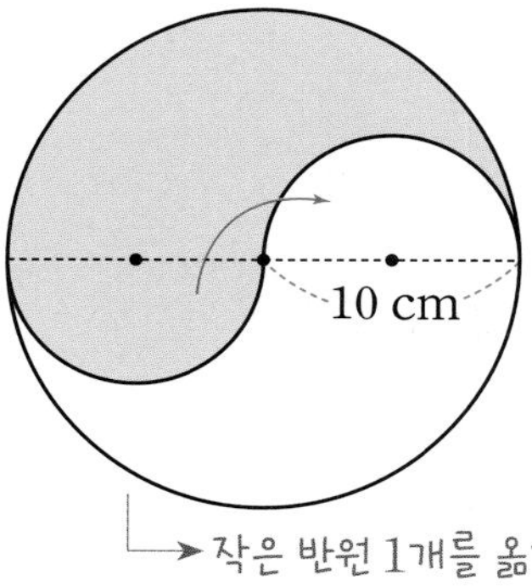

(색칠한 부분의 넓이)

$=$(큰 반원의 넓이)

$=10\times10\times3\times\frac{1}{2}=\square$ (cm^2)

작은 반원 1개를 옮기면 색칠한 부분은 큰 반원 1개가 됩니다.

색칠한 부분의 넓이는 몇 cm^2인지 구하세요. (원주율: 3)

2-1

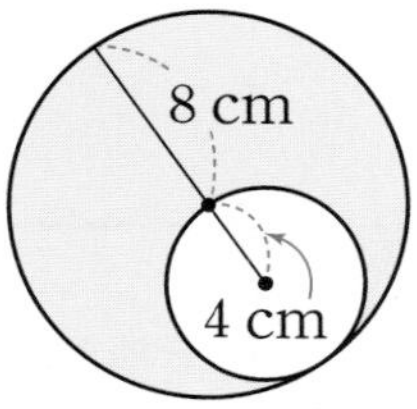

☐ cm^2

2-2

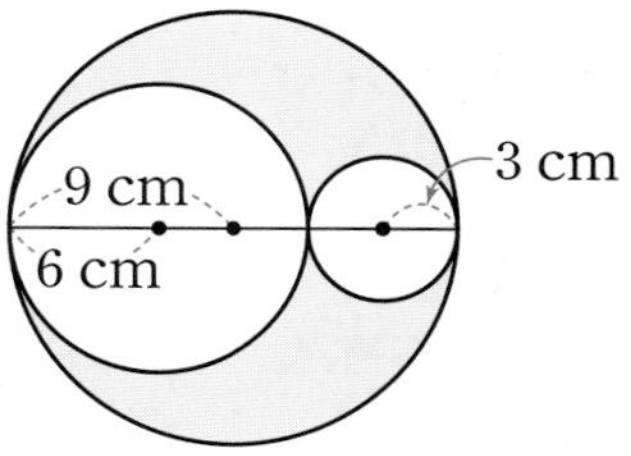

☐ cm^2

2-3

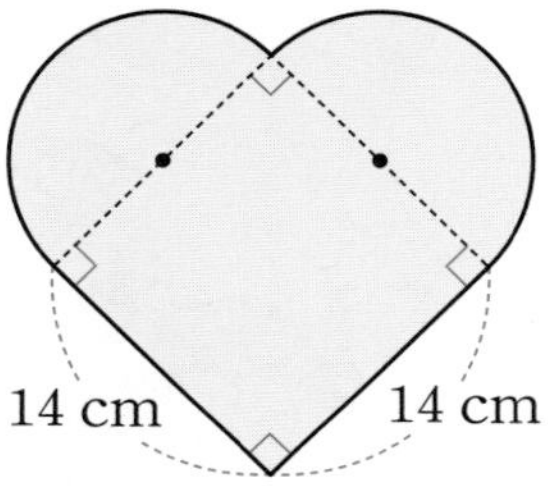

☐ cm^2

2-4

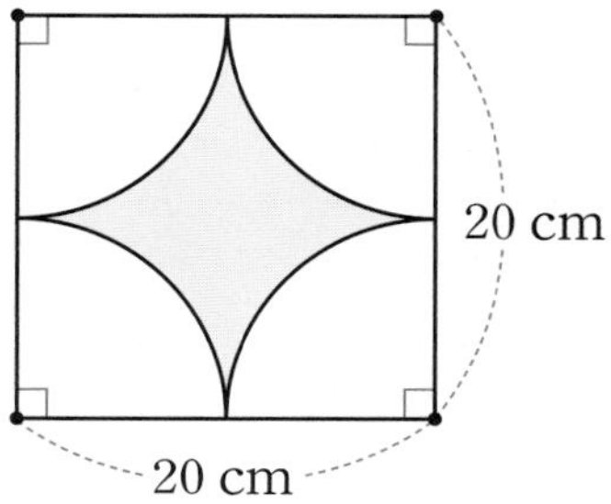

☐ cm^2

2-5

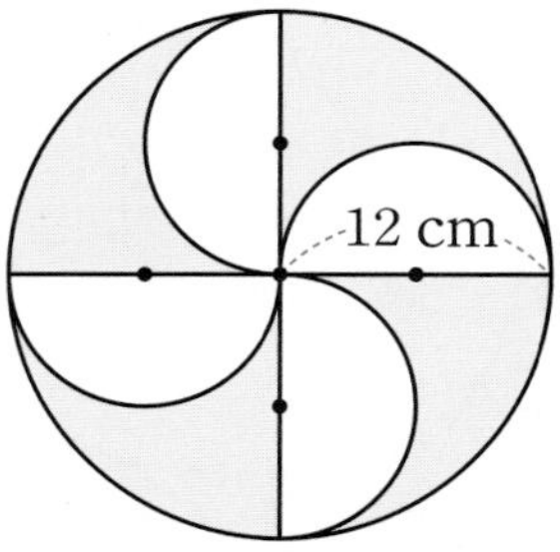

☐ cm^2

2-6

반원을 잘라서 옮기면 색칠한 부분은 직사각형이 됩니다.

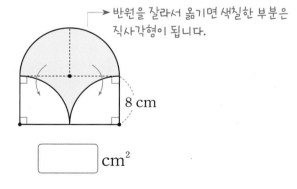

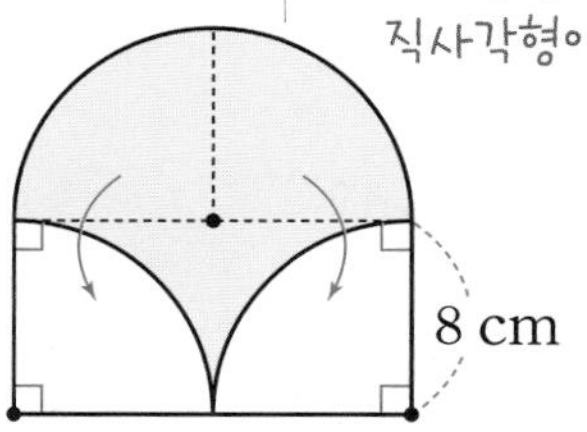

☐ cm^2

3일 원이 굴러간 거리와 넓이 구하기

오늘은 무엇을 공부할까요?

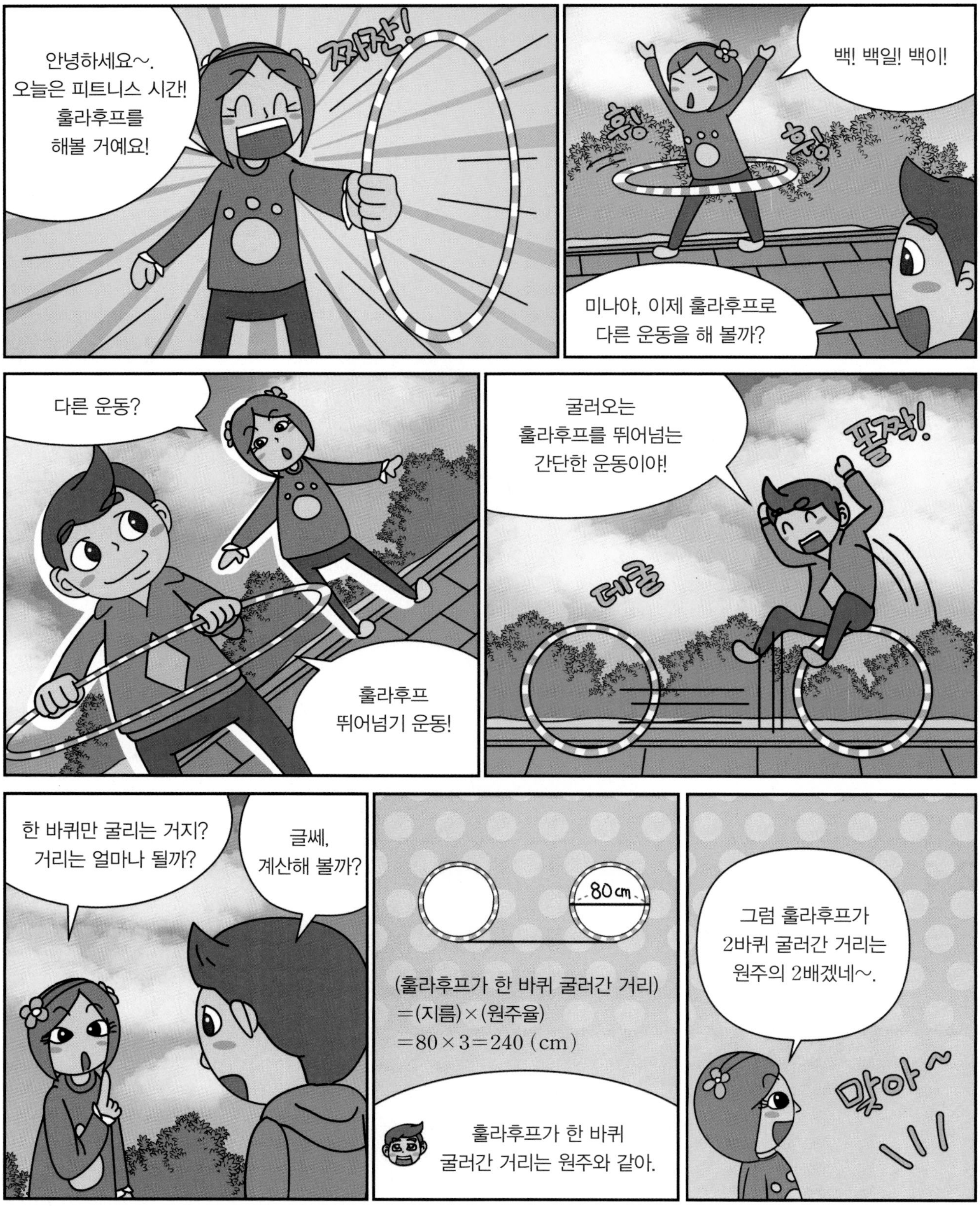

안녕하세요~. 오늘은 피트니스 시간! 훌라후프를 해볼 거예요!
짜잔!
백! 백일! 백이!
휘잉
휘잉
미나야, 이제 훌라후프로 다른 운동을 해 볼까?
다른 운동?
훌라후프 뛰어넘기 운동!
굴러오는 훌라후프를 뛰어넘는 간단한 운동이야!
폴짝!
데굴
한 바퀴만 굴리는 거지? 거리는 얼마나 될까?
글쎄, 계산해 볼까?
80 cm
(훌라후프가 한 바퀴 굴러간 거리)
=(지름)×(원주율)
=80×3=240 (cm)
훌라후프가 한 바퀴 굴러간 거리는 원주와 같아.
그럼 훌라후프가 2바퀴 굴러간 거리는 원주의 2배겠네~.
맞아~

난 이번에 훌라후프를 5바퀴 굴려 뛰어넘어 보겠어!
무리하는 거 아냐?
잘 찍어두라고~. 굴려!
이얍!
이얍!
폴짝
콱!
오…… 오늘은 여기까지~ 다음 시간에 만나요~.
으악!

도형 기본 개념

- **원 모양의 접시를 한 바퀴 굴렸을 때 굴러간 거리와 넓이 구하는 방법 알아보기**

한 바퀴 굴러간 거리

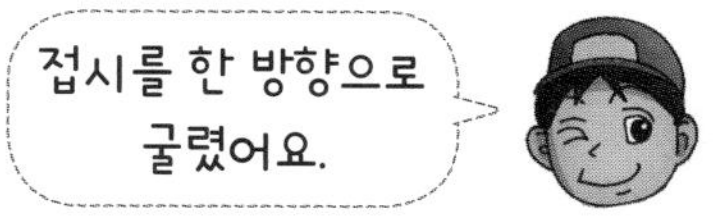

접시를 한 방향으로 굴렸어요.

⇨ (접시가 한 바퀴 굴러간 거리)=(원의 원주)

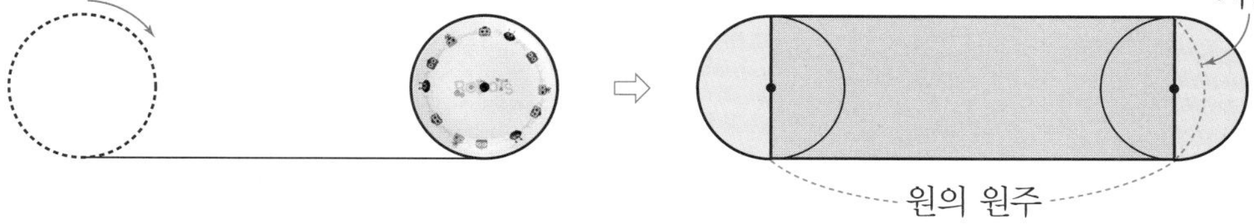

지름
원의 원주

⇨ (접시가 지나간 부분의 넓이)=(직사각형의 넓이)+(❶ ☐의 넓이)

└→ (원의 원주)×(지름)

정답 ❶ 원

3일 원이 굴러간 거리와 넓이 구하기

활동을 통하여 개념을 알아보아요.

원이 굴러간 거리 구하기 (원주율: 3.14)

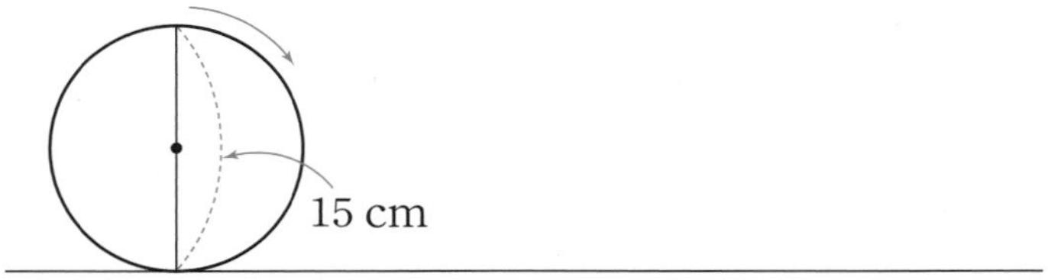

순서 1 원이 한 바퀴 굴러간 거리 알아보기

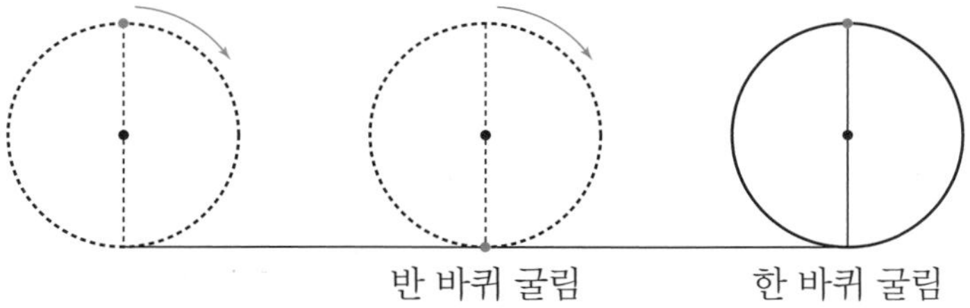

⇨ 원이 한 방향으로 한 바퀴 굴러간 거리는 원의 원주와 같습니다.

순서 2 원이 한 바퀴 굴러간 거리는 몇 cm인지 구하기

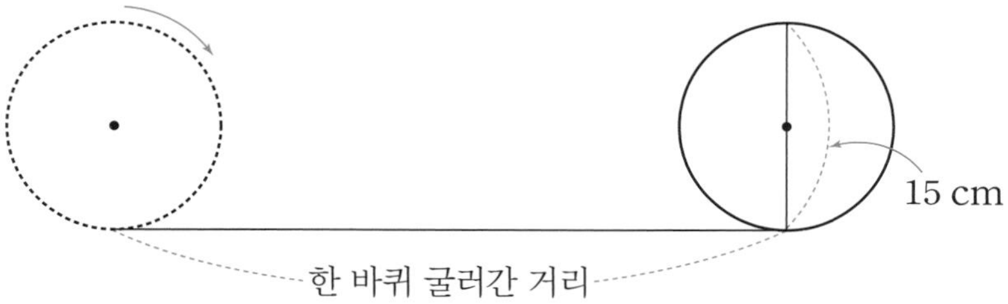

⇨ (원이 한 바퀴 굴러간 거리)=(원의 원주)

$=15\times3.14=47.1$ (cm)

개념 짚어 보기

- 원이 한 방향으로 한 바퀴 굴러간 거리는 원의 원주와 같습니다.
- 원이 한 방향으로 ■바퀴 굴러간 거리는 원의 원주의 ■배와 같습니다.

활동 개념 확인

원을 한 방향으로 굴린 바퀴 수입니다. 원이 굴러간 거리는 몇 cm인지 구하세요. (원주율: 3.1)

1-1

□ cm

1-2

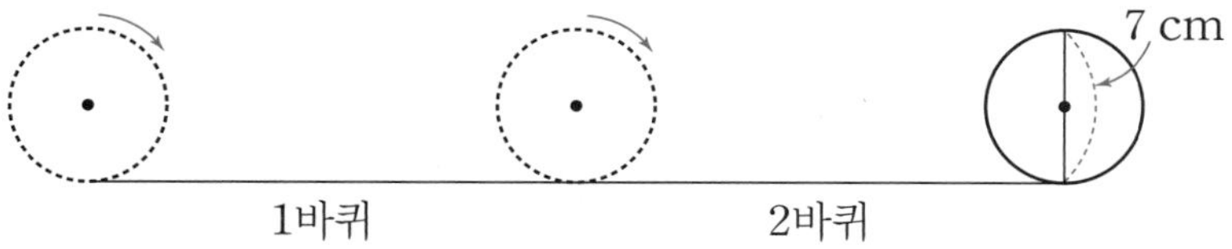

□ cm

1-3

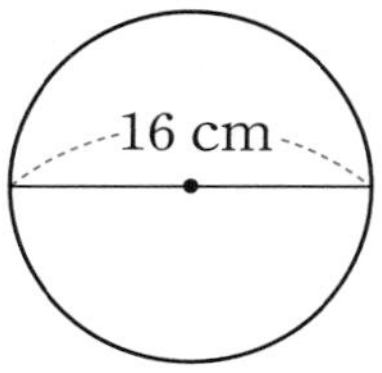

1바퀴

□ cm

1-4

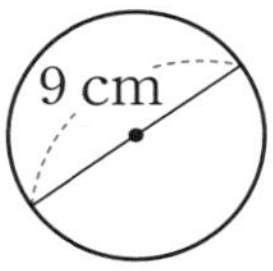

3바퀴

□ cm

1-5

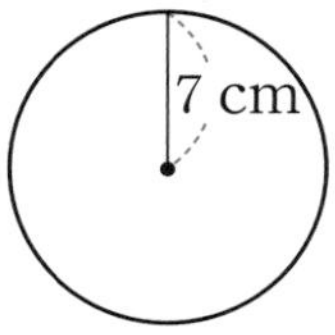

2바퀴

□ cm

1-6

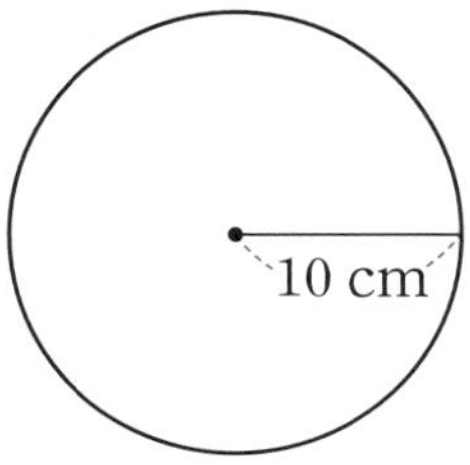

5바퀴

□ cm

3일 원이 굴러간 거리와 넓이 구하기

도형 집중 연습

원을 한 방향으로 한 바퀴 굴려 이동했습니다. 원이 지나간 부분의 넓이는 몇 cm^2인지 구하세요.

(원주율: 3)

1-1

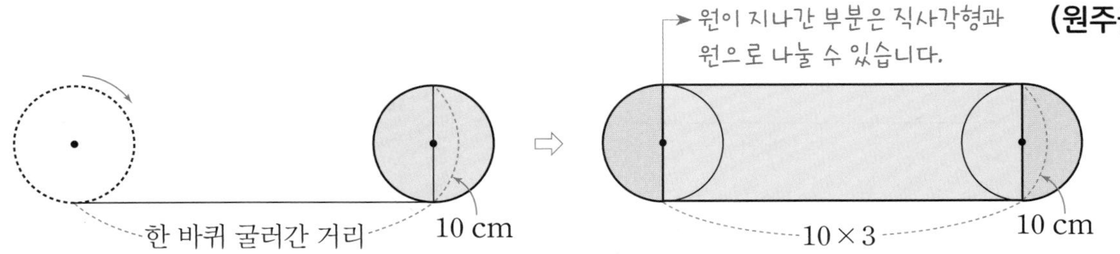

원의 원주

(직사각형의 넓이)$=(10\times3)\times10=$ ☐ (cm^2)

(원의 넓이)$=5\times5\times3=$ ☐ (cm^2)

⇨ (원이 지나간 부분의 넓이)$=$ ☐ $+$ ☐ $=$ ☐ (cm^2)

직사각형의 넓이　　원의 넓이

1-2

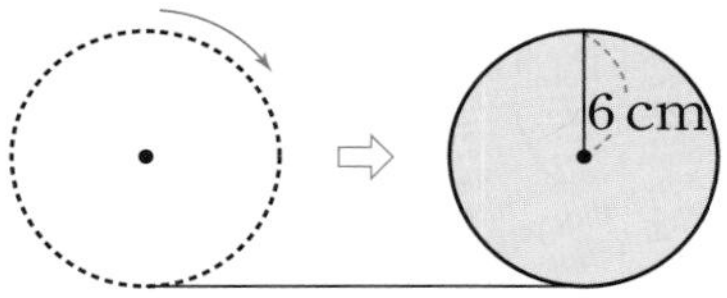

☐ cm^2

1-3

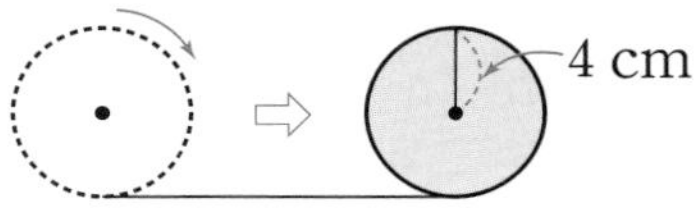

☐ cm^2

1-4

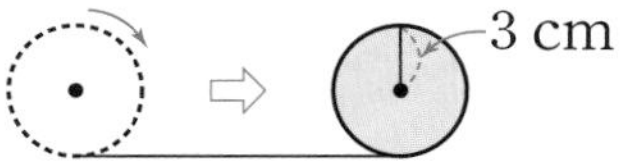

☐ cm^2

1-5

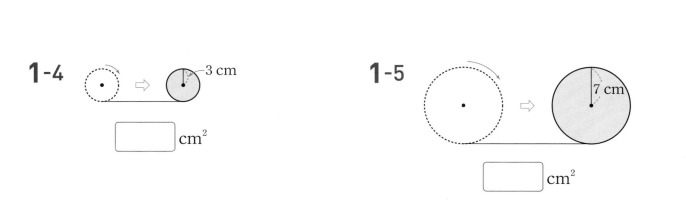

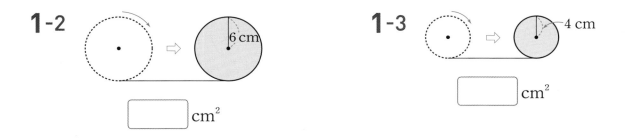

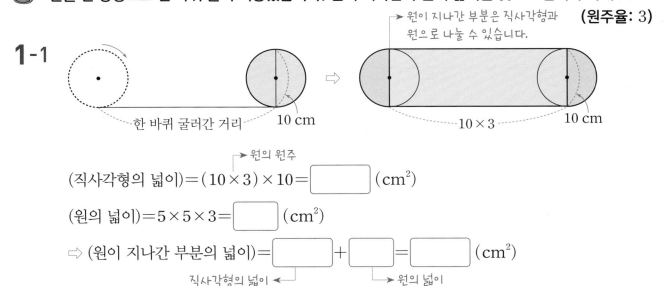

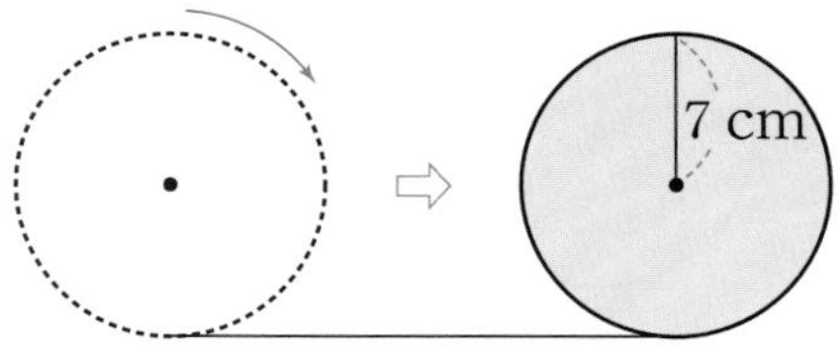

☐ cm^2

🍯 주어진 원의 둘레를 따라 노란색 원을 굴려 이동했습니다. 노란색 원이 지나간 부분의 넓이는 몇 cm²인지 구하세요. (원주율: 3)

2-1

➡️ 노란색 원이 지나간 부분은 큰 원에서 중간 원을 뺀 것과 같습니다.

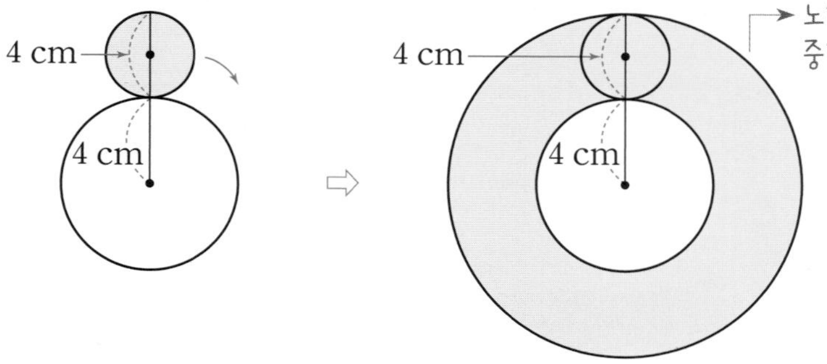

(큰 원의 넓이)=$8 \times 8 \times 3=$ ☐ (cm²)

(중간 원의 넓이)=$4 \times 4 \times 3=$ ☐ (cm²)

➡️ (노란색 원이 지나간 부분의 넓이)= ☐ − ☐ = ☐ (cm²)

큰 원의 넓이 ←   → 중간 원의 넓이

2-2

☐ cm²

2-3

☐ cm²

2-4

☐ cm²

2-5

☐ cm²

2주

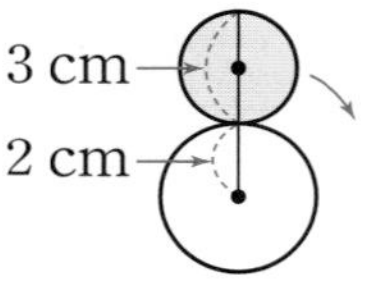

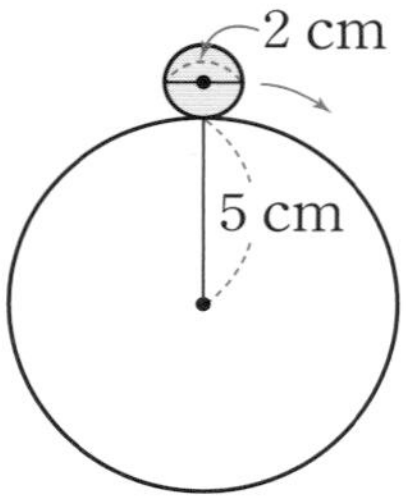

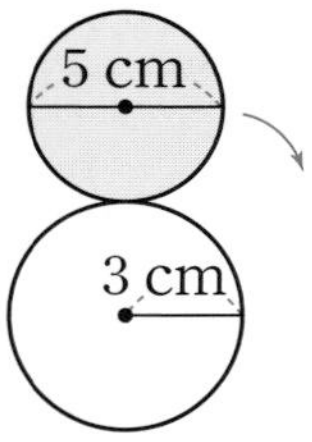

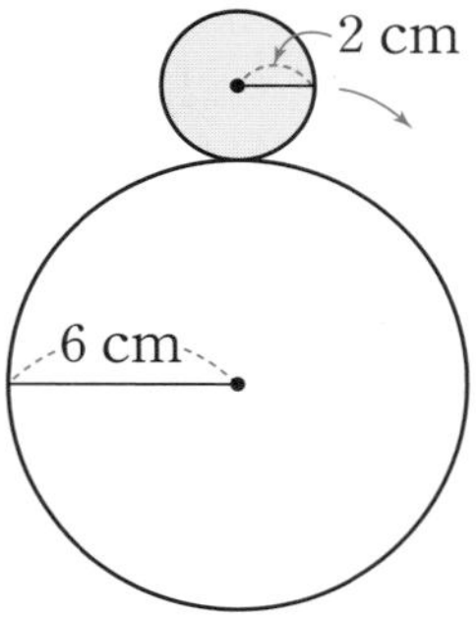

4일 사용한 끈의 길이 구하기

오늘은 무엇을 공부할까요?

오늘은 시장 탐험 컨텐츠야!
알고 있지~. 출발하자!
저희는 지금 가까운 시장에 나와 있어요.
시장 좋네~. 뭐 먼저 사 볼까?
우호~
오! 싸다! 음료수 먼저 사야겠어.
으아아~ 다 들기가 너무 어려운 걸.
후두둑
후두둑
욕심내서 너무 많이 샀나봐.
끈으로 묶으면 어때?
크기가 같은 음료수 캔을 끈으로 이렇게 한 바퀴 돌려 묶는 거지.
CHECK
오~ 그럼 필요한 끈의 길이는 어떻게 구하면 돼?

직선과 곡선 두 부분으로
나누어 구하면 되지. 곡선 부분을
합하면 원이 되거든.
이제 내가 끈을
찾아볼게.
뒤적
뒤적
아이고 학생들~
여기 봉투에
담아 가~.
네~
앗! 봉투가 있었구나……
그럼 다음 시간에
만나요!
하핫

2주
4일

도형 기본 개념

● **크기가 같은 원기둥 모양의 통조림통을 끈으로 묶었을 때 사용한 끈의 길이를 구하는 방법 알아보기**

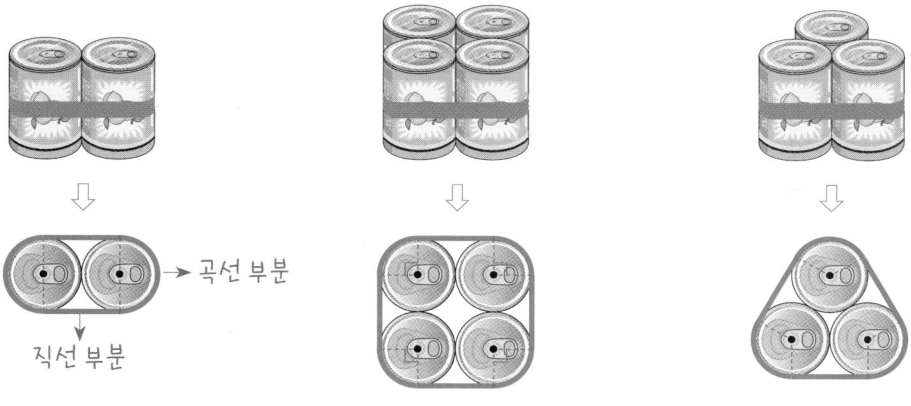
곡선 부분
직선 부분

• 사용한 끈의 길이는 직선 부분과 ❶ [ ] 부분으로 나누어서 구합니다.

• 파란색으로 표시한 곡선 부분을 합하면 각각 원이 됩니다. ⇨

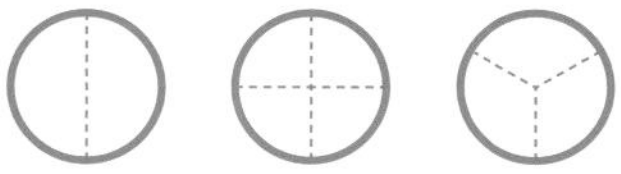

정답 ❶ 곡선

4일 사용한 끈의 길이 구하기

활동을 통하여 **해결 방법**을 알아보아요.

◉ 크기가 같은 원기둥 모양의 통조림통을 끈으로 1바퀴 돌려 묶었을 때 사용한 끈의 길이 구하기

(원주율: 3.14)

끈을 묶은 매듭의 길이는 생각하지 않아요.

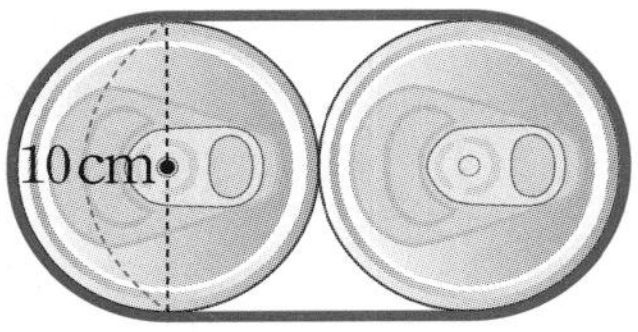

순서 **1** 직선 부분에 사용한 끈의 길이 구하기

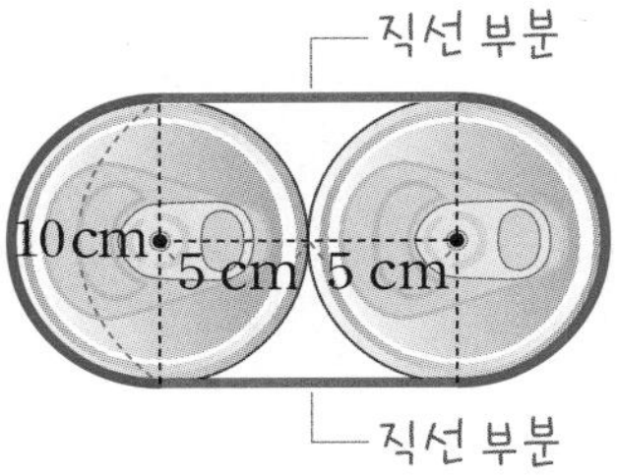

⇨ (직선 부분의 길이)
　＝(반지름)×2×2＝(지름)×2
　＝10×2＝20 (cm)

순서 **2** 곡선 부분에 사용한 끈의 길이 구하기

 ⇨ → 곡선 부분을 합하면 원이 됩니다.

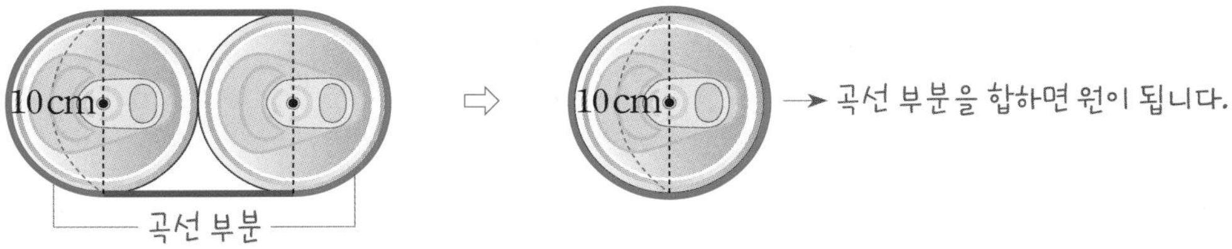

⇨ (곡선 부분의 길이)＝(원의 원주)＝10×3.14＝31.4 (cm)

순서 **3** 사용한 끈의 길이 구하기

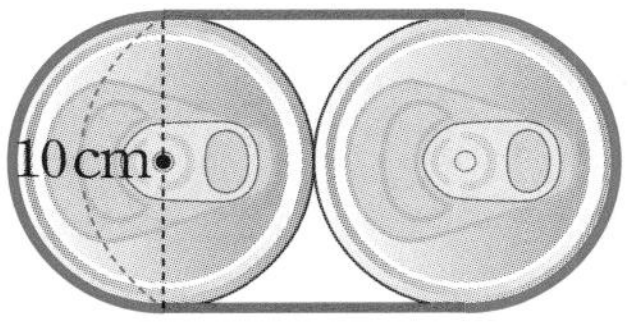

⇨ (사용한 끈의 길이)
　＝(직선 부분의 길이)＋(곡선 부분의 길이)
　＝20＋31.4＝51.4 (cm)

해결 방법 확인

각각 크기가 같은 원기둥 모양의 통조림통을 끈으로 1바퀴 돌려 묶었을 때 사용한 끈의 길이는 몇 cm인지 구하세요. (단, 매듭의 길이는 생각하지 않습니다.) (원주율: 3)

1-1

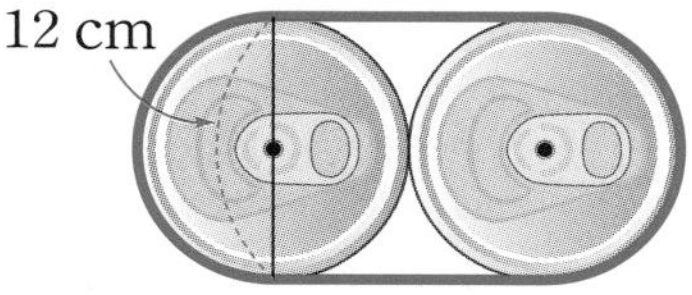

☐ cm

1-2

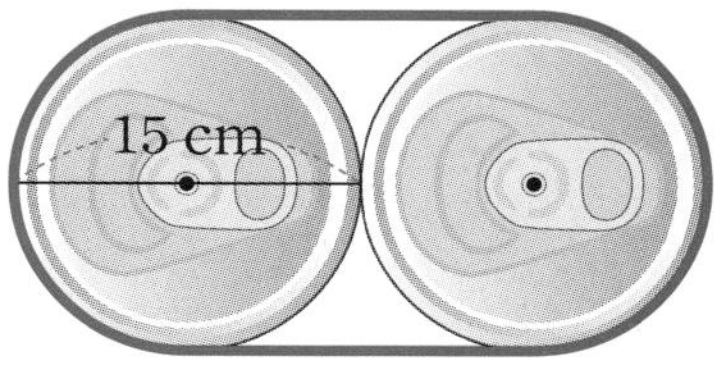

☐ cm

1-3

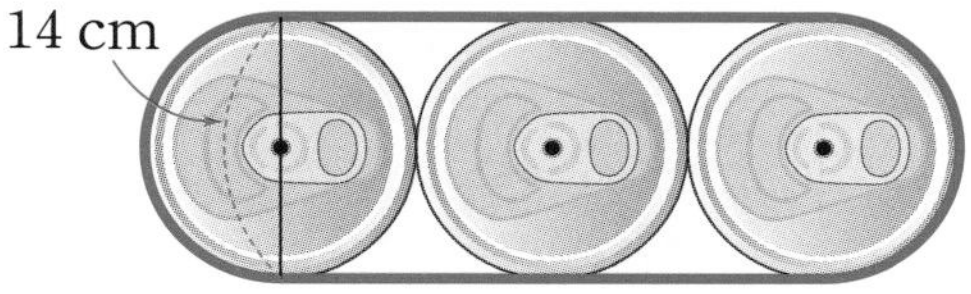

☐ cm

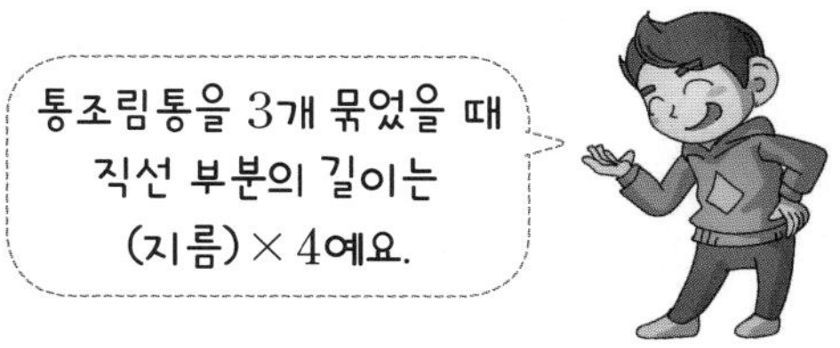

1-4

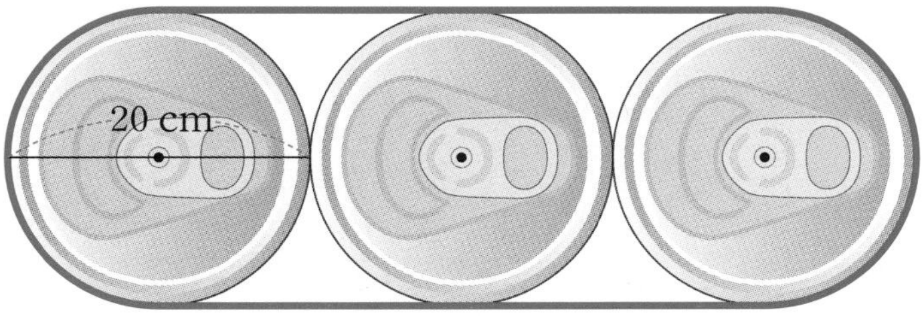

☐ cm

1-5

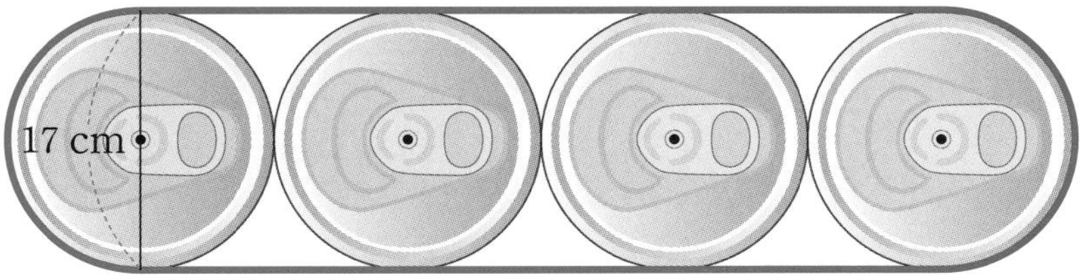

☐ cm

4일 사용한 끈의 길이 구하기

도형 집중 연습

🐱 **보기**와 같이 크기가 같은 원기둥을 각각 끈으로 1바퀴 돌려 묶었을 때 사용한 끈의 길이는 몇 cm인지 구하세요. (단, 매듭의 길이는 생각하지 않습니다.) (원주율: 3)

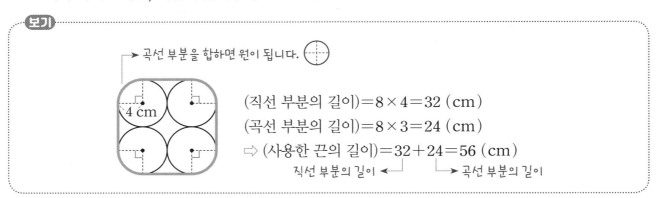

보기

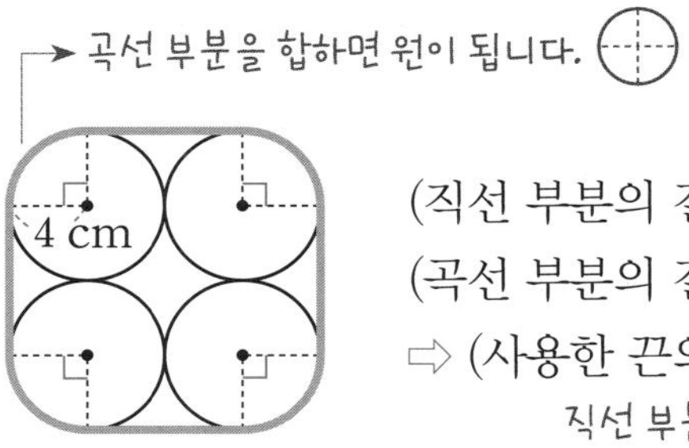

곡선 부분을 합하면 원이 됩니다.

(직선 부분의 길이)=8×4=32 (cm)
(곡선 부분의 길이)=8×3=24 (cm)
⇨ (사용한 끈의 길이)=32+24=56 (cm)
　　　　　　　　직선 부분의 길이 ◀　　┗▶ 곡선 부분의 길이

1-1

10 cm

　　　　　cm

1-2

6 cm

　　　　　cm

1-3

9 cm

　　　　　cm

1-4

8 cm

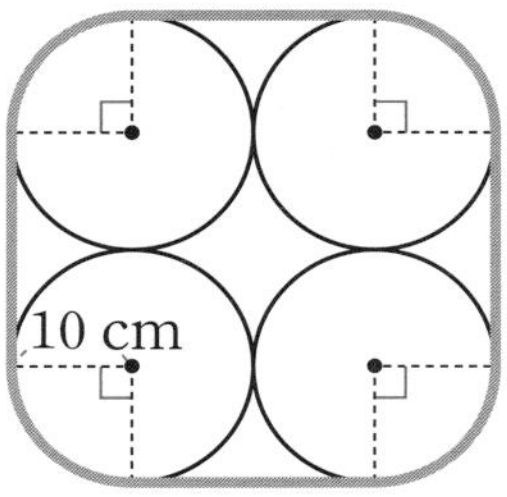

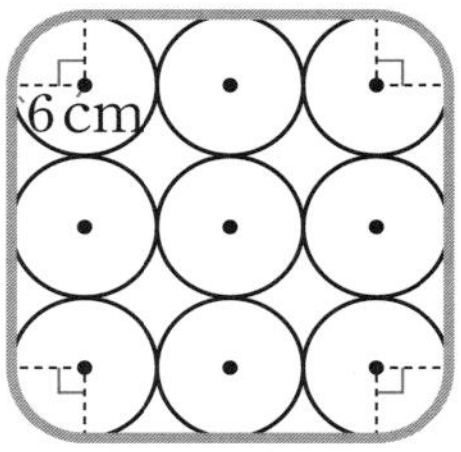

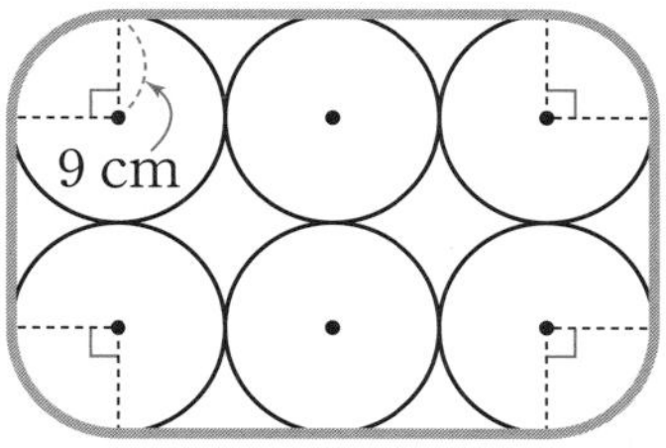

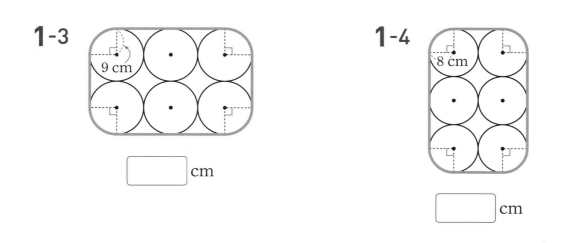

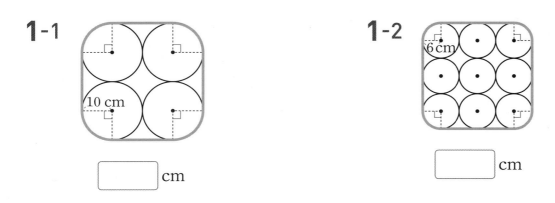

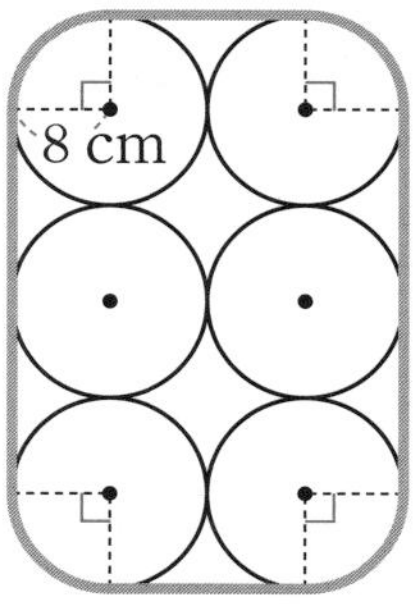

　　　　　cm

보기 와 같이 크기가 같은 원기둥을 각각 끈으로 1바퀴 돌려 묶었을 때 사용한 끈의 길이는 몇 cm인지 구하세요. (단, 매듭의 길이는 생각하지 않습니다.) (원주율: 3)

보기

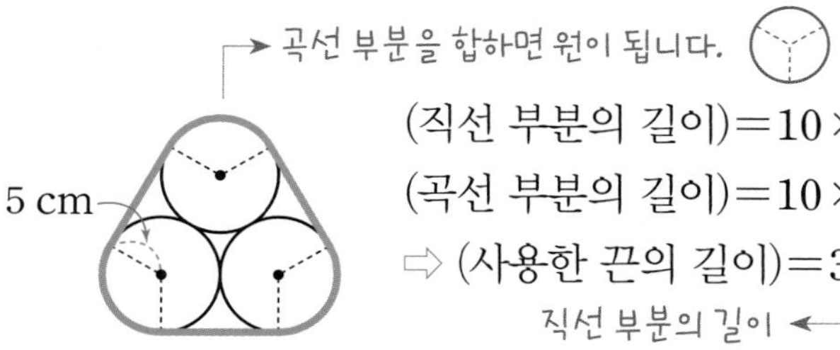

→ 곡선 부분을 합하면 원이 됩니다.

(직선 부분의 길이)＝10×3＝30 (cm)

(곡선 부분의 길이)＝10×3＝30 (cm)

⇨ (사용한 끈의 길이)＝30＋30＝60 (cm)

직선 부분의 길이 ←　　　　→ 곡선 부분의 길이

5 cm

2-1

9 cm

☐ cm

2-2

11 cm

☐ cm

2-3

7 cm

☐ cm

2-4

8 cm

☐ cm

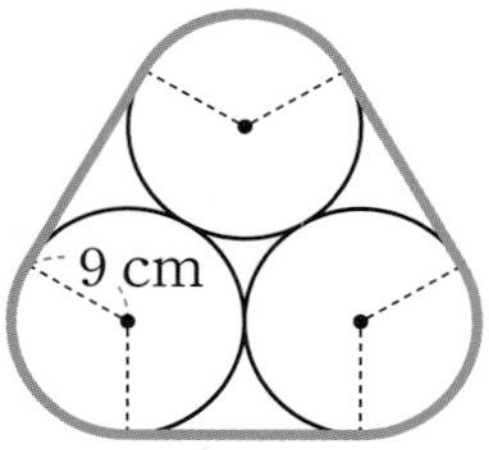

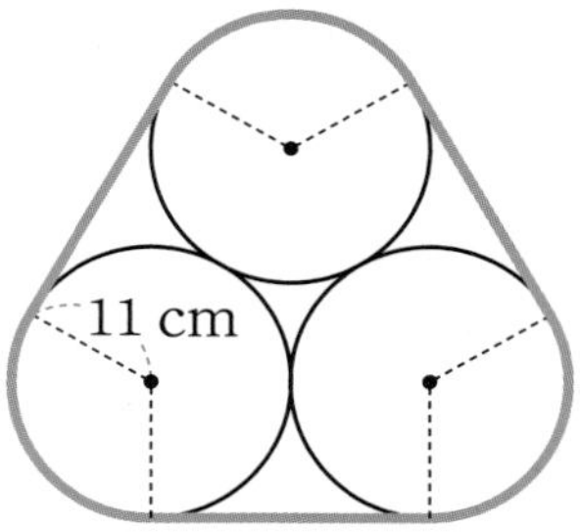

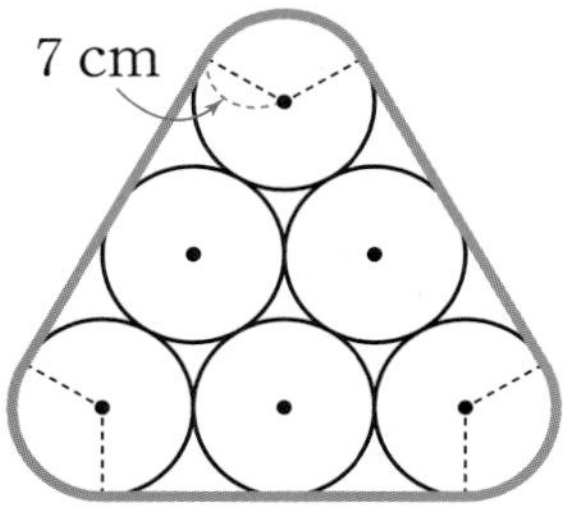

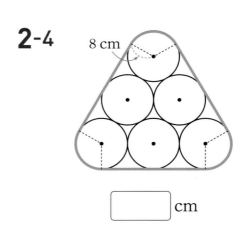

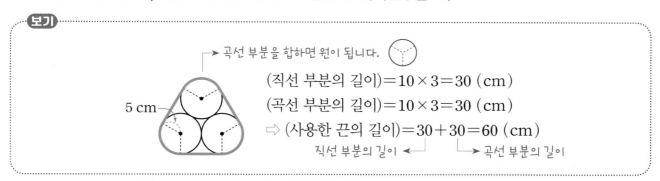

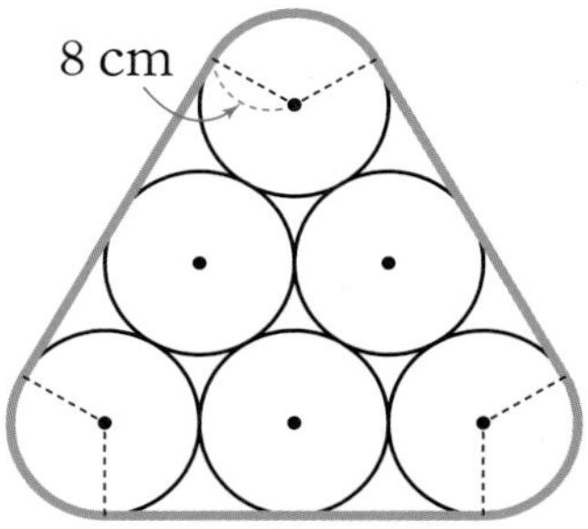

5일 움직일 수 있는 부분의 넓이 구하기

오늘은 농장에 왔어요~.
다양한 동물 소리가 들리네요.
응? 염소가 말뚝에 묶여 울고 있어~.
메에~
배가 고픈 건 아닐까?
먹을 걸 갖다주자.
여기에 놓으면 될 것 같아.
다다다
착
이런 거리가 너무 먼가 보네…….
끈의 길이가 1 m라니까 좀더 가까이 놓아주자!
근데 끈의 길이가 1 m이면 염소가 움직일 수 있는 부분의 넓이는 얼마나 될까?
반지름이 1 m인 원의 넓이와 같겠지.

1 m
그럼 염소가 움직일 수 있는 부분의 넓이는 바로 이거야!
(염소가 움직일 수 있는 부분의 넓이)
=(반지름이 1 m인 원의 넓이)
=1×1×3=3 (m²)
원주율
어머, 맛있게 먹는 걸 보니 흐뭇하네~.
냠 냠
결국 오늘은 염소의 먹방이다.
사람들이 좋아할 거야.
으악~ 잠깐! 내 옷은 먹는 게 아니라고~.
하하~

2주
5일

도형 기본 개념

- **염소가 움직일 수 있는 부분의 넓이 구하기 (원주율: 3)**

길이가 1 m인 줄에 묶여 있는 염소가 움직일 수 있는 부분은 반지름이 1 m인 원 모양과 같습니다.

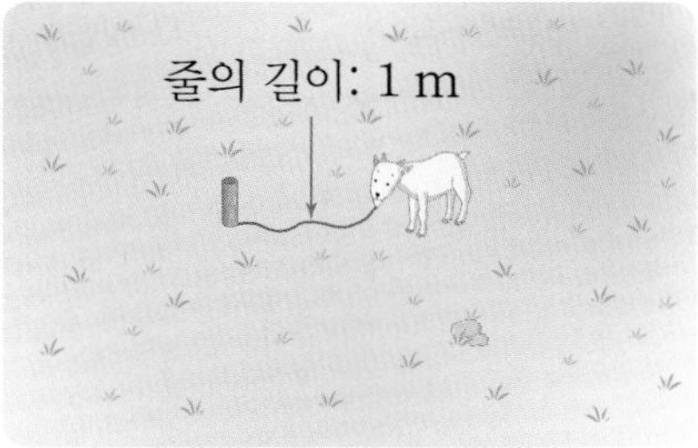
줄의 길이: 1 m

⇨

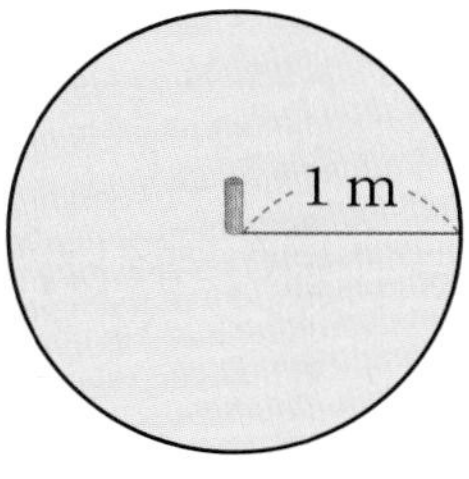
1 m

염소의 몸의 길이와 묶은 부분의 길이는 생각하지 않아요.

⇨ (염소가 움직일 수 있는 부분의 넓이)=(반지름이 1 m인 원의 넓이)

=1×1×3=❶ ☐ (m²)

정답 ❶ 3

5일 움직일 수 있는 부분의 넓이 구하기

활동을 통하여 해결 방법을 알아보아요.

염소가 움직일 수 있는 부분의 넓이 구하기 (원주율: 3.14)

말뚝에 묶여 있는 염소가 움직일 수 있는 부분의 넓이는 몇 m^2일까요?

순서 1 염소가 움직일 수 있는 부분의 모양 알아보기

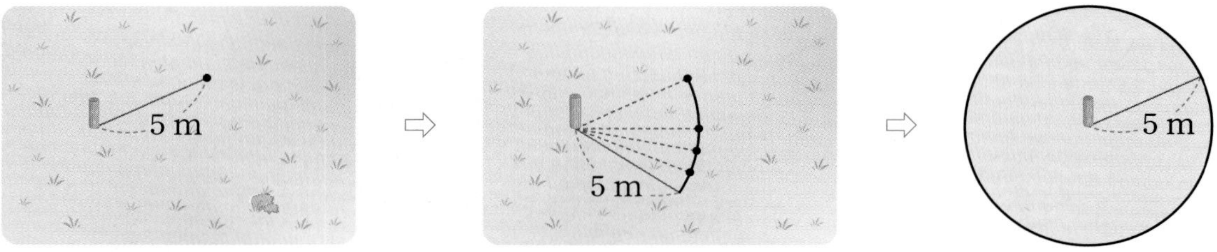

염소가 움직일 수 있는 가장 먼 거리는 5 m예요.

말뚝부터 5 m가 되는 곳을 모두 찾아 이으면……

염소가 움직일 수 있는 부분은 반지름이 5 m인 원 모양이에요.

참고
염소가 움직일 수 있는 부분의 넓이를 구할 때 염소의 몸의 길이와 묶은 부분의 길이는 생각하지 않습니다.

순서 2 염소가 움직일 수 있는 부분의 넓이 구하기

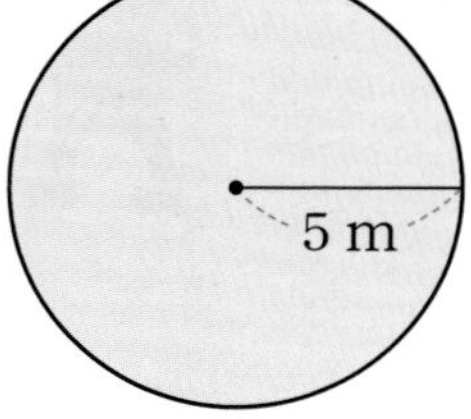

⇨ (염소가 움직일 수 있는 부분의 넓이)
=(반지름이 5 m인 원의 넓이)
$=5\times5\times3.14=78.5\ (m^2)$

해결 방법 확인

그림과 같이 말뚝에 묶여 있는 염소가 있습니다. 염소가 움직일 수 있는 부분의 넓이는 몇 m^2인지 구하세요. (원주율: 3.1)

1-1

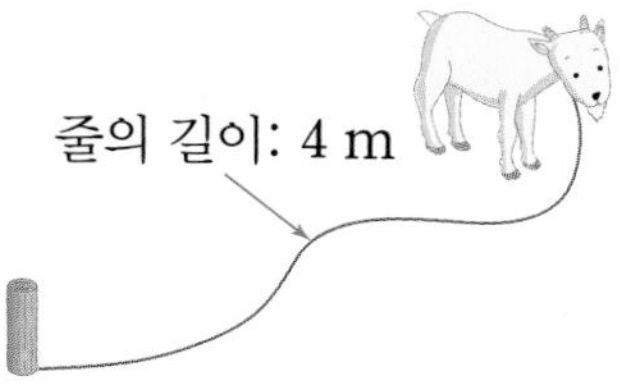

$\square\ \mathrm{m}^2$

1-2

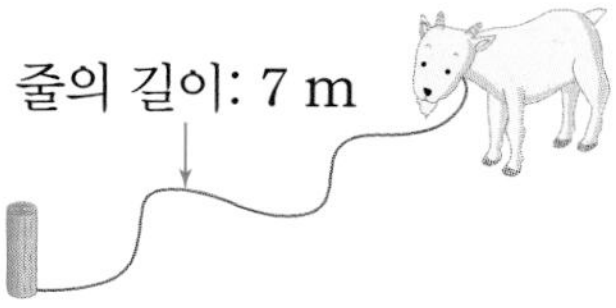

$\square\ \mathrm{m}^2$

1-3

$\square\ \mathrm{m}^2$

1-4

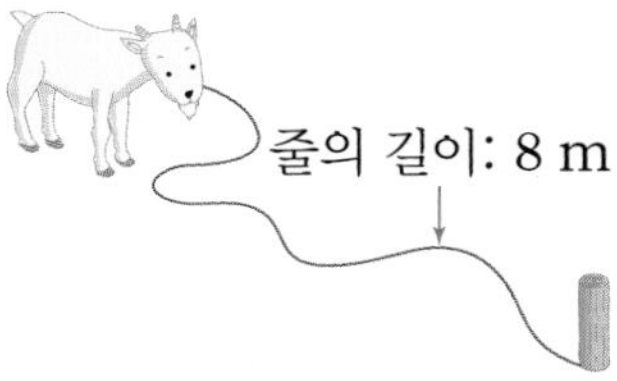

$\square\ \mathrm{m}^2$

1-5

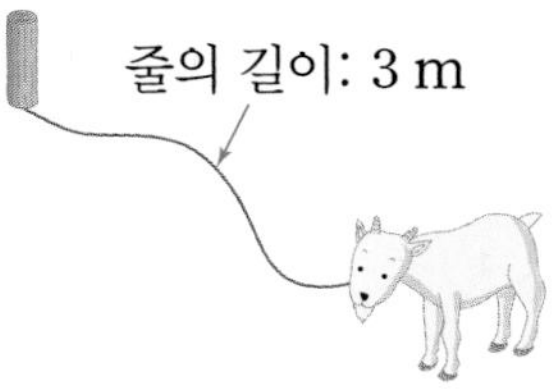

$\square\ \mathrm{m}^2$

1-6

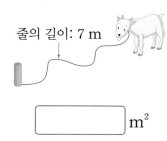

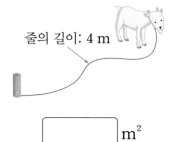

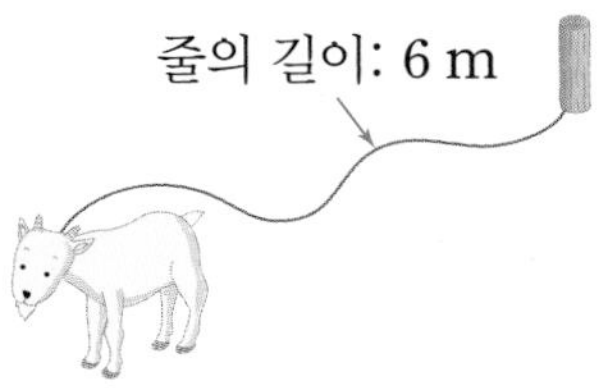

$\square\ \mathrm{m}^2$

5일 움직일 수 있는 부분의 넓이 구하기

도형 집중 연습

그림과 같이 직사각형 모양 울타리의 한 꼭짓점에 묶여 있는 젖소가 있습니다. 젖소가 울타리 안에서 움직일 수 있는 부분의 넓이는 몇 m^2인지 구하세요. (원주율: 3)

1-1

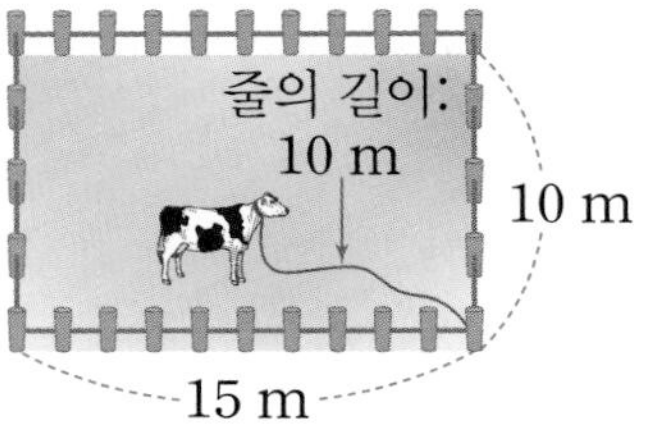

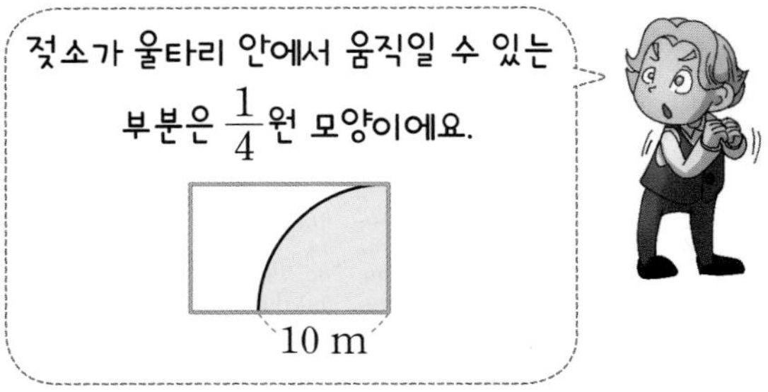

$\square$ m^2

1-2

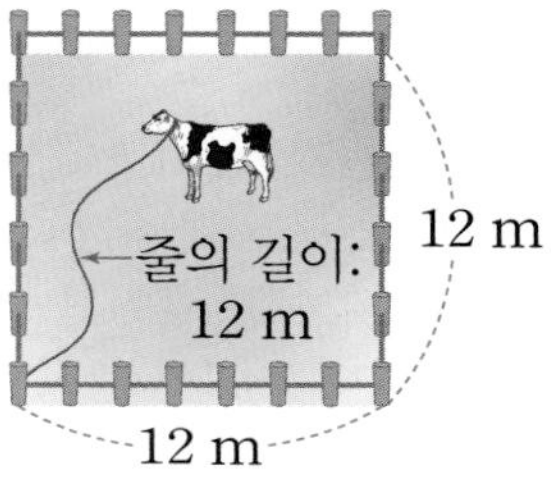

$\square$ m^2

1-3

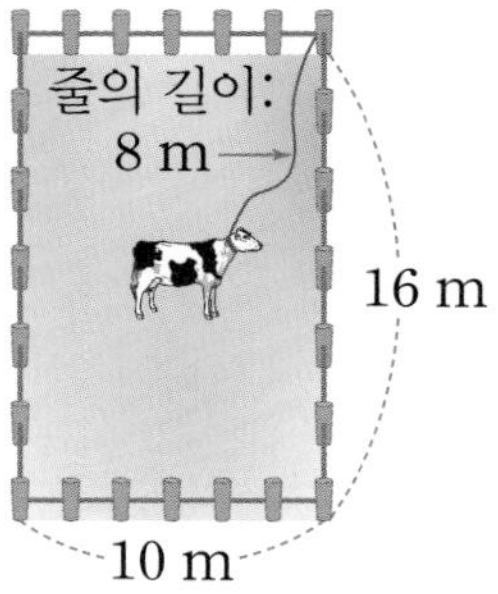

$\square$ m^2

1-4

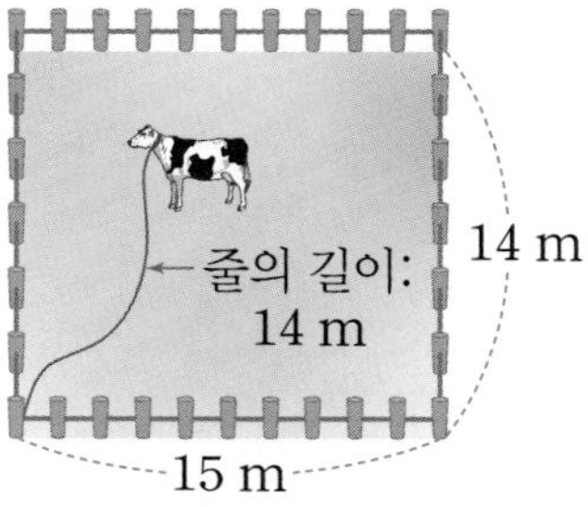

$\square$ m^2

1-5

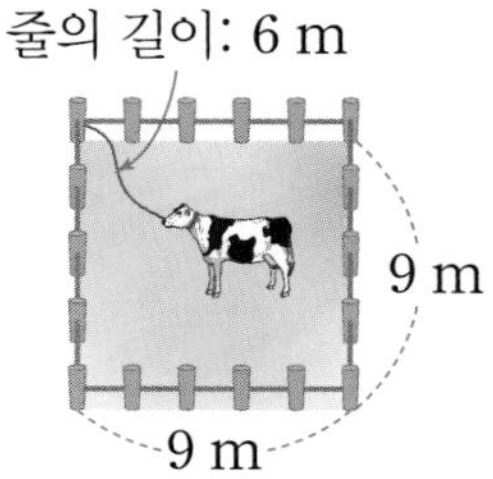

$\square$ m^2

그림과 같이 직사각형 모양 울타리의 한 꼭짓점에 묶여 있는 말이 있습니다. 말이 울타리 밖에서 움직일 수 있는 부분의 넓이는 몇 m^2인지 구하세요. (원주율: 3)

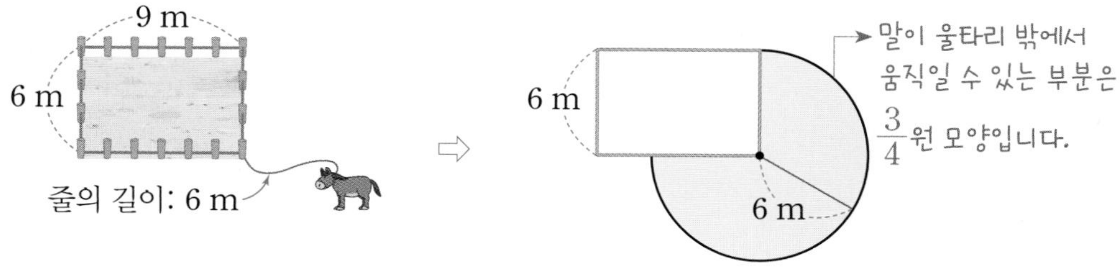

⇨ (말이 움직일 수 있는 부분의 넓이)$=6\times6\times3\times\frac{3}{4}=81$ (m^2)

2-1

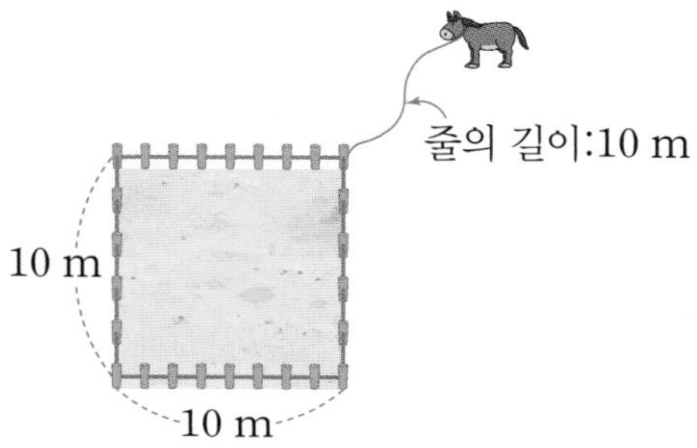

☐ m^2

2-2

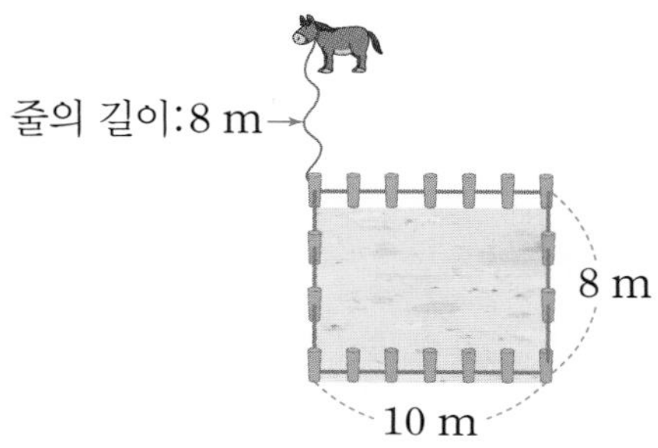

☐ m^2

2-3

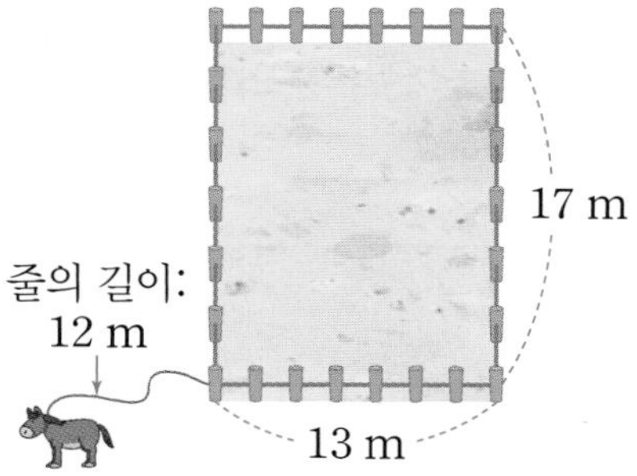

☐ m^2

2-4

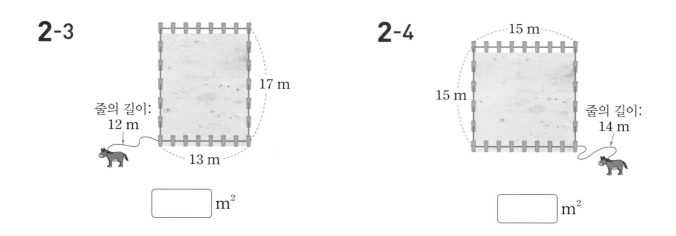

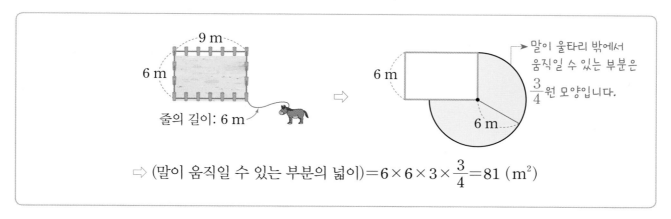

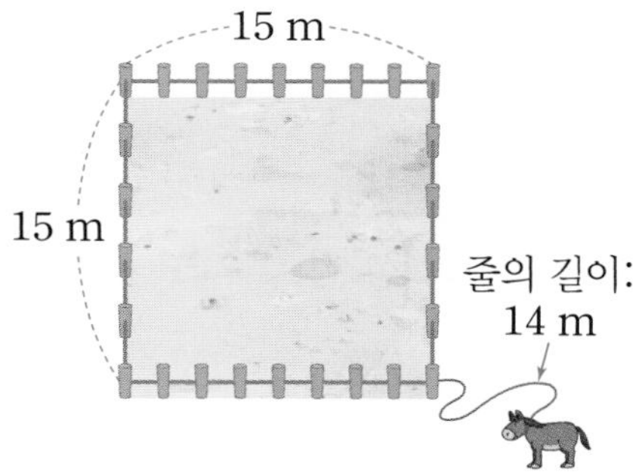

☐ m^2

2주 5일

누구나 100점 맞는 TEST

[01~02] 색칠한 부분의 둘레는 몇 cm인지 구하세요. (원주율: 3)

01

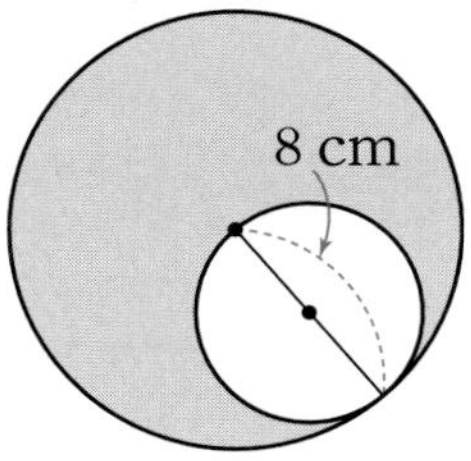

□ cm

02

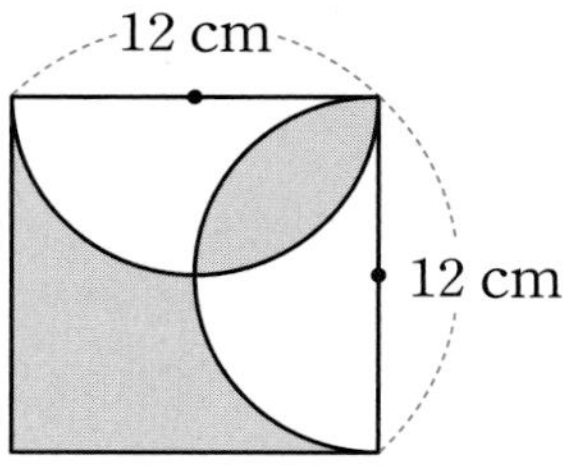

□ cm

03 원을 한 방향으로 2바퀴 굴렸을 때 굴러간 거리는 몇 cm일까요? (원주율: 3)

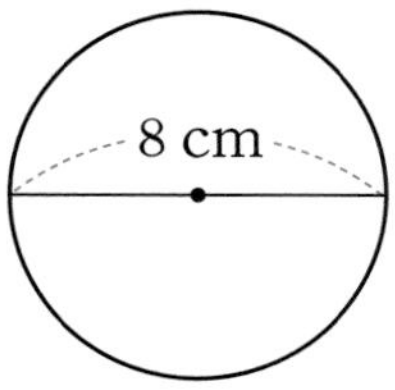

□ cm

[04~05] 색칠한 부분의 넓이는 몇 cm^2인지 구하세요. (원주율: 3)

04

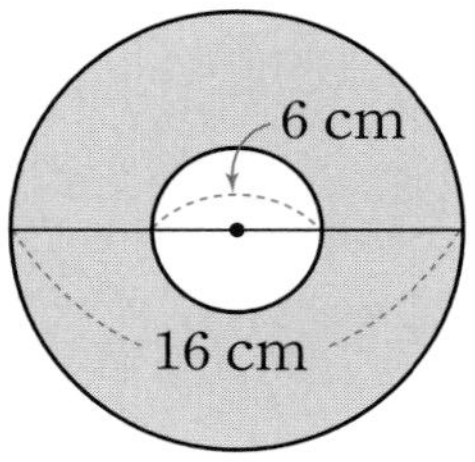

□ cm^2

05

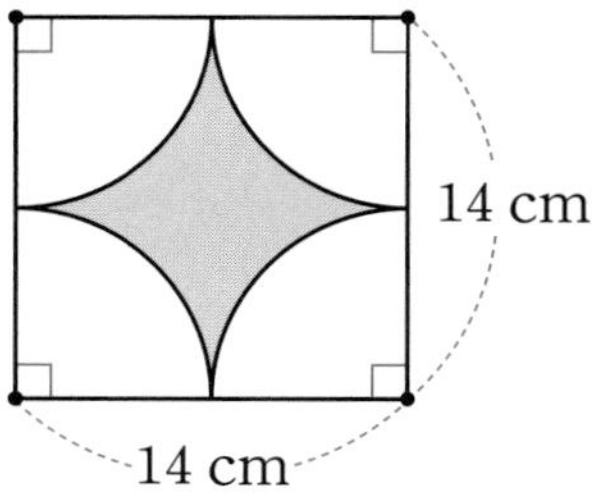

□ cm^2

06 직사각형에 그릴 수 있는 가장 큰 원을 그려 잘라냈을 때 남은 부분의 넓이는 몇 cm^2일까요? (원주율: 3)

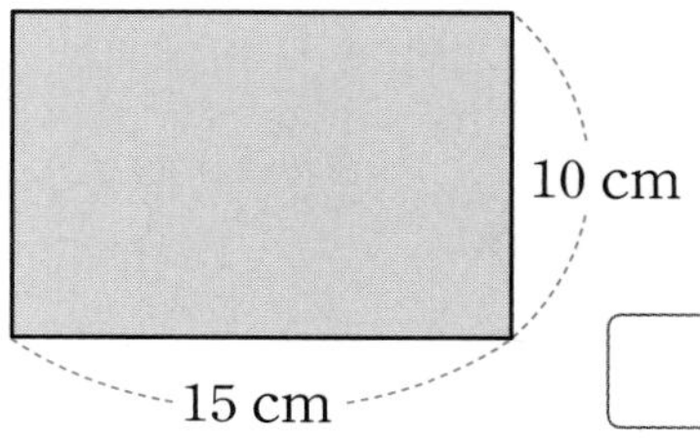

□ cm^2

[07~08] 크기가 같은 원기둥을 각각 끈으로 1바퀴 돌려 묶었을 때 사용한 끈의 길이는 몇 cm인지 구하세요. (단, 매듭의 길이는 생각하지 않습니다.) (원주율: 3)

07

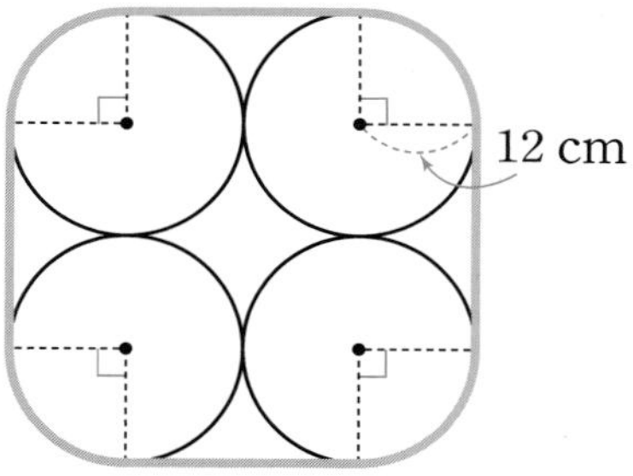

☐ cm

08

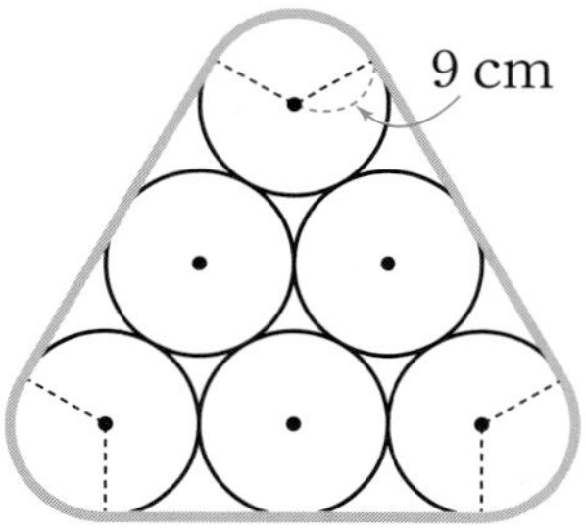

☐ cm

09 그림과 같이 직사각형 모양 울타리의 한 꼭짓점에 묶여 있는 젖소가 있습니다. 젖소가 울타리 안에서 움직일 수 있는 부분의 넓이는 몇 m^2일까요? (원주율: 3.1)

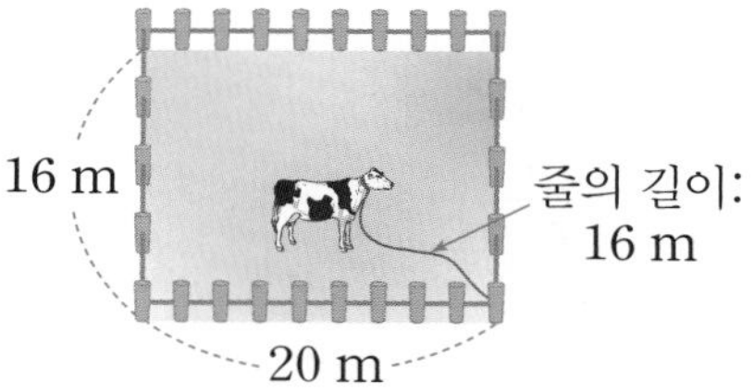

☐ m^2

10 그림과 같이 직사각형 모양 울타리의 한 꼭짓점에 묶여 있는 말이 있습니다. 말이 울타리 밖에서 움직일 수 있는 부분의 넓이는 몇 m^2일까요? (원주율: 3.1)

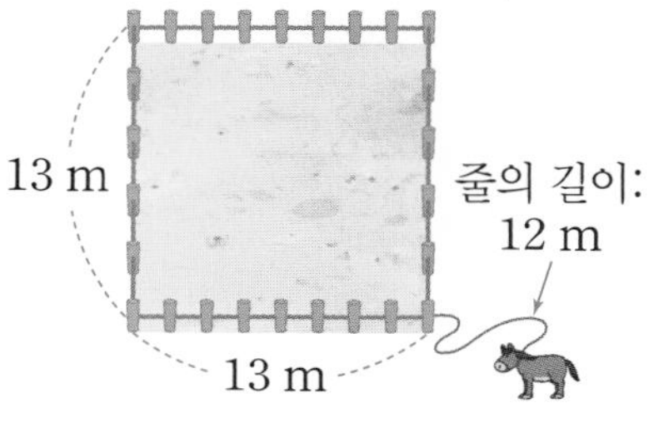

☐ m^2

피자의 넓이 구하기

오, 간식
먹는 중이니?
네
피자가 맛있겠구나~.
앙~
내가 특별히 너희가
먹는 피자의 넓이
구하는 방법을 알려주마.
!
1/8
한 조각은
전체의 1/8이니
전체 원의 넓이에
1/8을 곱하면 된단다.
선생님, 그건
저희도 알고
있어요~.
냠냠
아! 그렇니?
저기…… 실은 나도 배가 좀
고픈데……핫핫!
꼬르륵~

● **피자의 넓이 구하기 (원주율: 3.14)**

16 cm

(피자 한 판의 넓이)

$=16\times16\times3.14=803.84\ (\mathrm{cm}^2)$

16 cm

(피자 반 판의 넓이) ← 반 판: $\frac{1}{2}$

$=16\times16\times3.14\times\frac{1}{2}=401.92\ (\mathrm{cm}^2)$

원의 넓이를 구할 줄 알면 피자의 넓이는 쉽게 구할 수 있겠죠?

참고

(원의 넓이)
=(반지름)×(반지름)×(원주율)

피자 조각의 모양 알아보기

너희는 피자 조각을 보면 어떤 물건이 생각나니?
글쎄요. 전 고깔이요.
전 부채요~.
부채 좋구나! 이렇게 생긴 도형을 부채꼴이라고 하지. 에헴!
부채꼴은 다양한 모양이 있단다.
선생님!
탕!
우리 채널에 좀 출현해 주세요~.
싫어~. 부끄러워~.

피자 조각의 모양 알아보기

• 피자 조각과 같이 반지름과 원주의 일부로 이루어진 부채 모양의 도형을 부채꼴이라고 합니다.

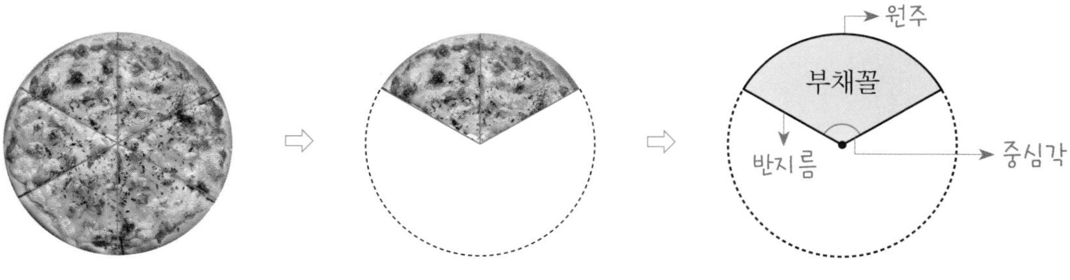

원주
부채꼴
반지름
중심각

• 부채꼴은 중심각의 크기에 따라 다양한 모양이 있습니다.

예

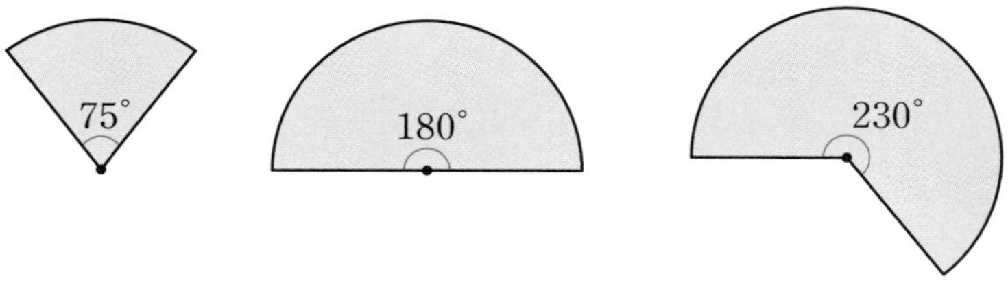

75°
180°
230°

특강 중학 도형 맛보기

 피자 조각의 수를 이용하여 피자 조각의 넓이는 몇 cm²인지 구하세요. **(원주율: 3.1)**

얘들아
피자 먹자~.

→ 피자가 똑같이 8조각으로
나누어져 있습니다.

16 cm

---

1 나는 1조각을 먹을 거야.

 $\dfrac{1}{8}$ → 8조각으로 나눈 것
중의 1조각

(피자 1조각의 넓이)

$= 16 \times 16 \times 3.1 \times \dfrac{1}{8}$

$= \boxed{}$ (cm²)

2 나는 2조각을 먹겠어.

 $\dfrac{2}{8}$ → 8조각으로 나눈 것
중의 2조각

(피자 2조각의 넓이)

$= 16 \times 16 \times 3.1 \times \dfrac{2}{8}$

$= \boxed{}$ (cm²)

---

3 남은 피자 5조각의 넓이도 구해 보겠니?

 $\dfrac{5}{8}$

(피자 5조각의 넓이)

$= 16 \times 16 \times 3.1 \times \dfrac{\boxed{}}{\boxed{}} = \boxed{}$ (cm²)

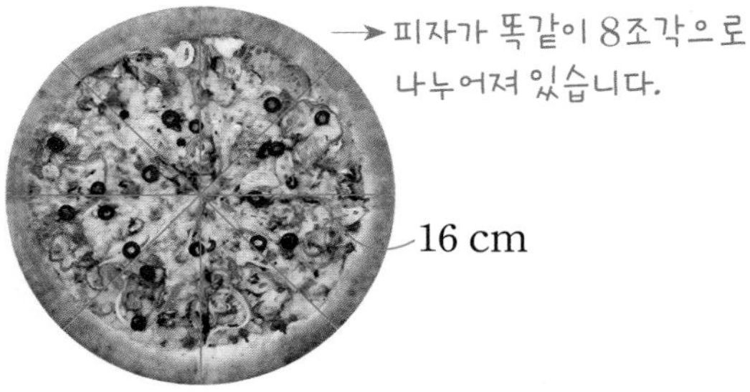

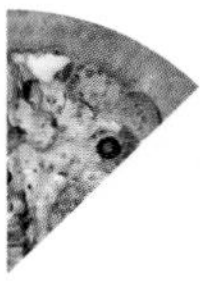

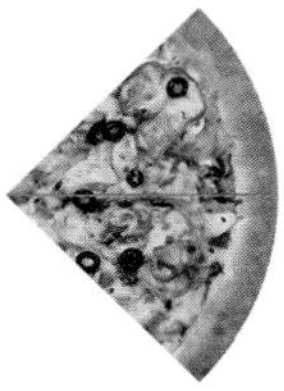

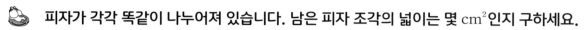

피자가 각각 똑같이 나누어져 있습니다. 남은 피자 조각의 넓이는 몇 cm^2인지 구하세요.

(원주율: 3)

4

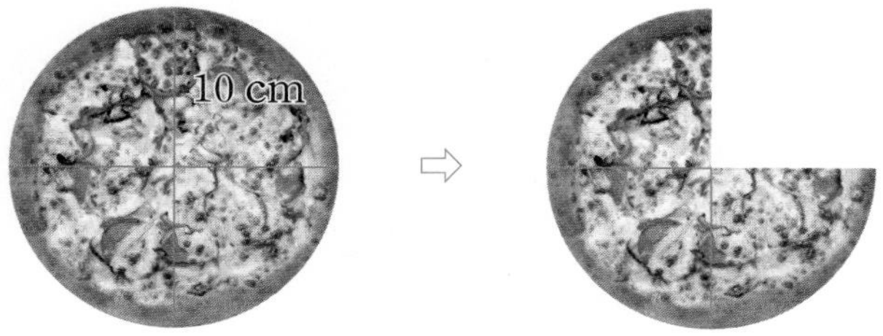

☐ cm^2

5

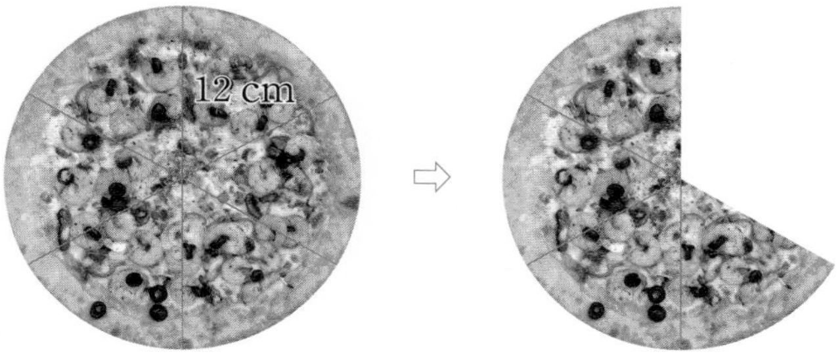

☐ cm^2

6

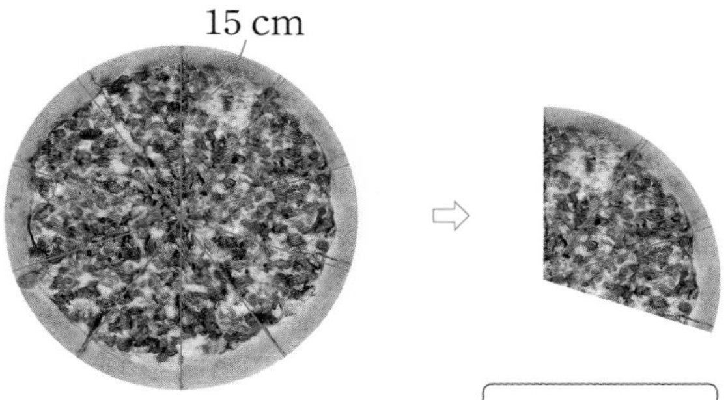

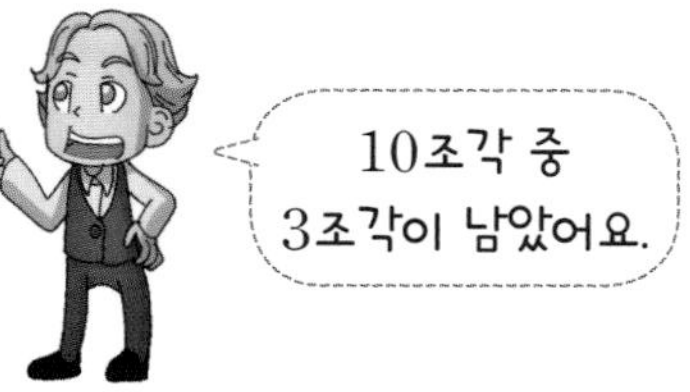

☐ cm^2

특강 중학 도형 맛보기

◎ 피자 전체의 중심각이 360°임을 이용하여 다음과 같이 피자 조각의 넓이를 구할 수 있습니다. (원주율: 3.1)

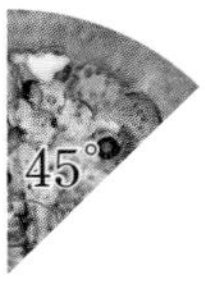

(피자 1조각의 넓이) $= 16 \times 16 \times 3.1 \times \frac{45^\circ}{360^\circ}$

$= 99.2\ (cm^2)$ → 약분하면 $\frac{1}{8}$입니다.

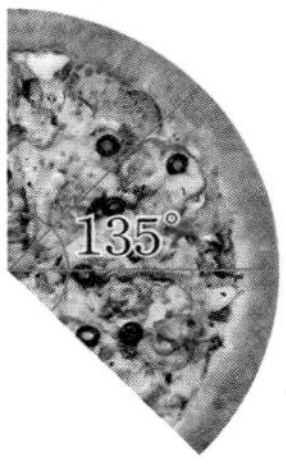

(피자 3조각의 넓이) $= 16 \times 16 \times 3.1 \times \frac{135^\circ}{360^\circ}$

$= 297.6\ (cm^2)$ → 약분하면 $\frac{3}{8}$입니다.

⇨ 피자 조각과 같은 부채 모양의 도형을 부채꼴이라고 합니다.

중심각의 크기만 알면 부채꼴의 넓이는 쉽게 구할 수 있으니 한번 구해 볼까요?

부채꼴의 넓이는 몇 cm^2인지 구하세요. (원주율: 3)

7

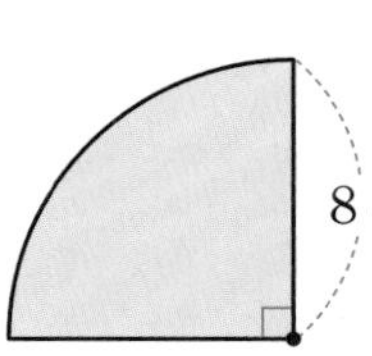

(부채꼴의 넓이) $= 8 \times 8 \times 3 \times \frac{90^\circ}{360^\circ} = \square\ (cm^2)$

8

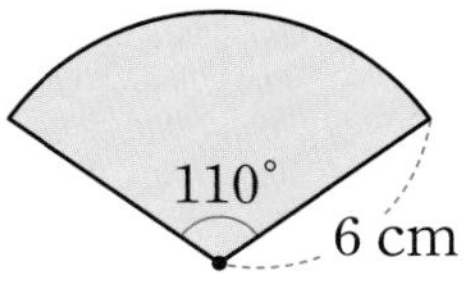

(부채꼴의 넓이) $= 6 \times 6 \times 3 \times \frac{\square^\circ}{360^\circ} = \square\ (cm^2)$

부채꼴의 넓이는 몇 cm^2인지 구하세요. (원주율: 3)

9

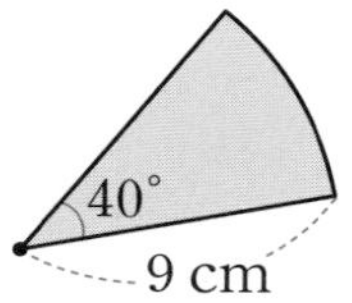

$\square$ cm^2

10

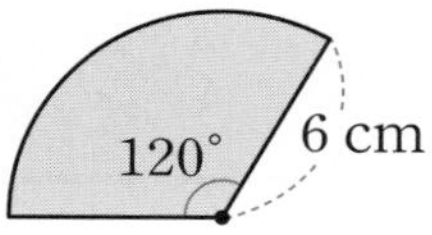

$\square$ cm^2

11

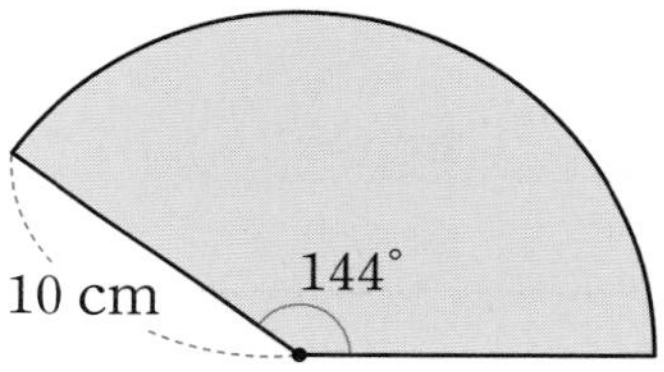

$\square$ cm^2

12

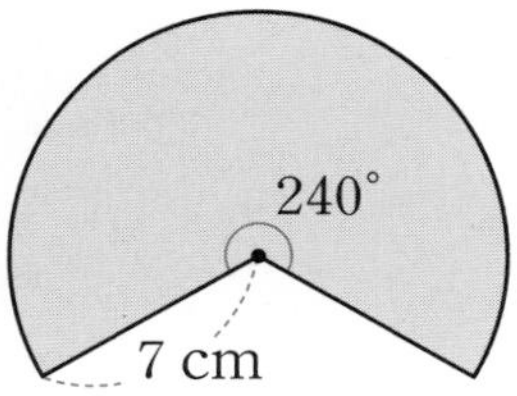

$\square$ cm^2

13

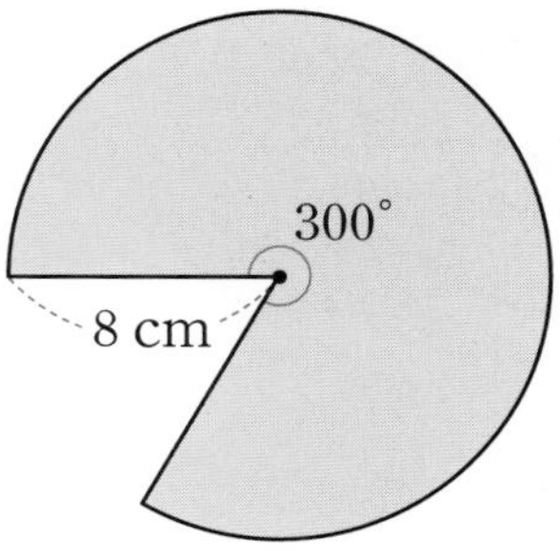

$\square$ cm^2

3주 직육면체의 부피와 겉넓이, 쌓기나무 (1)

이번 주에는 무엇을 공부할까요? 1

따뜻한 차를 한 잔 마셔야겠다.
차에 각설탕을 넣어 마셔야지.
잠깐! 이 각설탕의 부피는 어떻게 되더라…….
부피는 입체도형이 공간에서 차지하는 크기이고~.
이 각설탕과 같이 한 모서리의 길이가 1 cm인 정육면체의 부피는 1 cm^3지.
1 cm
1 cm
1 cm
그럼 이 각설탕의 부피는 1 cm^3가 2개이니까 2 cm^3겠구나.
음~ 각설탕 2개를 넣으니 달콤한 걸.

학습내용

1일 직육면체를 이용하여 부피 구하기

2일 위, 앞, 옆에서 본 모양으로 겉넓이 구하기

3일 여러 가지 입체도형의 겉넓이와 부피

4일 빼거나 더 필요한 쌓기나무의 개수

5일 위, 앞, 옆에서 본 모양

똑똑한 하루 도형

앗~ 한오가 올 시간이네. 차를 준비해볼까?
한오는 달콤한 걸 좋아하니까 특별히 각설탕 4개를 넣어줘야겠다.
한오야, 어서 와! 차 마실래?
미나야, 안녕? 무슨 차야?
고마워~ 잘 마실게.
으악~ 너무 달아~

이번 주에는 무엇을 공부할까요? ②

직육면체의 부피

직육면체의 부피를 구하세요.

1-1

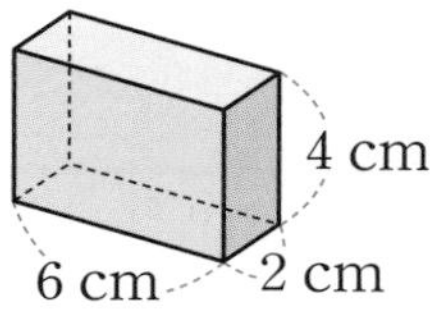

☐ cm^3

1-2

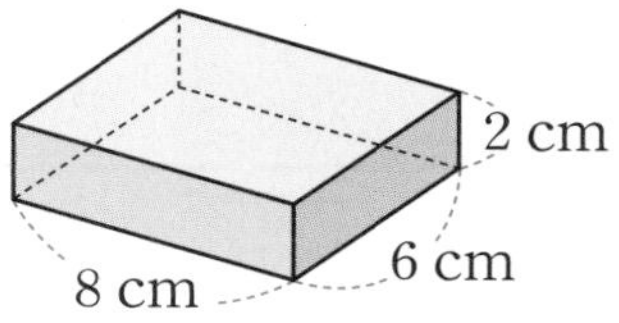

☐ cm^3

1-3

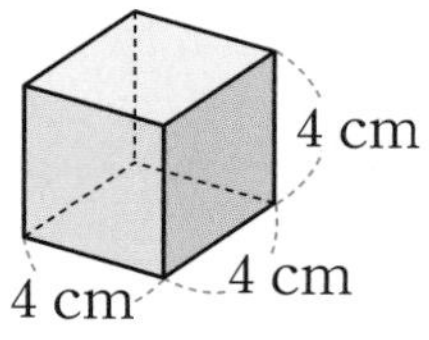

☐ cm^3

1-4

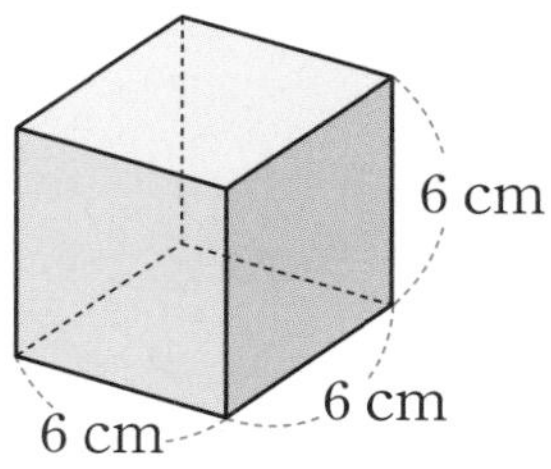

☐ cm^3

직육면체의 겉넓이

(직육면체의 겉넓이)
=(여섯 면의 넓이의 합)
=(한 밑면의 넓이)×2+(옆면의 넓이)

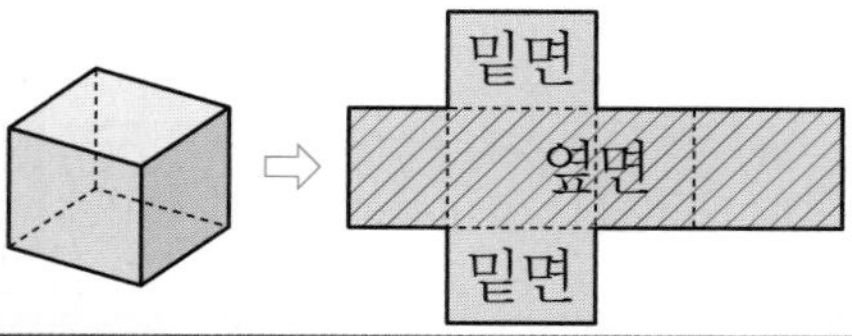

직육면체의 겉넓이를 구하세요.

2-1

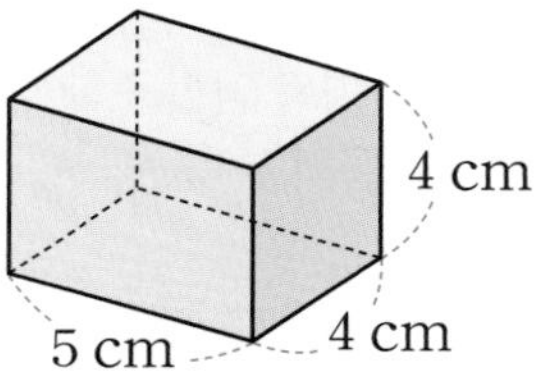

☐ cm^2

2-2

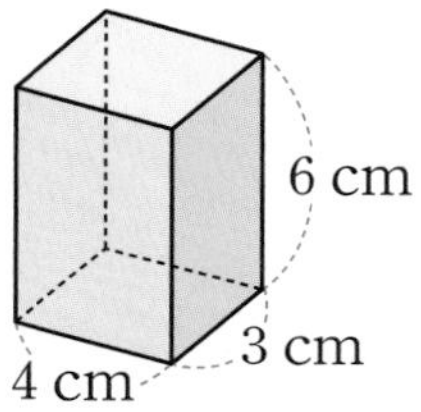

☐ cm^2

2-3

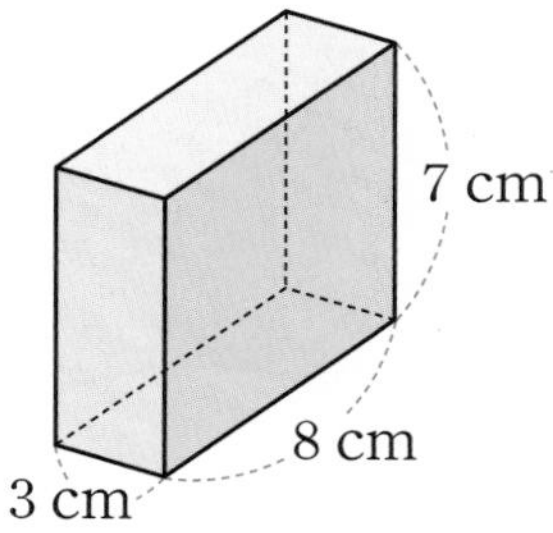

☐ cm^2

2-4

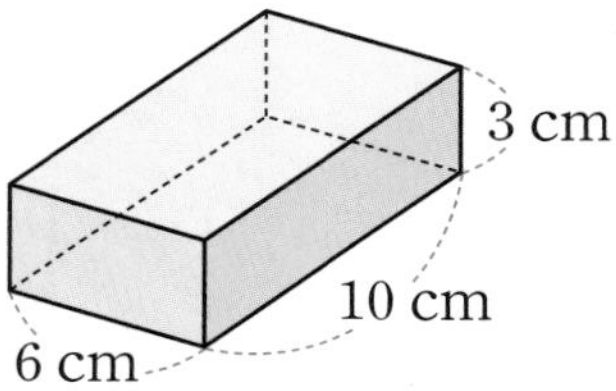

☐ cm^2

1일 직육면체를 이용하여 부피 구하기

오늘은 무엇을 공부할까요?

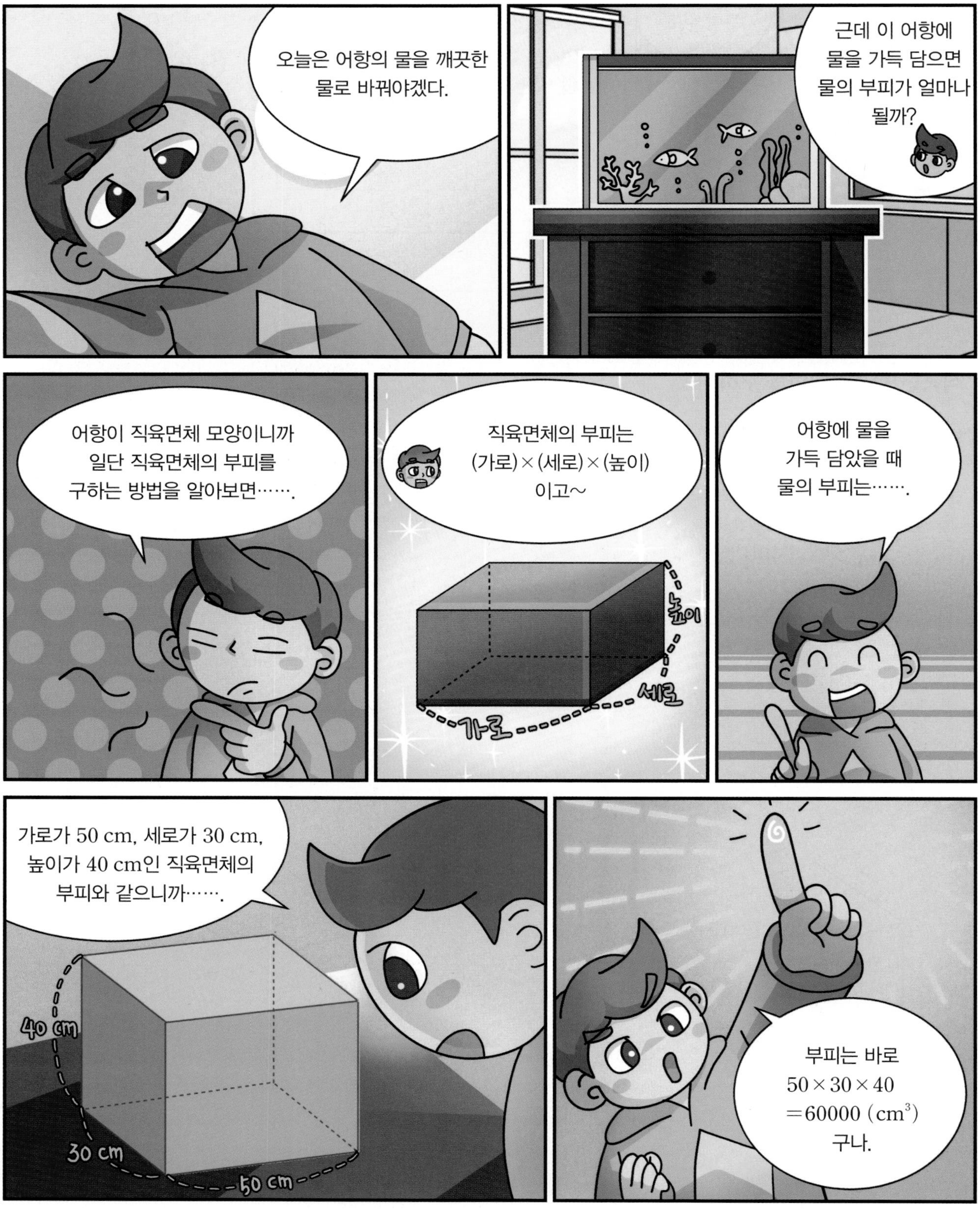

오늘은 어항의 물을 깨끗한 물로 바꿔야겠다.
근데 이 어항에 물을 가득 담으면 물의 부피가 얼마나 될까?
어항이 직육면체 모양이니까 일단 직육면체의 부피를 구하는 방법을 알아보면…….
직육면체의 부피는 (가로)×(세로)×(높이) 이고~
높이
세로
가로
어항에 물을 가득 담았을 때 물의 부피는…….
가로가 50 cm, 세로가 30 cm, 높이가 40 cm인 직육면체의 부피와 같으니까…….
40 cm
30 cm
50 cm
부피는 바로 50×30×40 =60000 (cm³) 구나.

자, 그럼 이제 어항에 깨끗한 물을 채우고~

물고기들도 옮겨 주면 끝!

우와~ 어항의 물이 깨끗해졌네~.

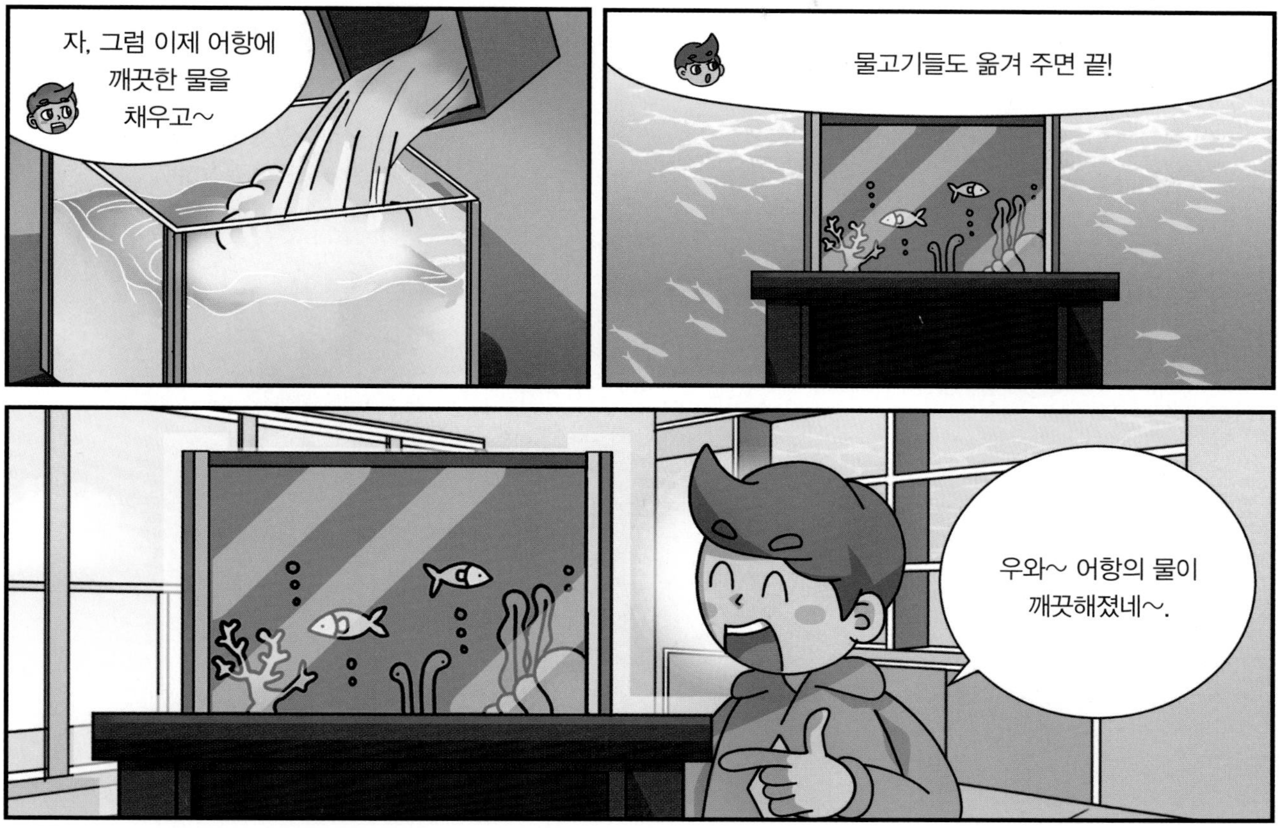

도형 기본 개념

● **직육면체의 부피**

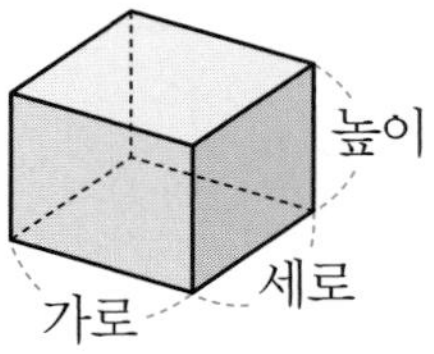

(직육면체의 부피) = (가로) × (세로) × (높이)

= (밑면의 넓이) × (❶ ⬚)

● **정육면체의 부피**

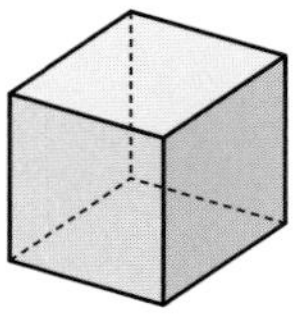

(정육면체의 부피) = (한 모서리의 길이) × (한 모서리의 길이)

× (❷ ⬚ 의 길이)

정답 ❶ 높이 ❷ 한 모서리

1일 직육면체를 이용하여 부피 구하기

활동을 통하여 해결 방법을 알아보아요.

◎ 물의 부피 구하기 (단, 그릇의 두께는 생각하지 않습니다.)

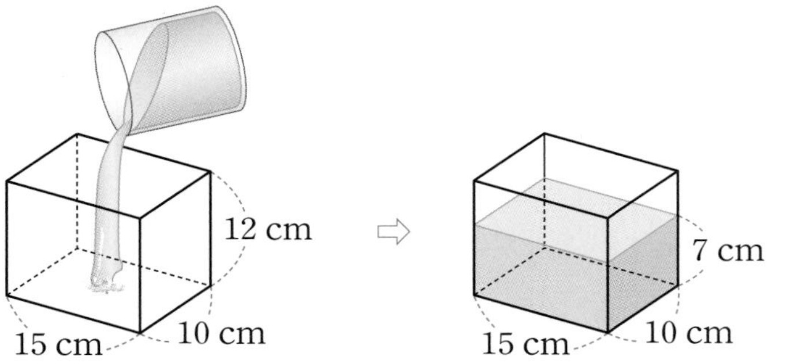

순서 1 직육면체 모양의 그릇에 담긴 물의 부피를 구하는 방법

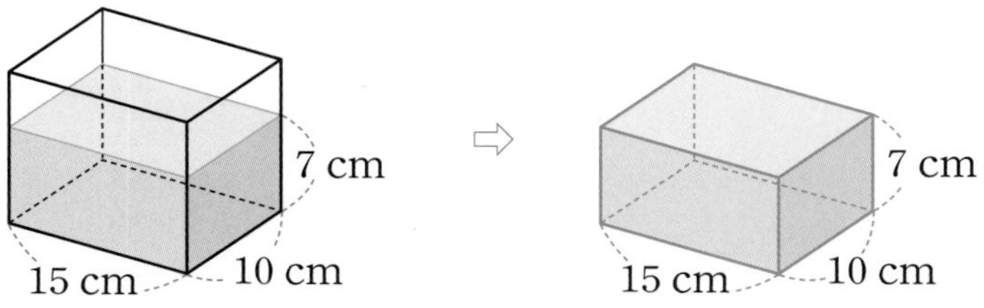

(물의 부피)=(가로 15 cm, 세로 10 cm, 높이 7 cm인 직육면체의 부피)

순서 2 물의 부피 구하기

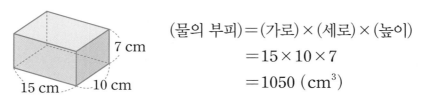

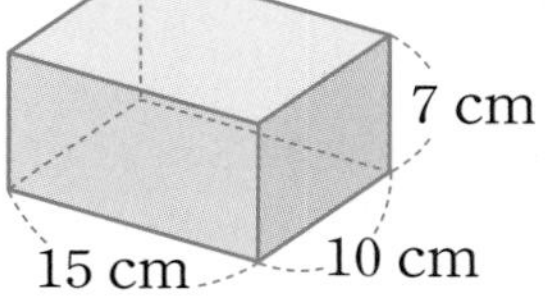

(물의 부피) $=$ (가로) $\times$ (세로) $\times$ (높이)

$=15\times10\times7$

$=1050\ (\mathrm{cm}^3)$

해결 방법 짚어 보기

• 직육면체 모양의 그릇에 담긴 물의 부피는 (가로) $\times$ (세로) $\times$ (물의 높이)로 구할 수 있습니다.

해결 방법 확인

직육면체 모양의 그릇에 담긴 물의 부피를 구하세요. (단, 그릇의 두께는 생각하지 않습니다.)

1-1

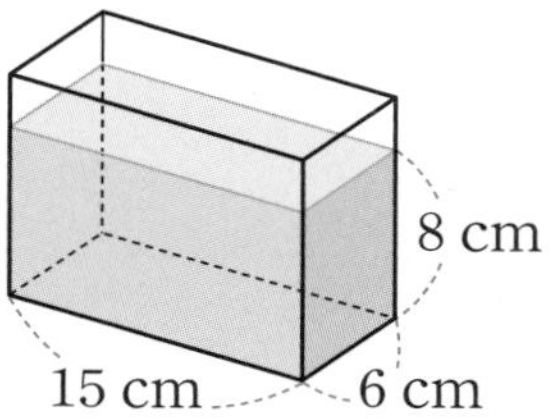

☐ cm^3

1-2

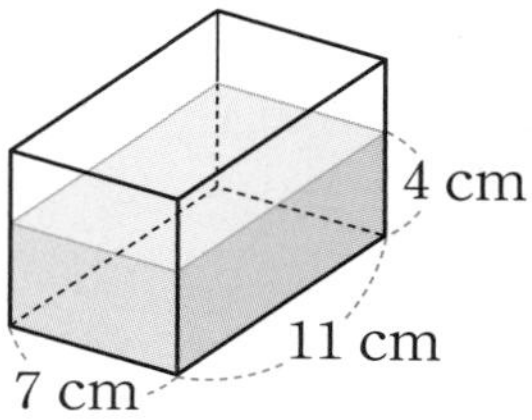

☐ cm^3

1-3

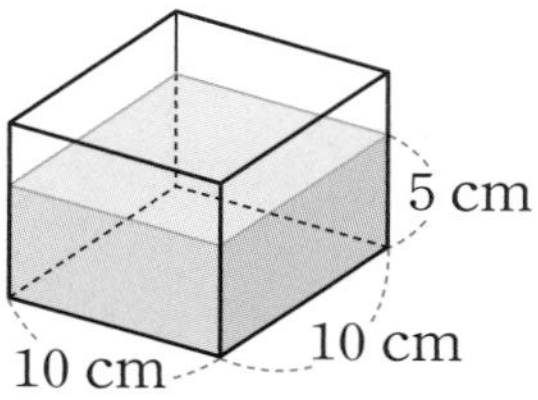

☐ cm^3

1-4

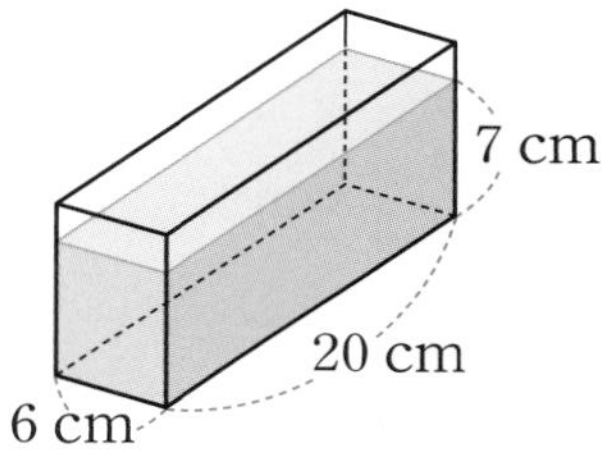

☐ cm^3

1-5

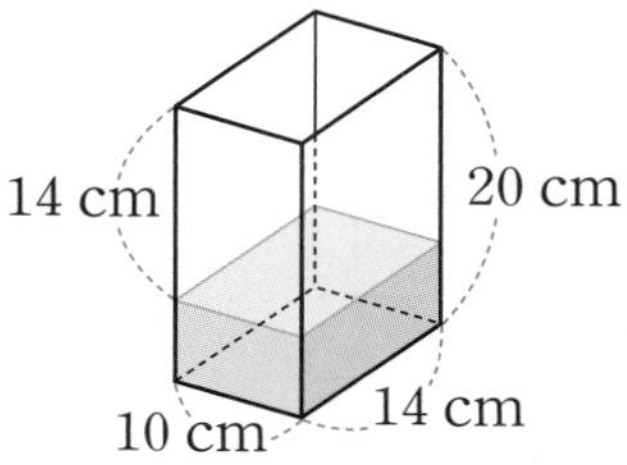

☐ cm^3

1-6

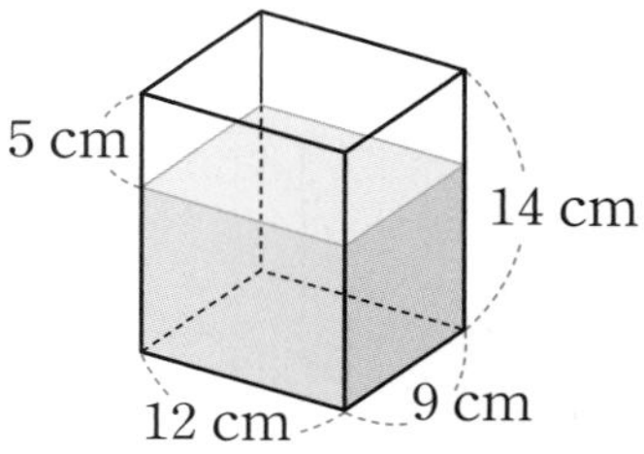

☐ cm^3

1일 직육면체를 이용하여 부피 구하기

도형 집중 연습

직육면체 모양의 그릇에 돌을 완전히 잠기도록 넣었습니다. 보기 와 같이 높아진 물의 높이를 이용하여 돌의 부피를 구하세요. (단, 그릇의 두께는 생각하지 않습니다.)

보기

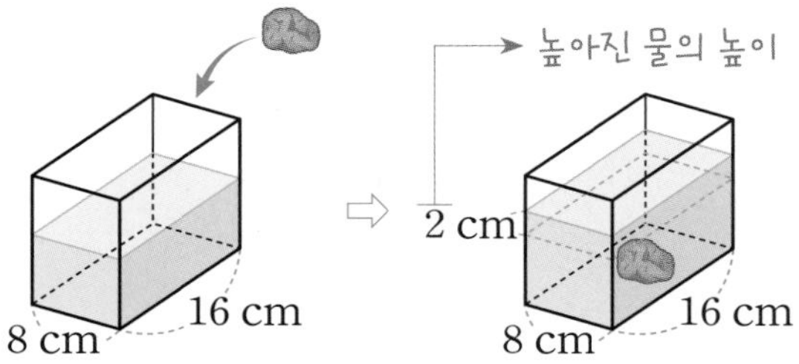

(돌의 부피)$=8\times16\times2=256$ (cm^3)

높아진 물의 높이

1-1

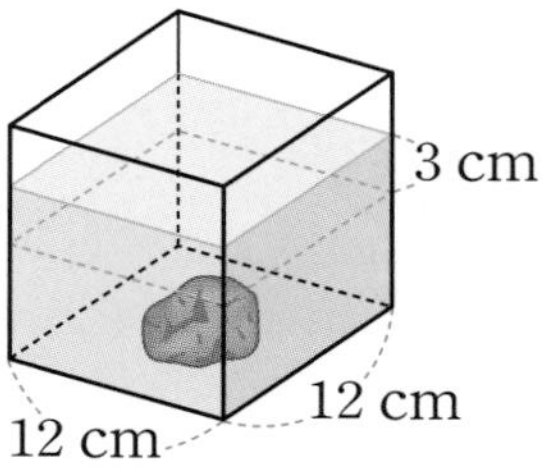

☐ cm^3

1-2

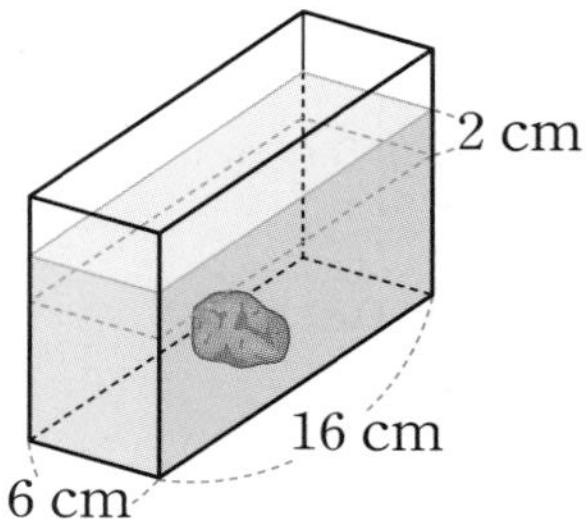

☐ cm^3

1-3

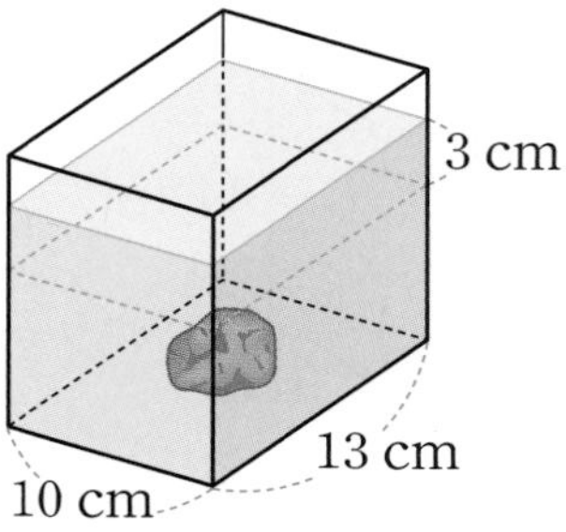

☐ cm^3

1-4

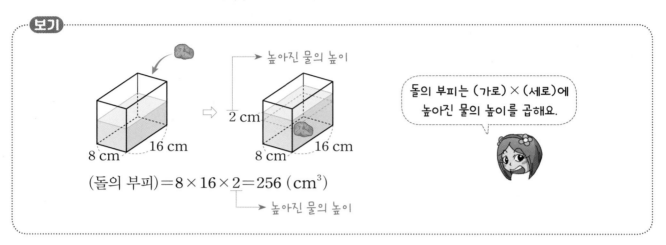

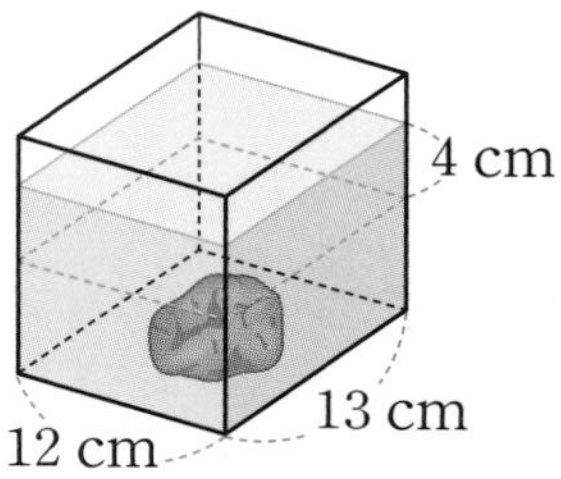

☐ cm^3

🐸 직육면체 모양의 그릇이 있습니다. 여기에 완전히 잠겨 있던 구슬을 꺼냈습니다. 구슬의 부피를 구하세요. (단, 그릇의 두께는 생각하지 않습니다.)

2-1

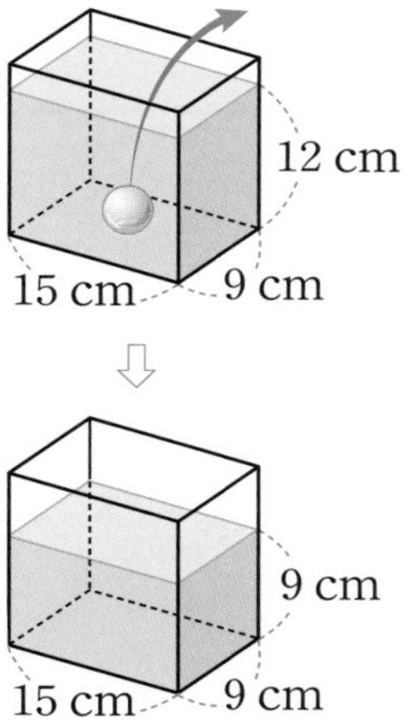

구슬의 부피는 줄어든 물의 높이를 이용하여 구해요.

☐ cm³

2-2

☐ cm³

2-3

☐ cm³

2-4

☐ cm³

2-5

☐ cm³

2-6

☐ cm³

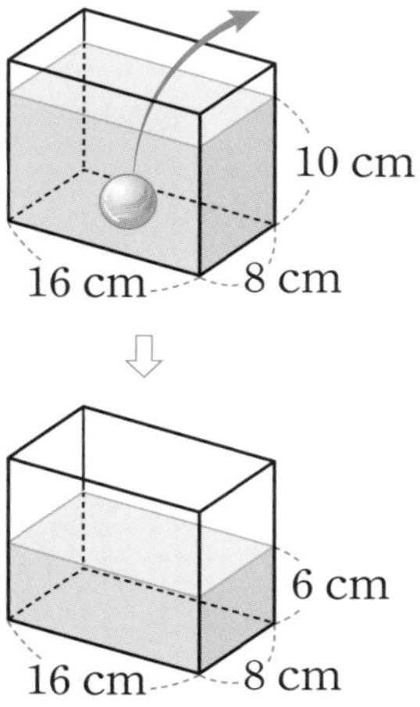

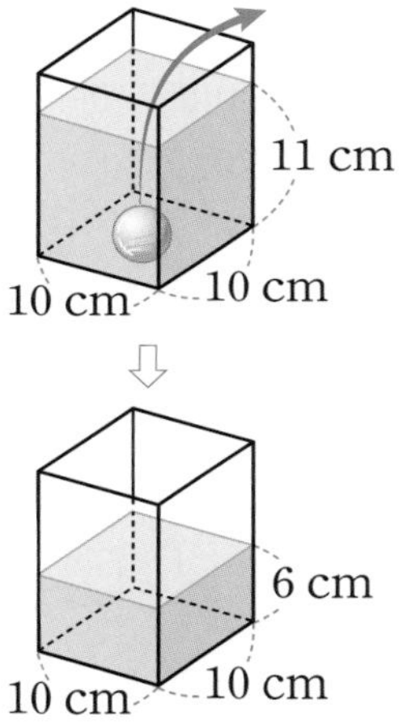

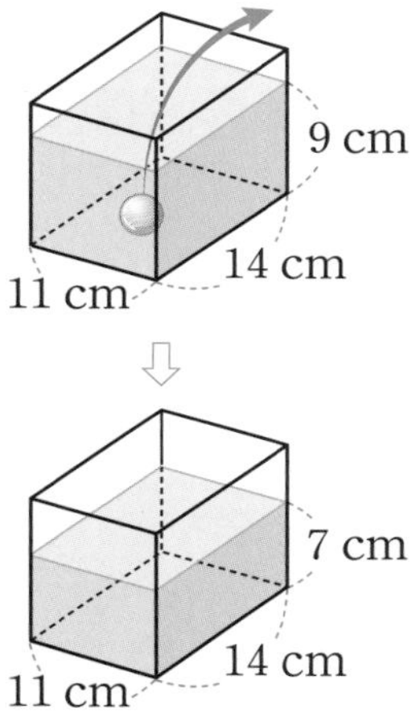

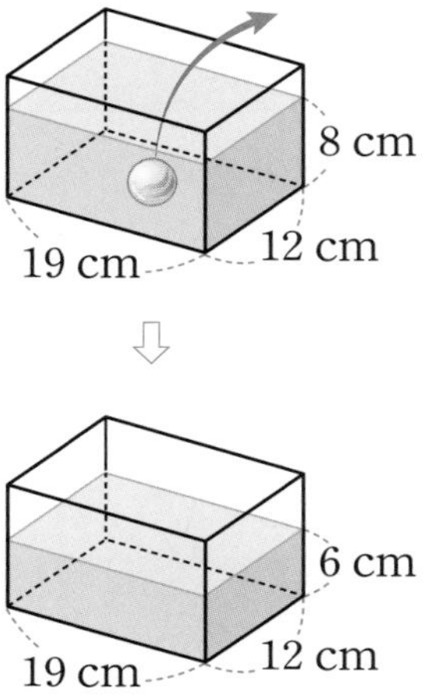

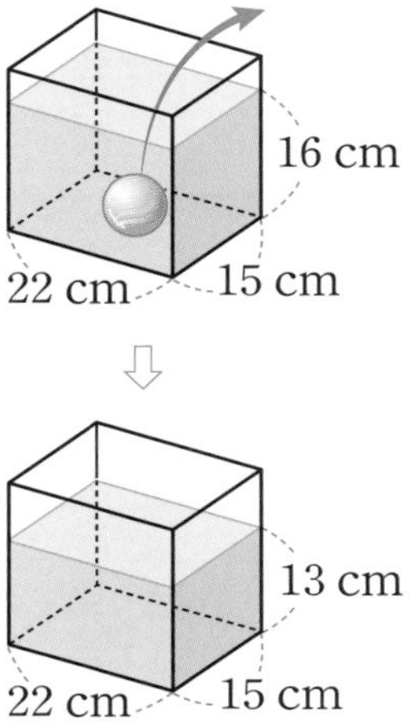

2일 위, 앞, 옆에서 본 모양으로 겉넓이 구하기

오늘은 무엇을 공부할까요?

한오야, 오늘은 상자 꾸미기를 해보자.
좋아!
이 케이크를 담을 직육면체 모양의 상자를 꾸밀 거야.
우와~ 케이크 맛있겠다. 근데…….
너 혹시 직육면체의 겉넓이를 구하는 방법은 알아?
끄덕
직육면체의 겉넓이를 구하는 방법을 알아볼까?
짜잔!

3가지 방법으로 구할 수 있어.

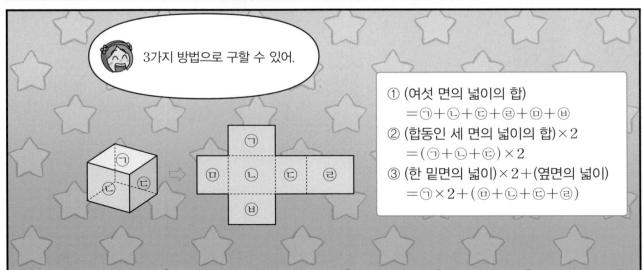

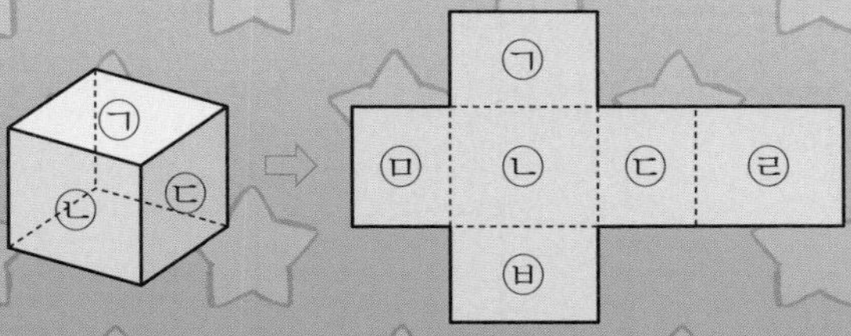
㉠
㉡
㉢
㉠
㉤
㉡
㉢
㉣
㉥

① (여섯 면의 넓이의 합)
　$=$㉠$+$㉡$+$㉢$+$㉣$+$㉤$+$㉥
② (합동인 세 면의 넓이의 합)$\times 2$
　$=($㉠$+$㉡$+$㉢$)\times 2$
③ (한 밑면의 넓이)$\times 2+$(옆면의 넓이)
　$=$㉠$\times 2+($㉤$+$㉡$+$㉢$+$㉣$)$

이제 잘
알겠지?
앗…….
근데 여기
케이크
어디 갔어?
왜…….
날 봐?
미안해~
배가 고파서
그만…….
쌩~

도형 기본 개념

● 직육면체의 겉넓이

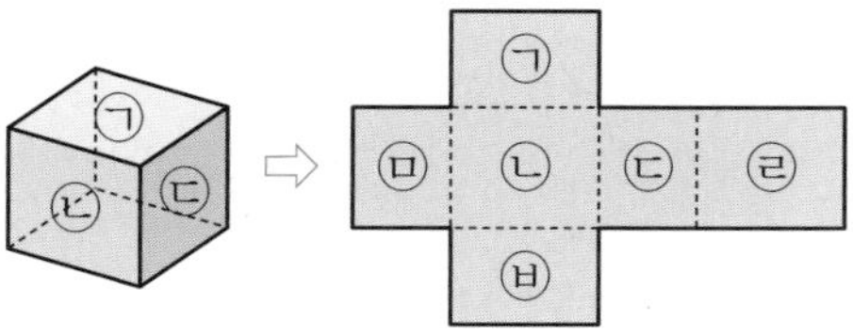
㉠
㉡
㉢
⇨
㉠
㉤ ㉡ ㉢ ㉣
㉥

방법 1 (여섯 면의 넓이의 합)
=㉠+㉡+㉢+㉣+㉤+❶ ☐

방법 2 (합동인 세 면의 넓이의 합)×2
=(㉠+㉡+㉢)×❷ ☐

방법 3 (한 밑면의 넓이)×2+(옆면의 넓이)
=㉠×2+(㉤+㉡+㉢+❸ ☐)

● 정육면체의 겉넓이

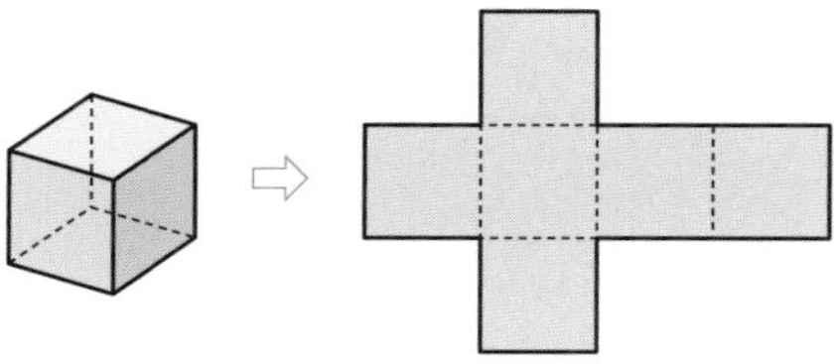

(정육면체의 겉넓이)
=(한 모서리의 길이)×(한 모서리의 길이)×6
=(한 면의 넓이)×6

정답 ❶ ㉥ ❷ 2 ❸ ㉣

2일 위, 앞, 옆에서 본 모양으로 겉넓이 구하기

활동을 통하여 해결 방법을 알아보아요.

직육면체의 겉넓이 구하기

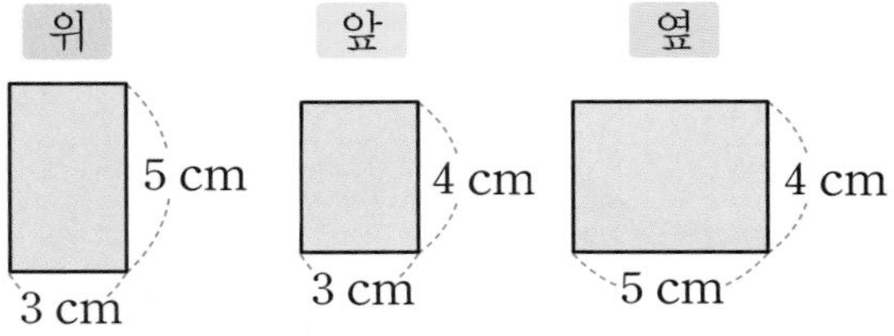

활동 1 직육면체의 겨냥도를 그려서 겉넓이 구하기

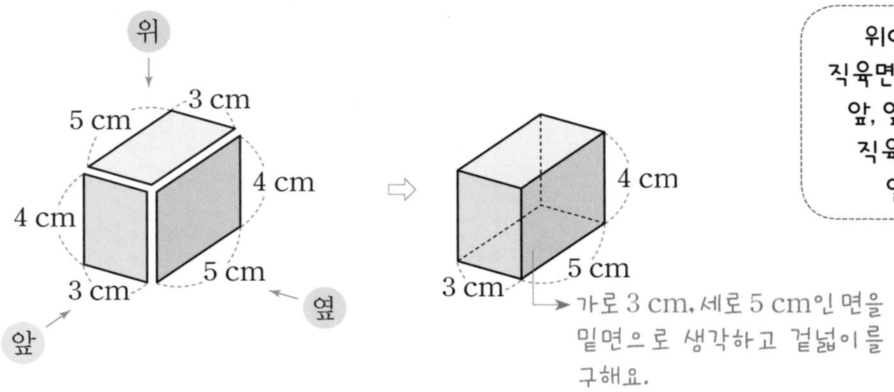

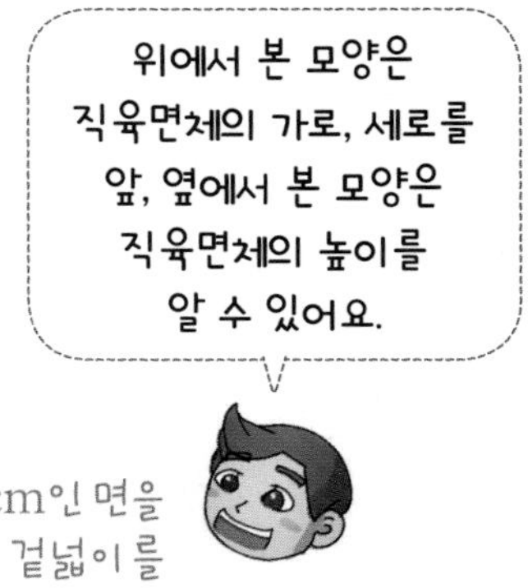

(직육면체의 겉넓이)$=$(한 밑면의 넓이)$\times 2+$(옆면의 넓이)

$=(3\times5)\times2+(3+5+3+5)\times4$

$=94\ (\mathrm{cm}^2)$

활동 2 합동인 면을 이용하여 겉넓이 구하기

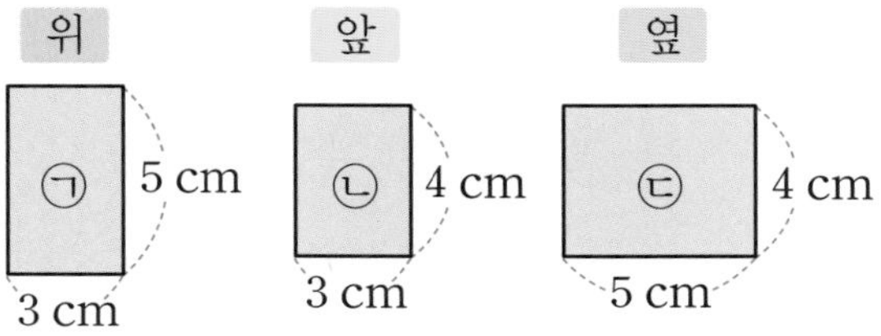

(직육면체의 겉넓이)$=$(㉠$+$㉡$+$㉢)$\times 2$

$=(3\times5+3\times4+5\times4)\times2$

$=94\ (\mathrm{cm}^2)$

해결 방법 확인

직육면체를 위, 앞, 옆에서 본 모양이 다음과 같습니다. 직육면체의 겉넓이를 구하세요.

1-1

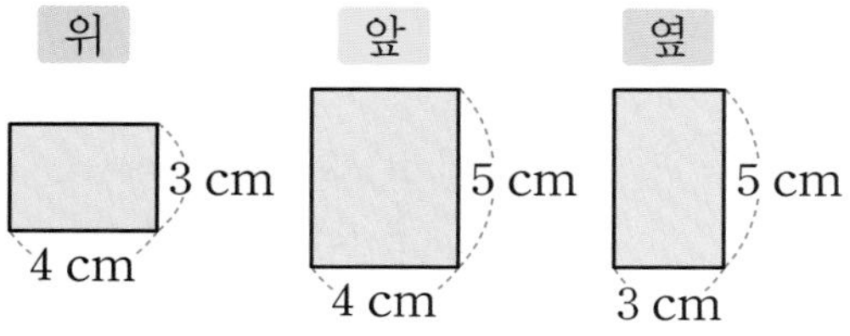

$\square$ cm^2

1-2

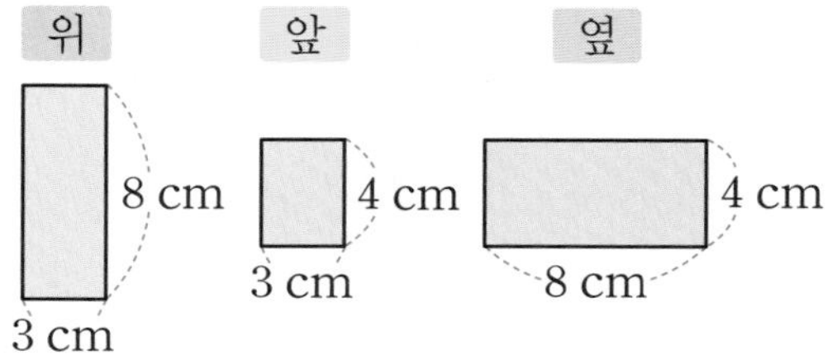

$\square$ cm^2

1-3

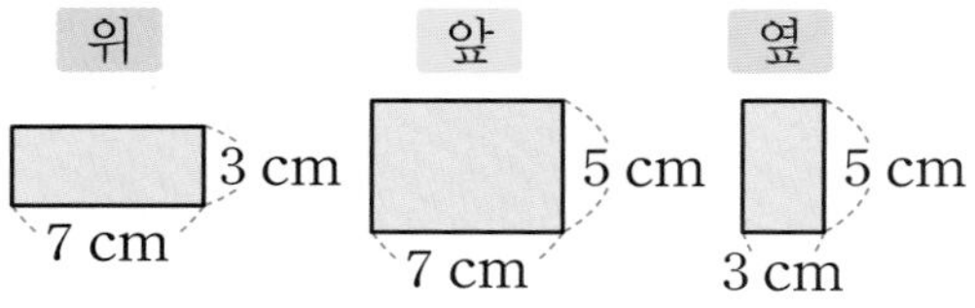

$\square$ cm^2

1-4

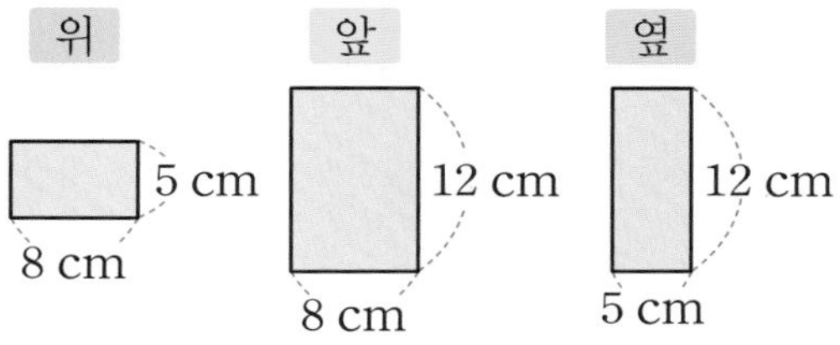

$\square$ cm^2

1-5

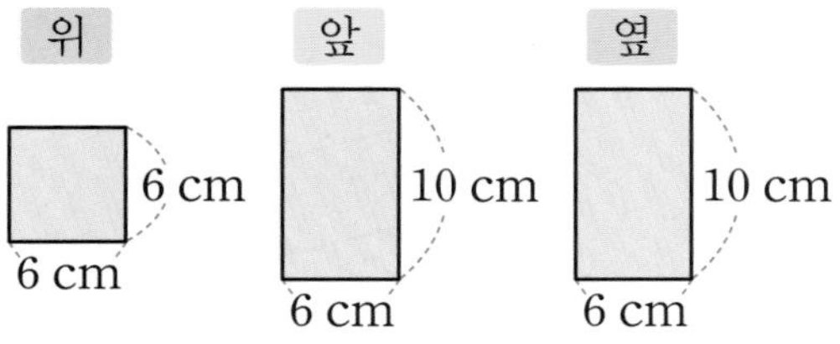

$\square$ cm^2

1-6

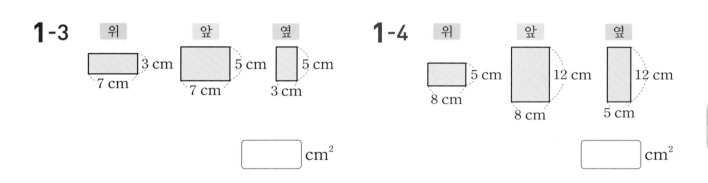

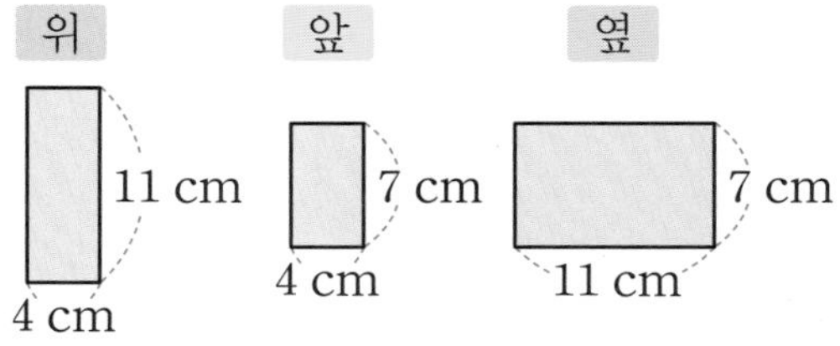

$\square$ cm^2

2일 위, 앞, 옆에서 본 모양으로 겉넓이 구하기

도형 집중 연습

직육면체를 위와 앞에서 본 모양입니다. 직육면체의 겉넓이를 구하세요.

1-1

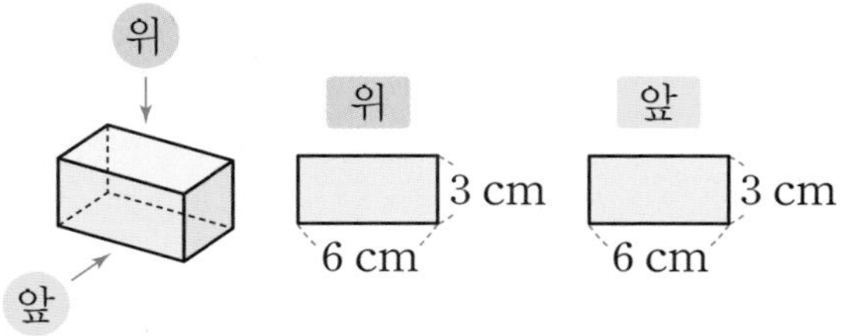

□ cm^2

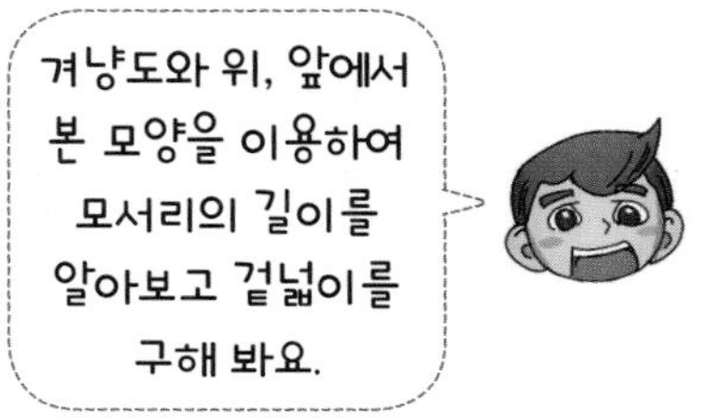

1-2

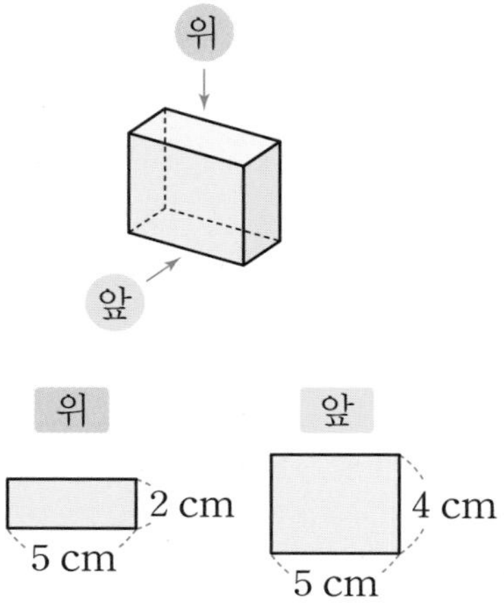

□ cm^2

1-3

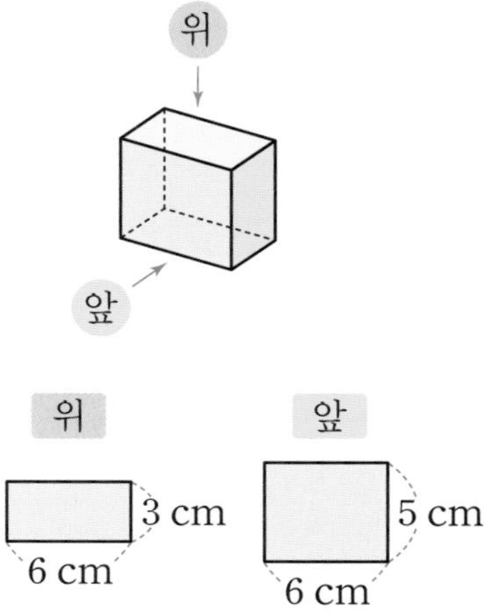

□ cm^2

1-4

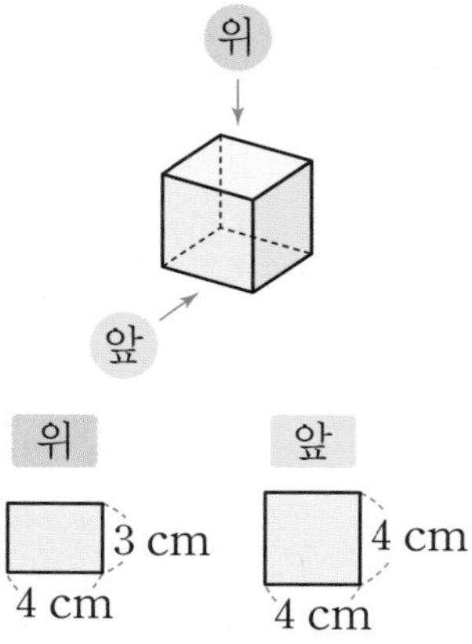

□ cm^2

1-5

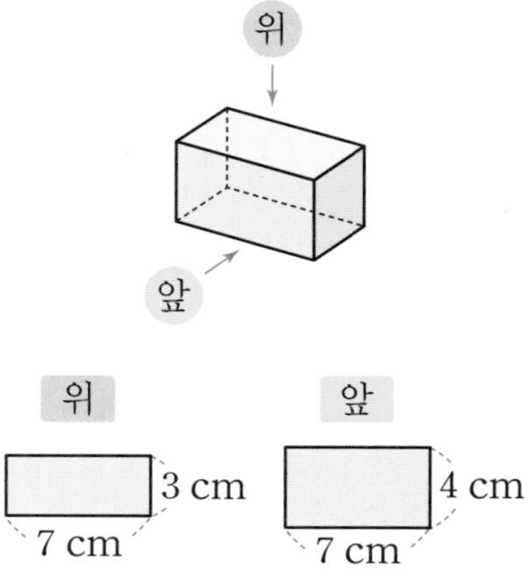

□ cm^2

직육면체를 앞과 옆에서 본 모양입니다. 보기와 같이 직육면체의 겉넓이를 구하세요.

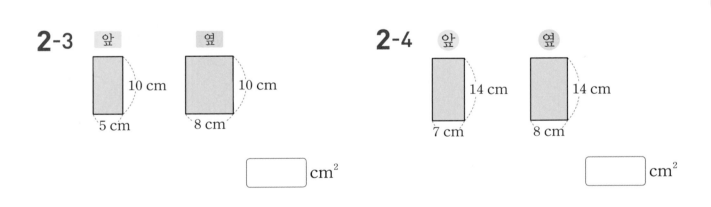

보기

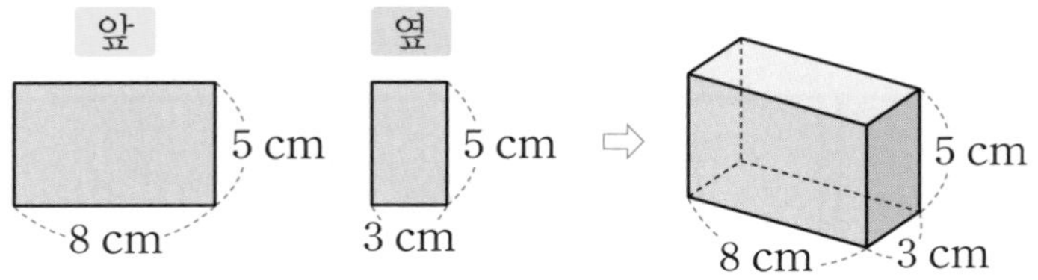

(직육면체의 겉넓이) $=(8\times5+3\times5+8\times3)\times2$

$=158\ (\text{cm}^2)$

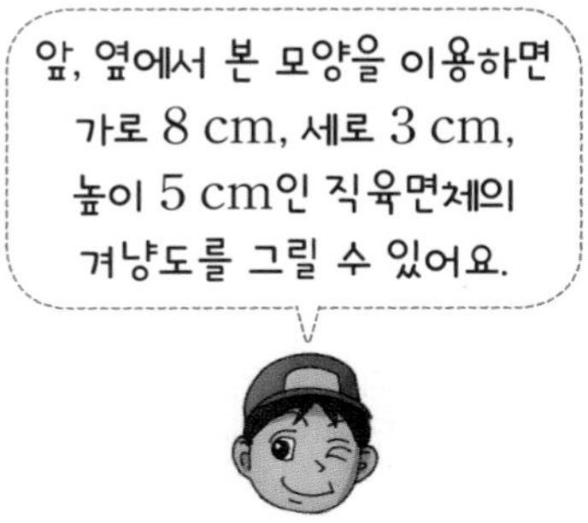

2-1

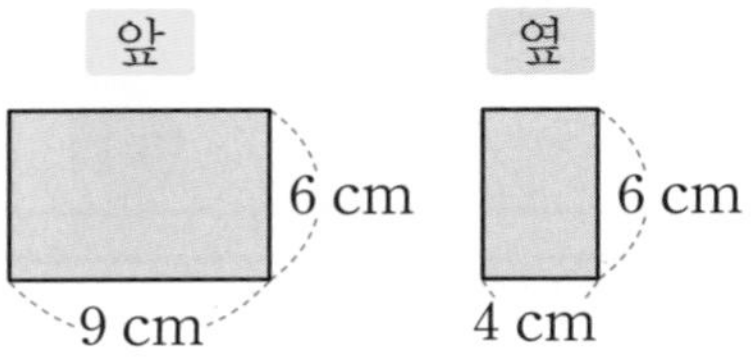

[ ] cm^2

2-2

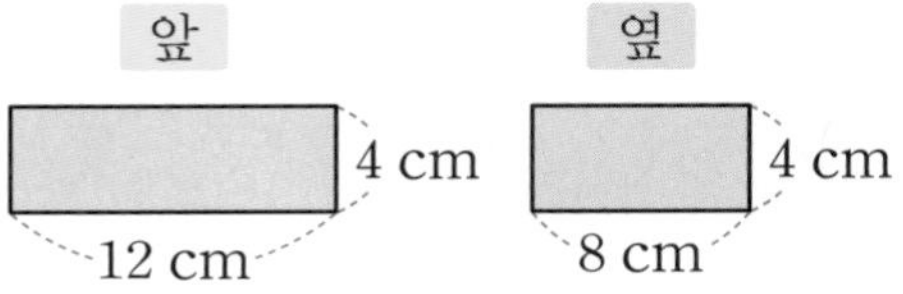

[ ] cm^2

2-3

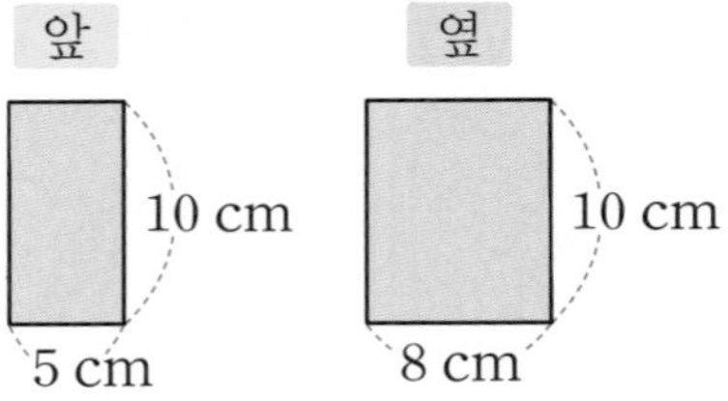

[ ] cm^2

2-4

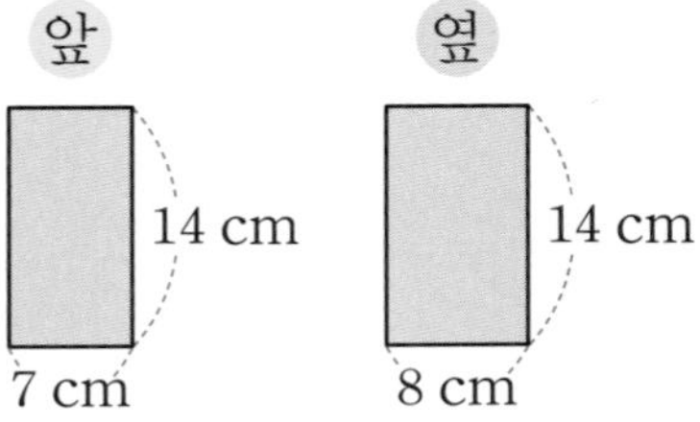

[ ] cm^2

2-5

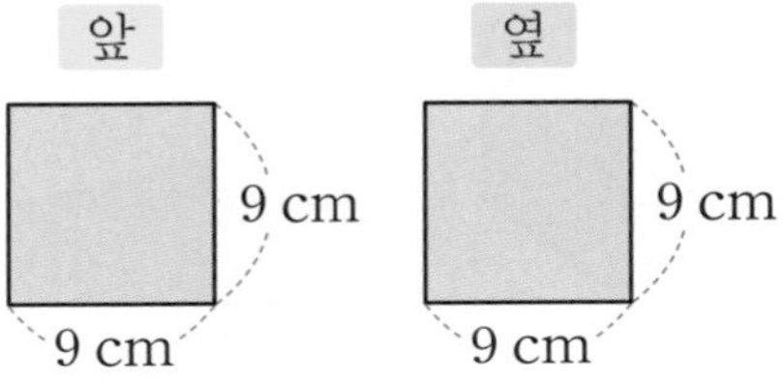

[ ] cm^2

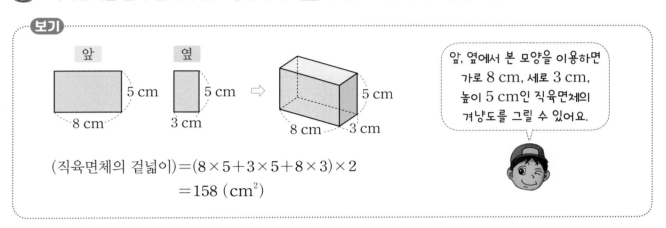

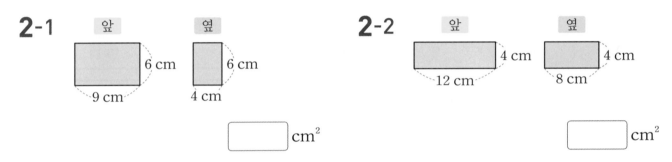

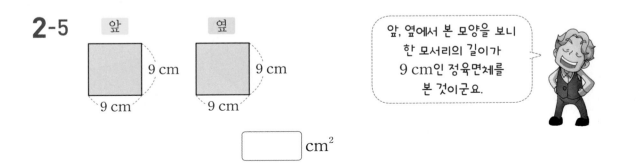

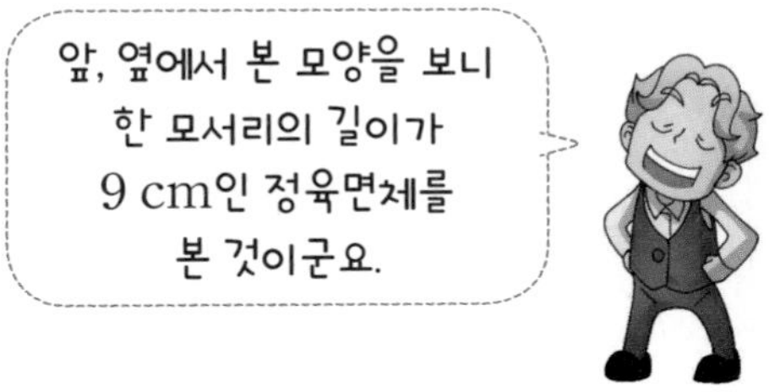

3주
2일

여러 가지 입체도형의 겉넓이와 부피

 오늘은 무엇을 공부할까요?

미나야, 준비 됐지?

물론이지.

이 입체도형의 겉면에 색을 칠해보자.

응!

이 물감을 칠하면 되는건가?

한오야, 우리가 칠해야 할 부분의 넓이가 얼마지?

입체도형의 겉넓이를 구하면 알 수 있어.

먼저 입체도형을 구하기 쉬운 직육면체 2개로 나눠.

그리고 각각의 직육면체의 겉넓이를 구해.

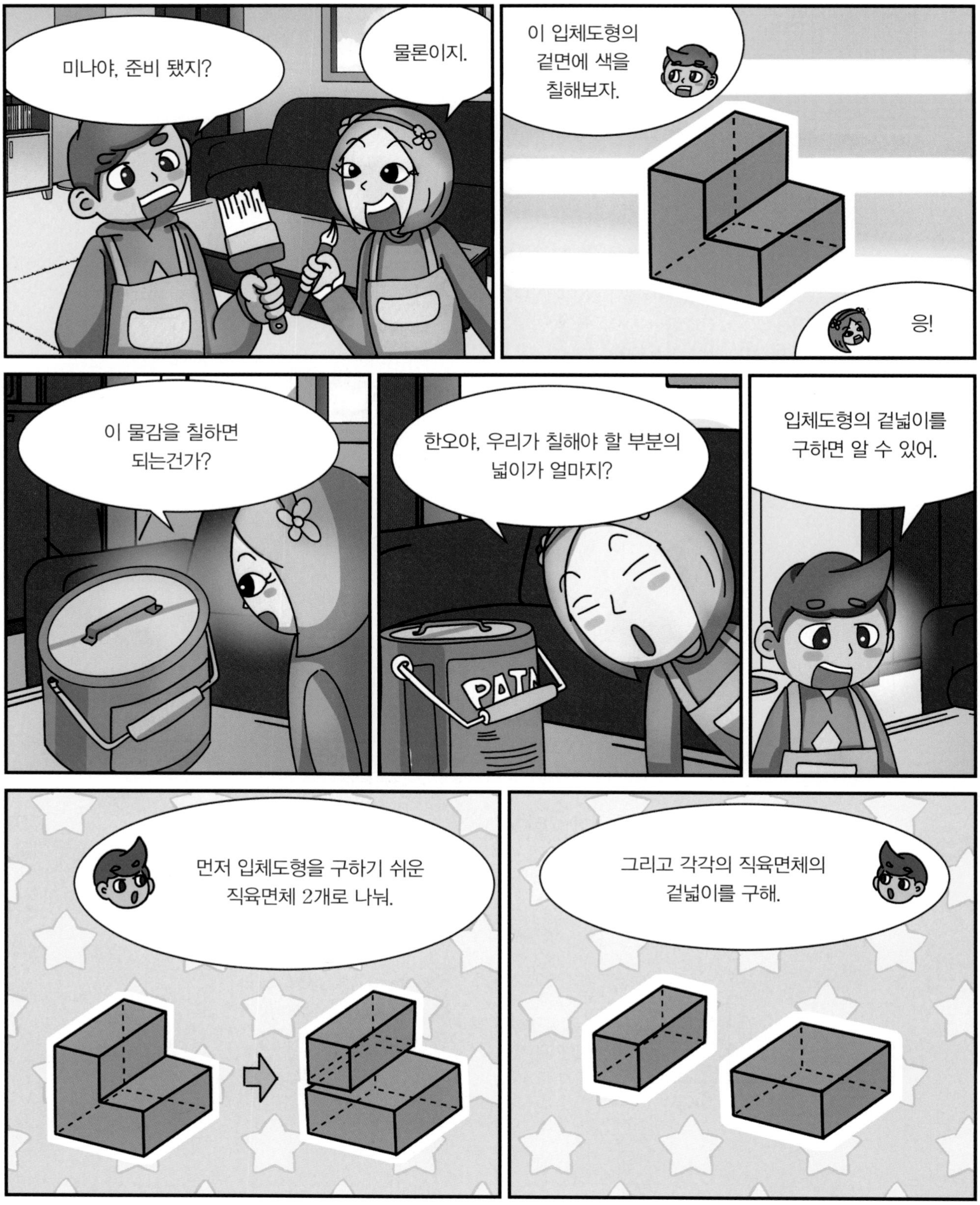

그 다음에는 두 직육면체에서 겹치는 부분의 넓이를 구하고~.
응, 겹치는 부분은 2군데가 생겨.
그럼 입체도형 겉넓이는 나눈 직육면체 2개의 겉넓이의 합에서 겹치는 부분의 넓이를 빼서 구하면 되겠네.
근데 입체도형의 겉넓이를 또 다른 방법으로 구할 수도 있어.
진짜? 다른 방법으로 구해보자.

도형 기본 개념

● 복잡한 입체도형의 겉넓이를 구하는 방법

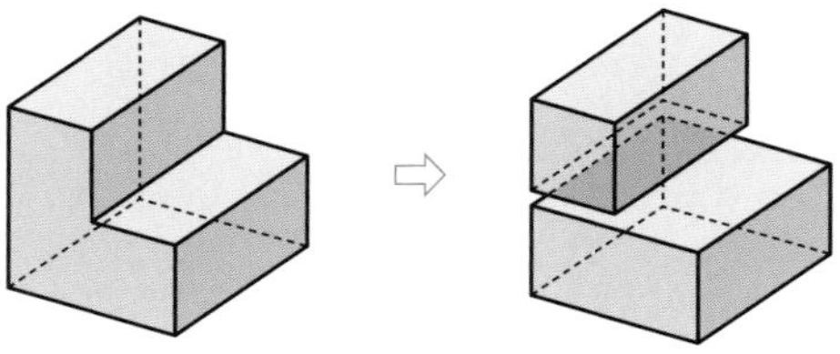

① 입체도형을 구하기 쉬운 직육면체 2개로 나누기
② 직육면체 2개의 겉넓이 구하기
③ 직육면체에서 겹치는 부분의 넓이 구하기
→ 2군데가 생깁니다.

(입체도형의 겉넓이)＝(나눈 직육면체 2개의 겉넓이의 합)－(겹치는 부분의 넓이)×❶ [ ]

정답 ❶ 2

3일 여러 가지 입체도형의 겉넓이와 부피

활동을 통하여 해결 방법을 알아보아요.

복잡한 입체도형의 겉넓이 구하기

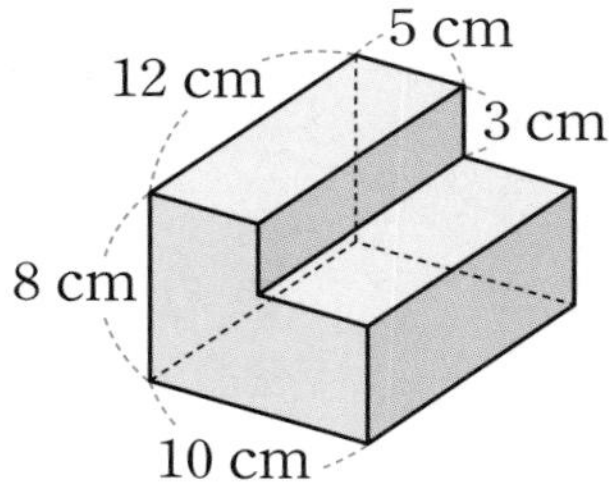

순서 1 입체도형의 겉넓이를 구하는 방법 알아보기

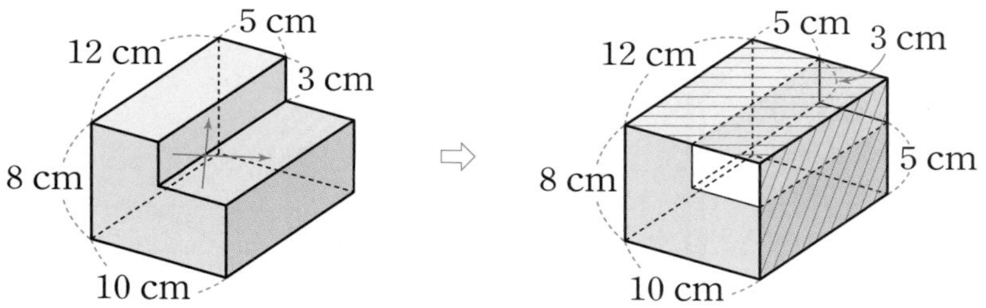

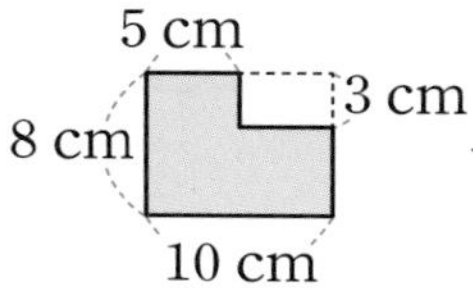

을 밑면으로 생각하기

초록색 두 면을 옮겨 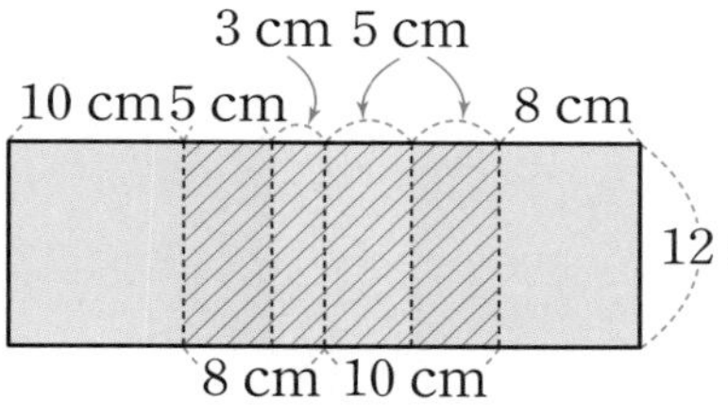

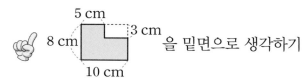

을 옆면으로 생각하기

순서 2 입체도형의 겉넓이 구하기

(입체도형의 겉넓이)$=$(한 밑면의 넓이)$\times 2+$(옆면의 넓이)

$=(10\times 8-5\times 3)\times 2+(10+5+3+5+5+8)\times 12$

$=562\ (\mathrm{cm}^2)$

해결 방법 확인

입체도형의 겉넓이를 구하세요.

1-1

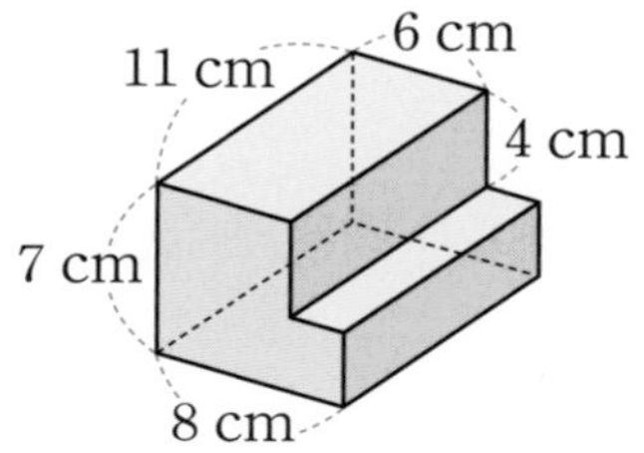

☐ cm^2

1-2

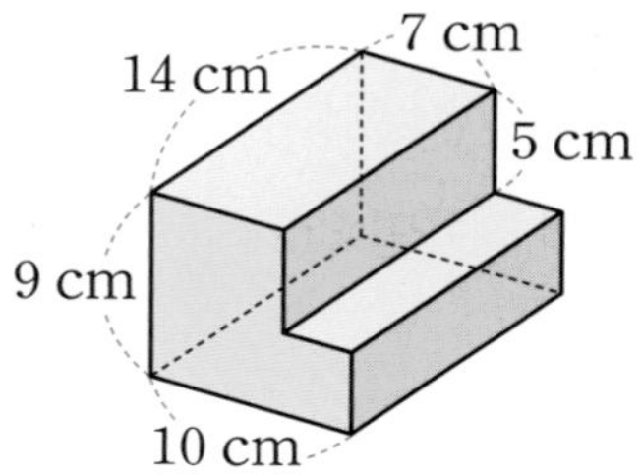

☐ cm^2

1-3

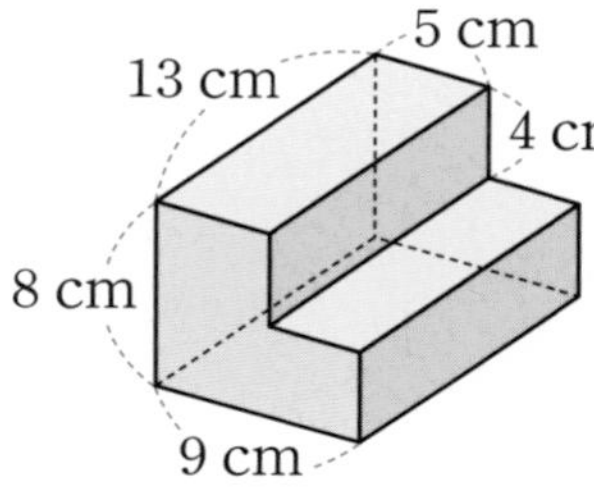

☐ cm^2

1-4

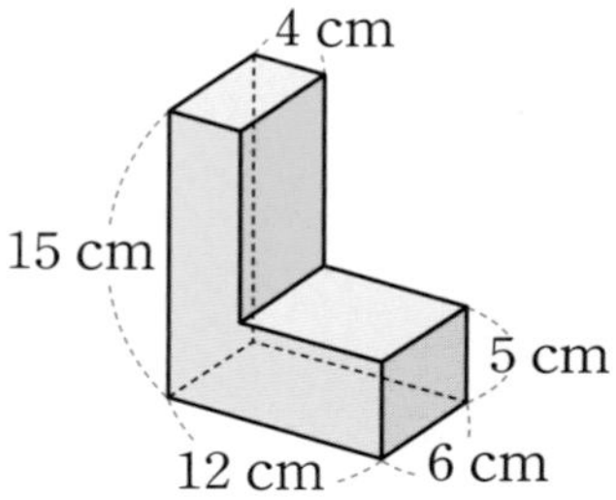

☐ cm^2

1-5

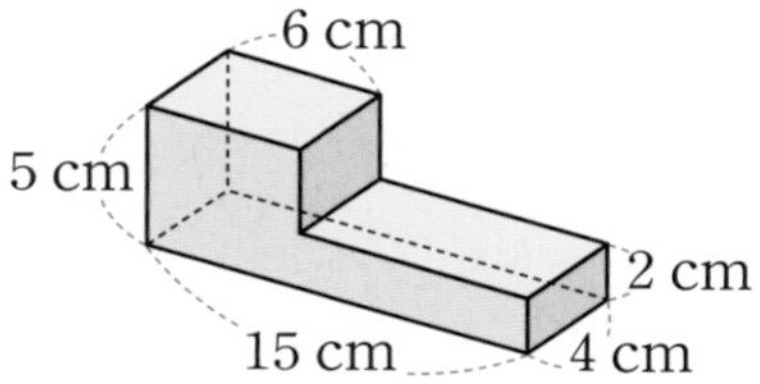

☐ cm^2

1-6

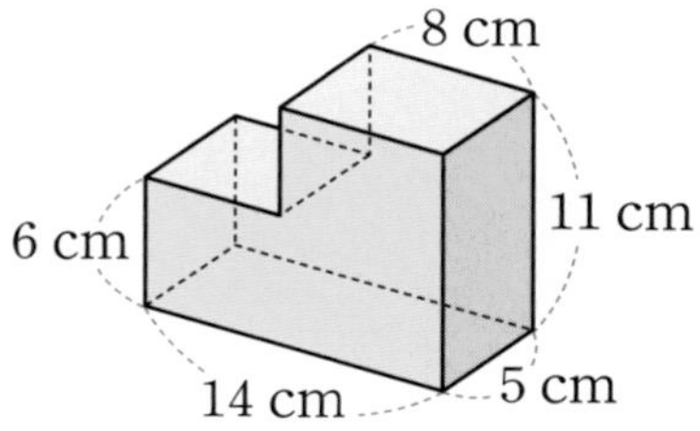

☐ cm^2

3주 3일

3일 여러 가지 입체도형의 겉넓이와 부피

도형 집중 연습

다음 2가지 방법을 보고 입체도형의 부피를 구하세요.

방법 1 두 개의 직육면체로 나누어 부피 구하기

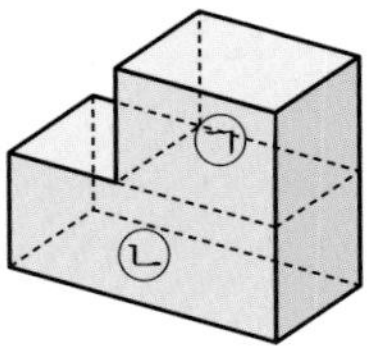

(입체도형의 부피)
=(㉠의 부피)+(㉡의 부피)

방법 2 큰 직육면체에서 작은 직육면체를 빼서 부피 구하기

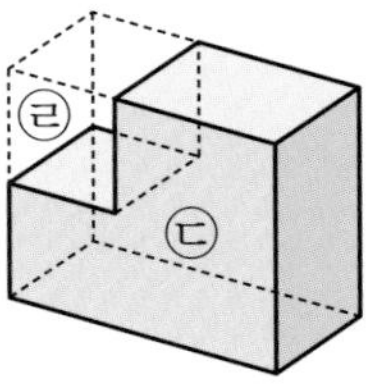

(입체도형의 부피)
=(㉢+㉣의 부피)−(㉣의 부피)

1-1

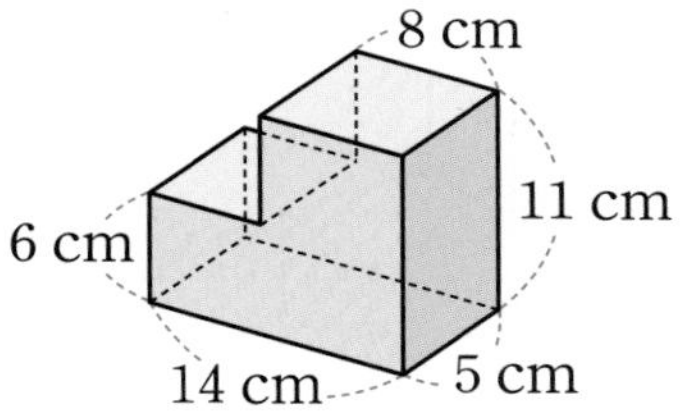

☐ cm^3

1-2

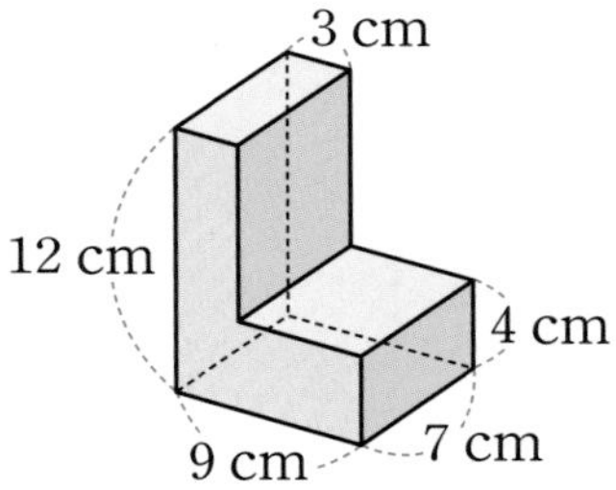

☐ cm^3

1-3

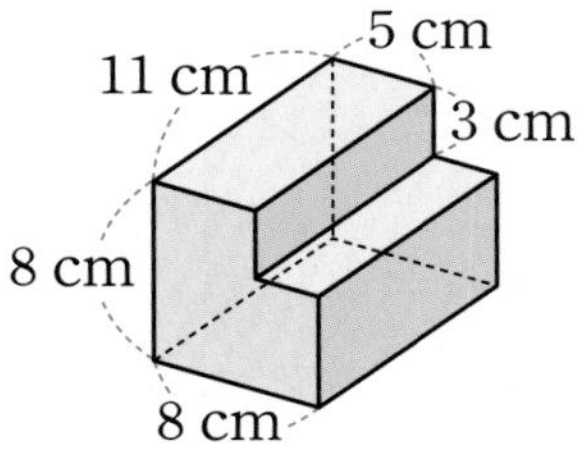

☐ cm^3

1-4

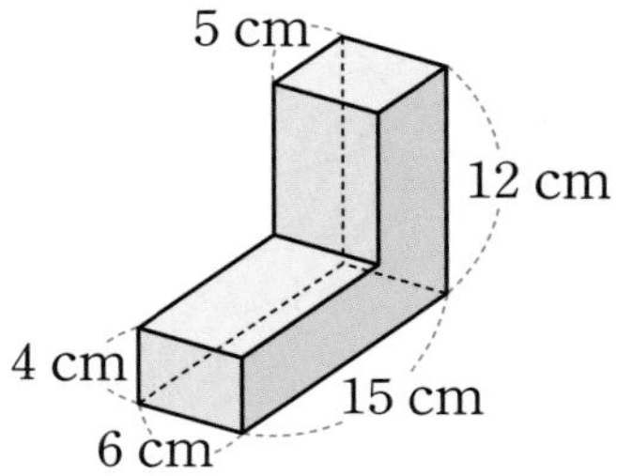

☐ cm^3

**보기**와 같은 방법으로 입체도형의 부피를 구하세요.

보기

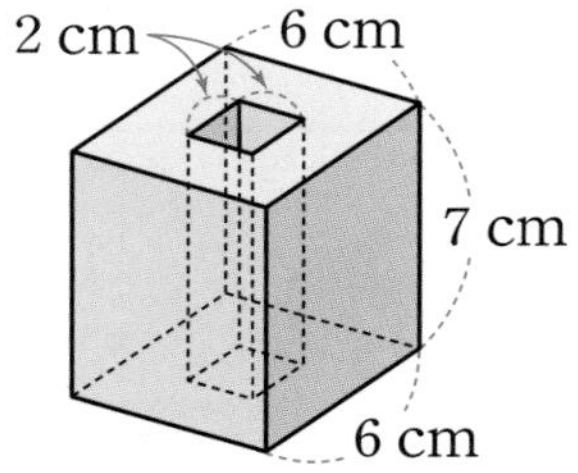

• (큰 직육면체의 부피)$=6\times6\times7=252$ (cm^3)

• (작은 직육면체 모양 구멍의 부피)$=2\times2\times7=28$ (cm^3)

⇨ (입체도형의 부피)=(큰 직육면체의 부피)−(작은 직육면체 모양 구멍의 부피)

$=252-28=224$ (cm^3)

2-1

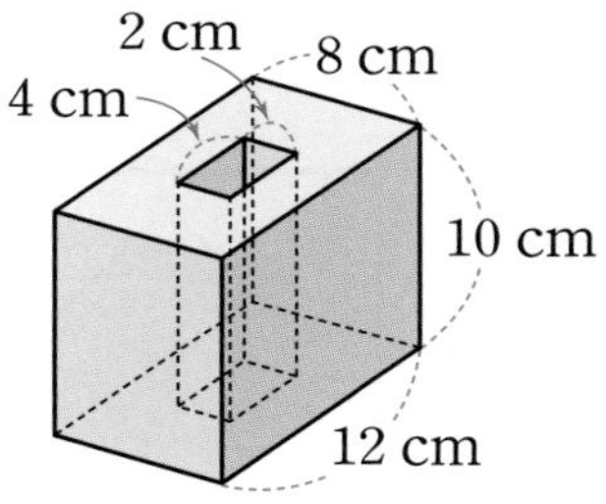

☐ cm^3

2-2

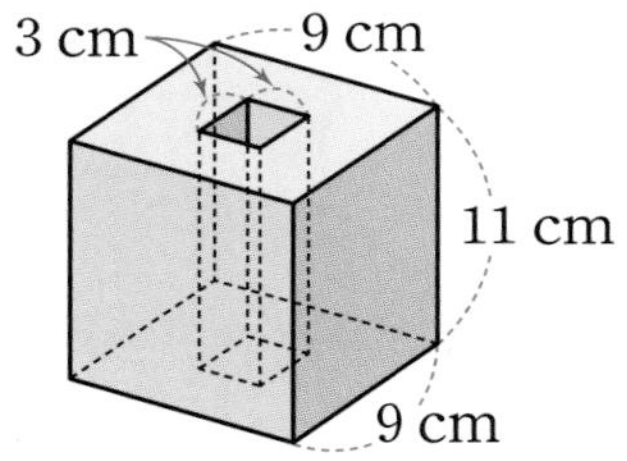

☐ cm^3

2-3

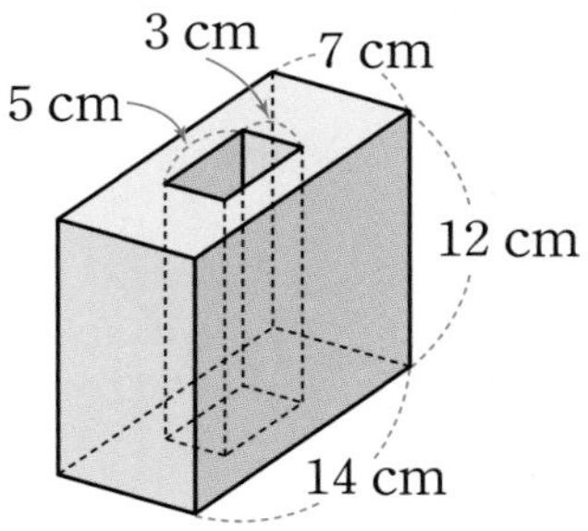

☐ cm^3

2-4

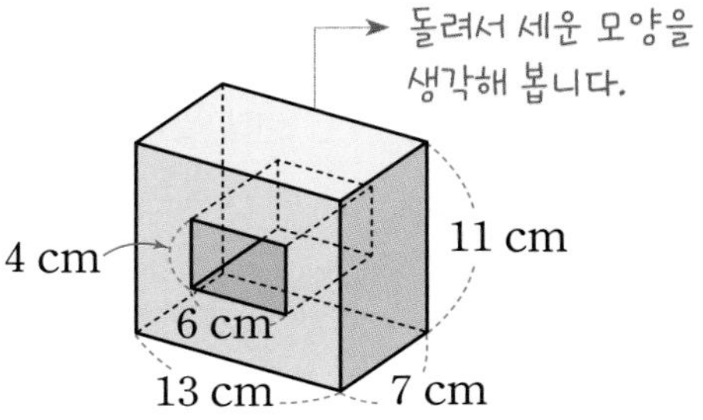

☐ cm^3

4일 빼거나 더 필요한 쌓기나무의 개수

오늘은 무엇을 공부할까요?

한오야, 뭐하고 있어?
우리가 촬영한 영상을 보고 있었어.
아~ 근데 저건 뭐야?
응? 어떤 거?
아~ 이건 쌓기나무 그림이네~.
위에서 본 모양
그런데 쌓기나무 몇 개로 쌓은 거지?
그건 층별로 세어 보면 알 수 있어.
그래?
위에서 본 모양
위에서 본 모양은 1층에 쌓인 쌓기나무의 개수와 같아.

아~ 그럼 내가 층별로 세어 볼게.

← 3층: 1개
← 2층: 2개
← 1층: 3개

$3+2+1=6$(개)

층별로 세어 보니 쌓기나무는 모두 6개구나.

우와~ 정답!

다른 모양으로 쌓은 쌓기나무의 개수도 알아보자.

정답이!

3주

4일

도형 기본 개념

● 쌓기나무의 개수 알아보기

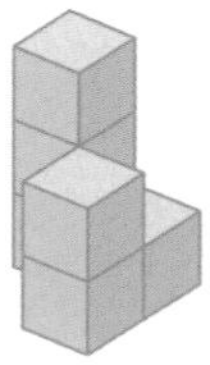

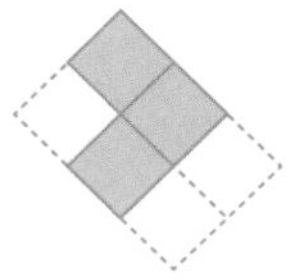

위에서 본 모양

쌓기나무의 개수를 2가지 방법으로 알아봐요.

방법 1 층별로 세기

← 3층: 1개
← 2층: 2개
← 1층: 3개

(쌓기나무의 개수)$=3+2+1=$ [①   ] (개)

방법 2 각 자리에 쌓인 쌓기나무의 수로 세기

위에서 본 모양

(쌓기나무의 개수)$=$ [②   ] $+1+2=$ [③   ] (개)

정답 ❶6 ❷3 ❸6

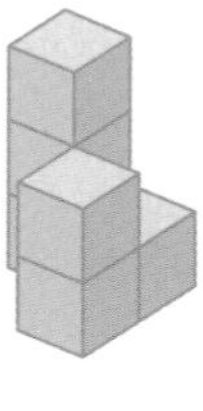

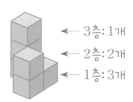

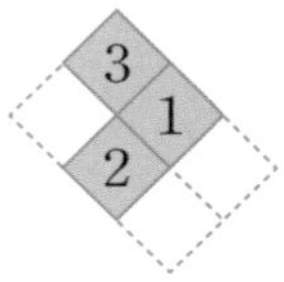

빼거나 더 필요한 쌓기나무의 개수

 활동을 통하여 **해결 방법**을 알아보아요.

○ 빼낸 쌓기나무의 개수 구하기

  ⇨

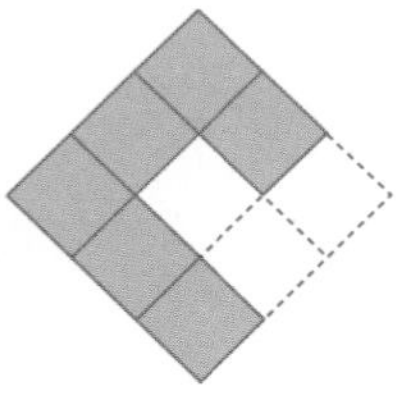

위에서 본 모양   위에서 본 모양

왼쪽 모양에서 몇 개를
빼내어 오른쪽 모양을
만들었어요.

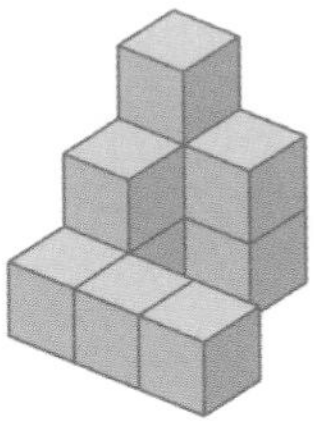

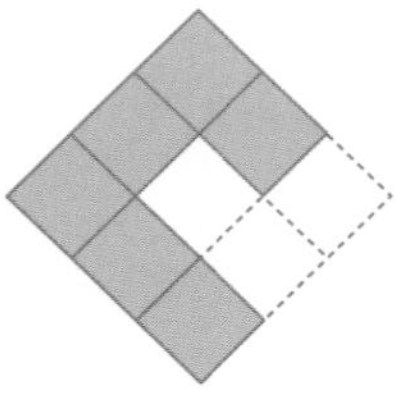

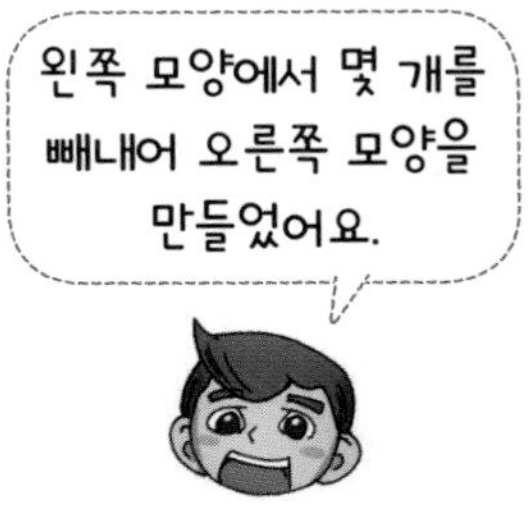

순서 1 각 모양에서 쌓기나무의 개수 구하기

 왼쪽 모양

←3층: 2개
←2층: 5개
←1층: 6개

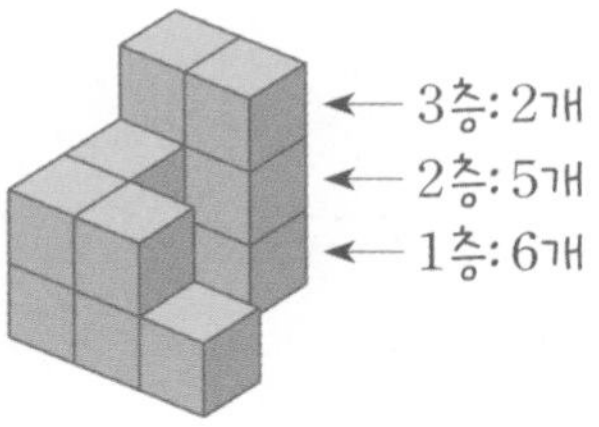

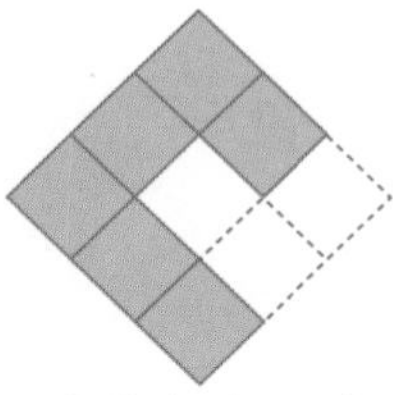

위에서 본 모양

(쌓기나무의 개수)＝6＋5＋2＝13(개)

위에서 본 모양으로
1층에 쌓인 쌓기나무는
6개인 것을 알 수 있어요.

 오른쪽 모양

←3층: 1개
←2층: 3개
←1층: 6개

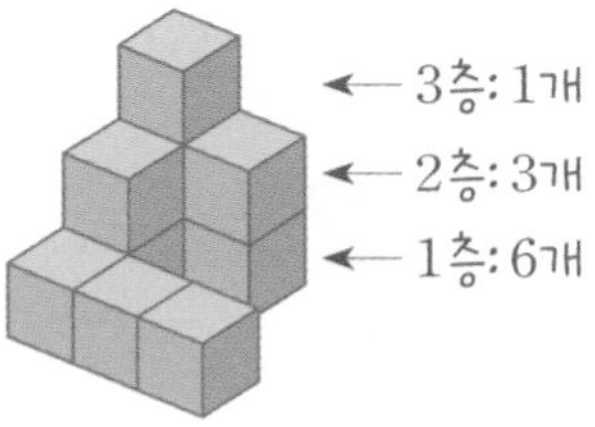

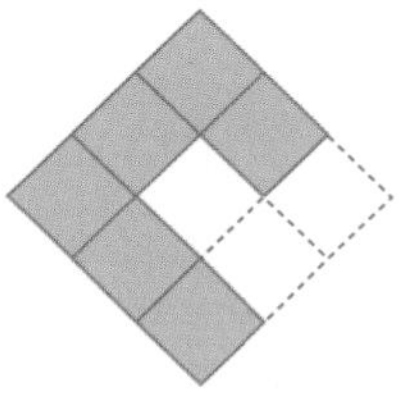

위에서 본 모양

(쌓기나무의 개수)＝6＋3＋1＝10(개)

순서 2 빼낸 쌓기나무의 개수 구하기

(빼낸 쌓기나무의 개수)＝(왼쪽 모양의 쌓기나무의 개수)－(오른쪽 모양의 쌓기나무의 개수)
＝13－10＝3(개)

해결 방법 확인

왼쪽 모양에서 쌓기나무 몇 개를 빼냈더니 오른쪽 모양이 되었습니다. 빼낸 쌓기나무는 몇 개인지 구하세요.

1-1

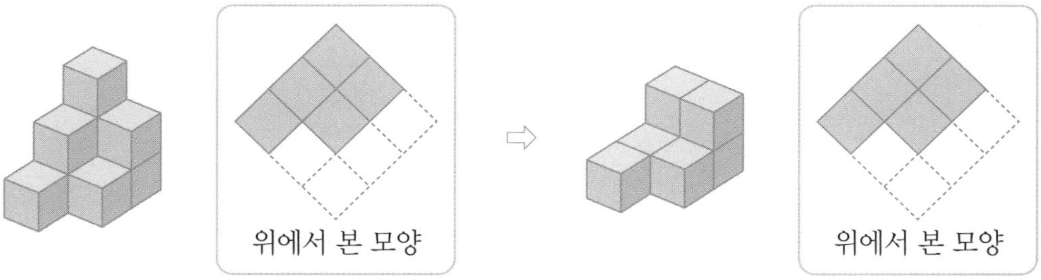

□ 개

1-2

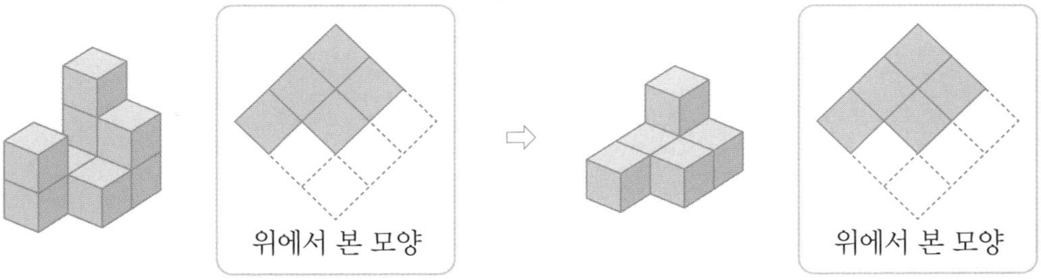

□ 개

1-3

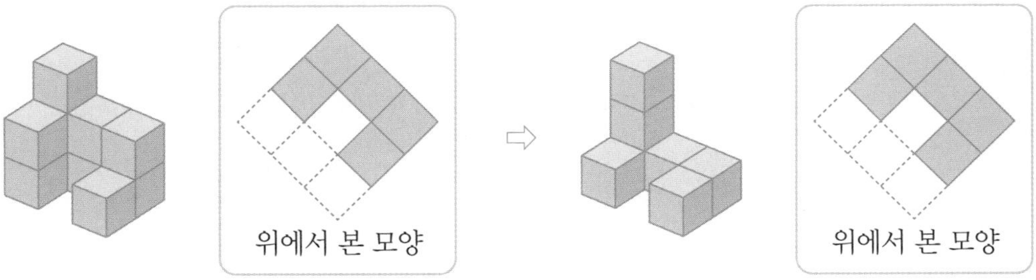

□ 개

1-4

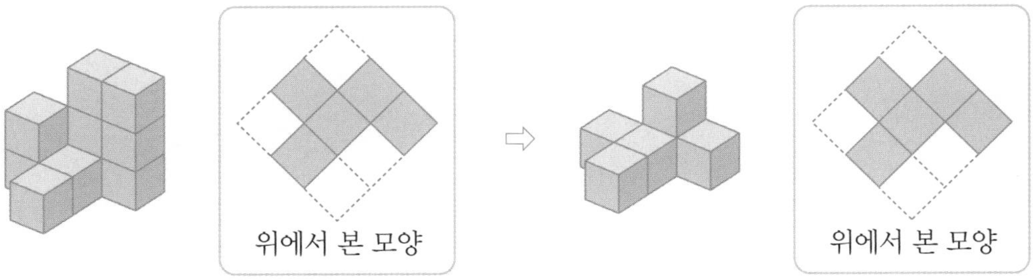

□ 개

3주
4일

4일 빼거나 더 필요한 쌓기나무의 개수

도형 집중 연습

왼쪽 정육면체 모양에서 쌓기나무 몇 개를 빼냈더니 오른쪽 모양이 되었습니다. 빼낸 쌓기나무는 몇 개인지 구하세요.

1-1

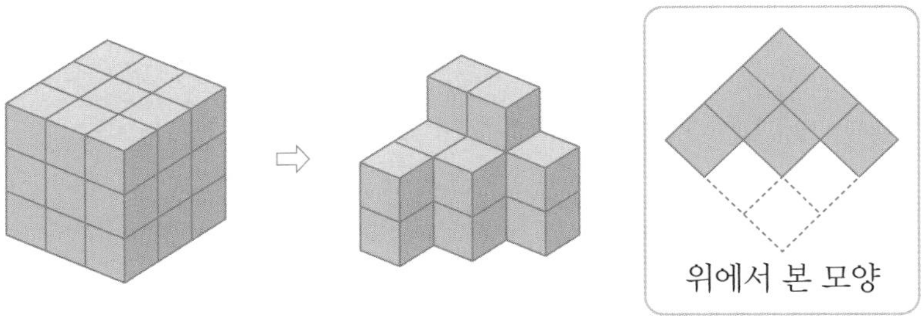

( ) 개

1-2

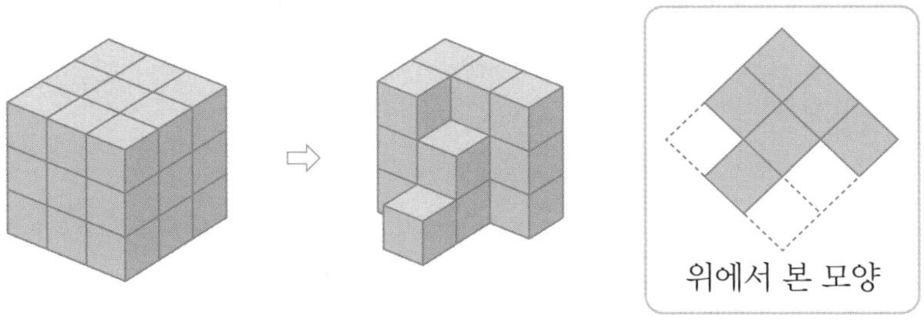

( ) 개

1-3

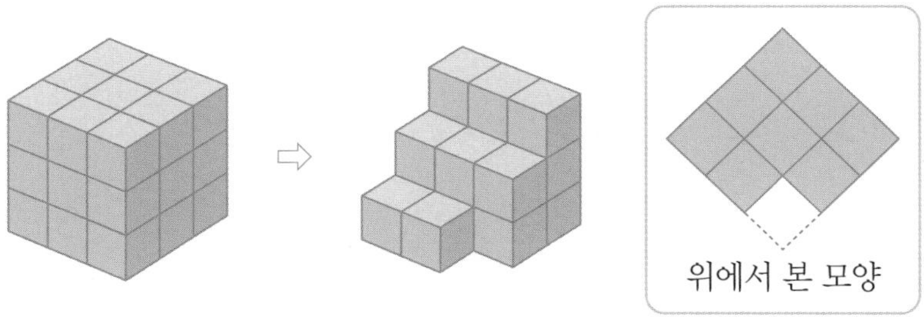

( ) 개

1-4

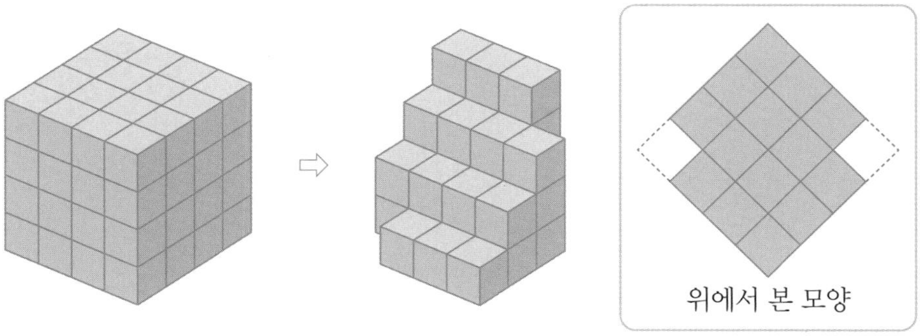

( ) 개

다음과 같은 모양으로 쌓기나무를 쌓았습니다. 여기에 쌓기나무를 더 쌓아 가장 작은 정육면체를 만들려고 합니다. **보기**와 같이 더 필요한 쌓기나무의 개수를 구하세요.

보기

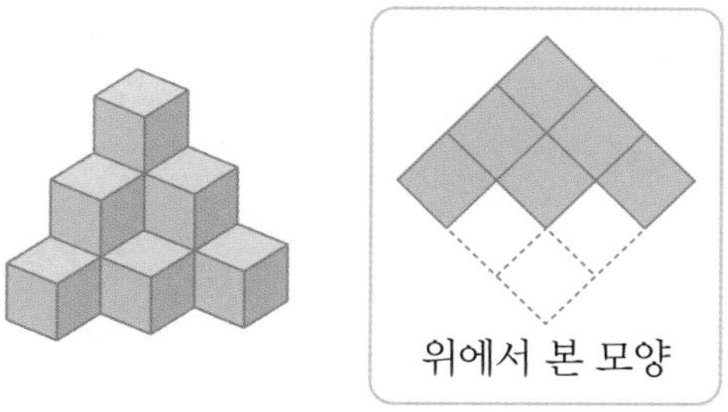

(쌓기나무의 개수)$=6+3+1=10$(개)

(가장 작은 정육면체의 쌓기나무의 개수)$=3\times3\times3=27$(개)

→ 한 모서리가 쌓기나무 3개

⇨ (더 필요한 쌓기나무의 개수)$=27-10=17$(개)

2-1

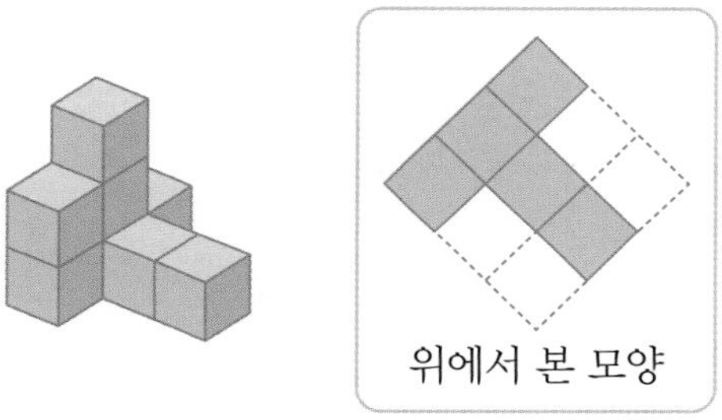

☐ 개

2-2

☐ 개

2-3

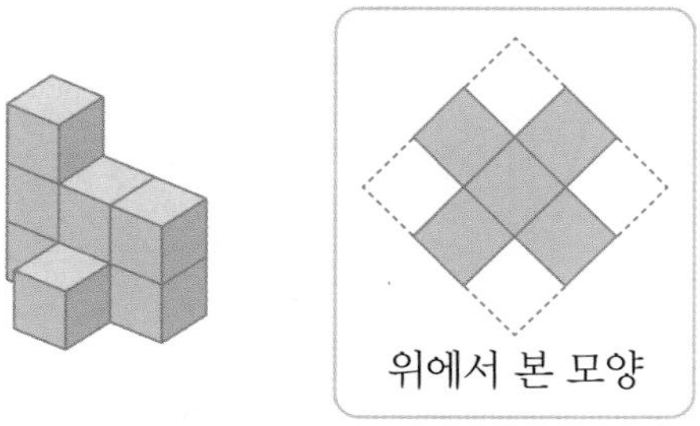

☐ 개

2-4

→ 4층까지 있으므로 가장 작은 정육면체를 만들려면 한 모서리가 쌓기나무 4개로 이루어져야 해요.

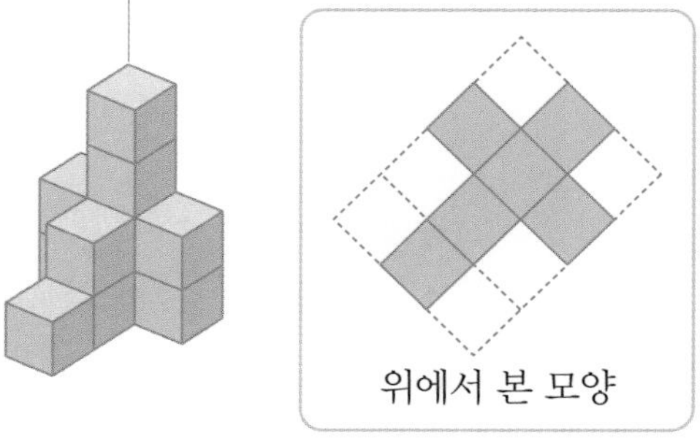

☐ 개

3주 4일

5일 위, 앞, 옆에서 본 모양

오늘은 무엇을 공부할까요?

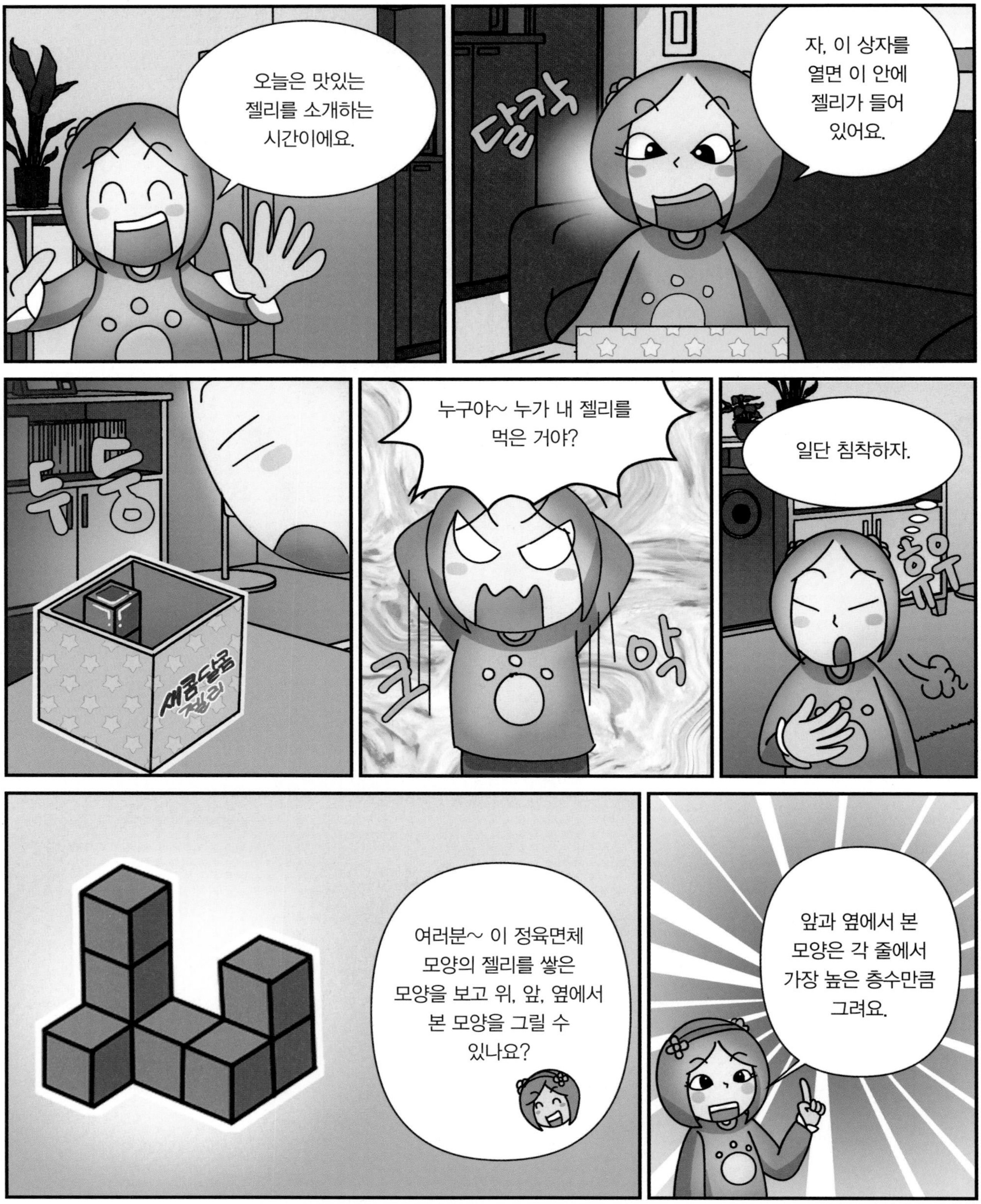

오늘은 맛있는 젤리를 소개하는 시간이에요.
달칵
자, 이 상자를 열면 이 안에 젤리가 들어 있어요.
두둥
새콤달콤 젤리
누구야~ 누가 내 젤리를 먹은 거야?
크아악
일단 침착하자.
휴우
여러분~ 이 정육면체 모양의 젤리를 쌓은 모양을 보고 위, 앞, 옆에서 본 모양을 그릴 수 있나요?
앞과 옆에서 본 모양은 각 줄에서 가장 높은 층수만큼 그려요.

위
앞
옆
앞
옆
그리고 위에서 본 모양은
1층에 쌓은 모양과 같게
그리면 완성!
혹시 내 젤리를 네가 먹었어?
캬악!
응?
뚜껑을
살펴봐!
에휴
앗! 여기에
붙어 있었구나.
호호

도형 기본 개념

- **쌓은 모양을 보고 위, 앞, 옆(오른쪽)에서 본 모양 그리기**

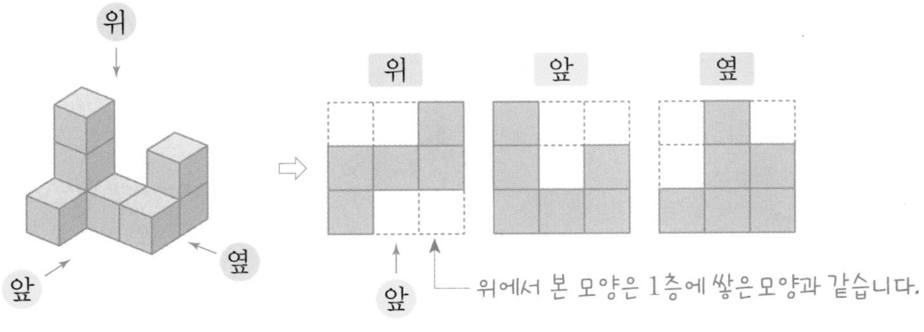
위
앞
옆
위
앞
옆
앞
위에서 본 모양은 1층에 쌓은 모양과 같습니다.

위에서 본 모양은 ❶ [ ] 층에 쌓은 모양과 똑같이 그리고, 앞과 옆에서 본 모양은 각 방향에서 줄별 가장 높은 층수만큼 그립니다.

정답 ❶ 1

5일 위, 앞, 옆에서 본 모양

활동을 통하여 해결 방법을 알아보아요.

◎ 위, 앞, 옆(오른쪽)에서 본 모양을 보고 똑같은 모양으로 쌓는 데 필요한 쌓기나무의 개수 구하기

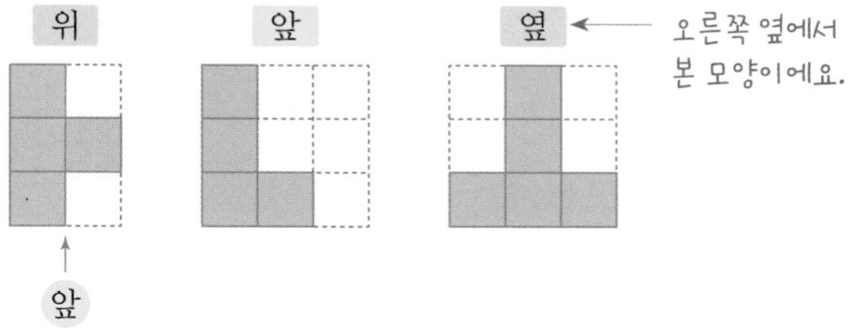

순서 1 위에서 본 모양에서 각 자리에 쌓인 쌓기나무의 개수 알아보기

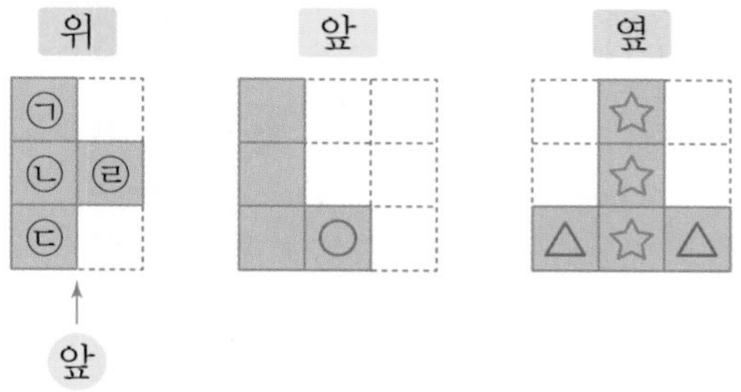

앞 에서 본 모양의 ○인 곳을 이용하면 ㉣에는 쌓기나무가 1개 쌓여 있습니다.

옆 에서 본 모양의 △인 곳을 이용하면 ㉠, ㉢에는 쌓기나무가 1개씩 쌓여 있습니다.

옆 에서 본 모양의 ☆인 곳을 이용하면 ㉡에는 쌓기나무가 3개 쌓여 있습니다.

순서 2 필요한 쌓기나무의 개수 구하기

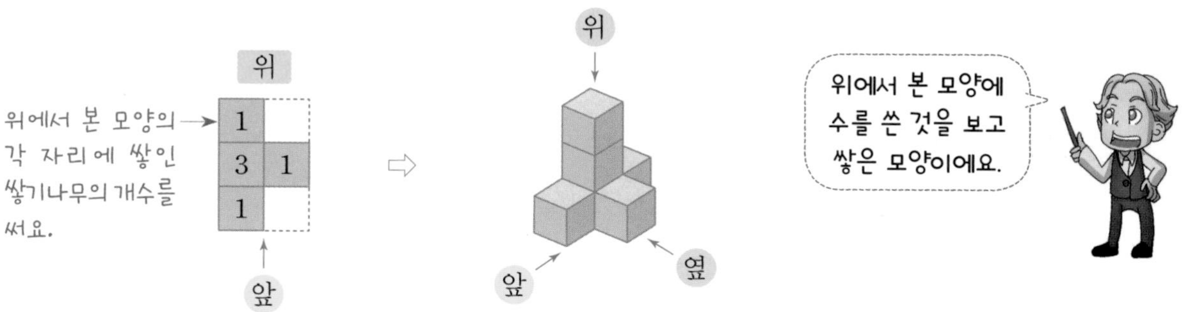

⇨ (필요한 쌓기나무의 개수)$=1+3+1+1=6$(개)

해결 방법 확인

쌓기나무로 쌓은 모양을 위, 앞, 옆(오른쪽)에서 본 모양입니다. 위에서 본 모양의 각 자리에 쌓인 쌓기나무의 개수를 써넣으세요.

1-1

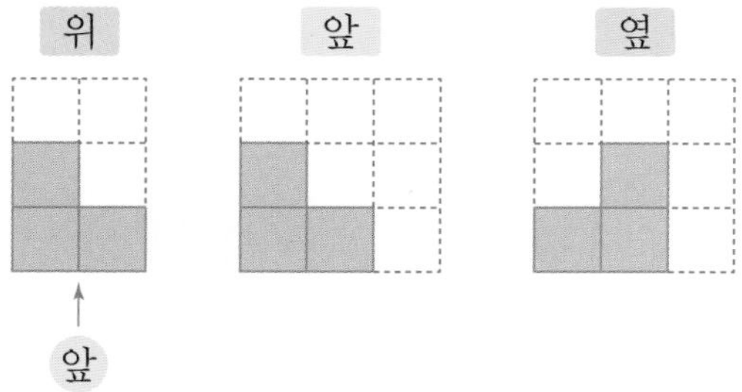

1-2

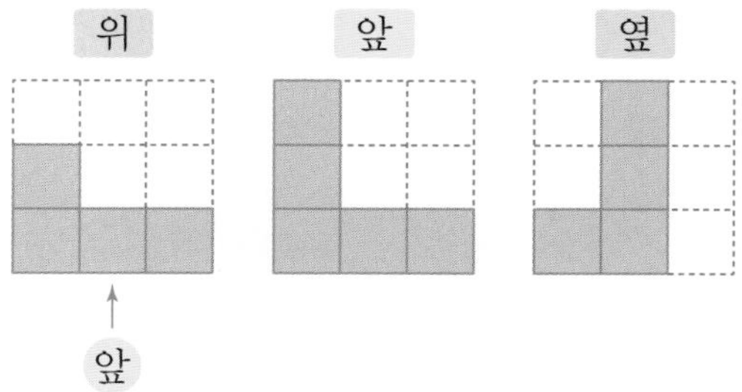

1-3

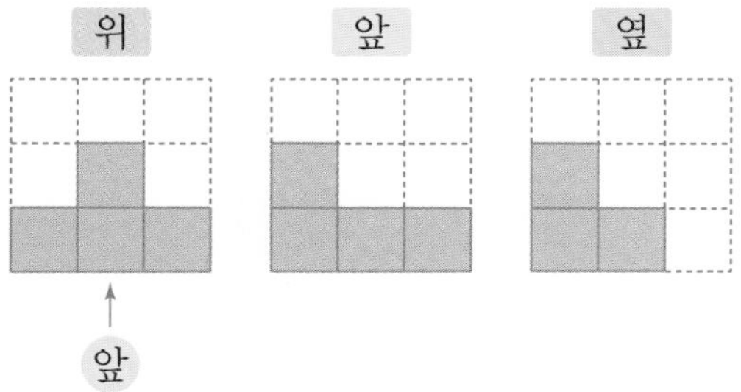

1-4

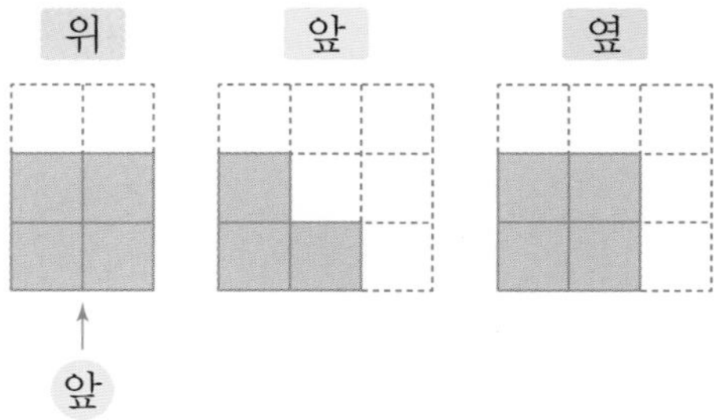

1-5

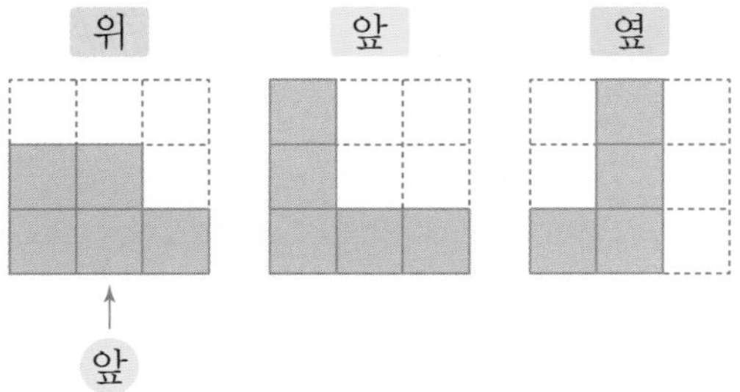

1-6

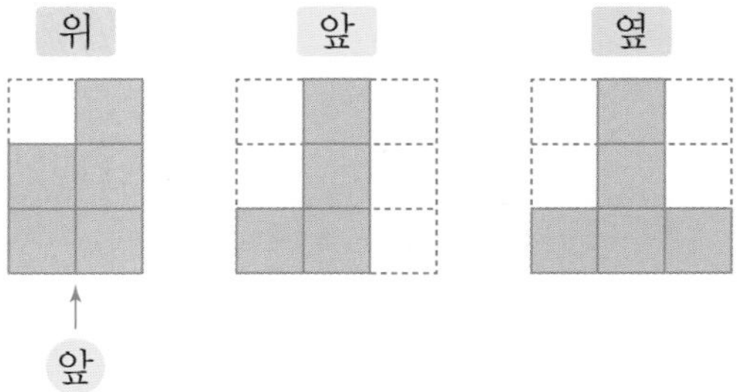

3주 5일

5^일 위, 앞, 옆에서 본 모양

도형 집중 연습

쌓기나무로 쌓은 모양을 위, 앞, 옆(오른쪽)에서 본 모양입니다. 똑같은 모양으로 쌓는 데 필요한 쌓기나무의 개수를 구하세요.

1-1

위에서 본 모양에 수를 써넣어 필요한 쌓기나무의 개수를 구해 보세요.

☐개

1-2 위 앞 옆 **1-3** 위 앞 옆

☐개   ☐개

1-4 위 앞 옆 **1-5** 위 앞 옆

☐개   ☐개

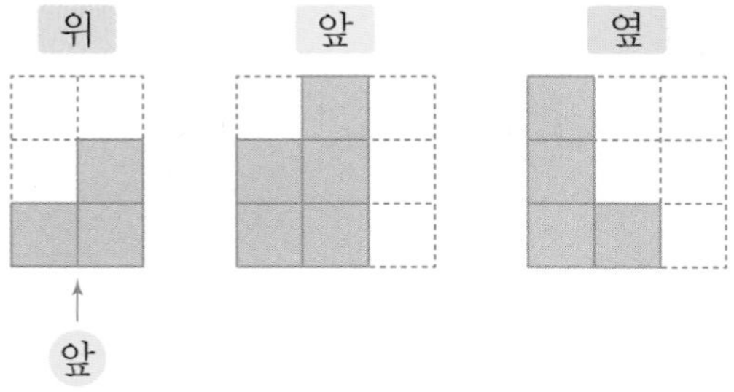

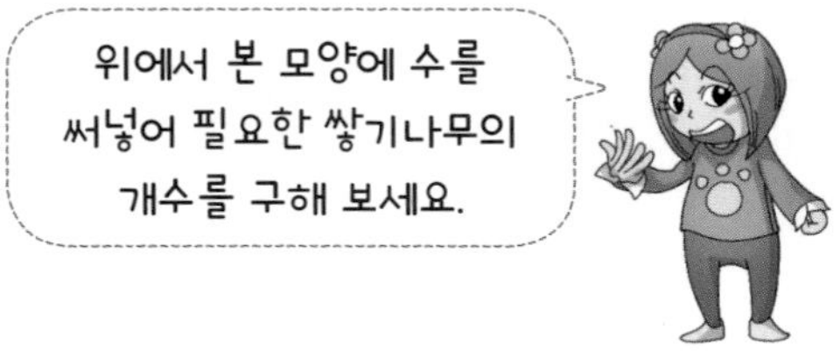

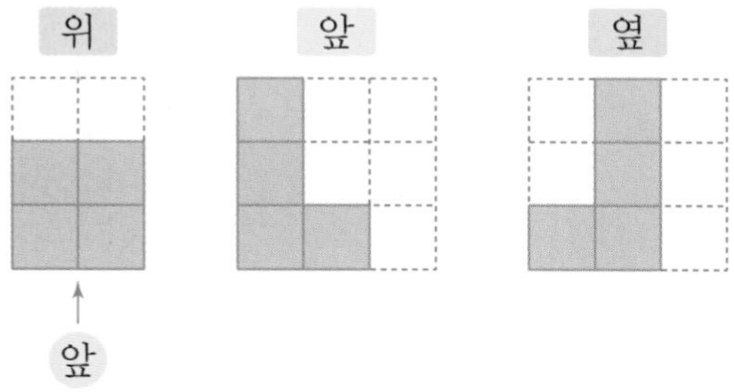

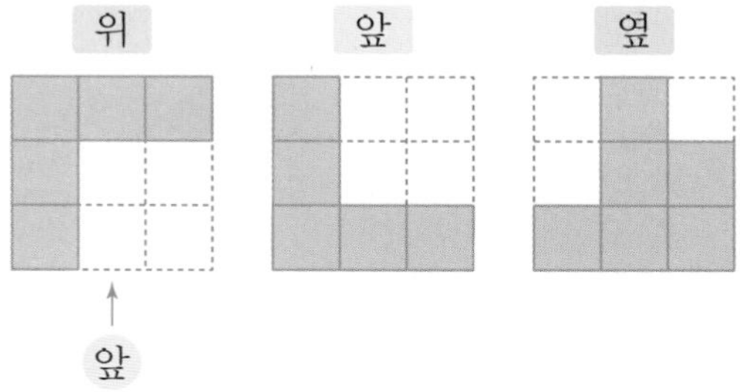

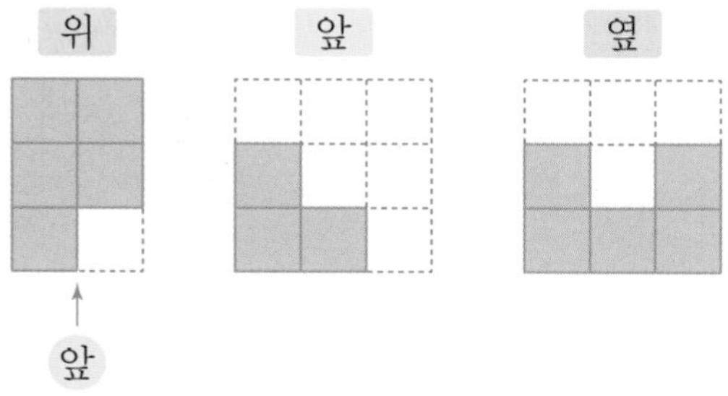

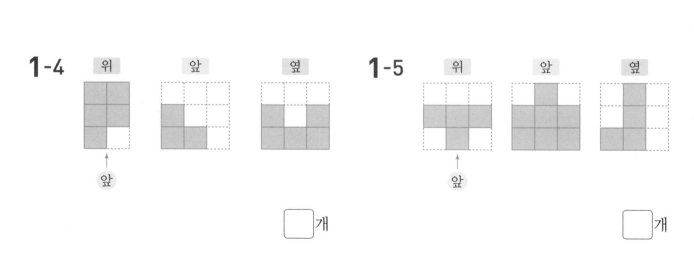

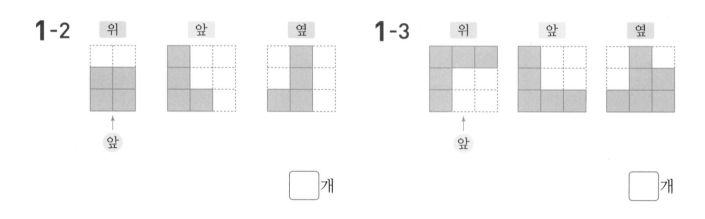

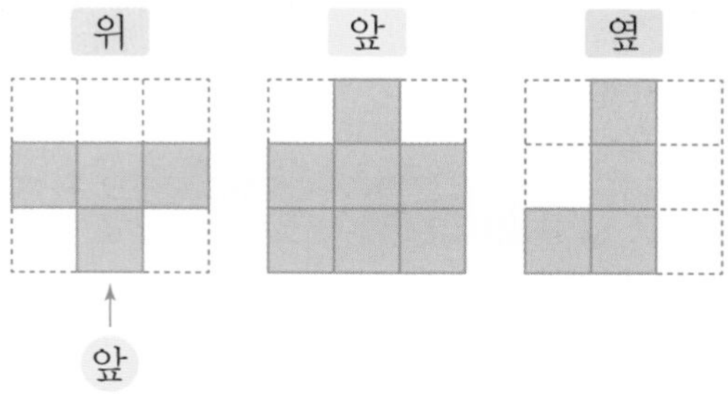

위, 앞, 옆(오른쪽)에서 본 모양이 다음과 같도록 쌓기나무를 쌓으려고 합니다. 보기와 같이 쌓은 쌓기나무의 수가 가장 많은 경우와 가장 적은 경우는 각각 몇 개인지 구하세요.

보기

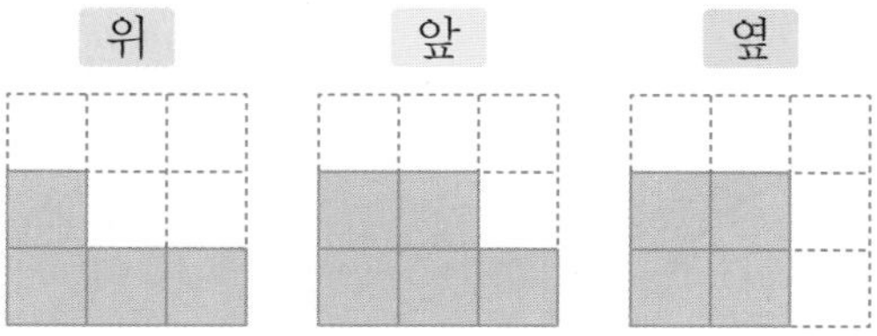

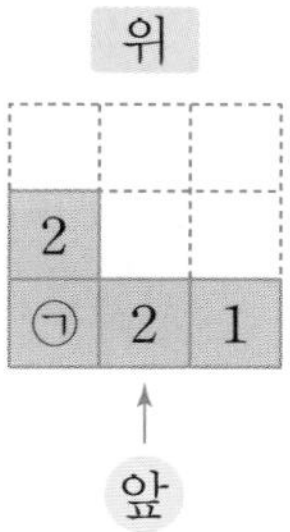

가장 많은 경우: ㉠에 2개 쌓기

⇨ 2+2+2+1=7(개)

가장 적은 경우: ㉠에 1개 쌓기

⇨ 2+1+2+1=6(개)

2-1

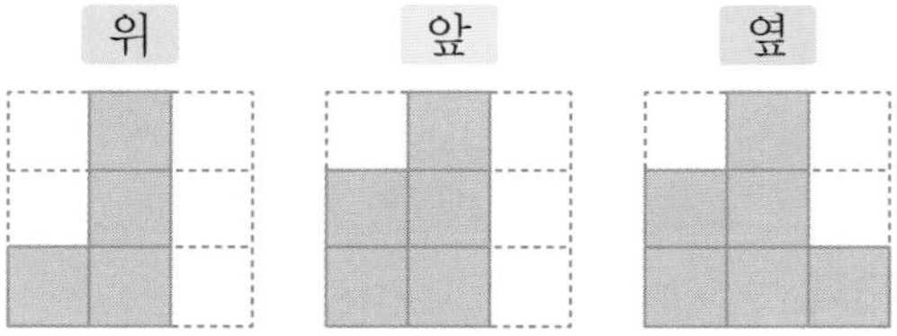

가장 많은 경우: ☐개

가장 적은 경우: ☐개

2-2

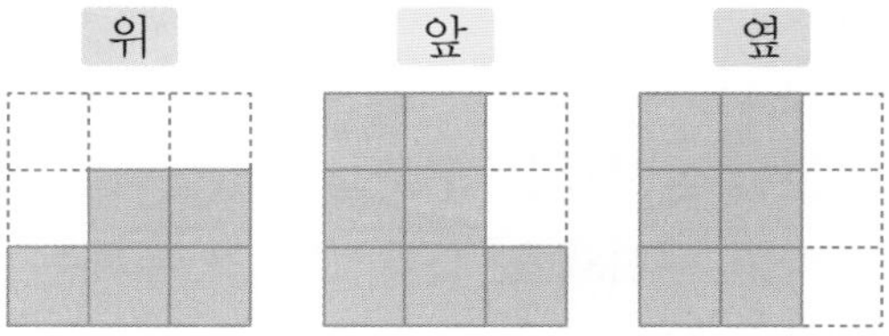

가장 많은 경우: ☐개

가장 적은 경우: ☐개

2-3

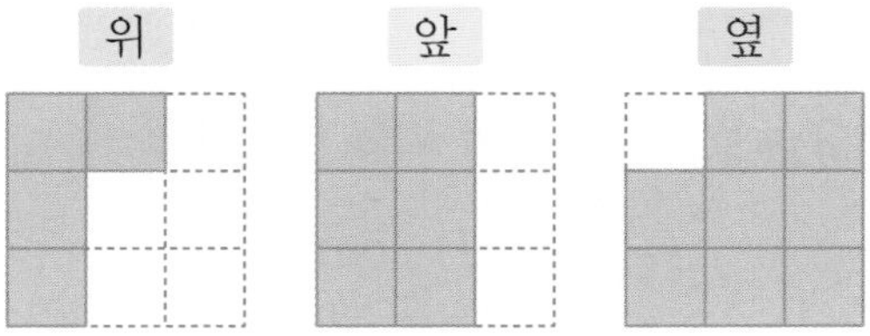

가장 많은 경우: ☐개

가장 적은 경우: ☐개

2-4

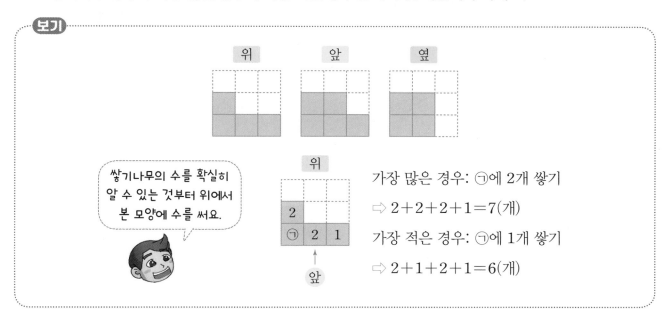

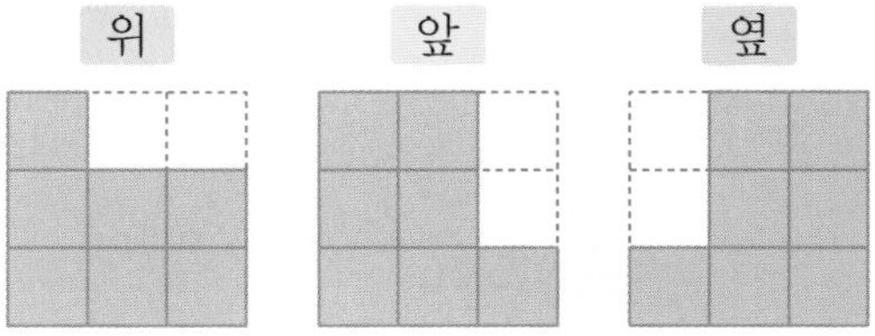

가장 많은 경우: ☐개

가장 적은 경우: ☐개

3주 평가 누구나 100점 맞는 TEST

01 직육면체 모양의 그릇에 돌을 완전히 잠기도록 넣었습니다. 높아진 물의 높이를 이용하여 돌의 부피를 구하세요. (단, 그릇의 두께는 생각하지 않습니다.)

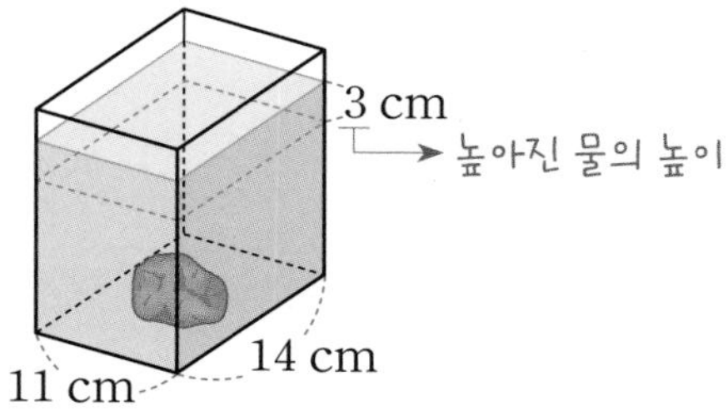

( ) cm^3

02 직육면체 모양의 그릇이 있습니다. 여기에 완전히 잠겨 있던 구슬을 꺼냈습니다. 구슬의 부피를 구하세요. (단, 그릇의 두께는 생각하지 않습니다.)

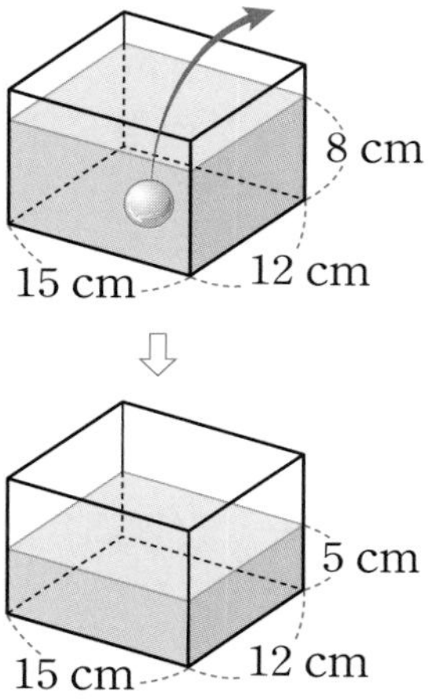

( ) cm^3

[03~04] 직육면체를 앞과 옆에서 본 모양입니다. 직육면체의 겉넓이를 구하세요.

03

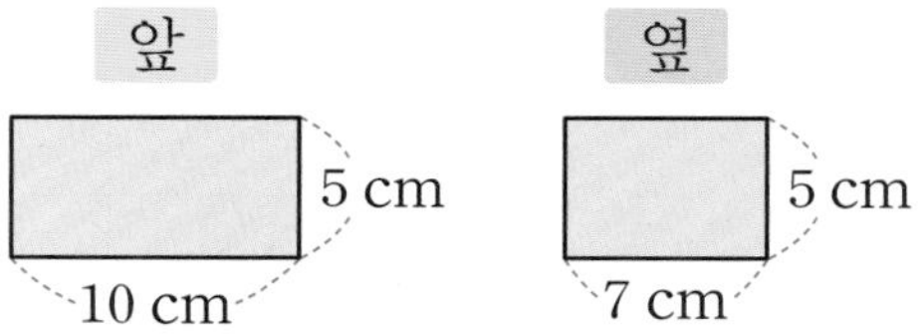

( ) cm^2

04

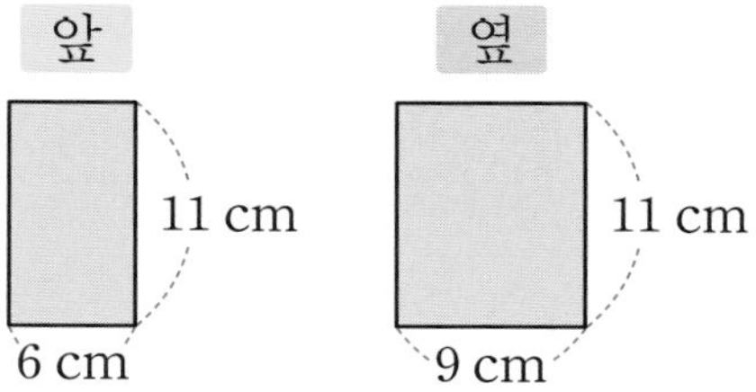

( ) cm^2

05 입체도형의 겉넓이를 구하세요.

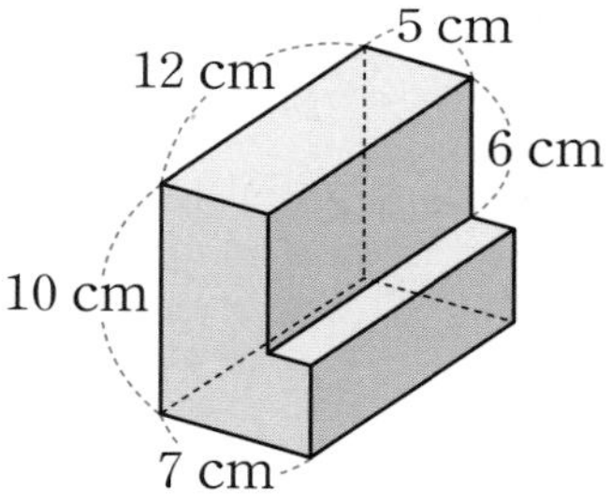

( ) cm^2

06 입체도형의 부피를 구하세요.

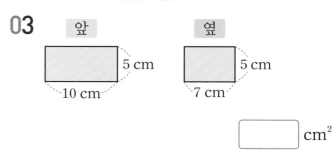

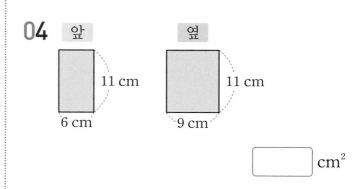

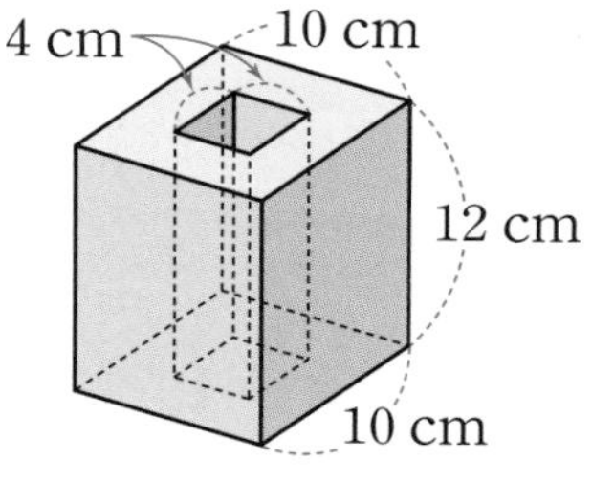

( ) cm^3

맞은 개수 / 10개

07 정육면체 모양에서 쌓기나무 몇 개를 빼냈더니 아래 모양이 되었습니다. 빼낸 쌓기나무는 몇 개인지 구하세요.

⇩

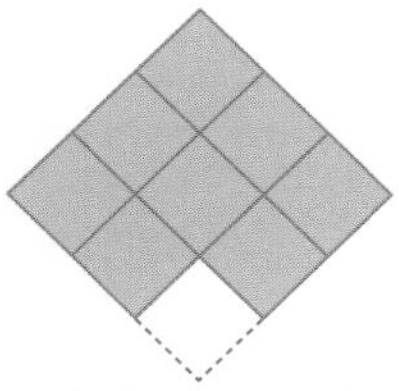

위에서 본 모양

[ ]개

08 다음과 같은 모양으로 쌓기나무를 쌓았습니다. 여기에 쌓기나무를 더 쌓아 가장 작은 정육면체를 만들려고 합니다. 더 필요한 쌓기나무의 개수를 구하세요.

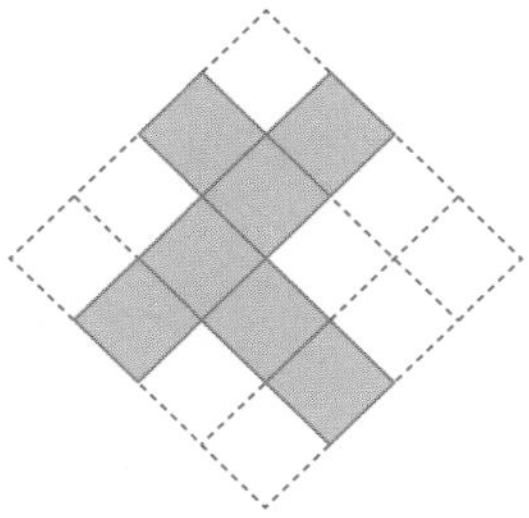

위에서 본 모양

[ ]개

09 쌓기나무로 쌓은 모양을 위, 앞, 옆(오른쪽)에서 본 모양입니다. 똑같은 모양으로 쌓는 데 필요한 쌓기나무의 개수를 구하세요.

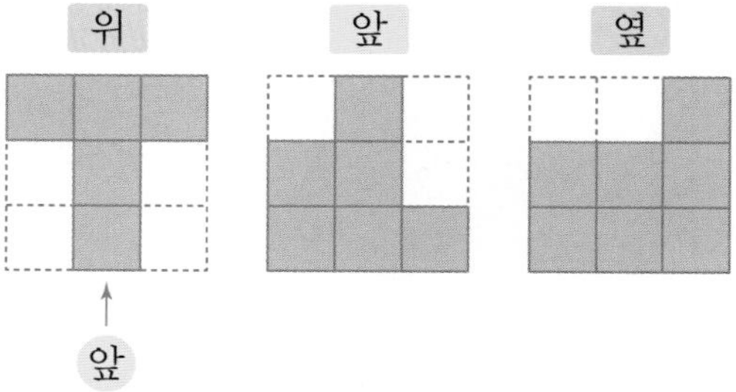

[ ]개

10 위, 앞, 옆(오른쪽)에서 본 모양이 다음과 같도록 쌓기나무를 쌓으려고 합니다. 쌓은 쌓기나무의 수가 가장 많은 경우와 가장 적은 경우는 각각 몇 개인지 구하세요.

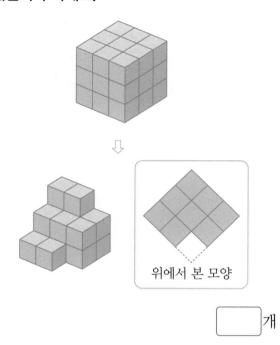

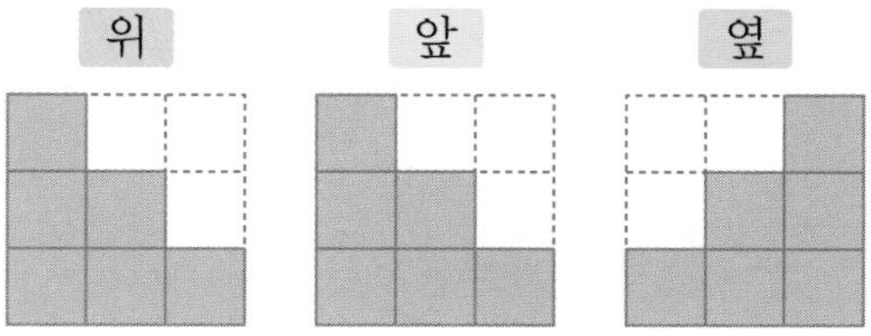

가장 많은 경우: [ ]개

가장 적은 경우: [ ]개

3주 평가

쌓기나무로 쌓은 모양의 겉넓이 구하기

● 한 모서리의 길이가 1 cm인 정육면체 모양의 쌓기나무로 쌓은 모양의 겉넓이 구하기

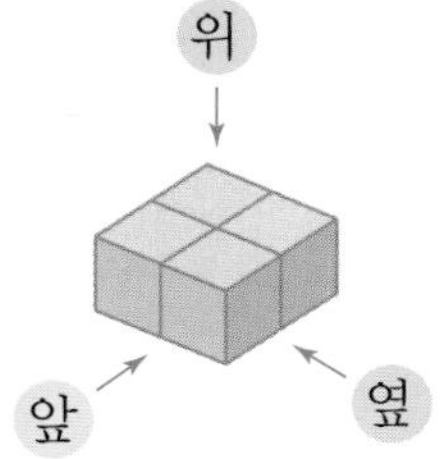

참고

(보이는 면의 수)＝(위)＋(아래)＋(앞)＋(뒤)＋(양옆)
　　　　　　　＝(위)×2＋(앞)×2＋(옆)×2
　　　　　　　＝4×2＋2×2＋2×2
　　　　　　　＝16(개)

(쌓기나무로 쌓은 모양의 겉넓이)
＝(쌓기나무 한 면의 넓이)×(보이는 면의 수)
＝(1×1)×16
＝16 (cm²)
→ 쌓기나무 한 면의 넓이

바닥에 닿는 면도 포함하여 겉넓이를 구해요.

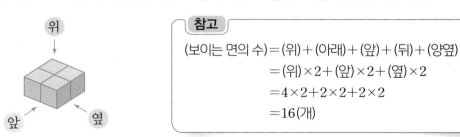

원기둥의 부피 알아보기

원기둥의 부피는 어떻게 구할까요?
원기둥을 잘게 잘라 이어 붙이면 직육면체를 만들 수 있어요.
즉, 원기둥의 부피는 직육면체의 부피와 같죠.
그럼 원기둥의 부피를 한오가 구해볼까?
저요?
한오야, 갑자기 어디 가니?
악!

● **직육면체의 부피를 이용하여 원기둥의 부피 알아보기**

원기둥의 부피는 원기둥을 잘라서 엇갈리게 이어 붙여 만든 직육면체의 부피와 같습니다.

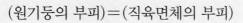

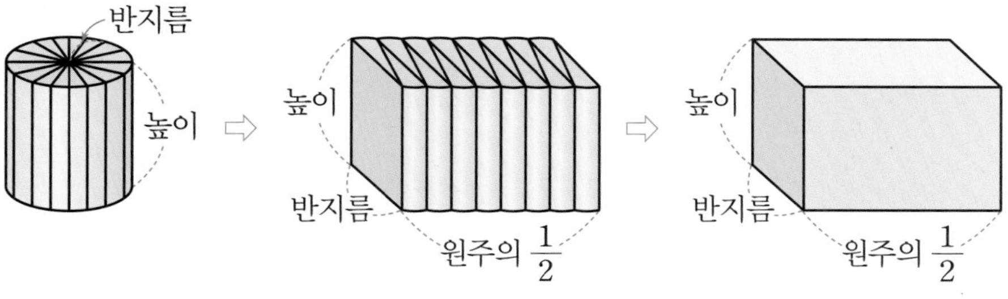

반지름
높이
높이
반지름
원주의 $\frac{1}{2}$
높이
반지름
원주의 $\frac{1}{2}$

원기둥을 한없이 잘라서 엇갈리게 이어 붙이면 직육면체를 만들 수 있어요.

(원기둥의 부피)=(직육면체의 부피)

→ (가로)×(세로)×(높이)

=(원주의 $\frac{1}{2}$)×(반지름)×(높이)

소마 큐브는 덴마크의 수학자인 피에트 하인이 개발한 3차원 입체 퍼즐입니다. 정육면체 3개 또는 4개를 이어 붙여 만든 일곱 개의 조각으로 다음과 같이 큰 정육면체를 만들 수 있습니다. 가장 작은 정육면체의 한 모서리의 길이가 2 cm일 때, 소마 큐브 조각의 겉넓이를 어떻게 구하는지 알아볼까요?

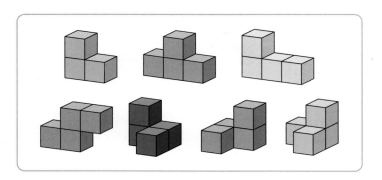

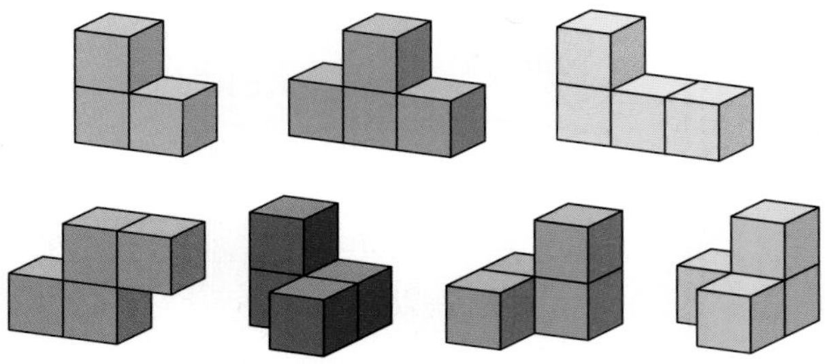

방법

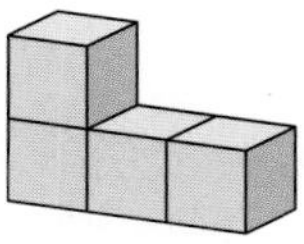

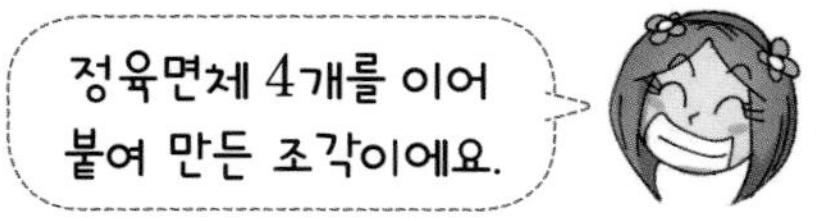
정육면체 4개를 이어
붙여 만든 조각이에요.

가장 작은 정육면체의 한 면의 넓이 구하기

$2\times2=4\ (\mathrm{cm}^2)$

조각의 보이는 면의 수 구하기

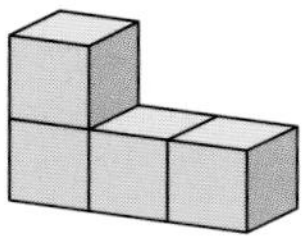

(보이는 면의 수) $=\underset{\text{위, 아래}}{\underline{3\times2}}+\underset{\text{앞, 뒤}}{\underline{4\times2}}+\underset{\text{양, 옆}}{\underline{2\times2}}=18$(개)

⇨ (겉넓이) = (가장 작은 정육면체의 한 면의 넓이) × (보이는 면의 수)

$=4\times18=72\ (\mathrm{cm}^2)$

융합

1 가장 작은 정육면체의 한 모서리의 길이가 2 cm일 때, 다음 조각의 겉넓이는 몇 cm^2인지 구하세요.

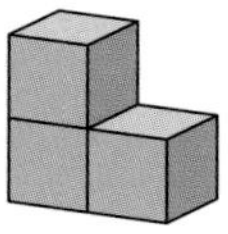

(겉넓이) = (가장 작은 정육면체의 한 면의 넓이) × (보이는 면의 수)

$=4\times\square=\square\ (\mathrm{cm}^2)$

융합

소마 큐브 조각 2개를 붙여 만든 모양입니다. 가장 작은 정육면체의 한 모서리의 길이가 2 cm일 때, 다음 모양의 겉넓이는 몇 cm^2인지 구하세요.

2

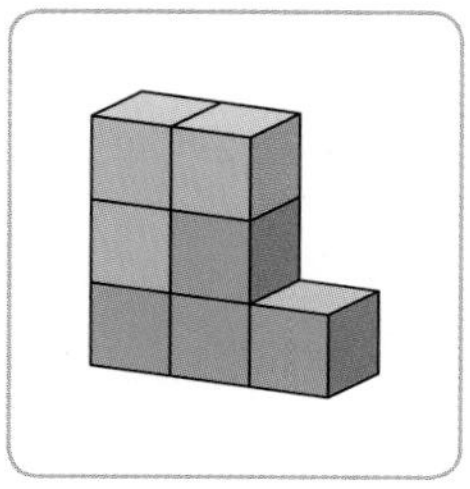

(겉넓이)=(가장 작은 정육면체의 한 면의 넓이)×(보이는 면의 수)

=☐ (cm^2)

3

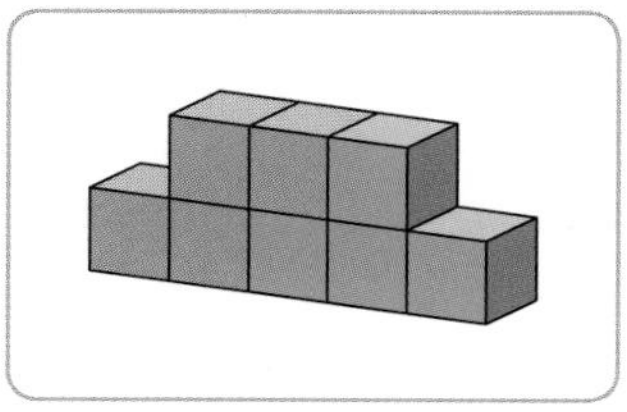

☐ cm^2

4

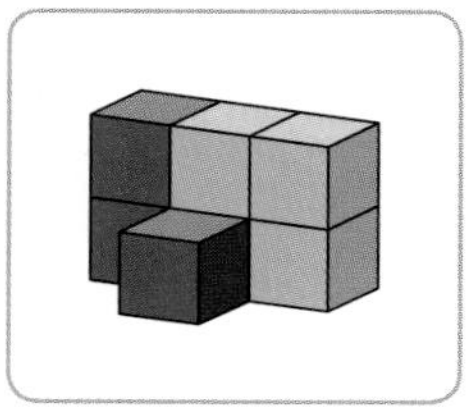

☐ cm^2

5

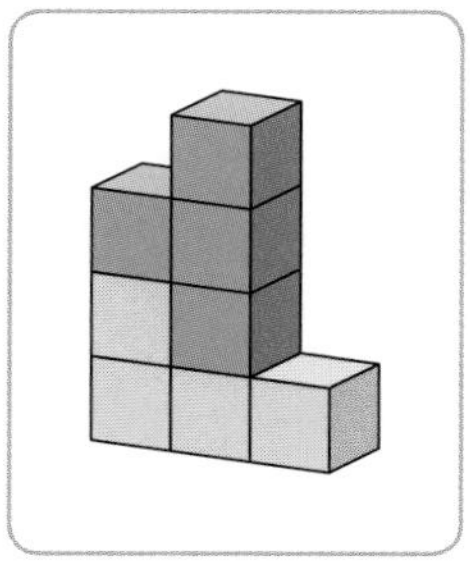

☐ cm^2

6

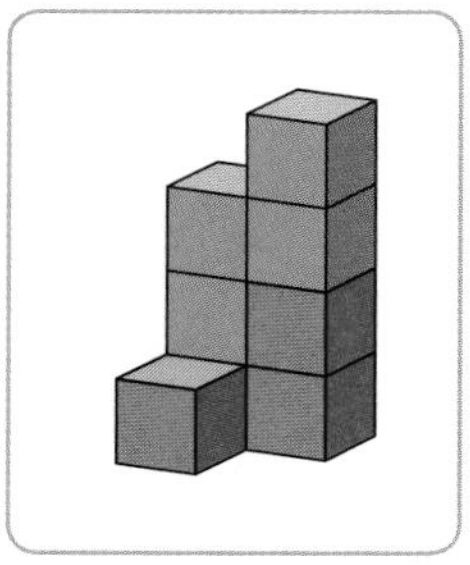

☐ cm^2

특강 창의·융합·코딩

원기둥을 한없이 잘라서 엇갈리게 이어 붙이면 직육면체를 만들 수 있습니다. 직육면체의 부피를 이용하여 오른쪽 원기둥의 부피를 구하는 방법을 알아볼까요?

(원주율: 3)

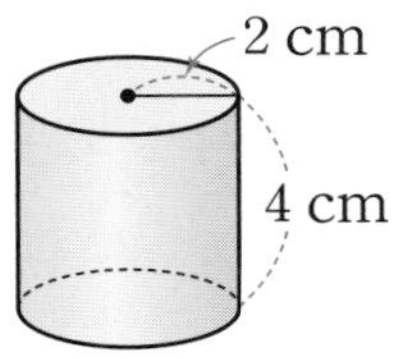

방법

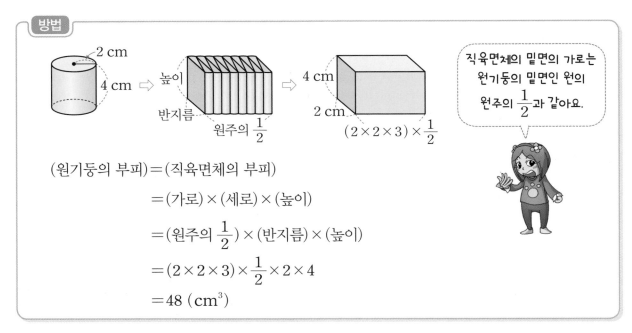

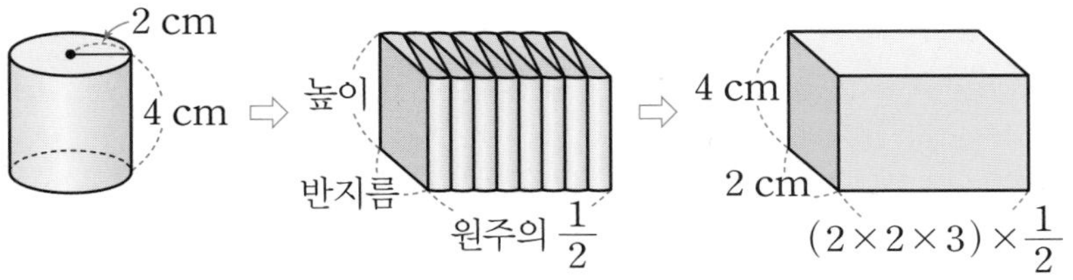

(원기둥의 부피)$=$(직육면체의 부피)

$=$(가로)$\times$(세로)$\times$(높이)

$=$(원주의 $\frac{1}{2}$)$\times$(반지름)$\times$(높이)

$=(2\times2\times3)\times\frac{1}{2}\times2\times4$

$=48\ (\text{cm}^3)$

창의

7 다음 원기둥의 부피를 구하세요. (원주율: 3)

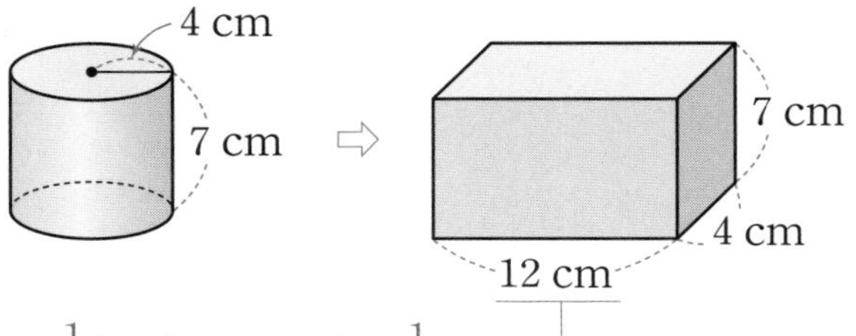

(원주의 $\frac{1}{2}$)$=(4\times2\times3)\times\frac{1}{2}$

(원기둥의 부피)$=$(직육면체의 부피)

$=$(가로)$\times$(세로)$\times$(높이)

$=12\times4\times7$

$=\square\ (\text{cm}^3)$

창의

직육면체의 부피를 이용하여 원기둥의 부피를 구하세요. (원주율: 3)

8

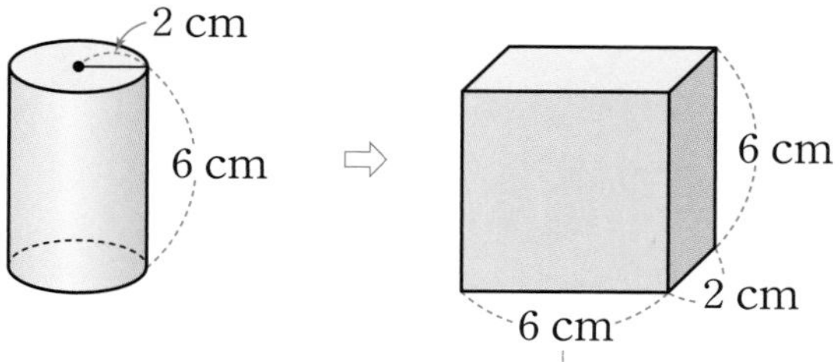

(원주의 $\frac{1}{2}$)$=(2\times2\times3)\times\frac{1}{2}$

(원기둥의 부피)=(직육면체의 부피)

$=6\times2\times6$

$=$ □ (cm^3)

9

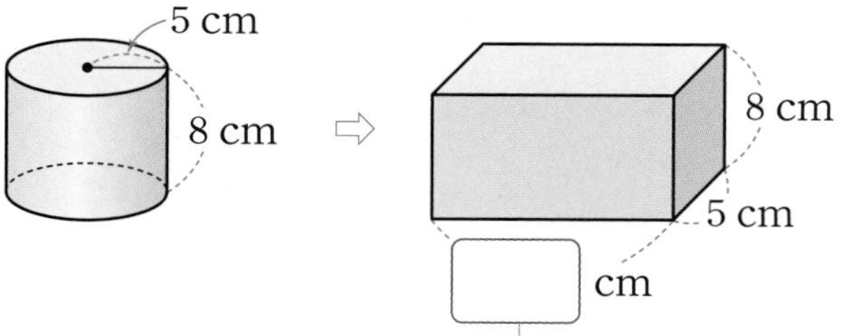

(원주의 $\frac{1}{2}$)$=(5\times2\times3)\times\frac{1}{2}$

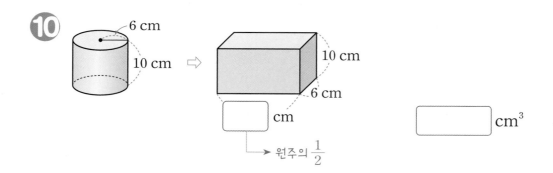

(원기둥의 부피)=(직육면체의 부피)

$=$ □ $\times5\times8$

$=$ □ (cm^3)

10

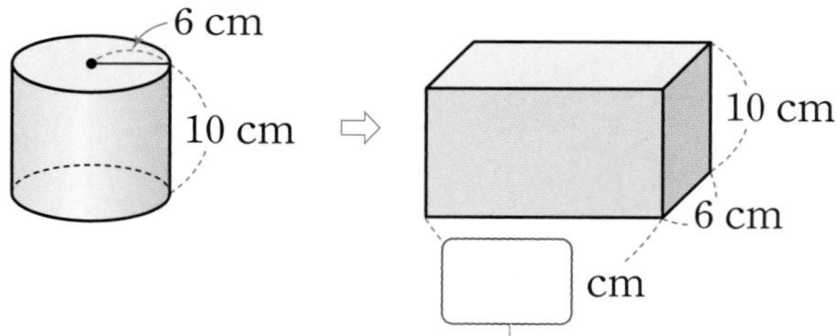

원주의 $\frac{1}{2}$

□ cm^3

11

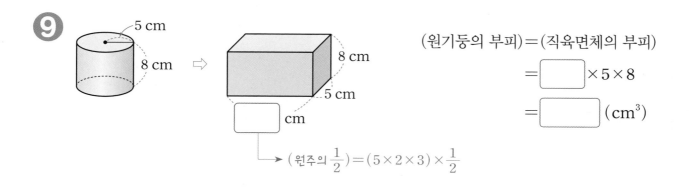

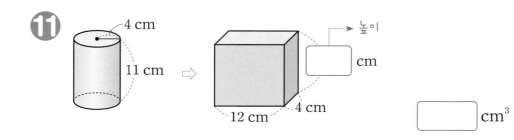

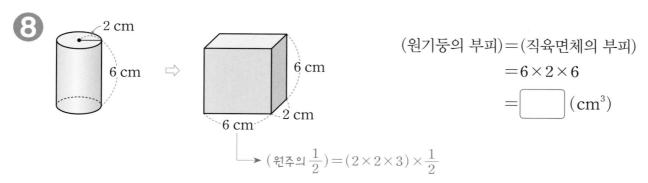

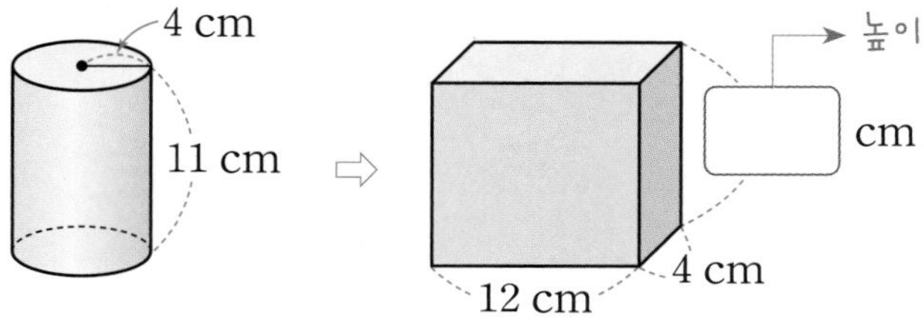

□ cm^3

3주
특강

4주 쌓기나무 (2)

이번 주에는 무엇을 공부할까요? 1

안녕하세요~ 천재 TV입니다.
오늘은 앉아서 진행할게요.
자, 오늘은 구독자분들의 질문을 받는 날이야.
질문이 많아?
어, 쌓기나무잖아?
사용한 쌓기나무의 개수를 알려달래.
좋았어! 설명할게요!
이렇게 만든 모양에서 쌓기나무의 개수를 세어 볼까요?
우선 층별로 나누어봐요.

학습내용

- **1일** 규칙에 따라 쌓기나무 쌓기
- **2일** 2층에 알맞은 모양
- **3일** 더 쌓을 수 있는 쌓기나무의 개수
- **4일** 색칠된 쌓기나무의 개수 구하기
- **5일** 새로운 모양 만들기

똑똑한 하루 도형

1층
2층
3층
각 층에 사용한 쌓기나무의 개수를 세어 더하면 됩니다.
쌓기나무에 대해 더 알아볼까요? 미나야! 이 모양에 쌓기나무 1개를 더 쌓아 다양한 모양을 만들어 봐.
이렇게 여러 모양으로 쌓을 수 있네~.
어, 새로운 질문이 들어왔어.
뭔데?
서…… 성을 쌓아달라는데? 엄청 큰 성으로~.
뭐?
으앙~ 성 쌓기는 언제 끝나는 거야~.

이번 주에는 무엇을 공부할까요? ②

쌓기나무의 개수를 층별로 구하기

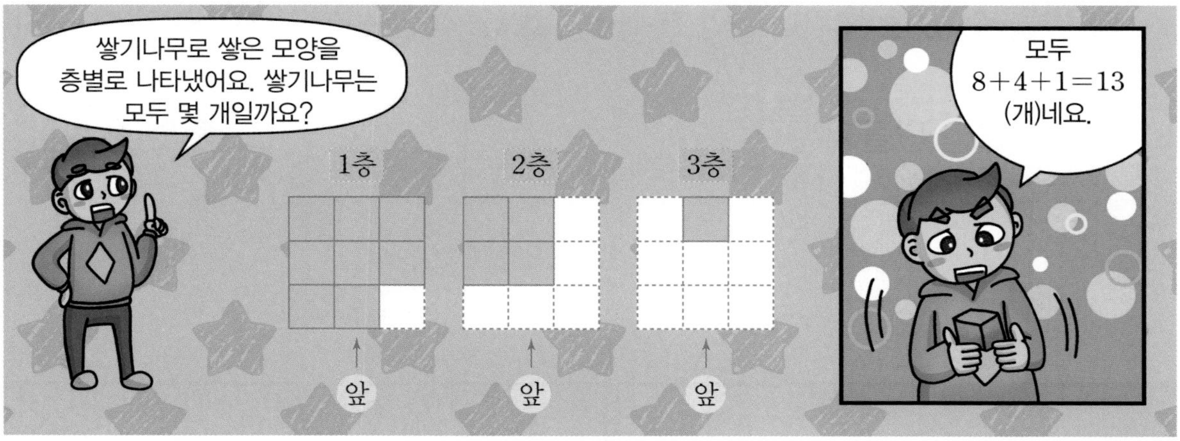

쌓기나무로 쌓은 모양을 층별로 나타낸 모양입니다. 똑같은 모양으로 쌓는 데 필요한 쌓기나무는 모두 몇 개인지 구하세요.

1-1

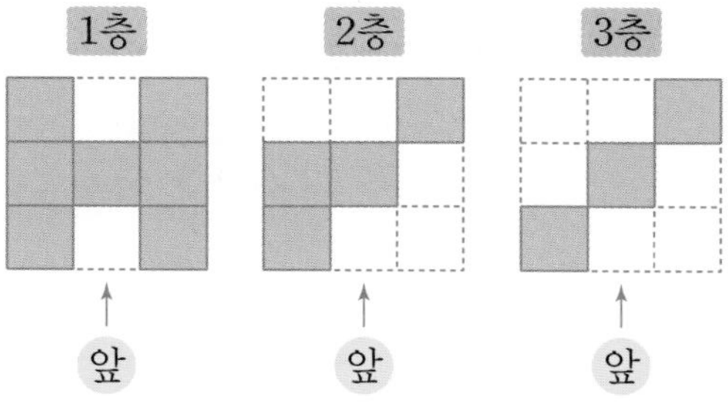

□개

1-2

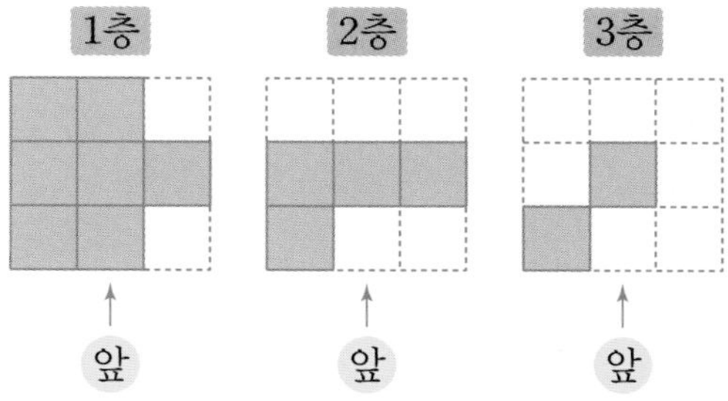

□개

1-3

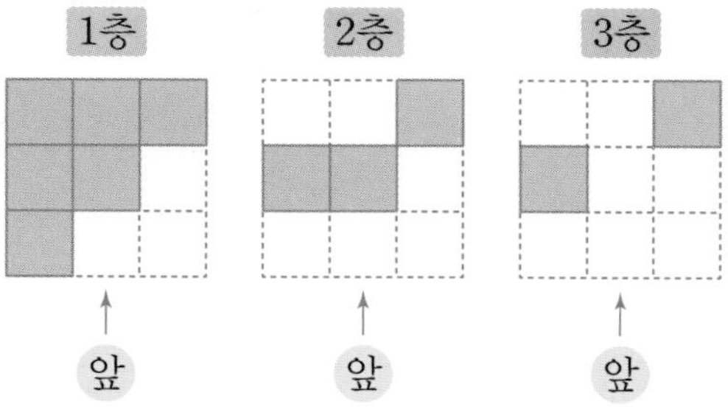

□개

1-4

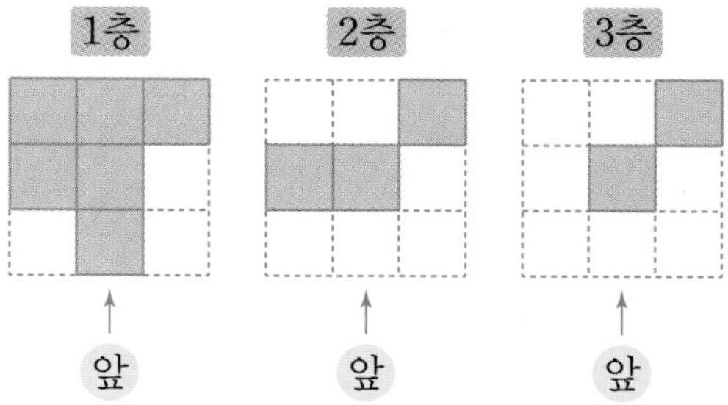

□개

✳ 같은 모양 찾기

🐻 뒤집거나 돌렸을 때 같은 모양이 되는 것을 찾아 선으로 이으세요.

2-1

쌓기나무를 풀로 붙여 만든 모양이에요. 뒤집거나 돌려도 떨어지지 않아요.

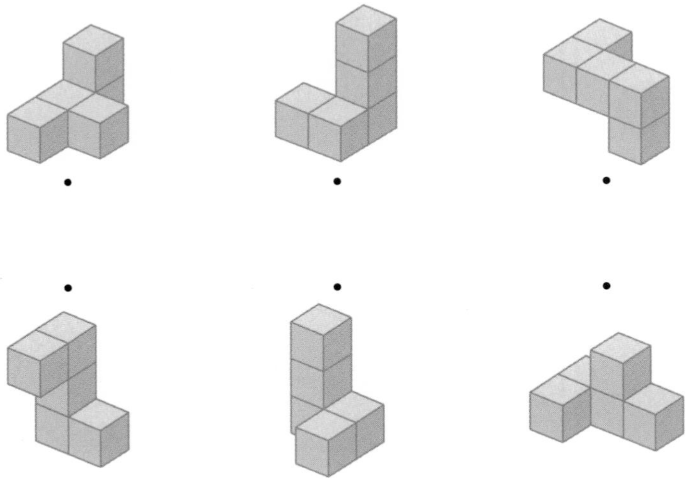

2-2

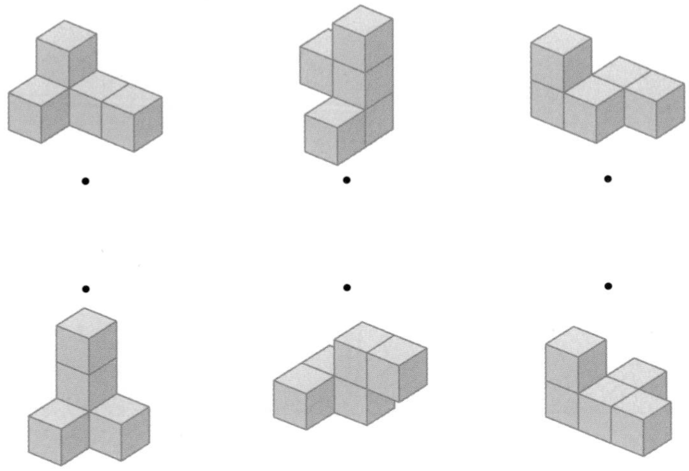

1일 규칙에 따라 쌓기나무 쌓기

오늘은 무엇을 공부할까요?

오늘은 쌓기나무에 관한 게임 방송이에요~.
쌓기나무의 개수 맞히기를 하려고 합니다~.
자, 그럼 시작해볼까요?
쌓기나무 개수는?
START
1번 문제는 쌓기나무의 규칙을 말하는 문제입니다.
첫 번째
두 번째
쿵
세 번째
쿵
쿵
네 번째
정답은 1개, 5개, 9개, 13개……이므로 쌓기나무가 4개씩 늘어나는 규칙이네요. 이대로 쭉 문제를 풀어 볼게요!
건너뛰기

이번 문제는 뭘까요?
다음에 올 모양을 알아보는
거네요.
이번 문제는
반복되는 규칙이
있어요.
?
지잉
딩 동 댕
정답이네요!
정말 잘하죠?

도형 기본 개념

- **규칙에 따라 쌓기나무 쌓기**

규칙 앞과 오른쪽 옆에 각각 1개씩 놓아 쌓기나무의 개수가 ❶ [ ] 개씩 늘어납니다.

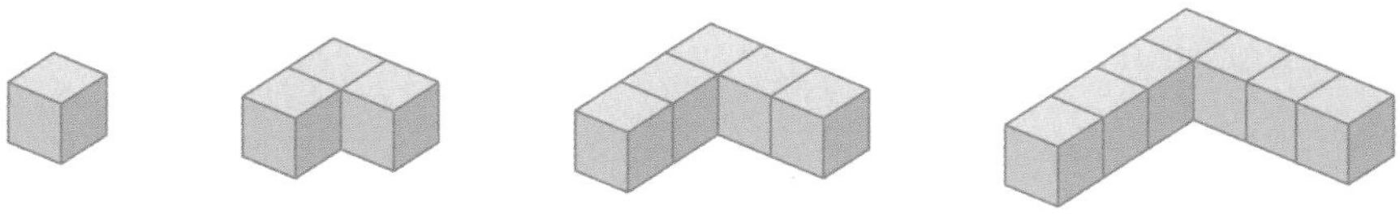

첫 번째　　두 번째　　세 번째　　네 번째

규칙 아래로 내려가면서 쌓기나무의 개수가 ❷ [ ] 개씩 늘어납니다.

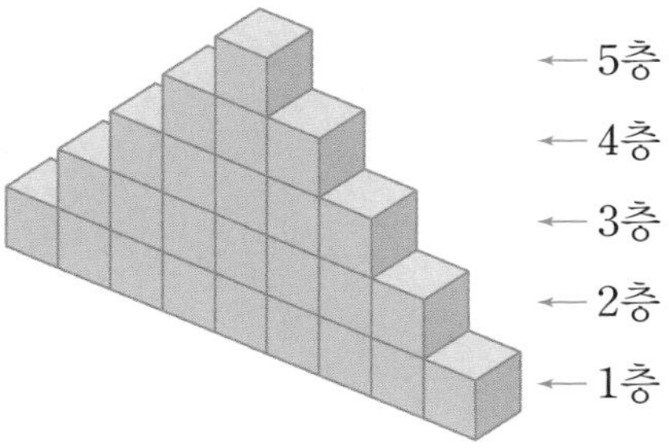
← 5층
← 4층
← 3층
← 2층
← 1층

정답 ❶ 2 ❷ 2

1일 규칙에 따라 쌓기나무 쌓기

🐻 **활동**을 통하여 **해결 방법**을 알아보아요.

◎ 규칙에 따라 쌓을 때 다섯 번째 모양의 쌓기나무의 개수 구하기

| 첫 번째 | 두 번째 | 세 번째 | 네 번째 | 다섯 번째 |

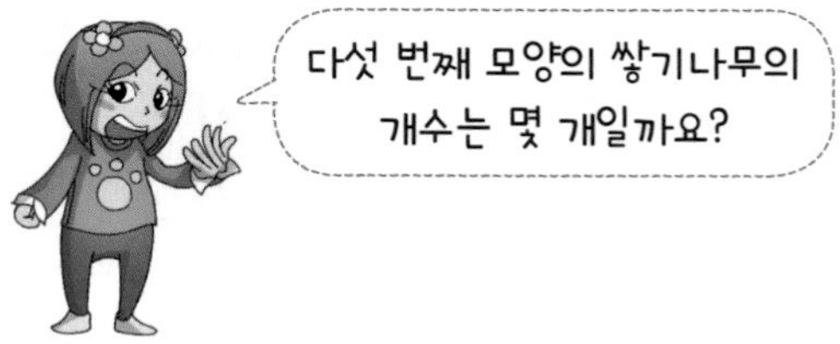

💬 다섯 번째 모양의 쌓기나무의
개수는 몇 개일까요?

☝️ **1** 쌓기나무를 쌓은 규칙 찾기

1개   5개   9개   13개

+4개   +4개   +4개

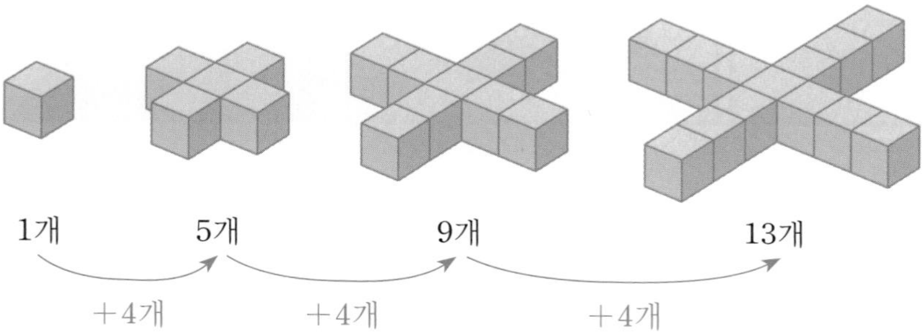

➡️ 쌓기나무의 개수가 4개씩 늘어나는 규칙입니다.

✌️ **2** 다섯 번째 모양의 쌓기나무의 개수 구하기

다섯 번째 모양의 쌓기나무의 개수는 13개에서 4개가 늘어
나므로 13+4=17(개)이고 모양은 오른쪽과 같습니다.

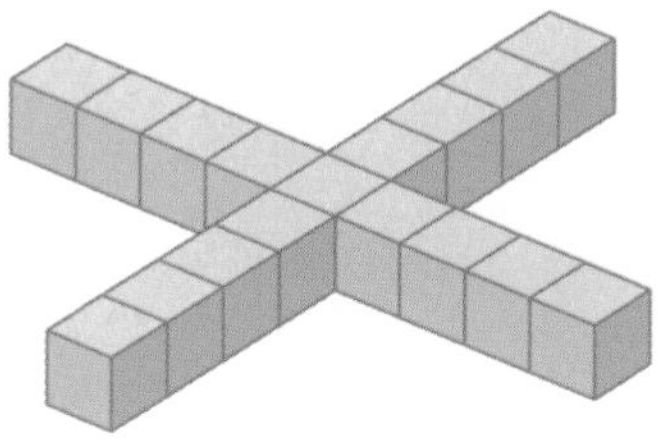

> **참고**
>
> 첫 번째 모양의 쌓기나무의 개수 1개에서 4개씩 몇 번 늘어났는지 확인하고 다섯 번째 모양의 개수를 구합니다.
> 다섯 번째 모양의 쌓기나무의 개수: 1+4×4=17(개)

해결 방법 확인

규칙에 따라 쌓기나무를 쌓을 때 다섯 번째 모양의 쌓기나무는 몇 개인지 구하세요.

1-1

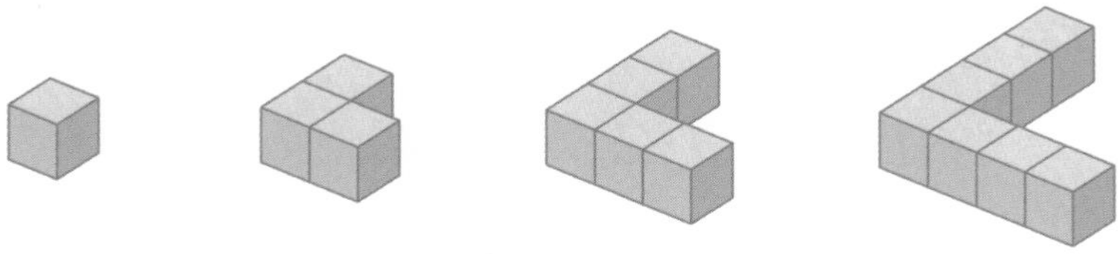

?

첫 번째 두 번째 세 번째 네 번째 다섯 번째

☐개

1-2

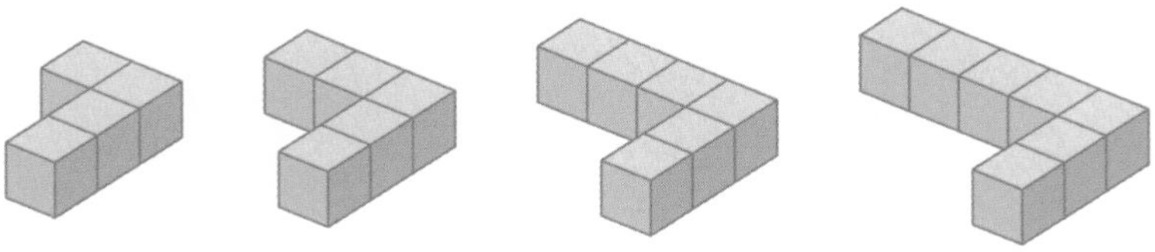

?

첫 번째 두 번째 세 번째 네 번째 다섯 번째

☐개

1-3

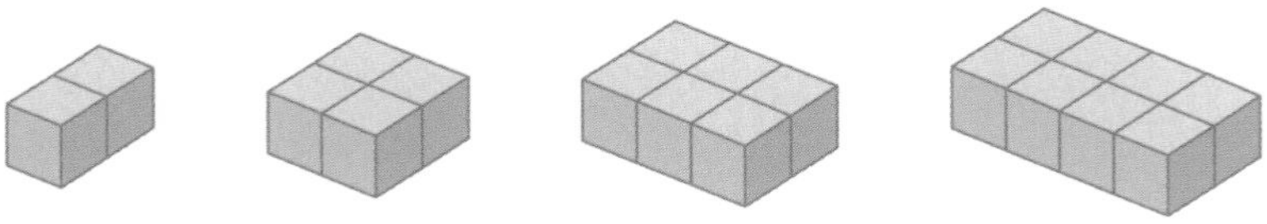

?

첫 번째 두 번째 세 번째 네 번째 다섯 번째

☐개

1-4

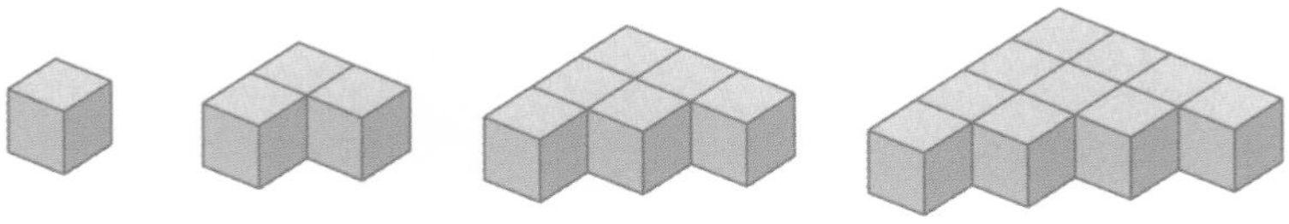

?

첫 번째 두 번째 세 번째 네 번째 다섯 번째

☐개

1일 규칙에 따라 쌓기나무 쌓기

도형 집중 연습

다음과 같은 규칙으로 쌓기나무를 쌓으려고 합니다. 1층에 놓을 쌓기나무는 몇 개인지 구하세요.

1-1

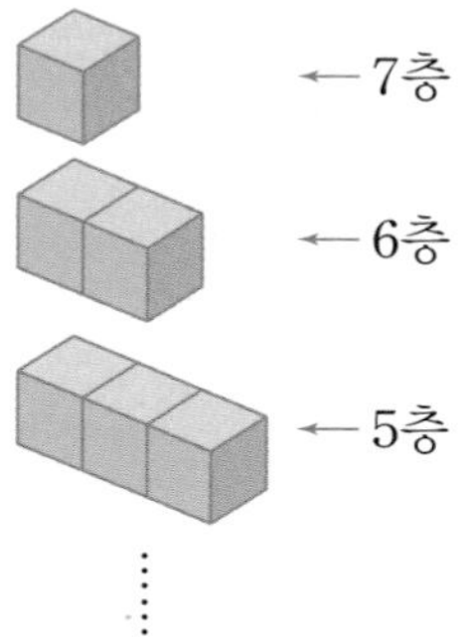

개

1-2

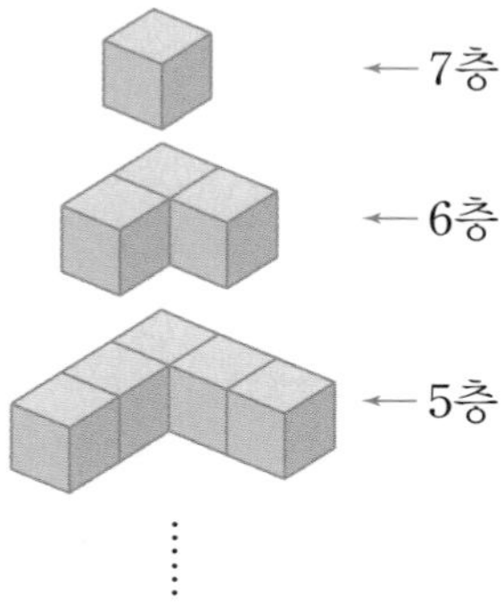

개

1-3

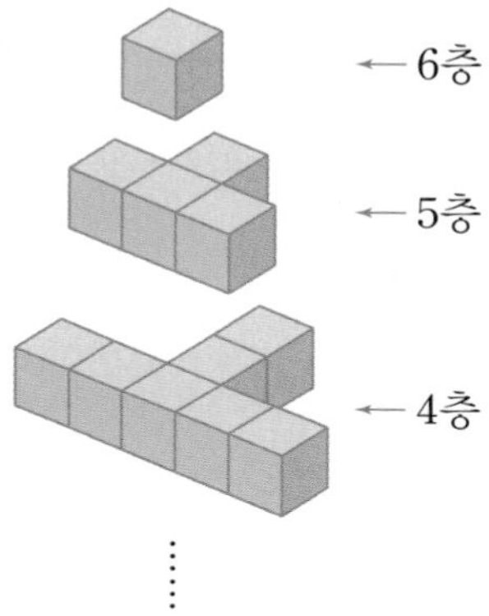

개

1-4

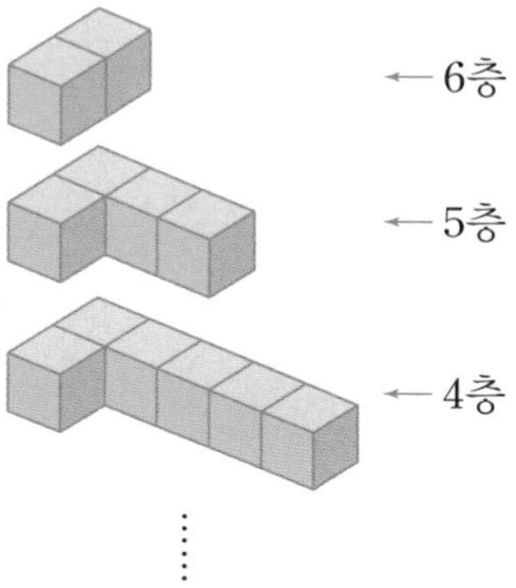

개

1-5

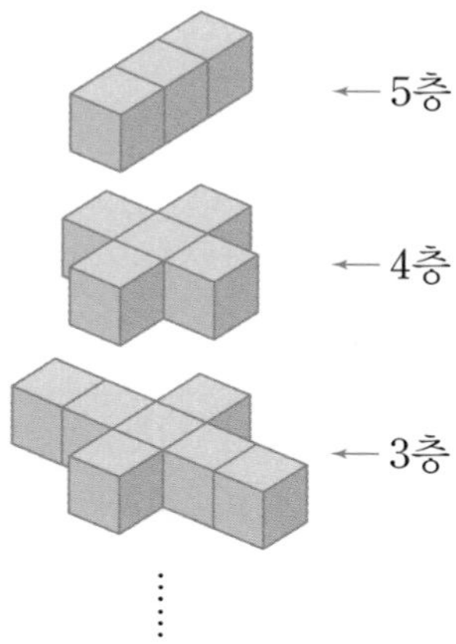

개

1-6

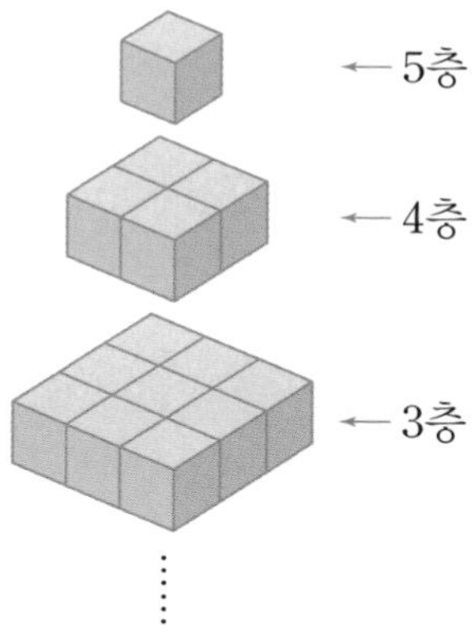

개

다음과 같은 규칙으로 쌓기나무를 1층까지 쌓을 때 필요한 쌓기나무는 모두 몇 개인지 구하세요.

2-1

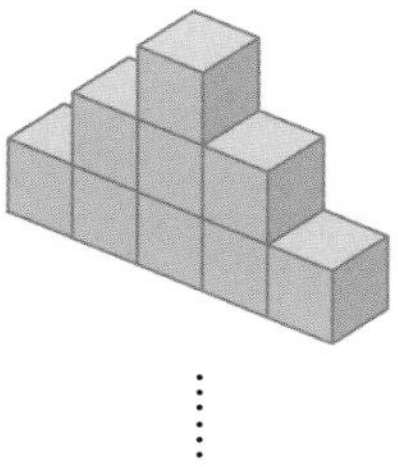

( )개

2-2

( )개

2-3

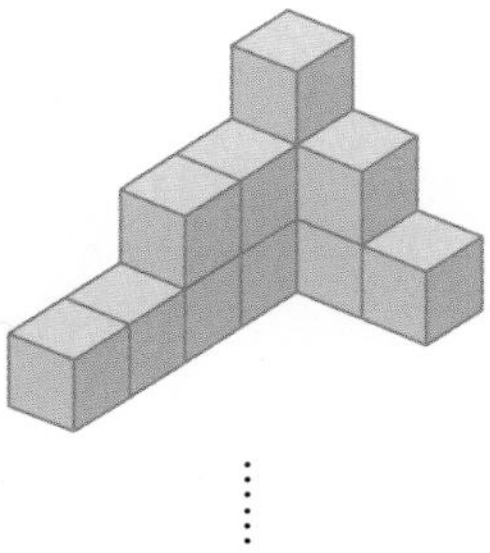

( )개

2-4

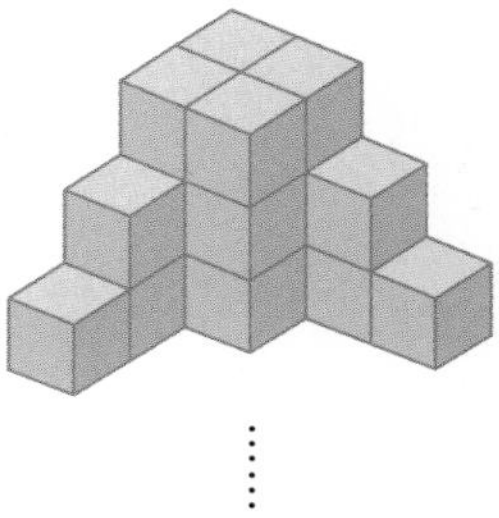

( )개

2-5

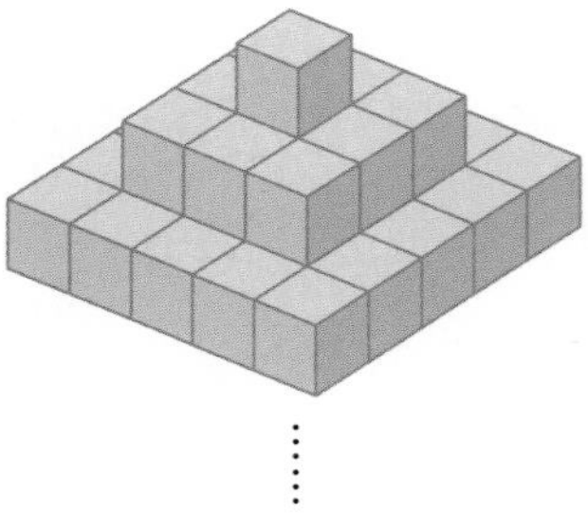

( )개

2-6

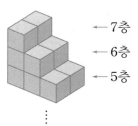

( )개

4주 1일

2일 2층에 알맞은 모양

오늘은 무엇을 공부할까요?

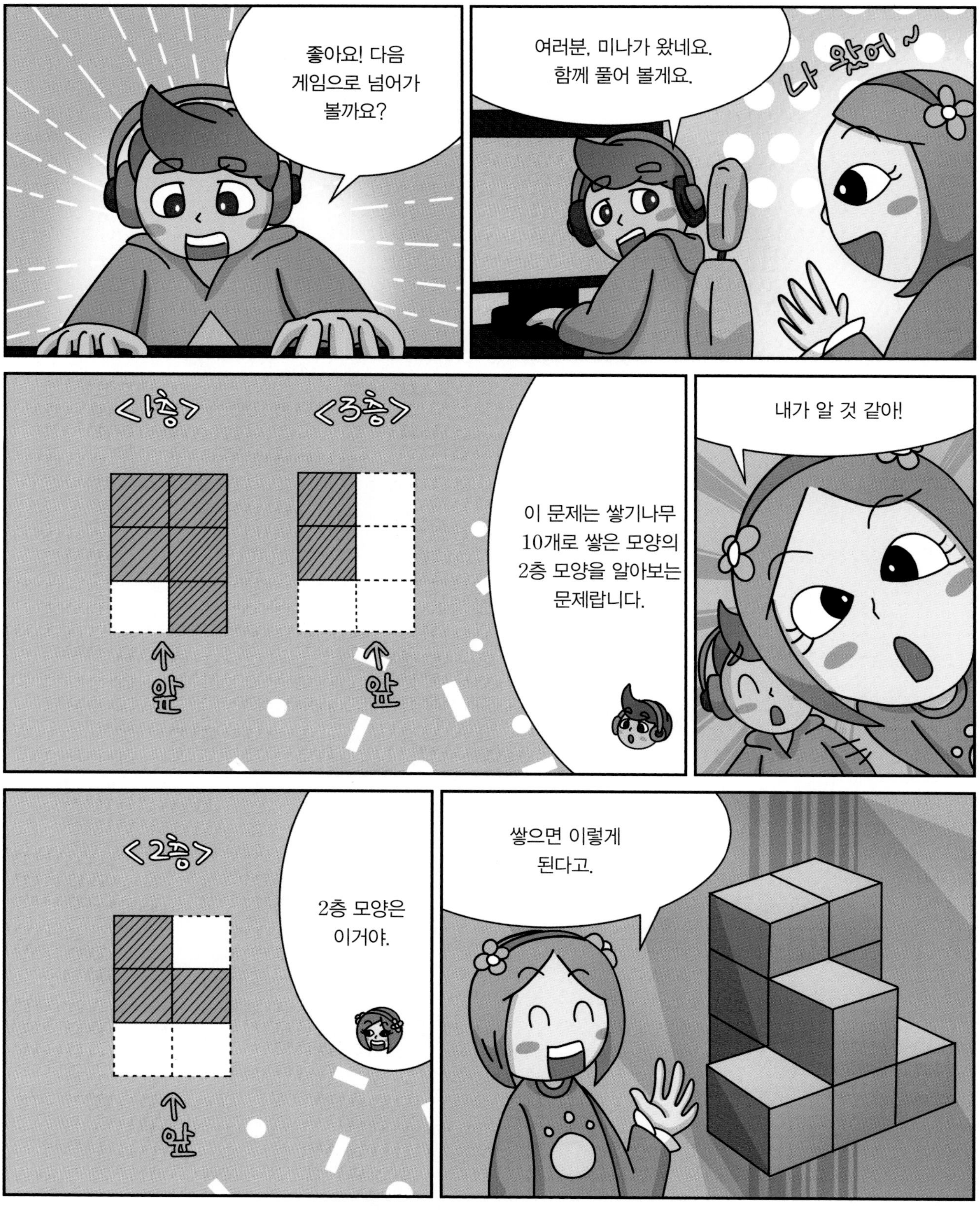

좋아요! 다음 게임으로 넘어가 볼까요?
여러분, 미나가 왔네요. 함께 풀어 볼게요.
나 왔어 ~
<1층>
앞
<3층>
앞
이 문제는 쌓기나무 10개로 쌓은 모양의 2층 모양을 알아보는 문제랍니다.
내가 알 것 같아!
<2층>
앞
2층 모양은 이거야.
쌓으면 이렇게 된다고.

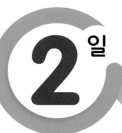

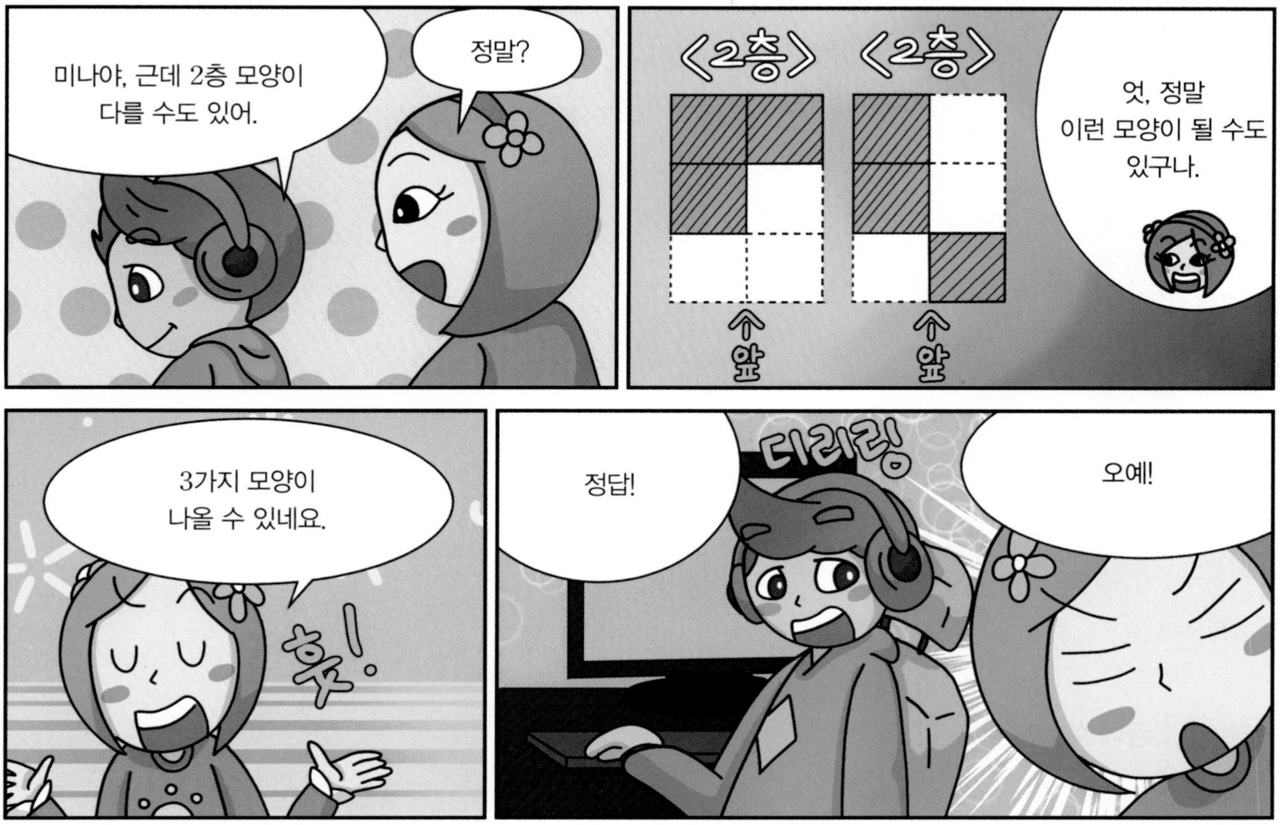

미나야, 근데 2층 모양이
다를 수도 있어.
정말?
<2층>
<2층>
앞
앞
엇, 정말
이런 모양이 될 수도
있구나.
3가지 모양이
나올 수 있네요.
훗!
정답!
디리링
오예!

도형 기본 개념

● 1층 모양을 알 때 2층과 3층에 알맞은 서로 다른 모양 찾기

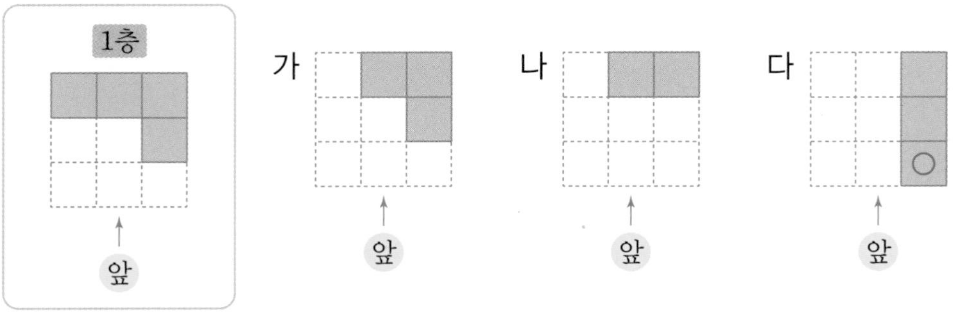

1층
앞
가
앞
나
앞
다
앞

다에서 ○ 부분은 1층에 쌓기나무가 없으므로 2층이나 3층 모양이 될 수 없어요.

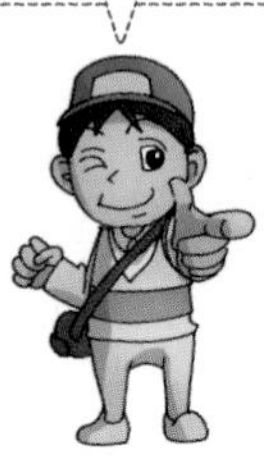

• 2층 모양으로 가능한 것: ❶ [ ], 나

• 2층이 나라면 3층에 놓을 수 있는 모양이 없습니다.

⇨ 2층: 가, 3층: ❷ [ ]

정답 ❶ 가 ❷ 나

2일 2층에 알맞은 모양

활동을 통하여 해결 방법을 알아보아요.

◎ 쌓기나무로 쌓은 모양에서 2층에 알맞은 모양 찾기

1층과 3층에 쌓은 모양이
오른쪽과 같을 때
2층에 알맞은 모양은
어떤 것일까요?

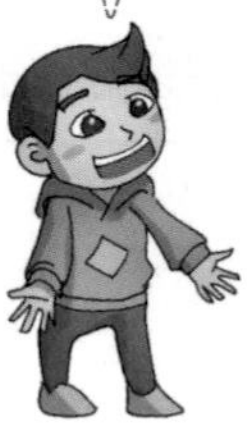

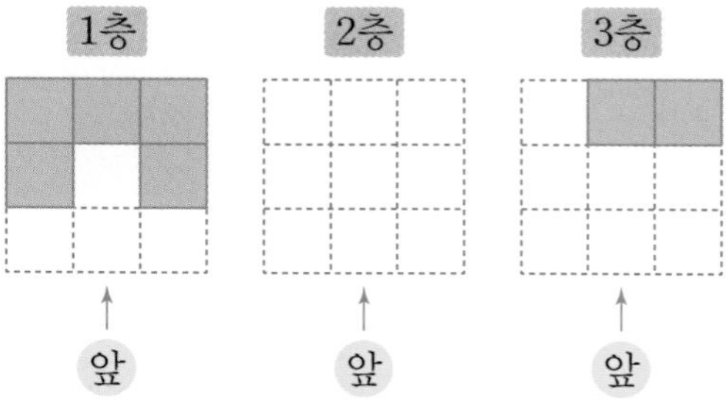

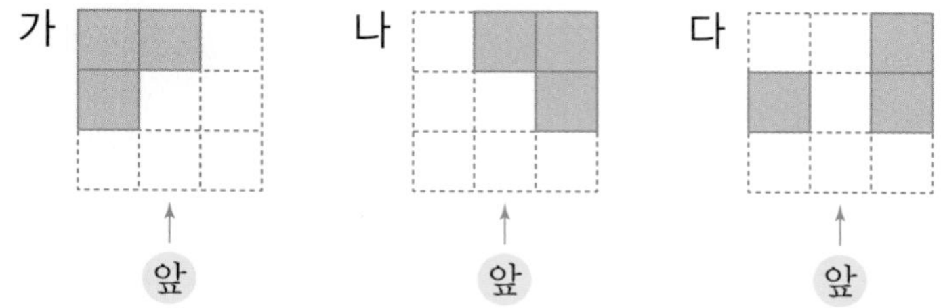

해결 1 2층에 쌓기나무를 반드시 놓아야 하는 곳 알아보기

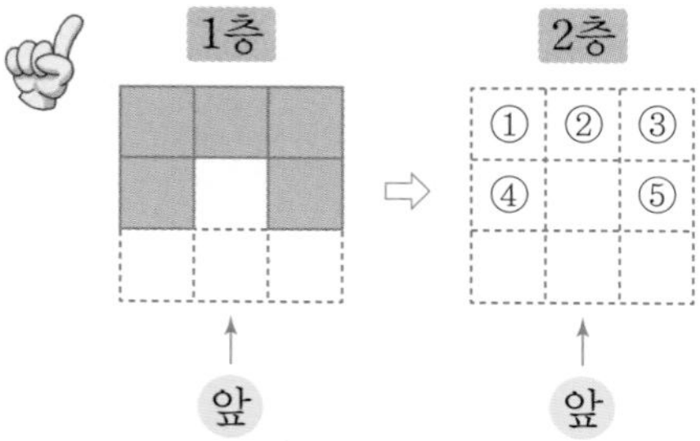

1층에 놓인 곳 중에서 2층을 놓을 수 있으므로 2층에 놓을 수 있는 자리는 ①~⑤까지입니다.

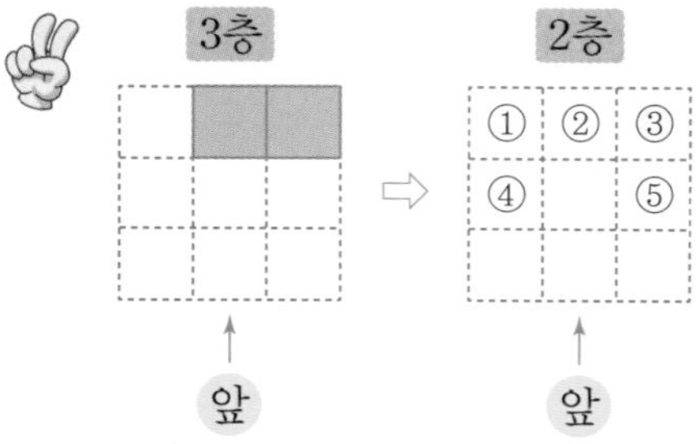

2층의 ②, ③에는 반드시 쌓기나무가 놓여야 해요.

3층에 쌓기나무가 놓인 곳에는 2층에도 반드시 쌓기나무가 놓여야 합니다.

해결 2 2층에 알맞은 모양 찾기

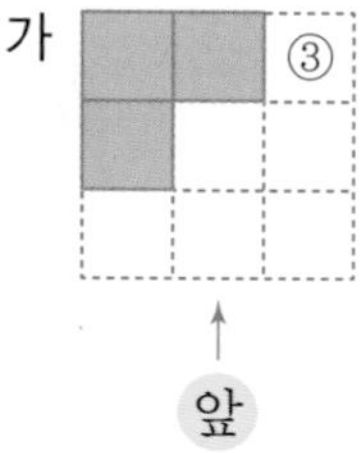

가는 ③에 쌓기나무가 없으므로 2층 모양이 될 수 없습니다.

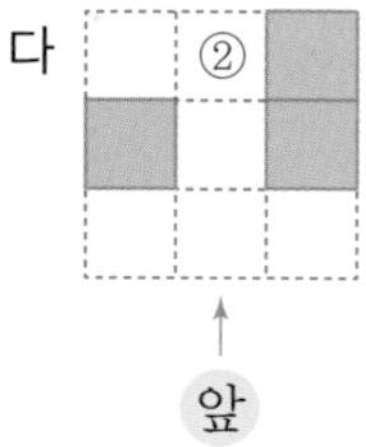

다는 ②에 쌓기나무가 없으므로 2층 모양이 될 수 없습니다.

따라서 2층에 알맞은 모양은 나입니다.

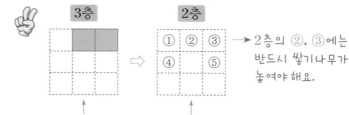

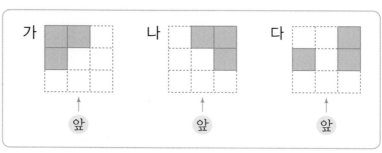

해결 방법 확인

쌓기나무로 쌓은 모양을 층별로 나타낸 모양입니다. 2층에 알맞은 모양을 찾아 ◯표 하세요.

1-1

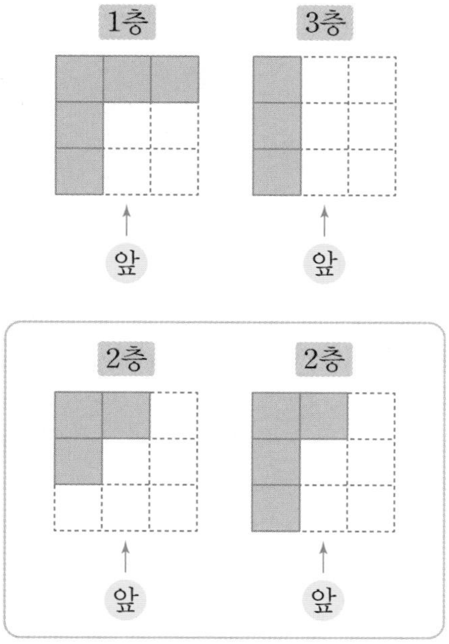

1-2

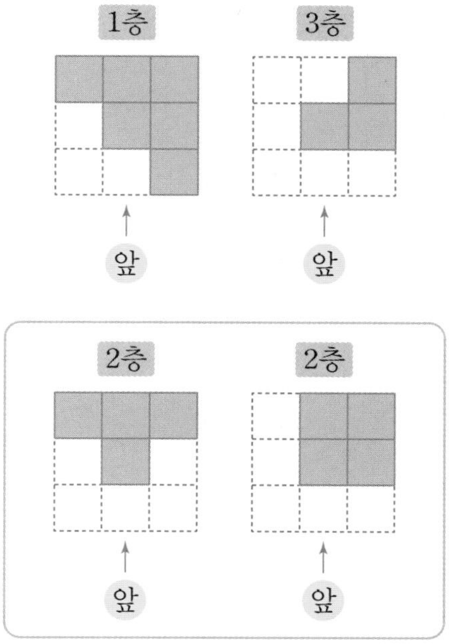

1-3

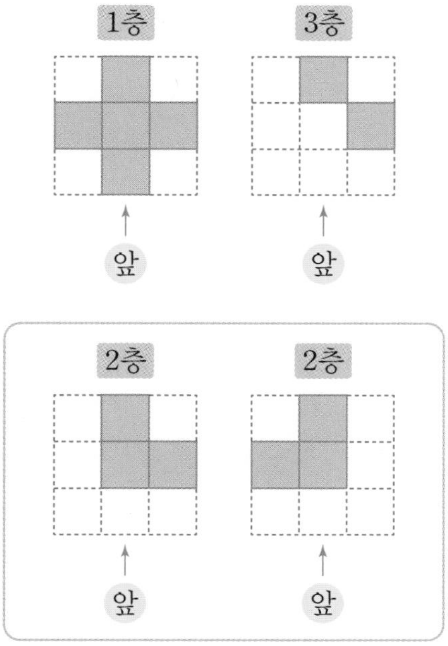

1-4

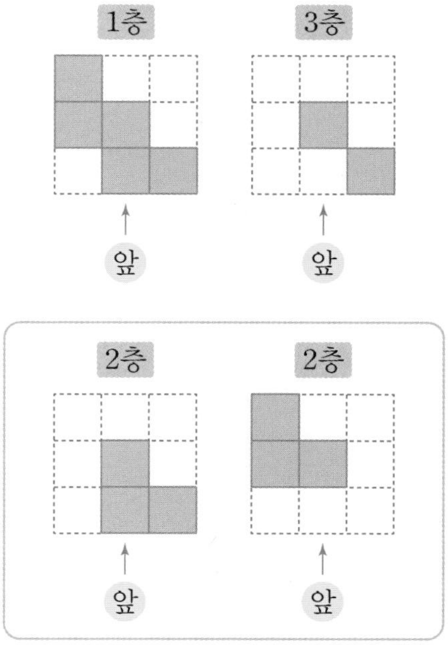

4주
2일

2일 2층에 알맞은 모양

도형 집중 연습

쌓기나무로 쌓은 모양의 1층과 3층 모양을 나타낸 것입니다. 2층에 놓인 쌓기나무의 개수가 4개일 때 2층 모양이 될 수 있는 경우를 모두 그려 보세요.

1-1

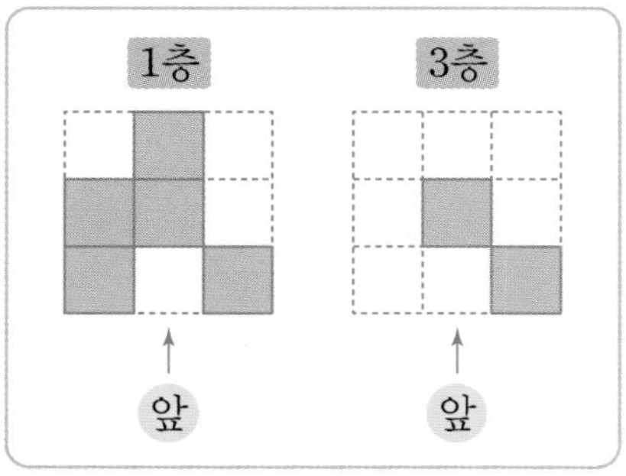

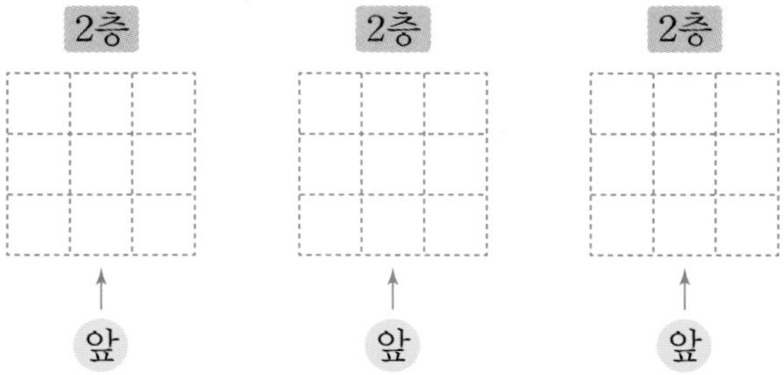

1-2

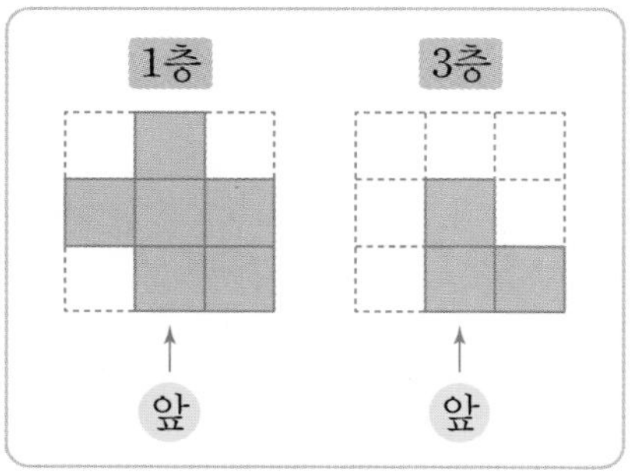

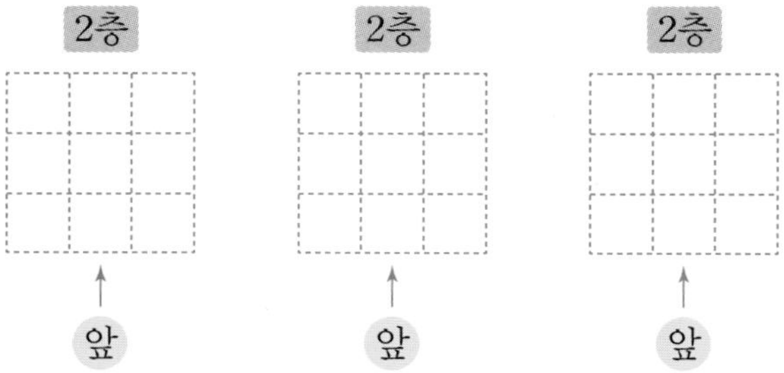

1-3

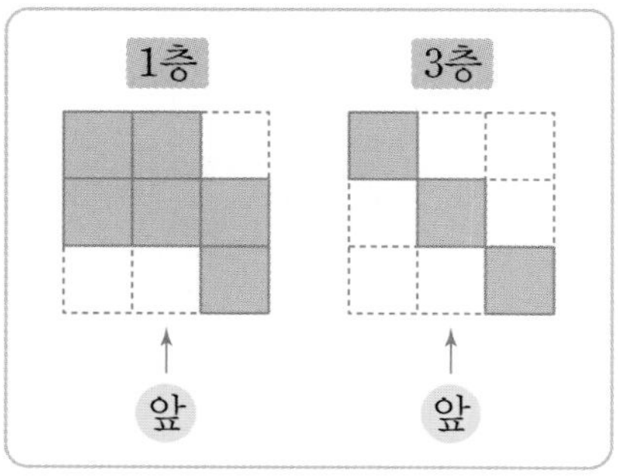

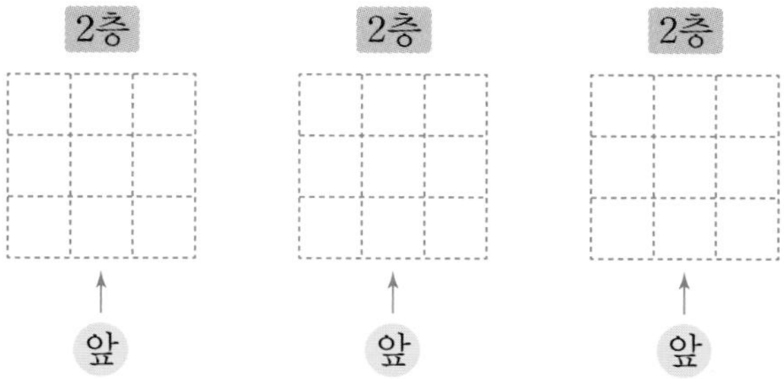

쌓기나무 9개로 쌓은 모양의 1층과 3층 모양을 나타낸 것입니다. 2층 모양이 될 수 있는 경우는 모두 몇 가지인지 구하세요.

2-1

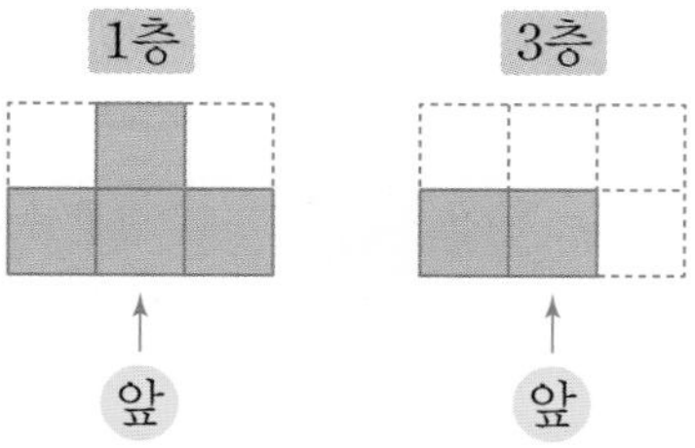

□가지

2-2

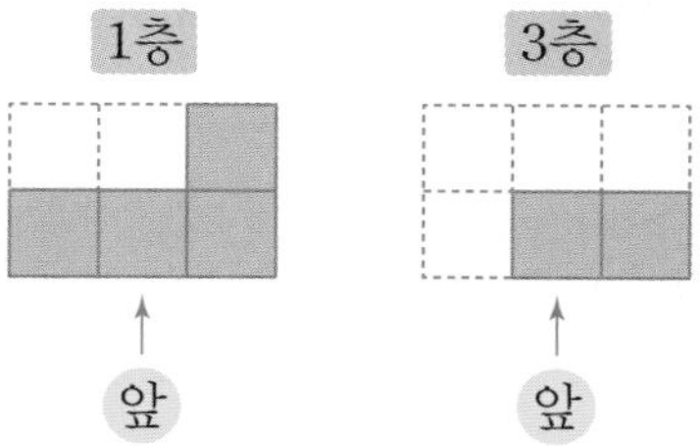

□가지

2-3

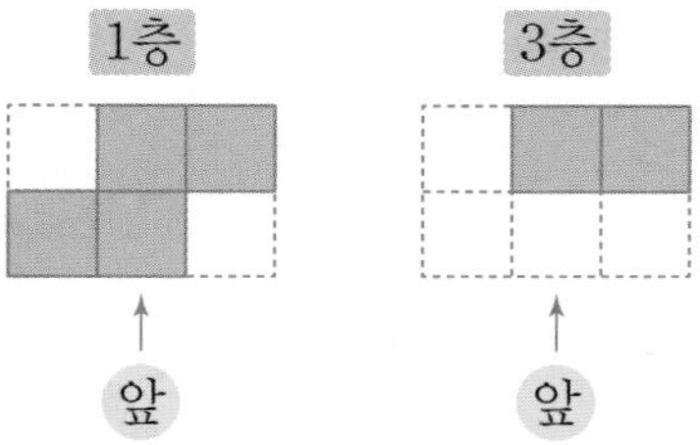

□가지

2-4

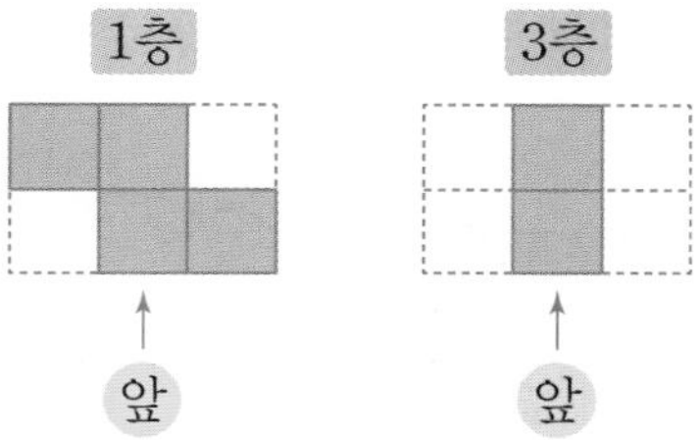

□가지

2-5

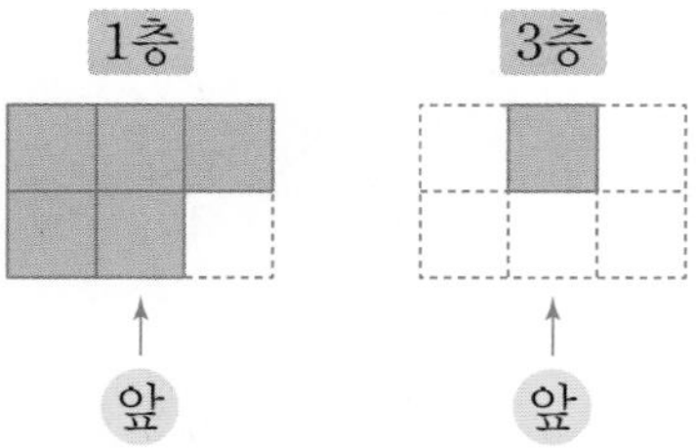

□가지

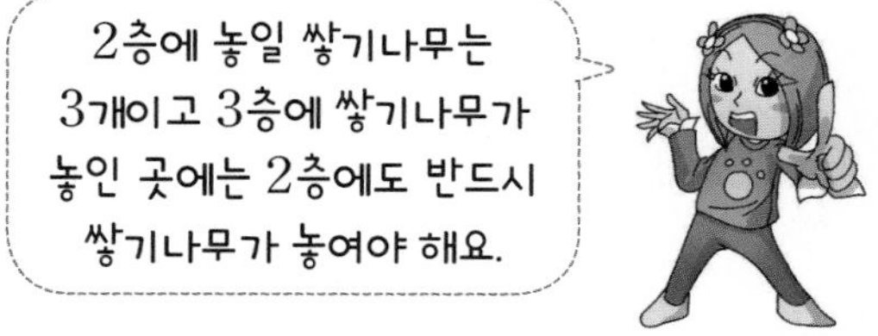

4주 2일

더 쌓을 수 있는 쌓기나무의 개수

 오늘은 무엇을 공부할까요?

이번 문제는 미나가 풀어 볼게요!

좋아, 나에게 맡겨봐. 어, 이건 어떻게 푸는 거지?

더 쌓을 수 있는 쌓기나무의 개수를 구하는 거야.

주의할 점은 위와 앞에서 본 모양이 변하면 안 된대.

흠…… 어디에 쌓아야 할까?

위   앞

힌트를 줄게. 위와 앞에서 본 모양은 이렇게 생겼어.

그렇다면 여기야!

정답이네!

어, 하나 더 놓을 수 있나 본데?

안 끝났어~

아~ 같은 위치에 하나 더 올려도 위와 앞에서 본 모양이 같네.

그럼 정답은 2개네요!

● 위와 앞에서 본 모양이 변하지 않도록 쌓기나무 더 쌓기

앞

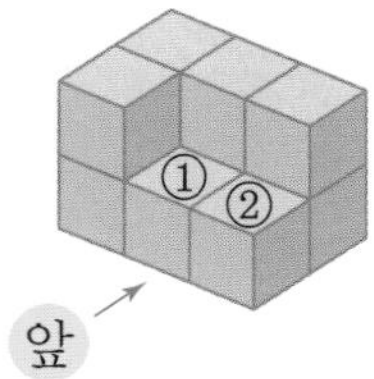

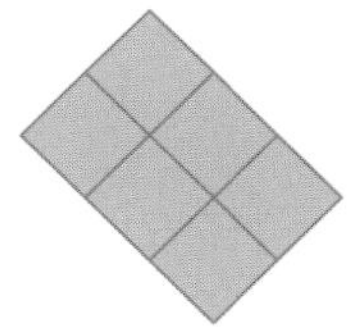

위에서 본 모양

→ 위에서 본 모양이 변하지 않으려면 1층에 더 쌓을 수 없어요.

앞

앞에서 보면 왼쪽부터 2층, 2층, 2층으로 보여요.

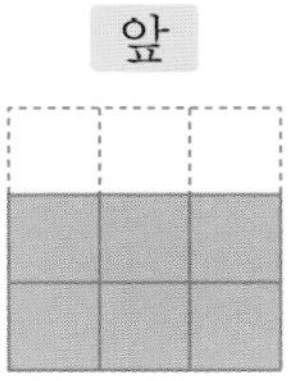

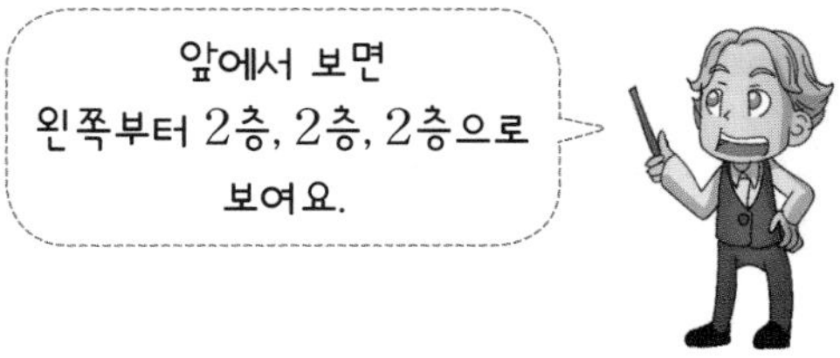

⇨ 위와 앞에서 본 모양이 변하지 않으려면 ① 위에 [ ]개, ② 위에 [ ]개를 더 쌓을 수 있습니다.

더 쌓을 수 있는 쌓기나무의 개수

활동을 통하여 **해결 방법**을 알아보아요.

○ 위와 앞에서 본 모양이 변하지 않도록 더 쌓을 수 있는 쌓기나무의 최대 개수 구하기

위에서 본 모양

위와 앞에서 본 모양이 변하지 않도록 더 쌓을 수 있는 쌓기나무는 최대 몇 개일까요?

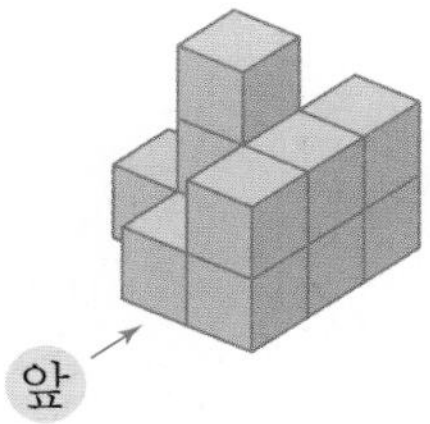

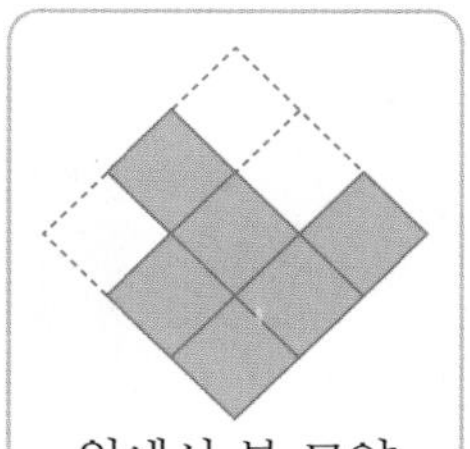

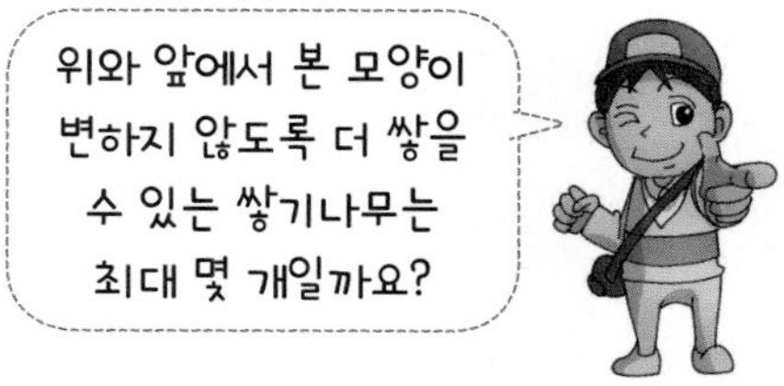

순서 1 위에서 본 모양의 각 자리에 쌓기나무의 개수를 써넣고 앞에서 본 모양 그리기

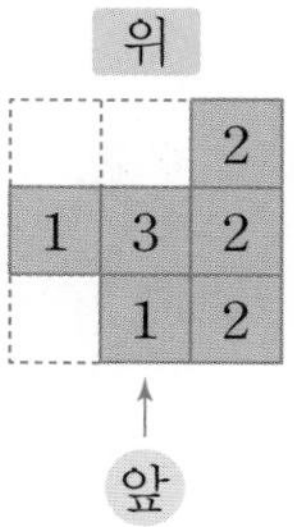

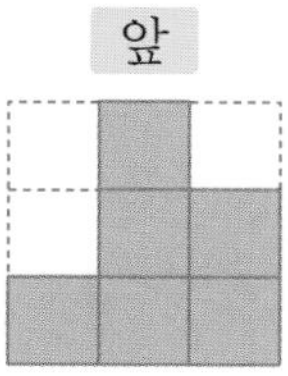

앞에서 보면 가장 높은 층의 쌓기나무 개수만큼 보여요.

순서 2 쌓기나무를 더 쌓을 자리 알아보기

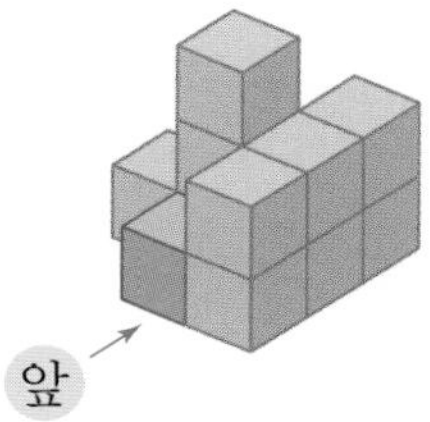

· 위에서 본 모양이 변하지 않으려면 1층에는 쌓기나무를 더 쌓을 수 없습니다.
· 앞에서 보면 초록색 쌓기나무가 있는 줄은 3층까지 보이므로 앞에서 본 모양이 변하지 않으려면 초록색 쌓기나무 위에 더 쌓을 수 있습니다.

순서 3 더 쌓을 수 있는 쌓기나무의 최대 개수 구하기

〈초록색 쌓기나무 위에 1개를 더 쌓은 경우〉

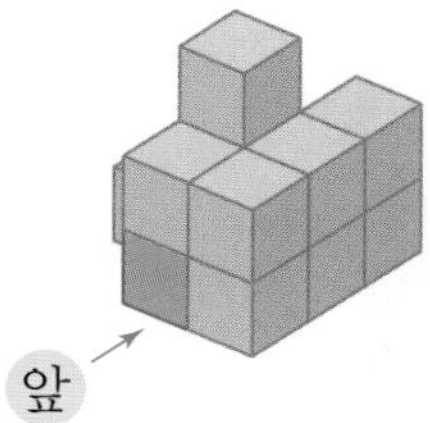

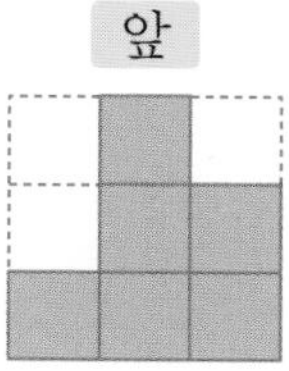

〈초록색 쌓기나무 위에 2개를 더 쌓은 경우〉

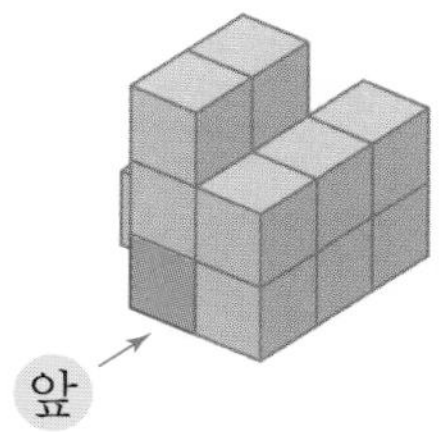

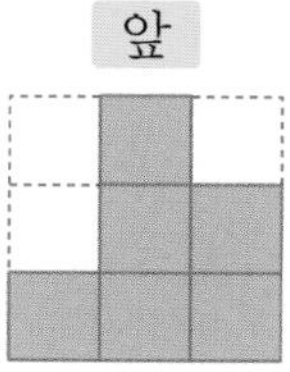

⇨ 위와 앞에서 본 모양이 변하지 않도록 더 쌓을 수 있는 쌓기나무는 최대 2개입니다.

해결 방법 확인

위와 앞에서 본 모양이 변하지 않도록 ㉠ 위에 더 쌓을 수 있는 쌓기나무는 최대 몇 개인지 구하세요.

1-1

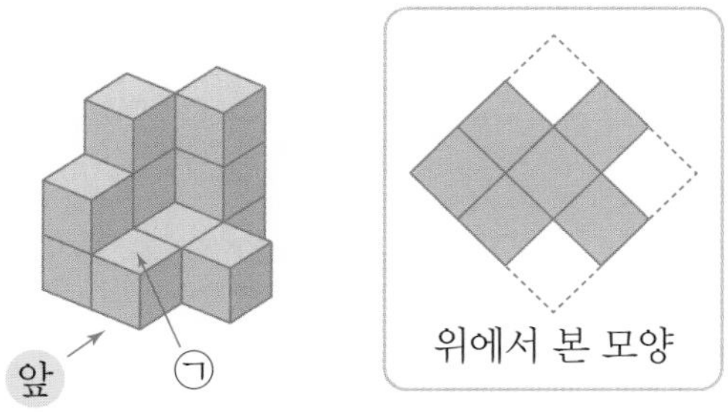

☐개

1-2

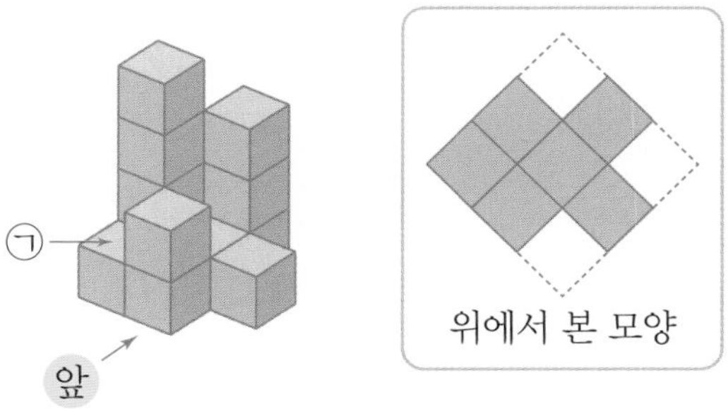

☐개

위와 앞에서 본 모양이 변하지 않도록 더 쌓을 수 있는 쌓기나무는 최대 몇 개인지 구하세요.

2-1

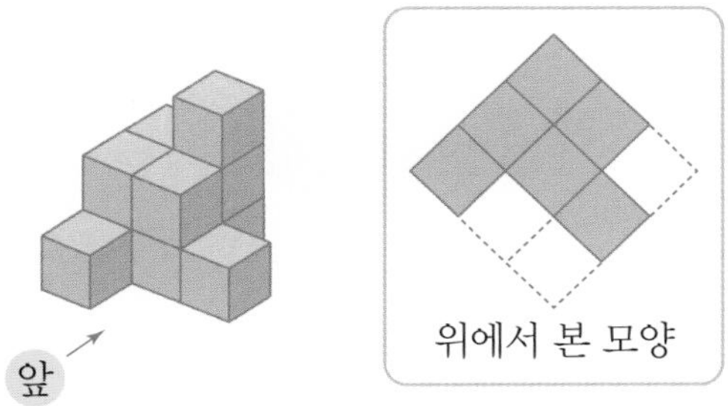

☐개

2-2

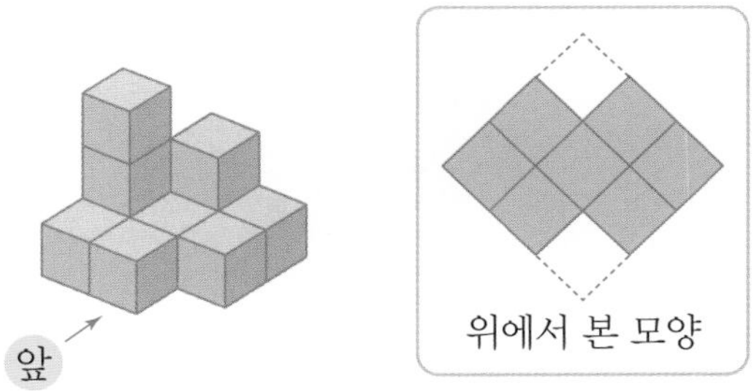

☐개

2-3

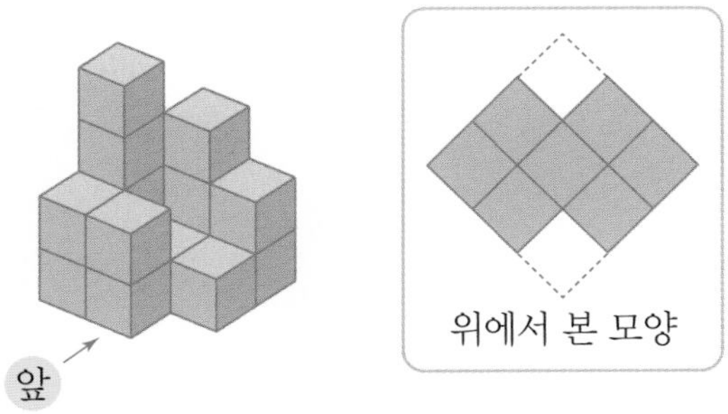

☐개

2-4

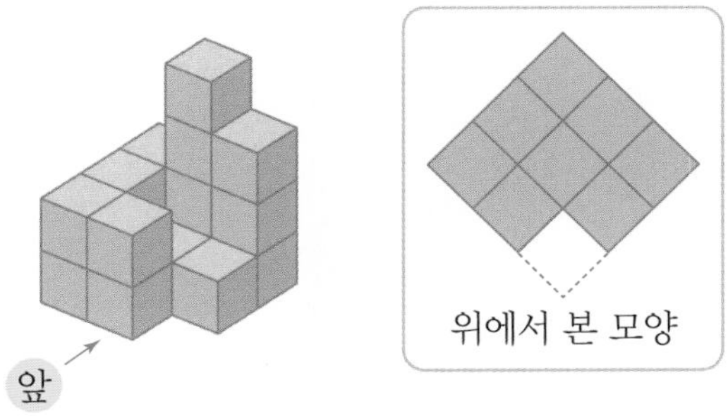

☐개

3^일 더 쌓을 수 있는 쌓기나무의 개수

도형 집중 연습

🍰 쌓기나무를 주어진 개수만큼 사용하여 만든 모양입니다. **보기**와 같이 위, 앞, 옆에서 본 모양이 변하지 않도록 쌓기나무를 더 쌓을 수 있는 곳에 쌓기나무를 모두 그려 보세요.

보기

10개

세 방향에서 본 모양이 모두 변하지 않아야 해요. 더 쌓을 수 있는 곳에 쌓기나무를 모두 그려봐요.

1-1 위 9개 앞 옆

1-2 위 10개 앞 옆

1-3 위 10개 앞 옆

1-4 위 11개 앞 옆

1-5 위 12개 앞 옆

1-6 위 16개 앞 옆

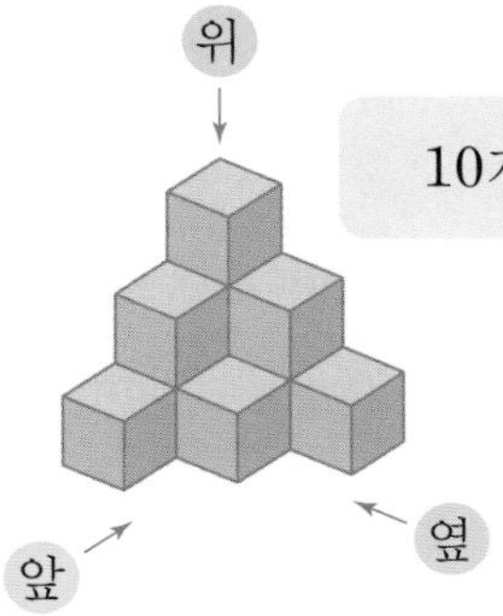

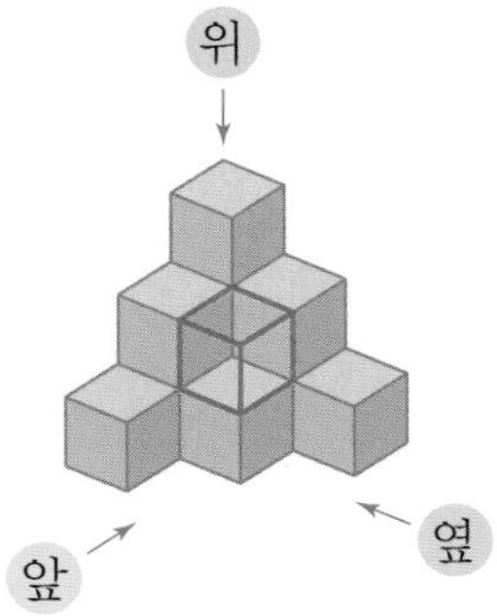

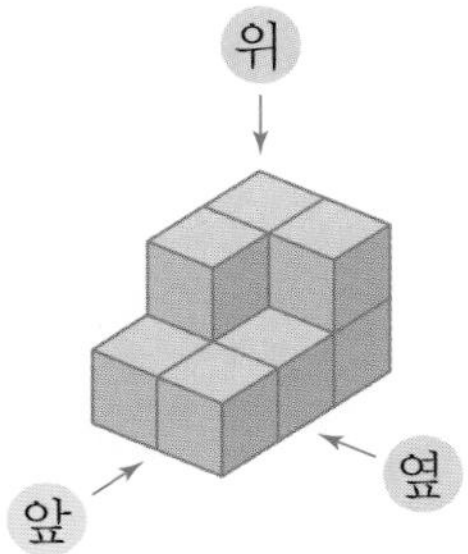

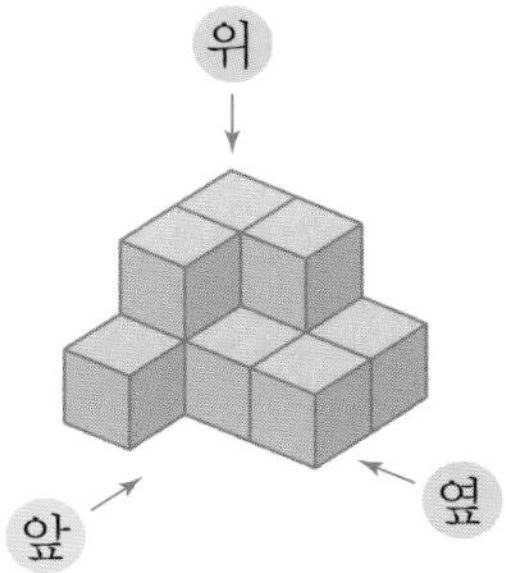

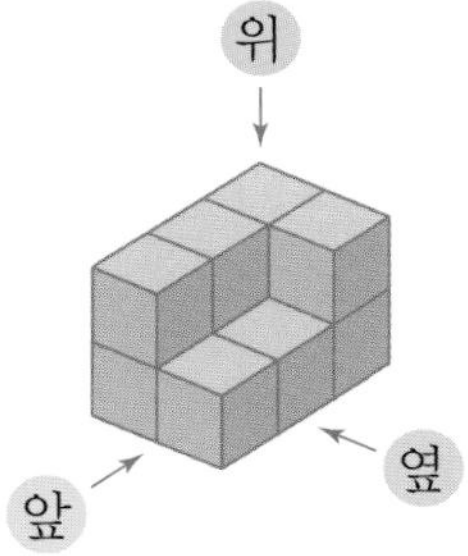

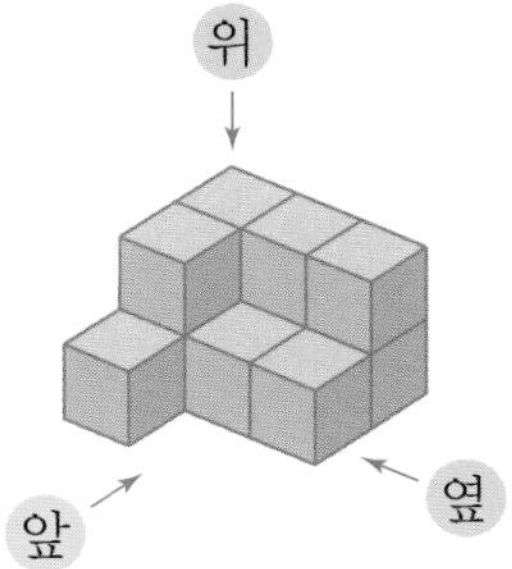

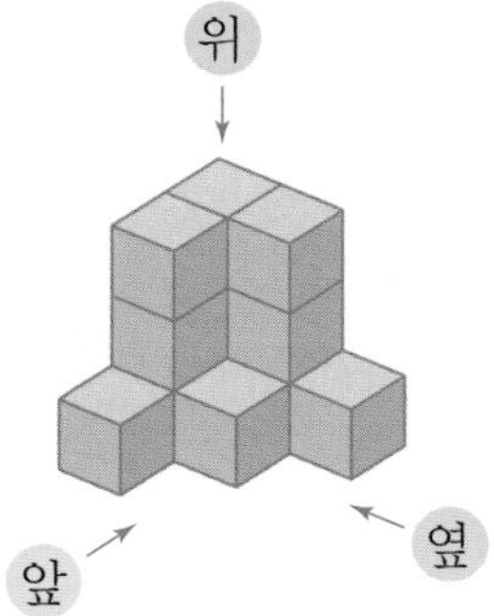

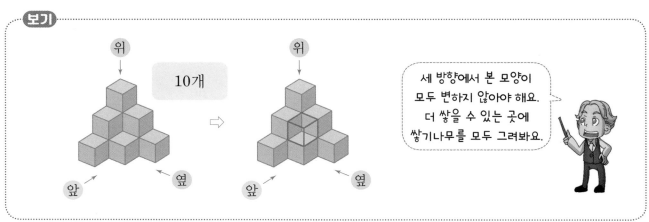

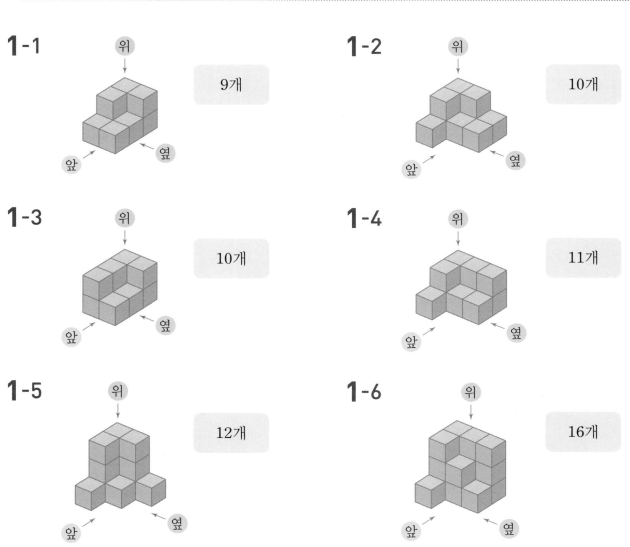

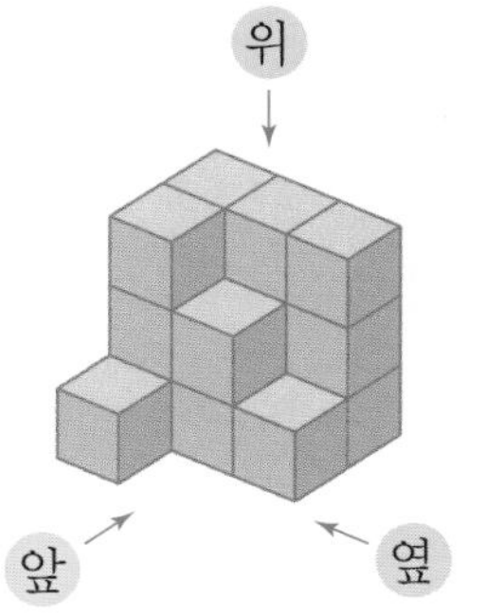

쌓기나무를 주어진 개수만큼 사용하여 만든 모양입니다. 위, 앞, 옆에서 본 모양이 변하지 않도록 쌓기나무를 빼내려고 합니다. 빼낼 수 있는 쌓기나무는 최대 몇 개인지 구하세요.

2-1

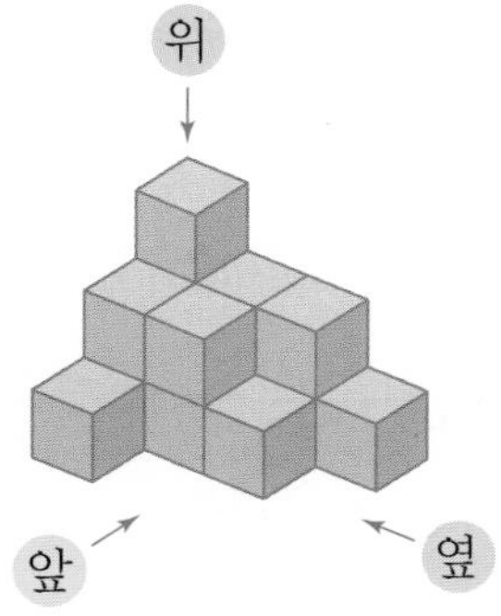

14개

□개

2-2

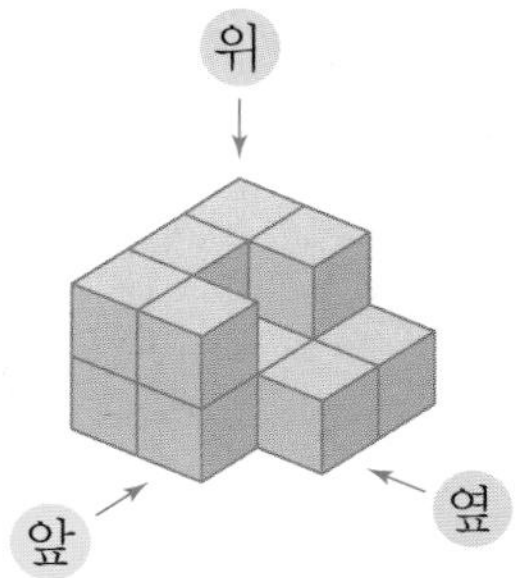

13개

□개

2-3

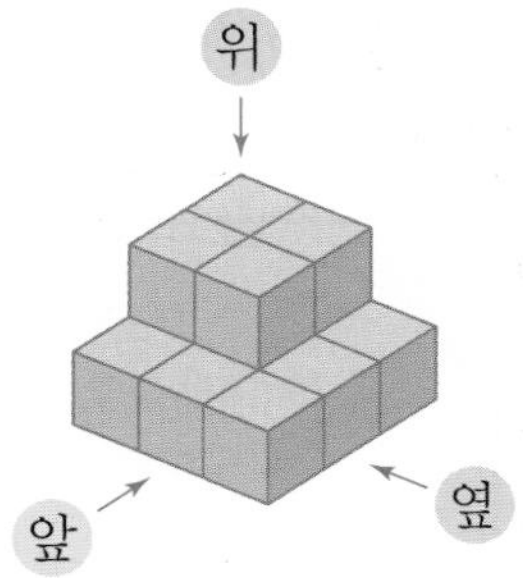

13개

□개

2-4

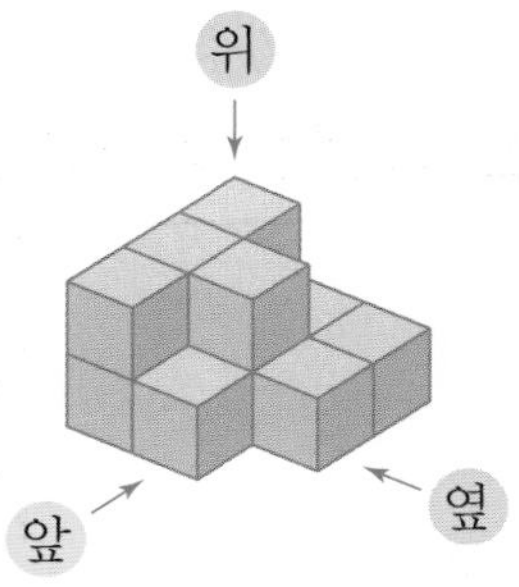

12개

□개

2-5

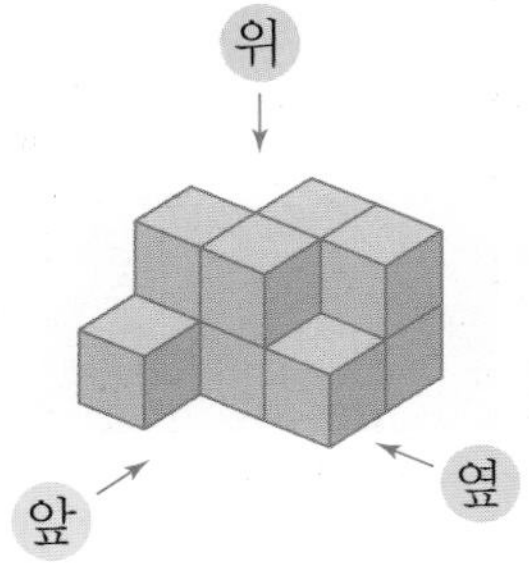

10개

□개

2-6

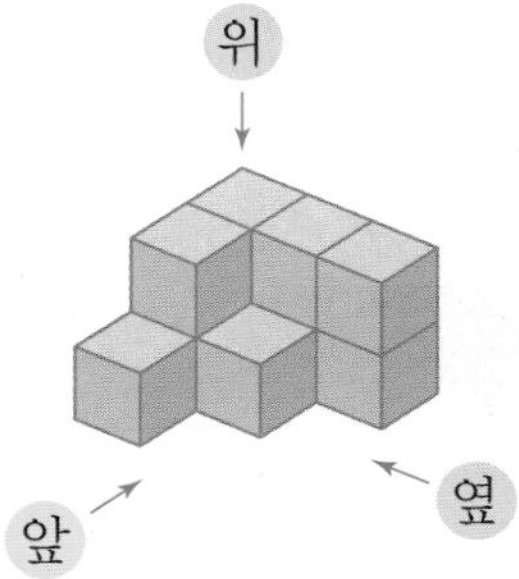

10개

□개

2-7

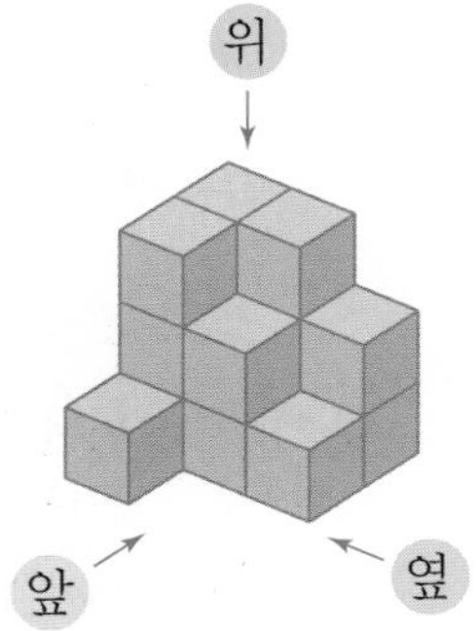

15개

□개

2-8

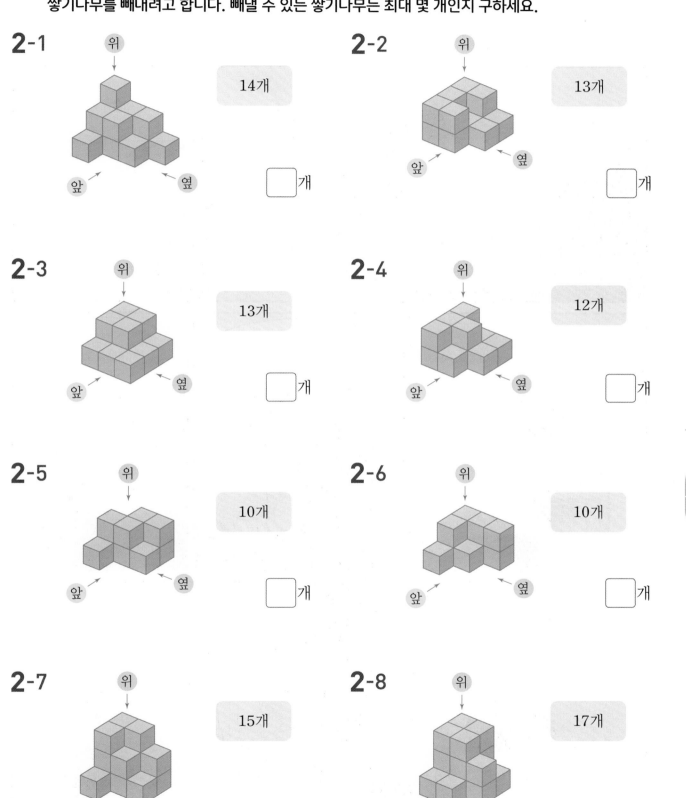

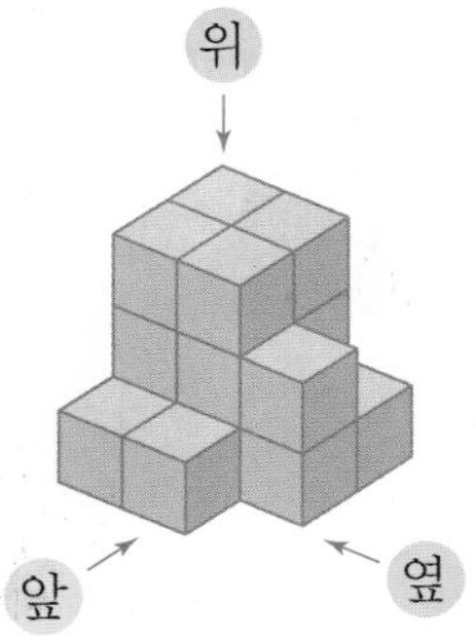

17개

□개

4일 색칠된 쌓기나무의 개수 구하기

오늘은 무엇을 공부할까요?

오늘은 큐브 맞추기를 할 거예요.
음…… 생각보다 어렵네요.
까악 까악….
휴~ 드디어 다 맞췄어요.
이건 기념품으로 짠~ 놔두도록 하죠.
으악~ 내 큐브! 너 무슨 짓이야~!
힘들게 맞춰놓은 건데 …….
앗! 미안해.

도형 기본 개념

● 세 면에 색칠된 쌓기나무의 개수 구하기

정육면체 모양으로 쌓기나무를 쌓고 바닥에 닿는 면을 포함한 6면에 모두 파란색으로 색칠했습니다.

이것의 아래쪽 1층에 보이지 않는
꼭짓점이 있어요.

세 면에 파란색으로
색칠된 쌓기나무는
○표한 거예요.

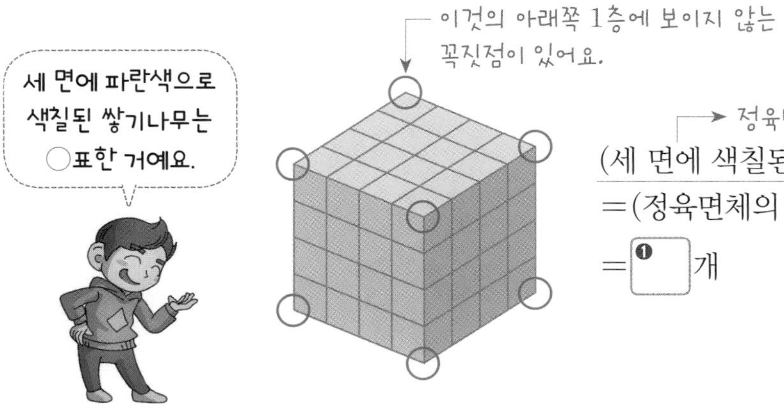

정육면체의 꼭짓점의 개수와 같아요.

(세 면에 색칠된 쌓기나무의 개수)

= (정육면체의 꼭짓점에 있는 쌓기나무의 개수)

= **❶**　　개

4일 색칠된 쌓기나무의 개수 구하기

활동을 통하여 개념을 알아보아요.

색칠된 쌓기나무의 개수 구하기

쌓기나무를 정육면체 모양으로 쌓은 후 바닥에 닿는 면을 포함한 6면에 모두 파란색으로 색칠했어요.

활동 1 한 면에만 색칠된 쌓기나무의 개수 구하기

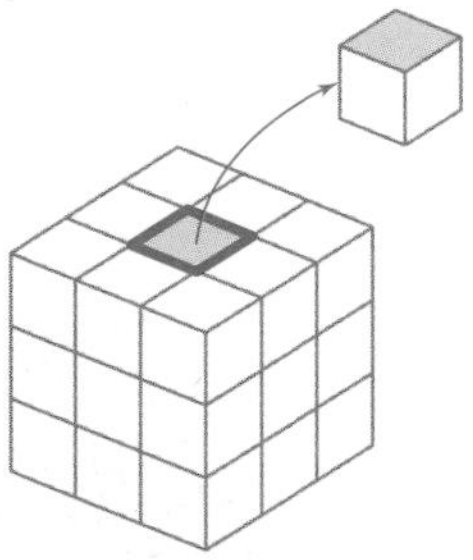

정육면체의 각 면에서 한가운데에 있는 쌓기나무는 한 면에만 칠해져요.

한 면에만 색칠된 것
⇨ 6개

활동 2 두 면에 색칠된 쌓기나무의 개수 구하기

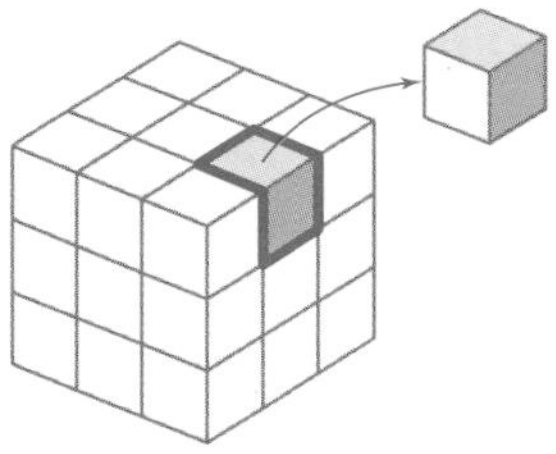

정육면체의 각 모서리의 가운데에 있는 쌓기나무는 두 면이 칠해져요.

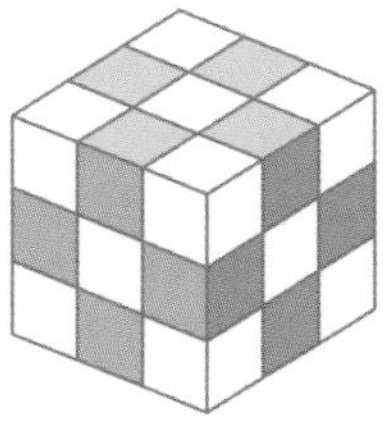

두 면에 색칠된 것
1층 4개, 2층 4개, 3층 4개
⇨ 12개

활동 3 세 면에 색칠된 쌓기나무의 개수 구하기

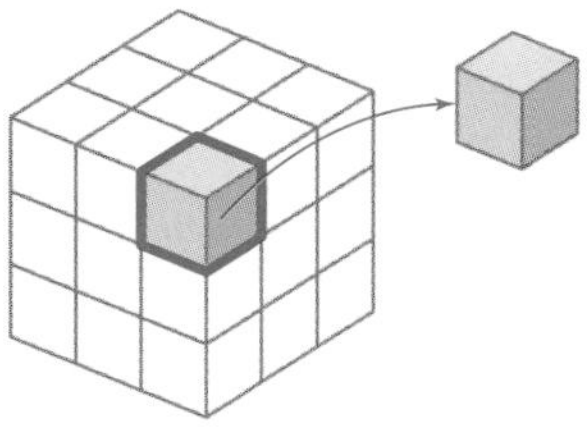

정육면체의 꼭짓점에 위치한 8개의 쌓기나무는 세 면이 칠해져요.

세 면에 색칠된 것
⇨ 8개

활동 개념 확인

다음과 같이 정육면체 모양으로 쌓기나무를 쌓고 바닥에 닿는 면을 포함한 6면에 모두 색칠하려고 합니다. 색칠되는 면의 개수에 따라 쌓기나무의 개수를 각각 구하세요.

1-1

한 면	개
두 면	개
세 면	개

참고

정육면체의 위에 보이는 면에서 가운데 4개는 한 면만 색칠됩니다.

정육면체는 면이 6개이므로 한 면에만 색칠되는 쌓기나무의 개수는 (4×6)개입니다.

1-2

한 면	개
두 면	개
세 면	개

1-3

한 면	개
두 면	개
세 면	개

4일 색칠된 쌓기나무의 개수 구하기

도형 집중 연습

다음과 같이 직육면체 모양으로 쌓기나무를 쌓고 바닥에 닿는 면을 포함한 6면에 모두 색칠하려고 합니다. 색칠되는 면의 개수에 따라 쌓기나무의 개수를 각각 구하세요.

1-1

한 면	개
두 면	개
세 면	개

1-2

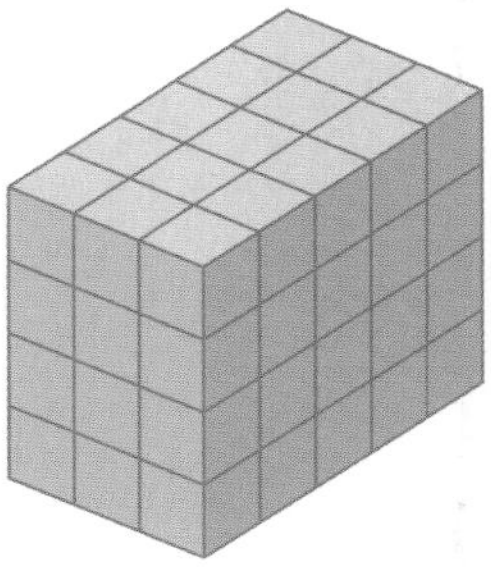

한 면	개
두 면	개
세 면	개

1-3

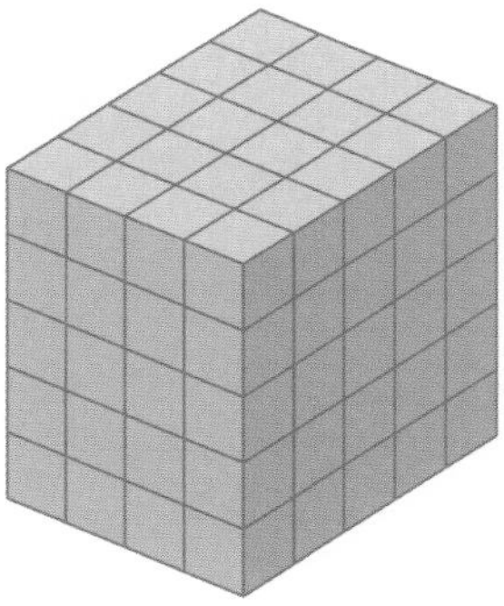

한 면	개
두 면	개
세 면	개

1-4

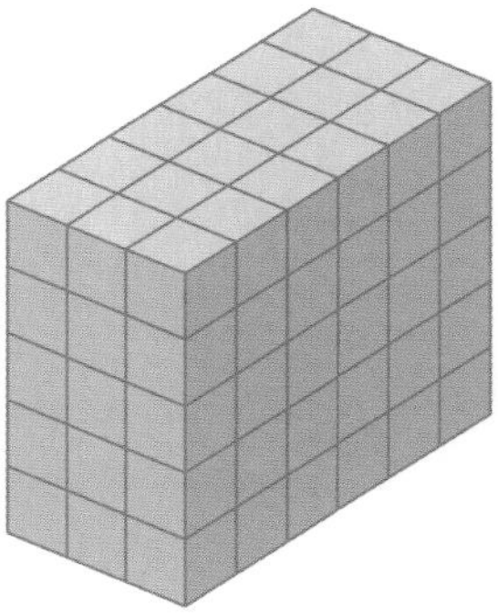

한 면	개
두 면	개
세 면	개

다음과 같이 직육면체 모양으로 쌓기나무를 쌓고 바닥에 닿는 면을 포함한 6면에 모두 파란색을 칠했습니다. 보기와 같이 색칠된 면이 없는 쌓기나무의 개수를 구하세요.

보기

맨 위층

색칠이 안 된 면 2개

맨 아래층

바닥에 닿는 면에도 색칠되어 있어요.

맨 위층과 맨 아래층을 제외한 중간층의 가운데 부분에 색칠된 면이 없는 쌓기나무가 있어요.

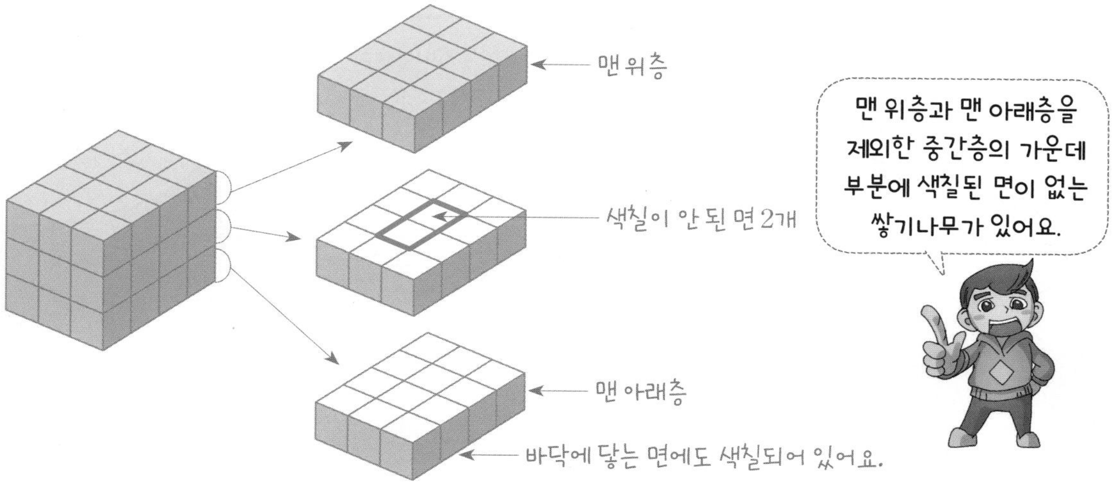

⇨ (색칠된 면이 없는 쌓기나무의 개수)$= 2 \times 1 = 2$(개)

2-1

□개

2-2

□개

2-3

□개

2-4

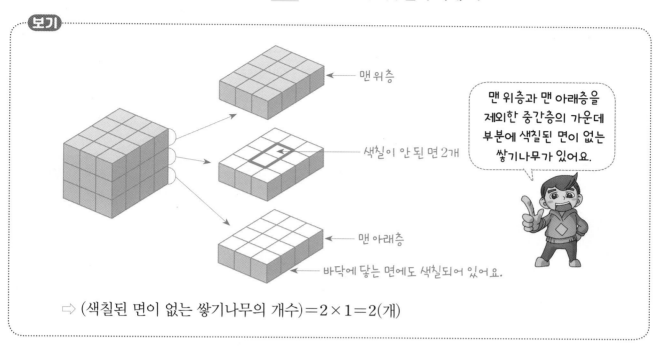

□개

5일 새로운 모양 만들기

오늘은 무엇을 공부할까요?

마지막 스테이지야!
이번에도 쌓기나무네.
쌓기나무 1개를 더 붙여 만들 수 있는 모양의 개수를 구하는 거야.
근데 만든 모양을 뒤집거나 돌렸을 때 같은 모양이 되면 한 가지로 생각하래.
좋아, 그러면 내가 한번 놓아 볼게.
이렇게 3가지 모양을 만들면 어때?
정답
두 번째 문제 도전
성공했어!

4주
5일

도형 기본 개념

● **여러 가지 모양 만들기**

① 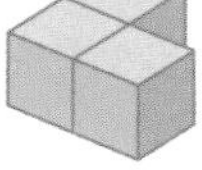 모양에 쌓기나무 1개를 더 붙여서 모양 만들기

예

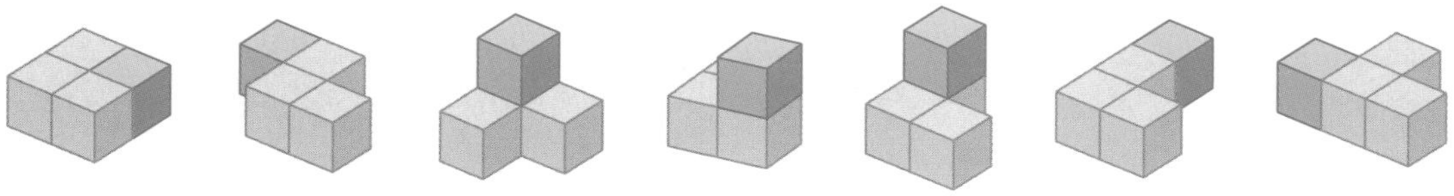

⇨ 더 붙여서 만들 수 있는 모양은 모두 ❶ [　] 가지입니다.

② 쌓기나무를 각각 4개씩 붙여서 만든 두 가지 모양을 이용하여 새로운 모양 만들기

예

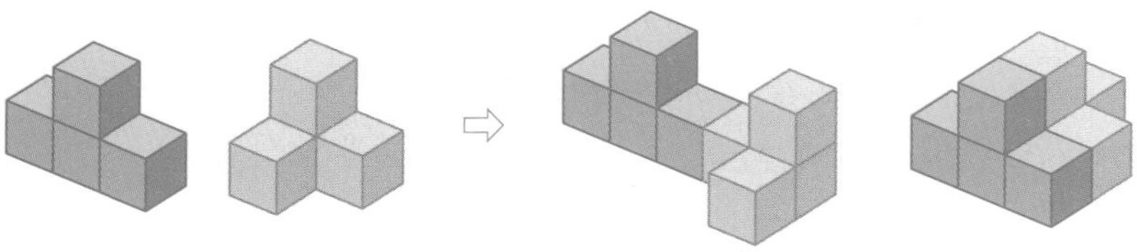

정답 ❶ 7

새로운 모양 만들기

 활동을 통하여 **해결 방법**을 알아보아요.

◎ 주어진 모양에 쌓기나무 1개를 더 붙여서 만들 수 있는 모양 알아보기

뒤집거나 돌려서
같은 모양이 되면
한 가지로 생각해요.

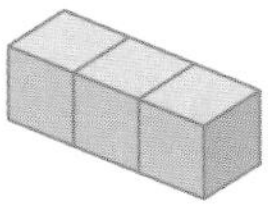

방법 1 왼쪽 또는 오른쪽에 한 줄로 1개 더 붙이기

왼쪽에
붙였어요.

오른쪽에 붙였어요.

같은 모양이므로 한 가지로 생각해요.

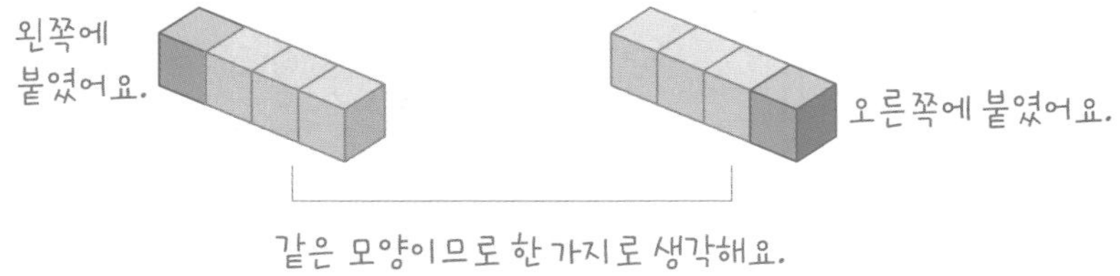

방법 2 왼쪽 또는 오른쪽에 꺾어서 1개 더 붙이기

뒤집거나 돌리면 모두
같은 모양이 돼요.

→ 모두 같은 모양이므로
한 가지로 생각해요.

방법 3 가운데에 1개 더 붙이기

모두 같은 모양이므로 한 가지로 생각해요.

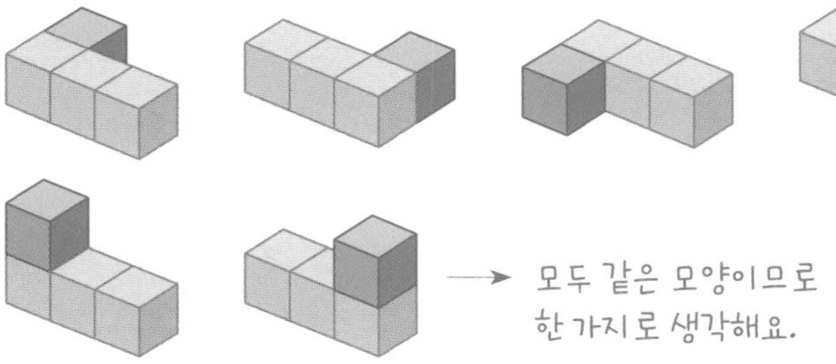

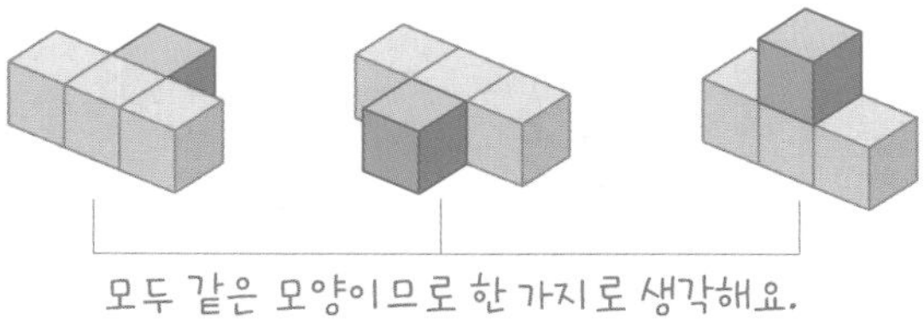

⇨ 더 붙여서 만들 수 있는 모양은 모두 3가지입니다.

(해결 방법 확인)

🚗 왼쪽 모양에 쌓기나무 1개를 더 붙여서 만들 수 있는 모양을 찾아 ◯표 하세요.

1-1

쌓기나무 4개에 1개를 더 붙이면 5개가 돼요.

1-2

1-3

1-4

1-5

1-6

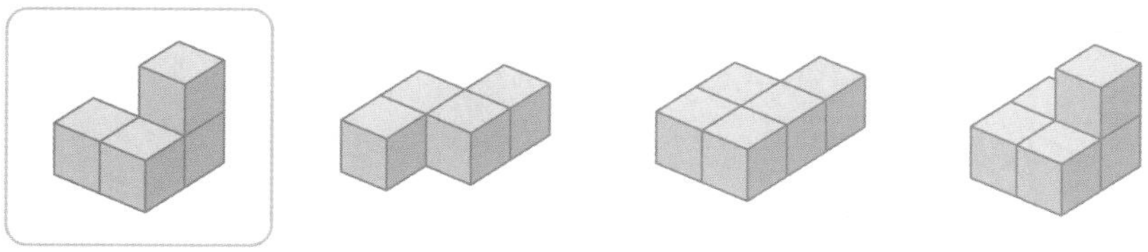

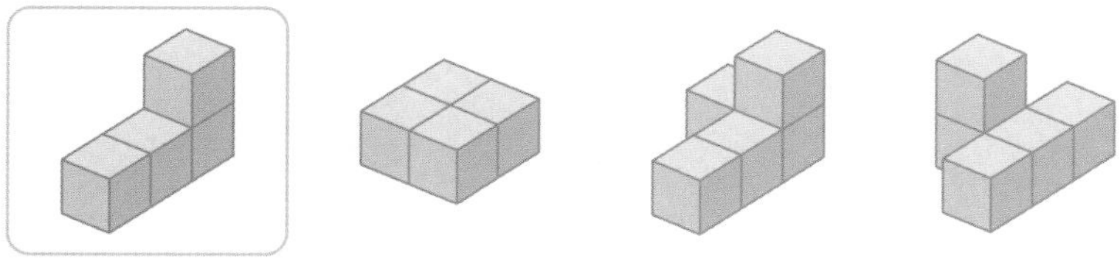

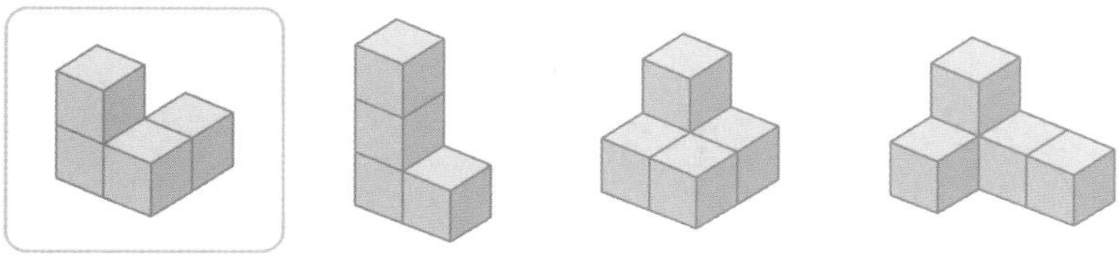

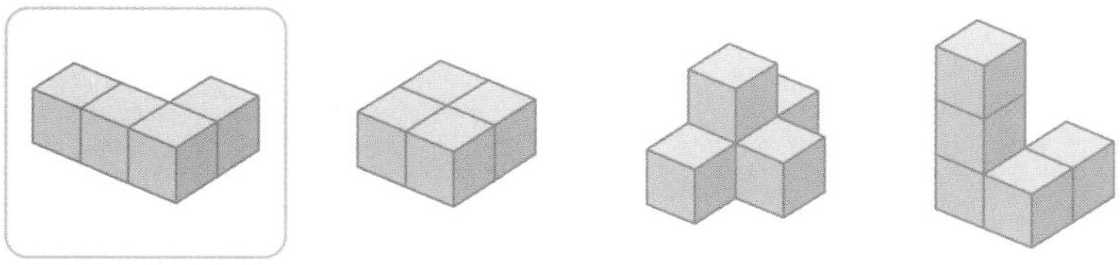

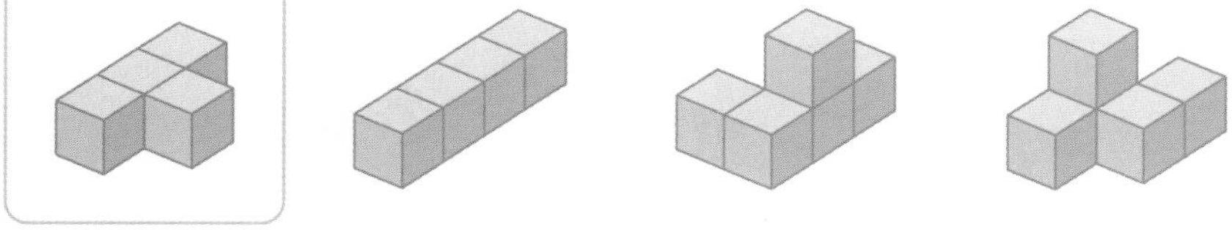

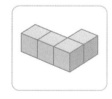

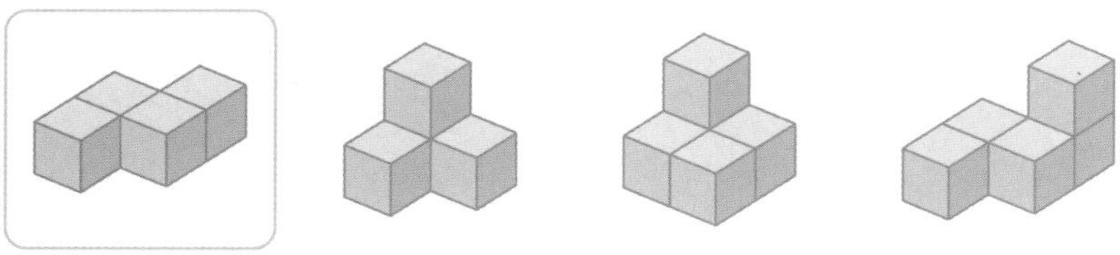

5^일 새로운 모양 만들기

(**도형 집중** 연습)

🍮 쌓기나무 4개로 만든 두 가지 모양을 사용하여 새로운 모양을 만들었습니다. 어떻게 만들었는지 구분하여 색칠해 보세요.

1-1

> 쌓기나무로 만든 모양은 풀로 붙여서 떨어지지 않아요.

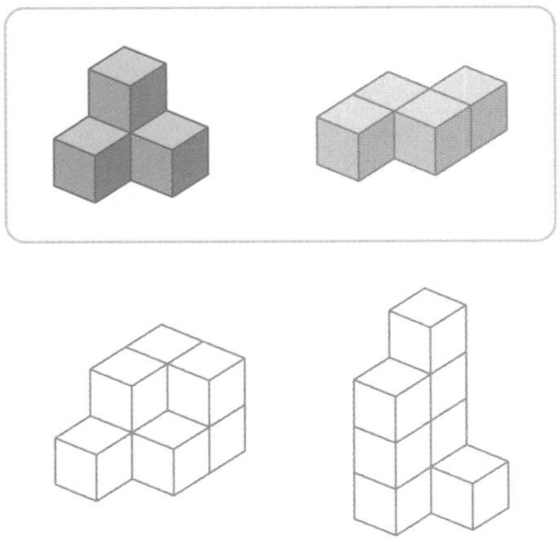

1-2

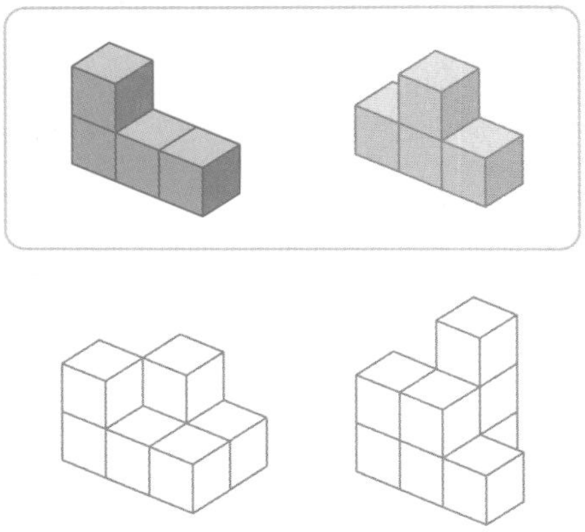

1-3

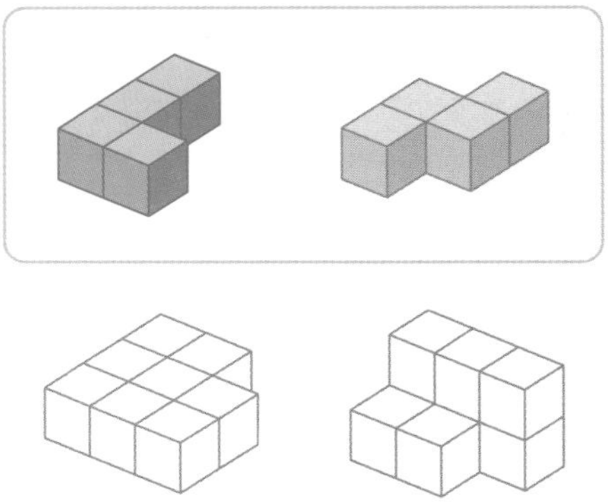

1-4

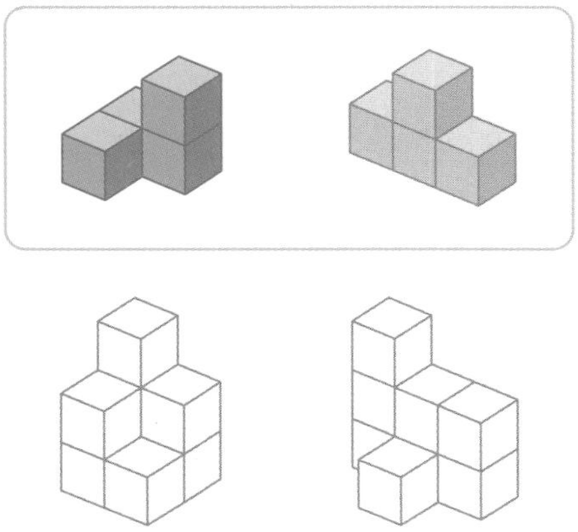

1-5

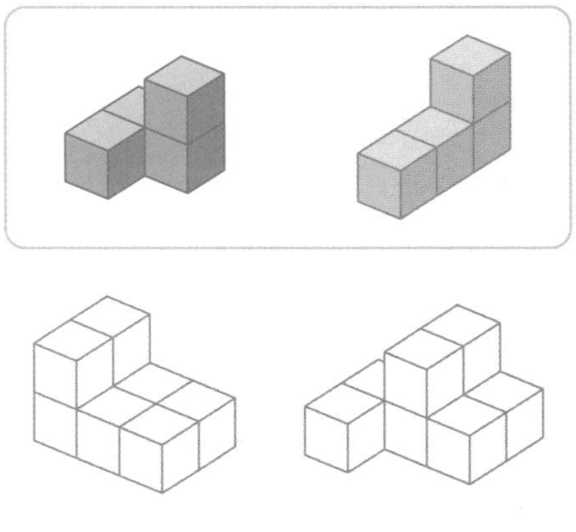

쌓기나무로 만든 모양 중 2개를 골라 오른쪽과 같은 정육면체 모양을 만들려고 합니다. 알맞은 두 모양을 찾아 ◯표 하세요.

2-1

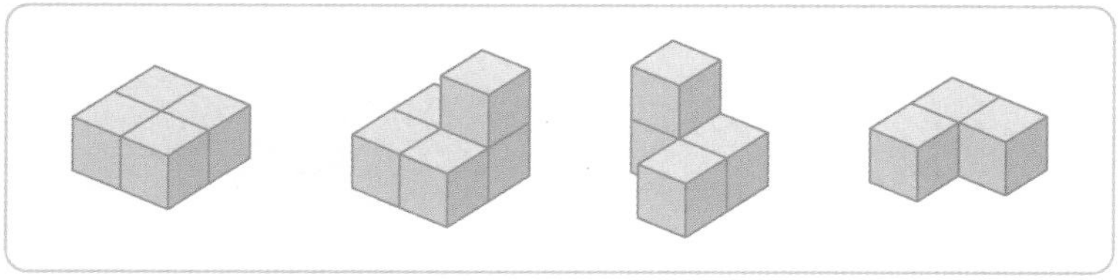

2-2

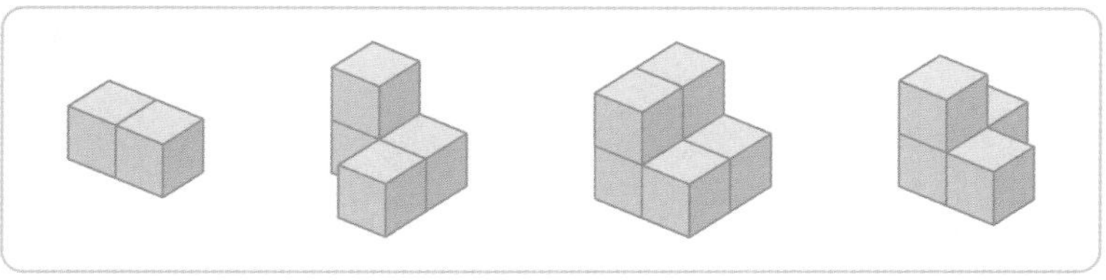

2-3

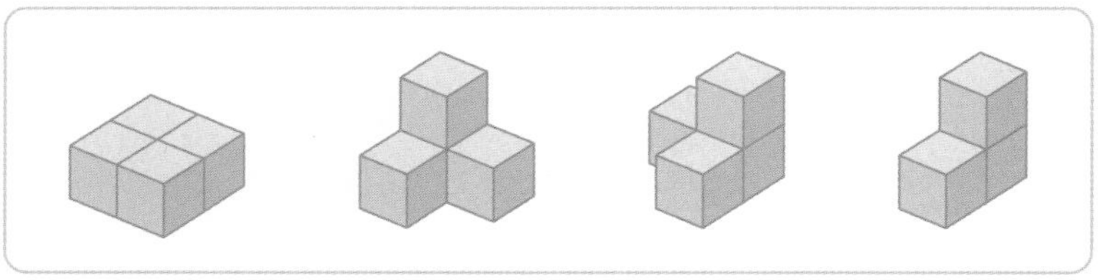

2-4

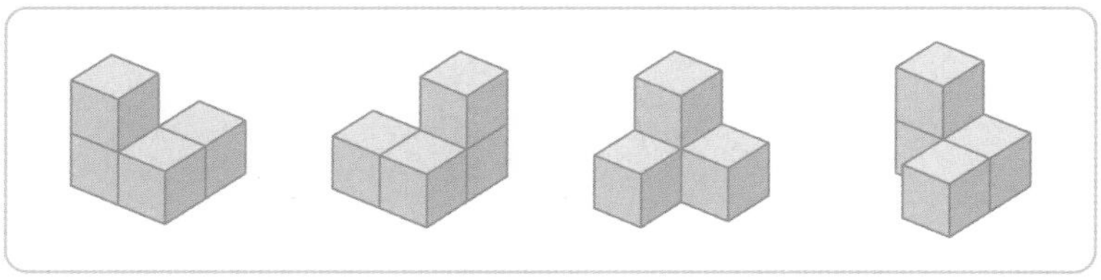

4주 평가 누구나 100점 맞는 TEST

01 다음과 같은 규칙으로 쌓기나무를 쌓으려고 합니다. 1층에 놓을 쌓기나무는 몇 개인지 구하세요.

☐개

02 다음과 같은 규칙으로 쌓기나무를 1층까지 쌓을 때 필요한 쌓기나무는 모두 몇 개인지 구하세요.

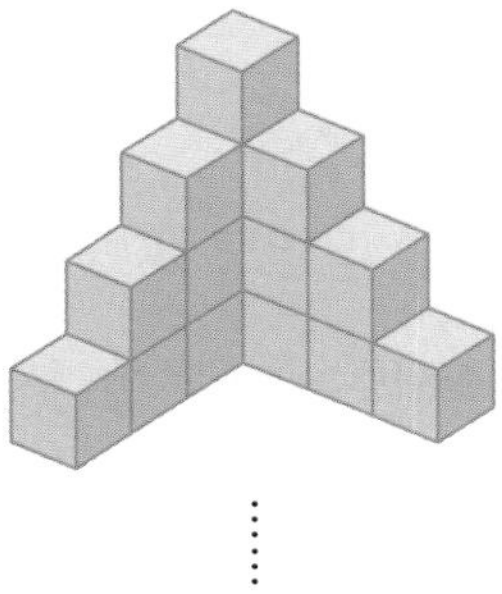

☐개

03 직육면체 모양으로 쌓기나무를 쌓은 후 바닥에 닿는 면을 포함한 6면에 모두 색칠하려고 합니다. 한 면에 색칠되는 쌓기나무의 개수를 구하세요.

☐개

04 직육면체 모양으로 쌓기나무를 쌓은 후 바닥에 닿는 면을 포함한 6면에 모두 색칠하려고 합니다. 색칠되는 면이 없는 쌓기나무의 개수를 구하세요.

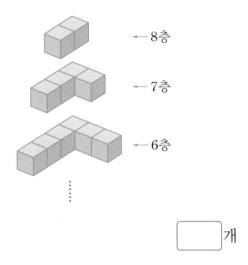

☐개

05 쌓기나무 4개로 만든 두 가지 모양을 사용하여 새로운 모양을 만들었습니다. 어떻게 만들었는지 구분하여 색칠하세요.

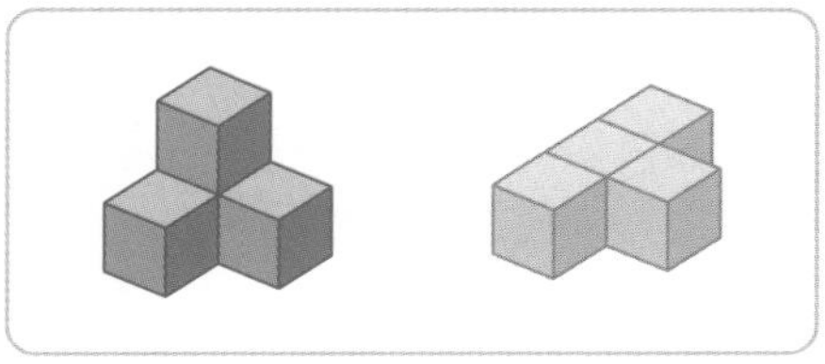

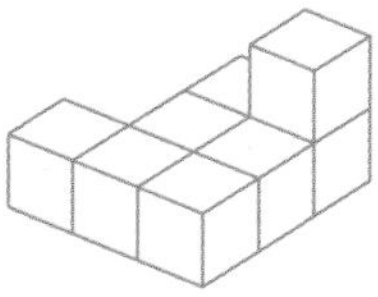

06 왼쪽 모양에 쌓기나무를 1개 더 붙여서 만들 수 있는 모양을 찾아 ◯표 하세요.

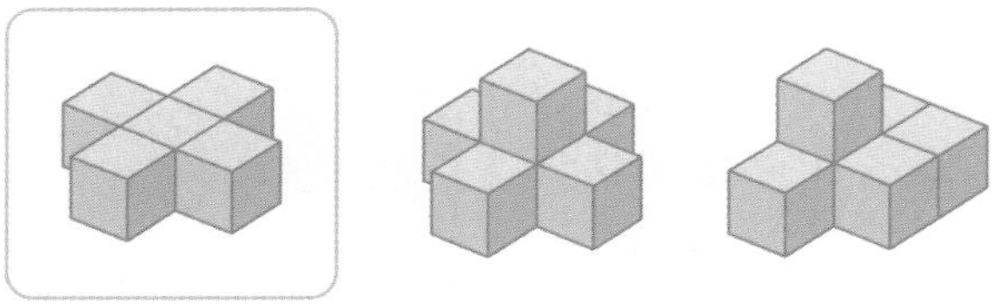

07 쌓기나무로 쌓은 모양의 1층과 3층 모양을 나타낸 것입니다. 2층에 놓인 쌓기나무의 개수가 4개일 때 2층 모양이 될 수 있는 경우는 모두 몇 가지인지 구하세요.

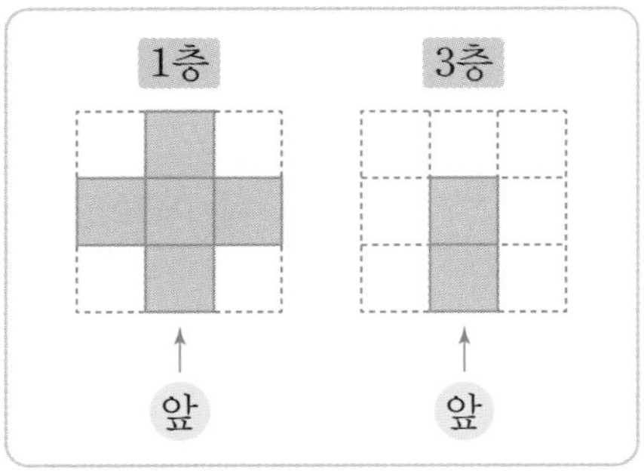

(　　)가지

08 위와 앞에서 본 모양이 변하지 않도록 더 쌓을 수 있는 쌓기나무는 최대 몇 개인지 구하세요.

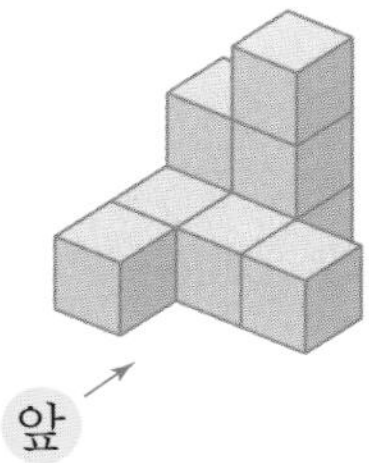

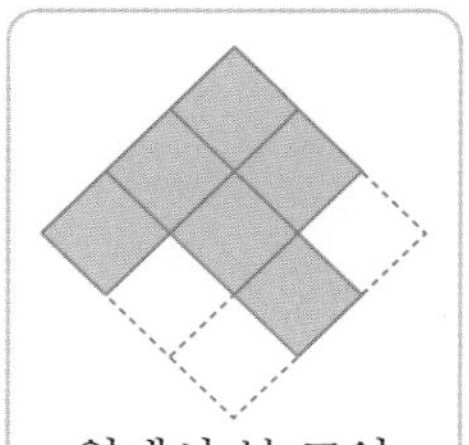

위에서 본 모양

(　　)개

[09~10] 쌓기나무를 주어진 개수만큼 사용하여 만든 모양입니다. 위, 앞, 옆에서 본 모양이 변하지 않도록 쌓기나무를 빼내려고 합니다. 빼낼 수 있는 쌓기나무는 최대 몇 개인지 구하세요.

09

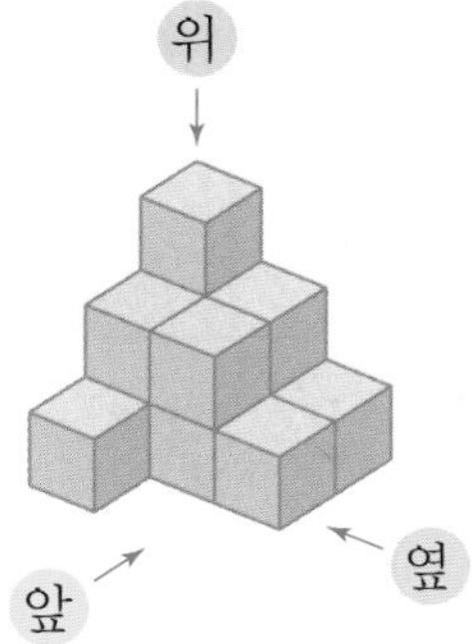

12개

(　　)개

10

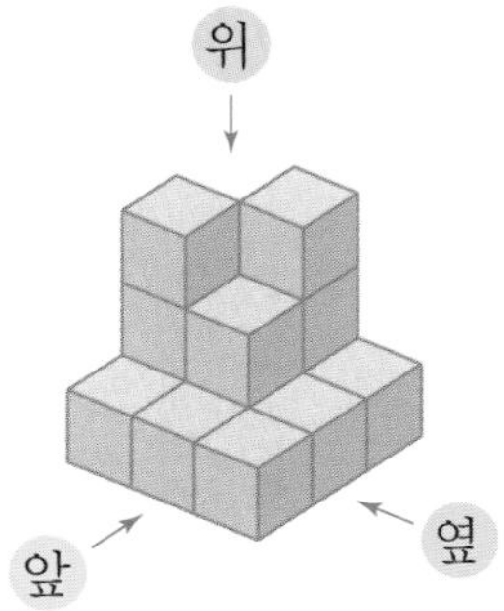

13개

(　　)개

4주 평가

특강 창의·융합·코딩

연결큐브로 만든 모양

● 연결큐브 3개로 만든 모양

> **참고**
> 연결큐브 3개로 만든 모양을
> 트리큐브라고 합니다.

연결큐브 3개로 만든 모양은 모두 2가지입니다.

연결큐브 3개로 만든
모양을 찾아볼까?

(○) (○) (×)

마지막 모양은
3개가 아니네요.

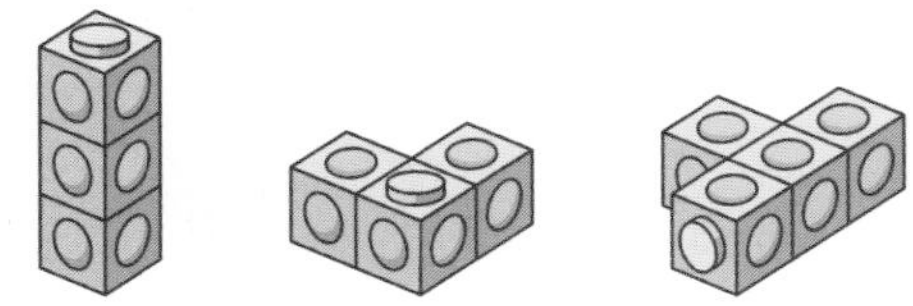

같은 모양 알아보기

이 모양을 한번 살펴볼까?
이 모양을 뒤집거나 돌려도 네가 가진 것과 같은 모양이 된단다.
자, 그럼 다른 모양도 더 알아볼까?
저희 지금 다른 촬영이 있어서 가야 해요.
다음에 봬요~.

● **주어진 모양을 뒤집거나 돌렸을 때 같은 모양 알아보기**

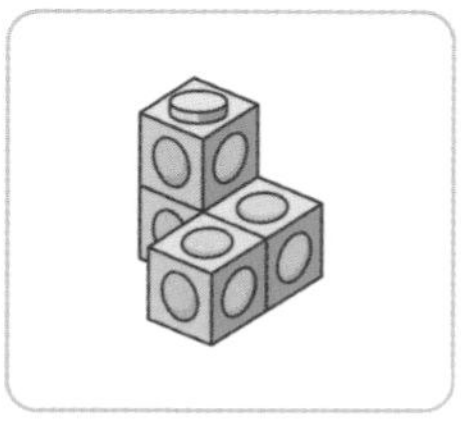

뒤집거나 돌렸을 때 → 같은 모양

예

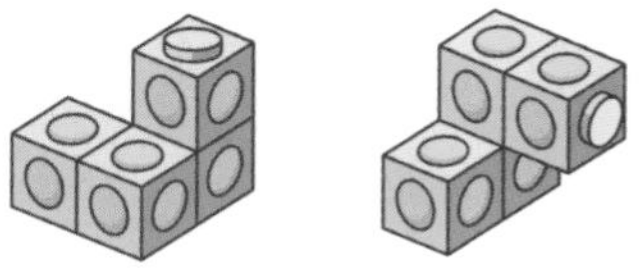

연결큐브는 볼록한 부분과 오목한 부분을 끼워 맞춰서 모양을 쉽게 만들 수 있어요.

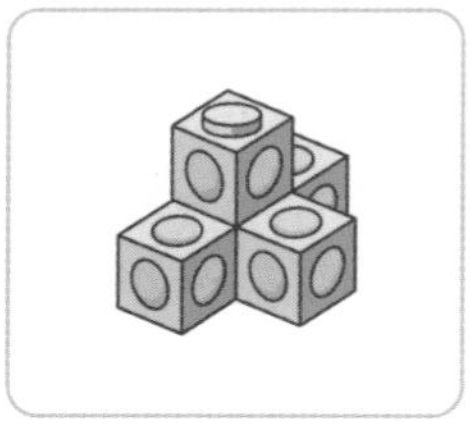

뒤집거나 돌렸을 때 → 같은 모양

예

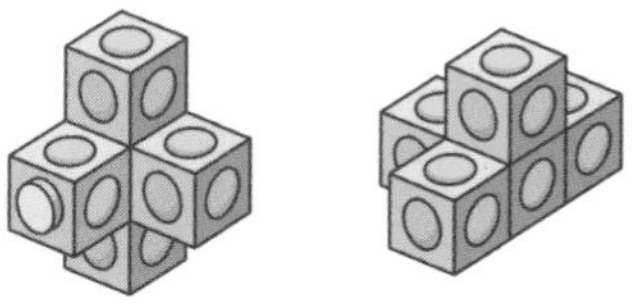

특강 창의 · 융합 · 코딩

창의

연결큐브 4개로 만든 모양입니다. 뒤집거나 돌렸을 때 왼쪽과 같은 모양을 찾아 ○표 하세요.

❶

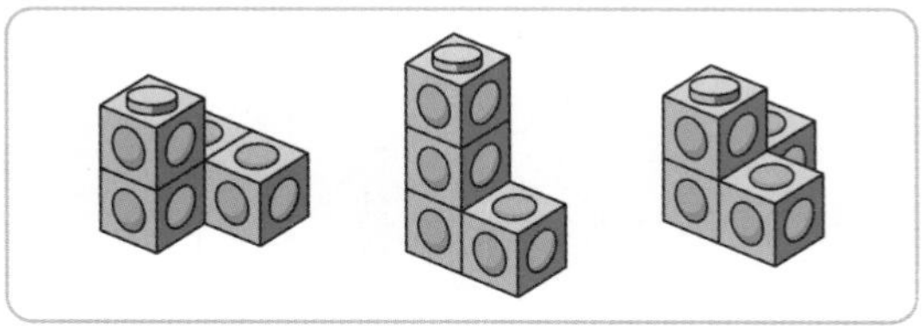

❷

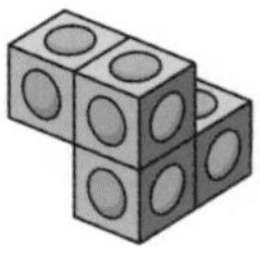

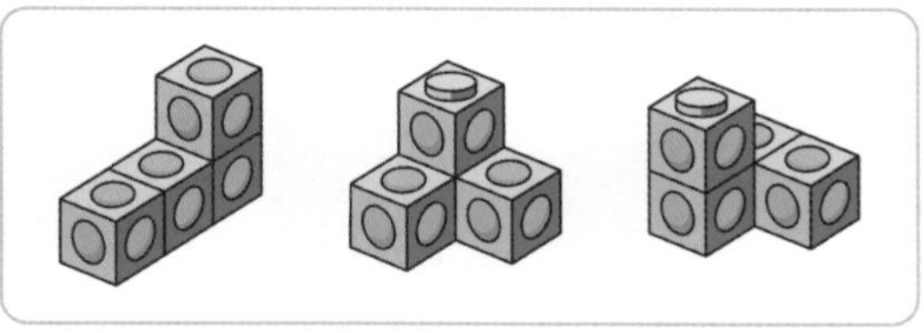

연결큐브 4개로 만든 모양을 테트라큐브라고 해요.

❸

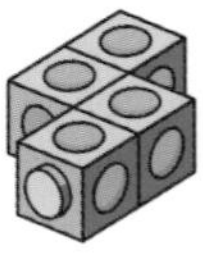

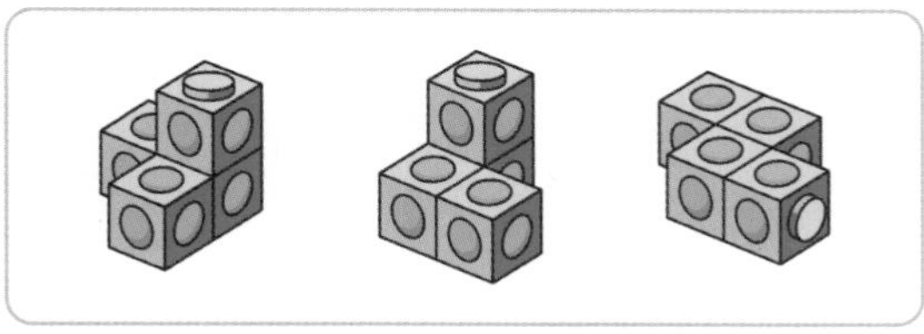

❹

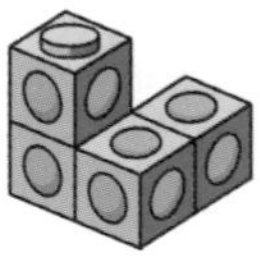

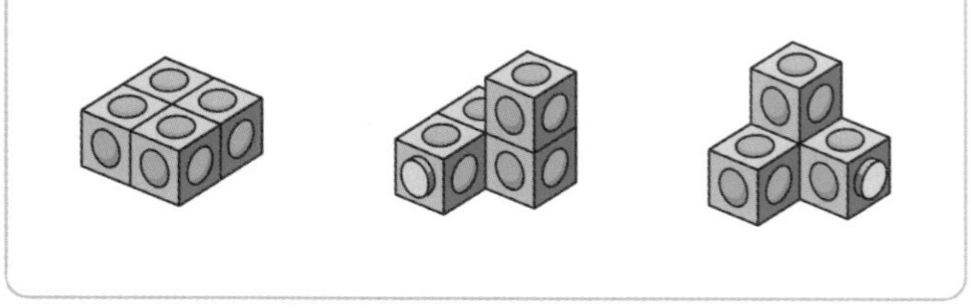

창의

연결큐브 5개로 만든 모양입니다. 뒤집거나 돌렸을 때 왼쪽과 같은 모양을 찾아 ○표 하세요.

5

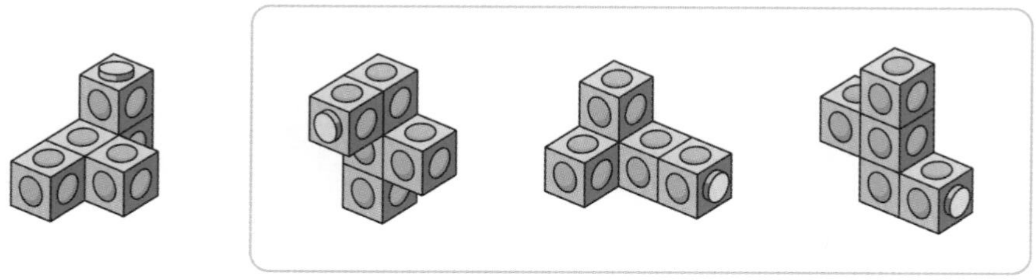

6

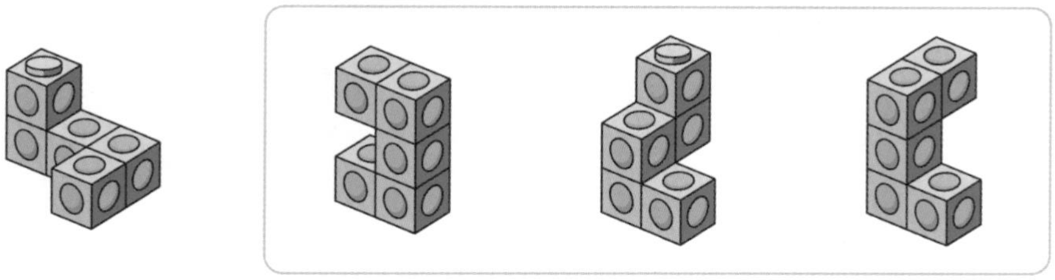

7

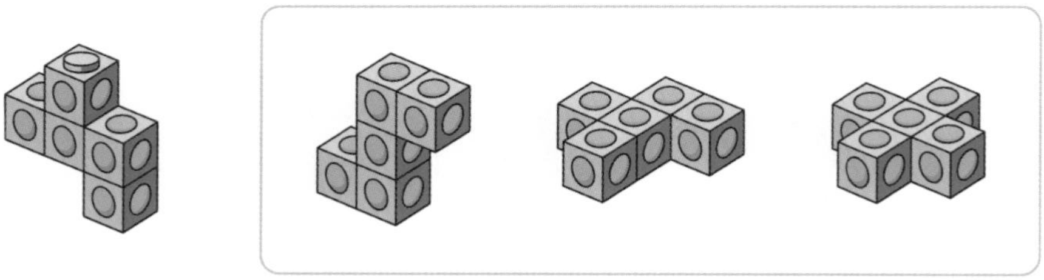

8

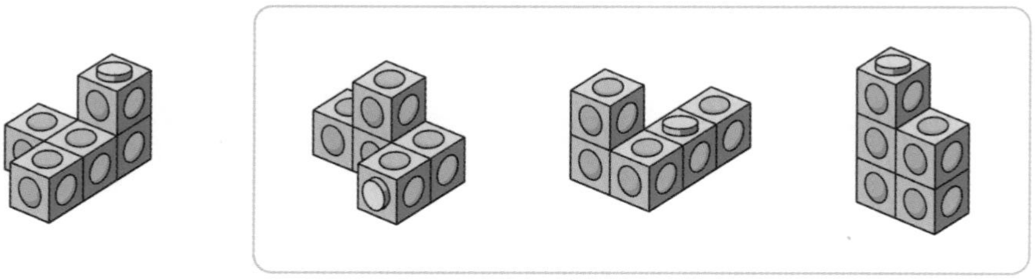

특강 창의·융합·코딩

융합

주어진 모양을 뒤집거나 돌렸을 때 같은 모양을 찾아 가려고 합니다. 도착했을 때 만나는 친구의 이름에 ○표 하세요.

9

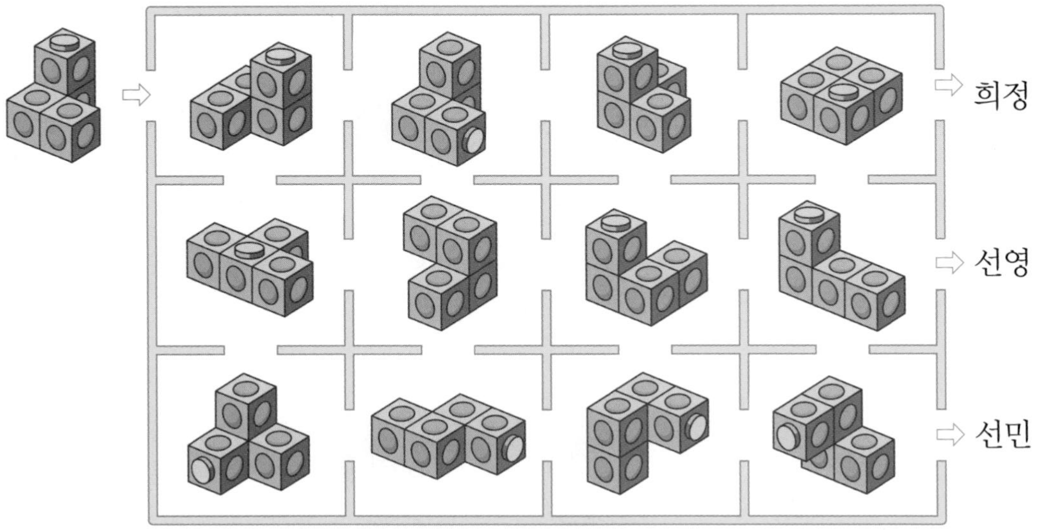

10

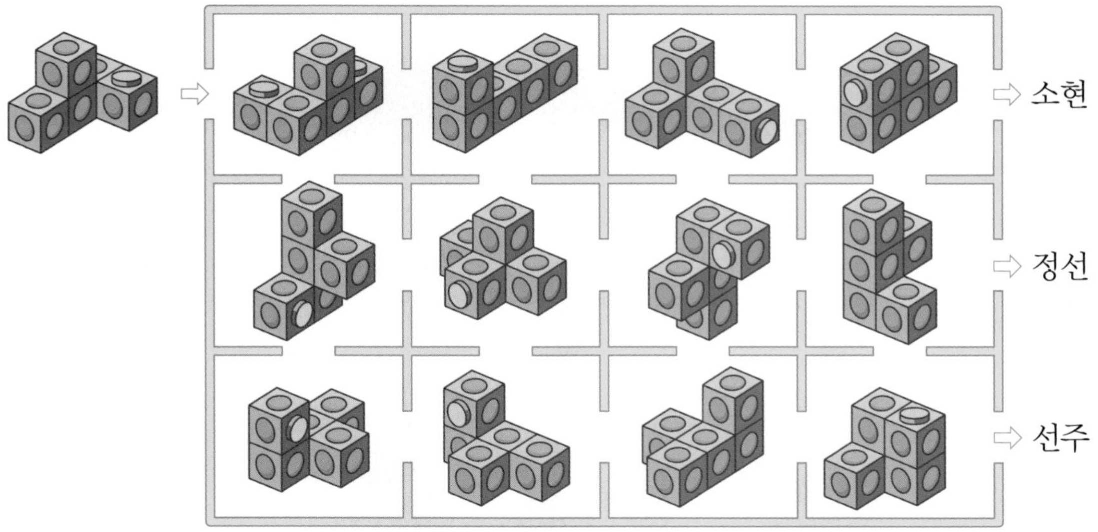

융합

11 연결큐브 6개로 만든 모양입니다. 주어진 모양을 뒤집거나 돌렸을 때 같은 모양을 찾아 가려고 합니다. 도착했을 때 만나는 친구의 이름에 ◯표 하세요.

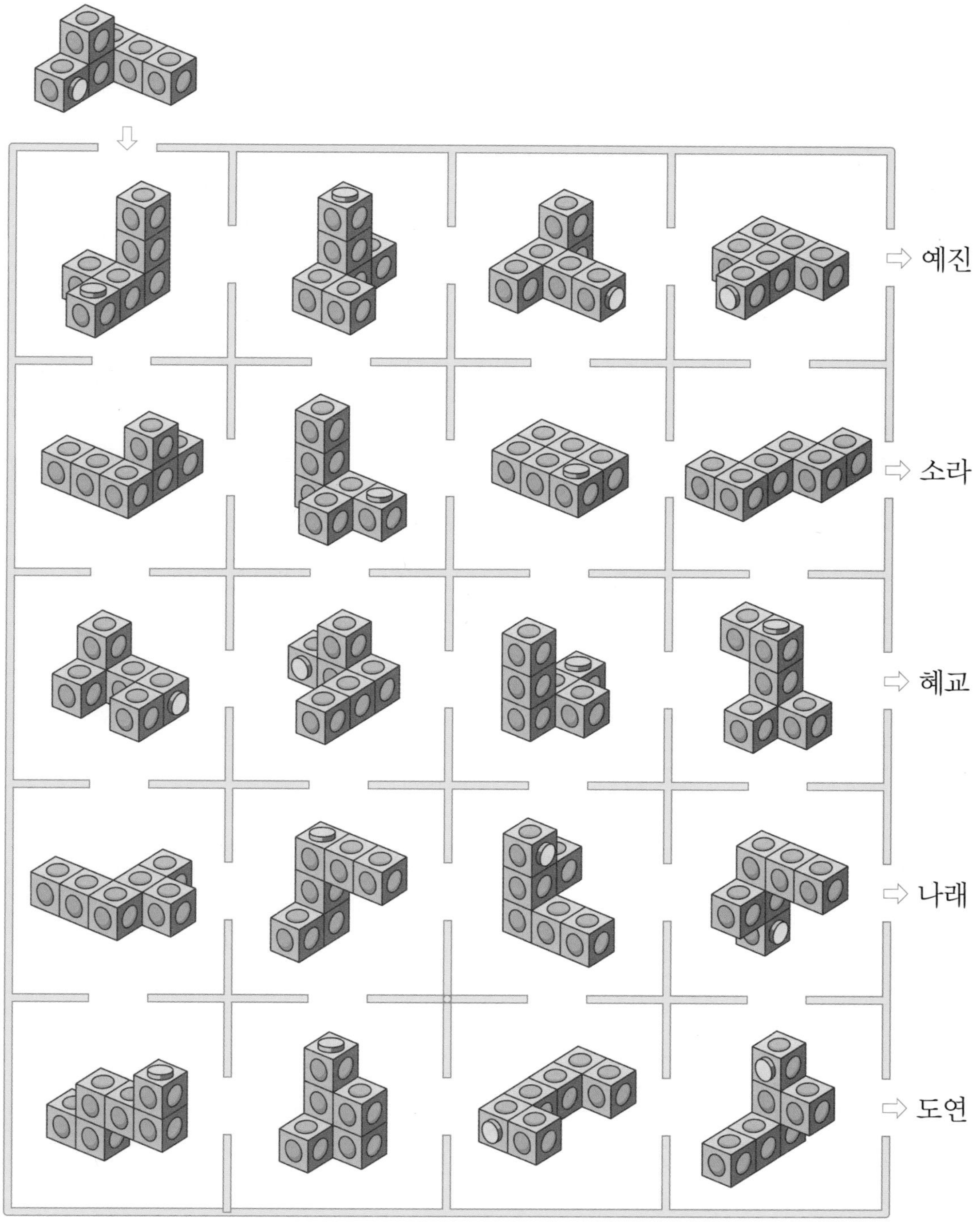

MEMO

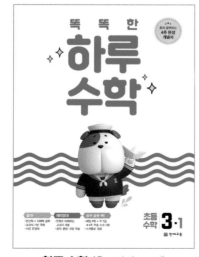

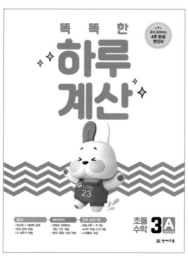

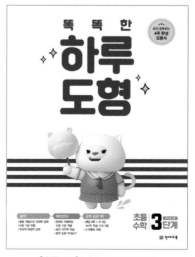

똑똑한 하루 시리즈

쉽다!

10분이면 하루 치 공부를 마칠 수 있는 커리큘럼으로,
아이들이 초등 학습에 쉽고 재미있게 접근할 수 있도록 구성하였습니다.

재미있다!

교과서는 물론 생활 속에서 쉽게 접할 수 있는 다양한 소재와
재미있는 게임 형식의 문제로 흥미로운 학습이 가능합니다.

똑똑하다!

초등학생에게 꼭 필요한 학습 지식 습득은 물론
창의력 확장까지 가능한 교재로 올바른 공부습관을 가지는 데 도움을 줍니다.

정답과 풀이

똑똑한
하루 도형

초등 수학 6단계
6학년 수준

천재교육

정답과 풀이
포인트 3가지

▶ 한눈에 알아볼 수 있는 정답 제시

▶ 혼자서도 이해할 수 있는 문제 풀이

▶ 꼭 필요한 풀이 제시

6~7쪽

이번 주에는 무엇을 공부할까요? ②

☀ 입체도형 알아보기

관계있는 모양끼리 모아볼까?

내 얼굴은 구에 가깝지.

☀ 입체도형의 구성요소 알아보기

각뿔의 꼭짓점은 각뿔에만 있구나.

잘생김이 나에게만 있듯이 말이지.

각뿔의 꼭짓점
모서리
면
꼭짓점

관계있는 것끼리 선으로 이으세요.

1

각뿔 각기둥 원뿔 구 원기둥

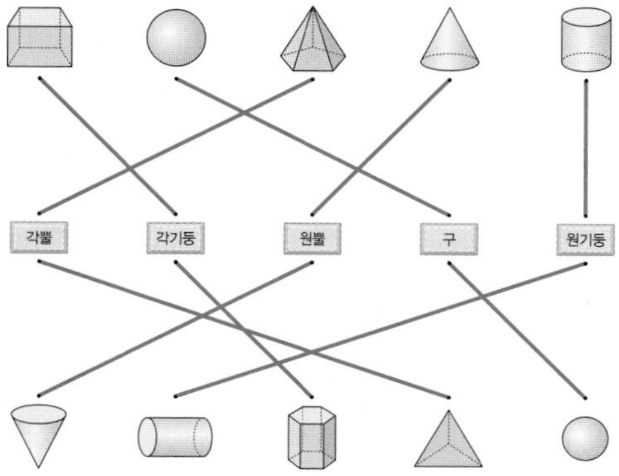

주어진 모양을 보고 빈칸에 알맞은 수를 써넣으세요.

2-1

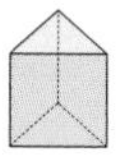

한 밑면의 변의 수(개)	꼭짓점의 수(개)	면의 수(개)	모서리의 수(개)
3	6	5	9

2-2

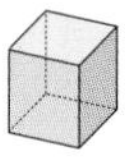

한 밑면의 변의 수(개)	꼭짓점의 수(개)	면의 수(개)	모서리의 수(개)
4	8	6	12

2-3

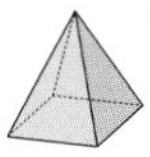

밑면의 변의 수(개)	꼭짓점의 수(개)	면의 수(개)	모서리의 수(개)
4	5	5	8

10~11쪽

① 일 입체도형 알아보기

🐾 활동을 통하여 개념을 알아보아요

◎ 주어진 밑면과 옆면의 모양을 보고 입체도형의 이름 알아보기

입체도형의 밑면의 모양이에요.

밑면

옆면

입체도형의 옆면의 모양이에요.

✌ 각기둥과 각뿔의 옆면의 모양 알아보기

각기둥의 옆면의 모양

직사각형

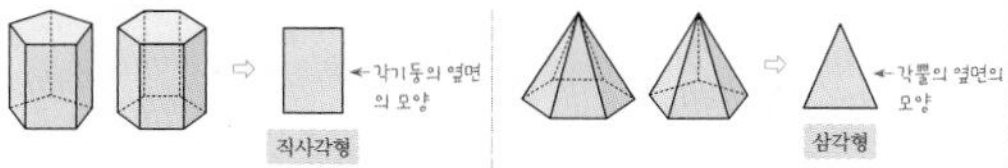

⇨ 각기둥의 옆면의 모양은 직사각형입니다.

각뿔의 옆면의 모양

삼각형

⇨ 각뿔의 옆면의 모양은 삼각형입니다.

✌ 각기둥과 각뿔의 이름 알아보기

오각형   육각형

오각기둥 육각기둥

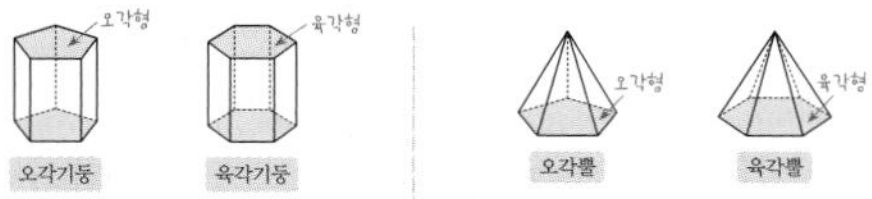

⇨ 각기둥은 밑면의 모양에 따라 오각기둥, 육각기둥……이라고 합니다.

오각형   육각형

오각뿔   육각뿔

⇨ 각뿔은 밑면의 모양에 따라 오각뿔, 육각뿔……이라고 합니다.

따라서, 밑면이 ⬜ 모양이고 옆면이 🔺 모양이므로 사각뿔 입니다.

📋 활동 개념 확인

밑면과 옆면의 모양을 보고 입체도형의 이름을 쓰세요.

1-1

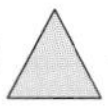

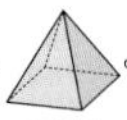

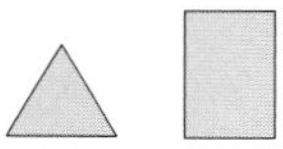

밑면 옆면

삼각기둥

1-2

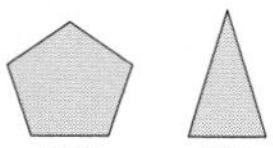

밑면 옆면

오각뿔

1-3

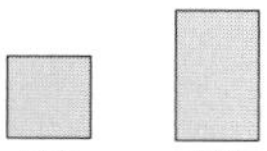

밑면 옆면

사각기둥

1-4

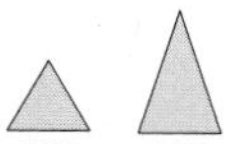

밑면 옆면

삼각뿔

1-5

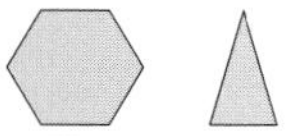

밑면 옆면

육각뿔

1-6

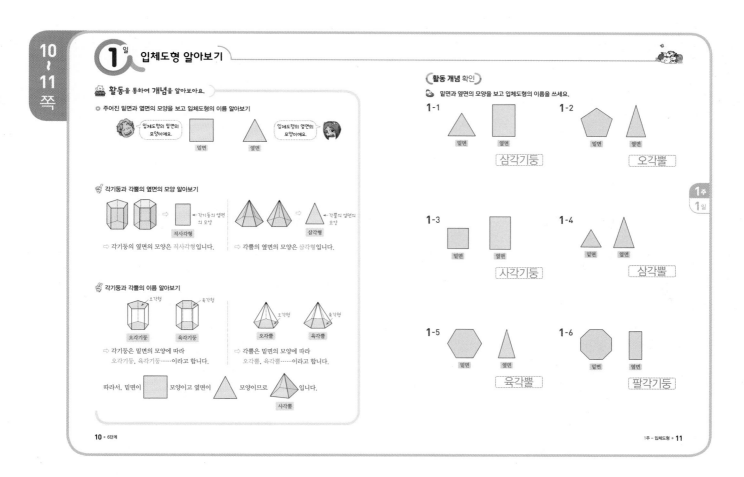

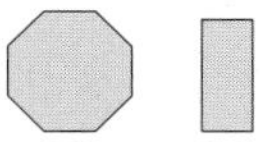

밑면 옆면

팔각기둥

12 ~ 13 쪽

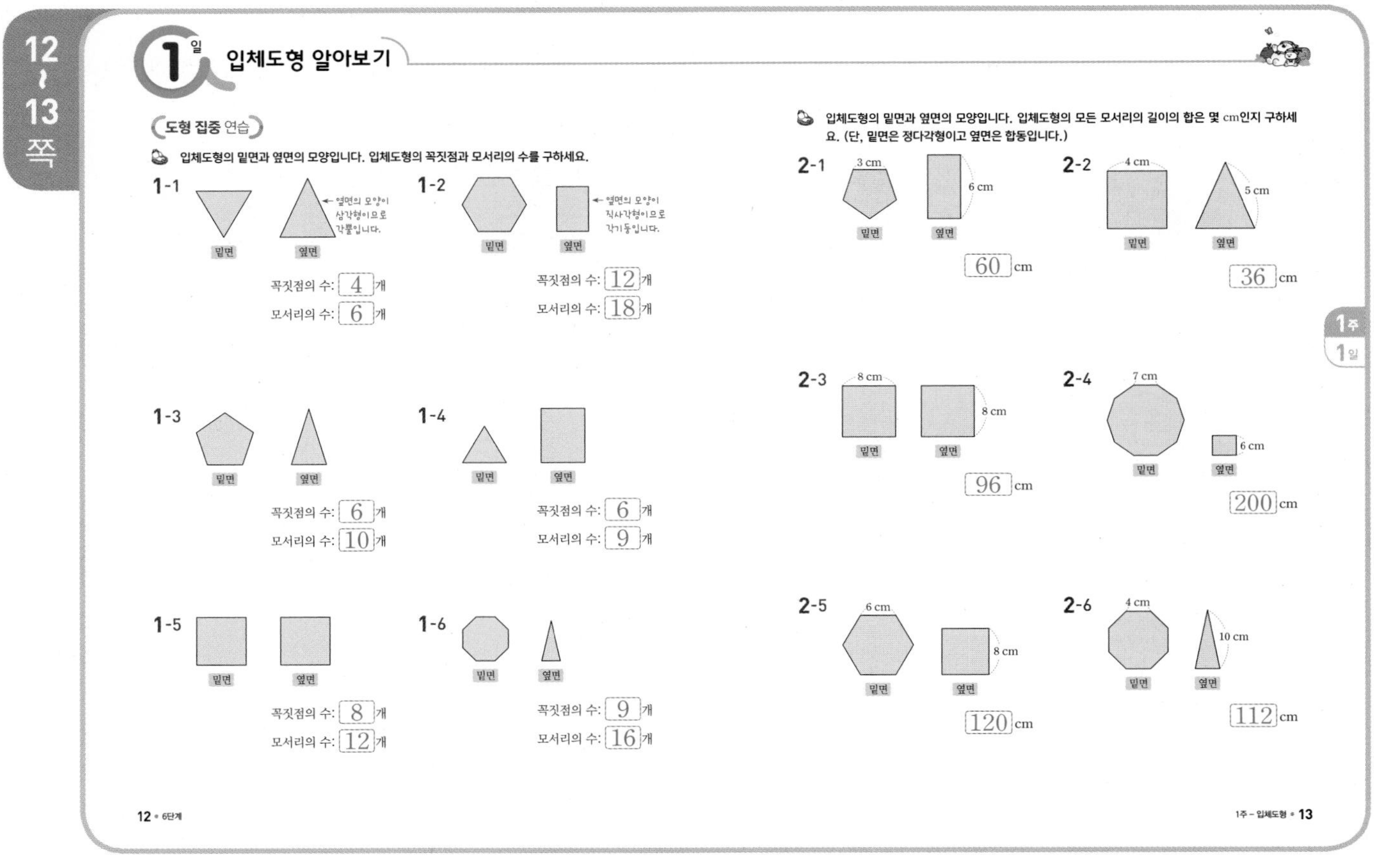

1일 입체도형 알아보기

(도형 집중 연습)

입체도형의 밑면과 옆면의 모양입니다. 입체도형의 꼭짓점과 모서리의 수를 구하세요.

1-1 밑면 / 옆면 ← 옆면의 모양이 삼각형이므로 각뿔입니다.
꼭짓점의 수: 4 개
모서리의 수: 6 개

1-2 밑면 / 옆면 ← 옆면의 모양이 직사각형이므로 각기둥입니다.
꼭짓점의 수: 12 개
모서리의 수: 18 개

1-3 밑면 / 옆면
꼭짓점의 수: 6 개
모서리의 수: 10 개

1-4 밑면 / 옆면
꼭짓점의 수: 6 개
모서리의 수: 9 개

1-5 밑면 / 옆면
꼭짓점의 수: 8 개
모서리의 수: 12 개

1-6 밑면 / 옆면
꼭짓점의 수: 9 개
모서리의 수: 16 개

입체도형의 밑면과 옆면의 모양입니다. 입체도형의 모든 모서리의 길이의 합은 몇 cm인지 구하세요. (단, 밑면은 정다각형이고 옆면은 합동입니다.)

2-1 밑면 3 cm / 옆면 6 cm — 60 cm

2-2 밑면 4 cm / 옆면 5 cm — 36 cm

2-3 밑면 8 cm / 옆면 8 cm — 96 cm

2-4 밑면 7 cm / 옆면 6 cm — 200 cm

2-5 밑면 6 cm / 옆면 8 cm — 120 cm

2-6 밑면 4 cm / 옆면 10 cm — 112 cm

12 • 6단계 　　　　 1주 – 입체도형 • 13

풀이

1-1 밑면: 삼각형, 옆면: 삼각형 → 삼각뿔

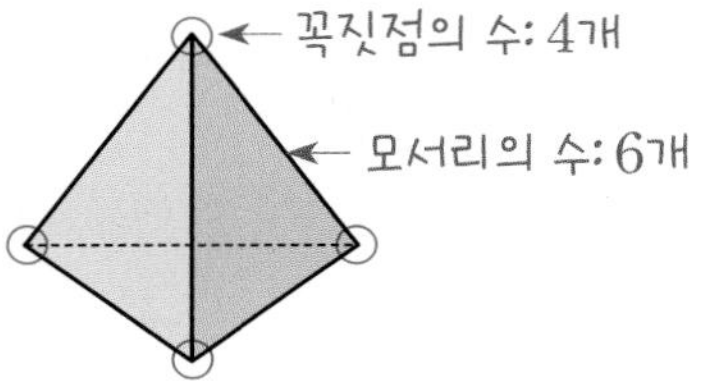

1-2 밑면: 육각형, 옆면: 직사각형 → 육각기둥

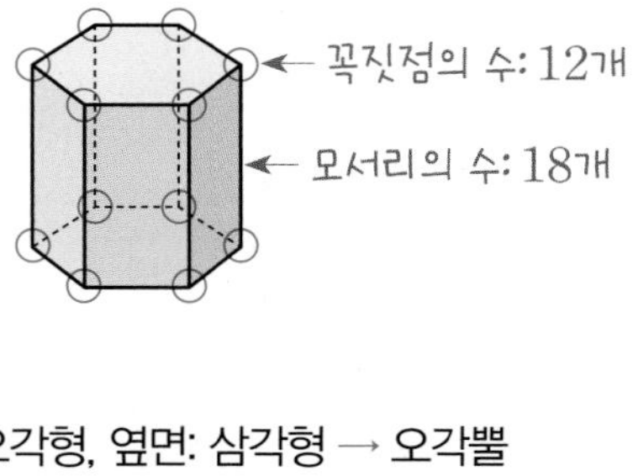

1-3 밑면: 오각형, 옆면: 삼각형 → 오각뿔

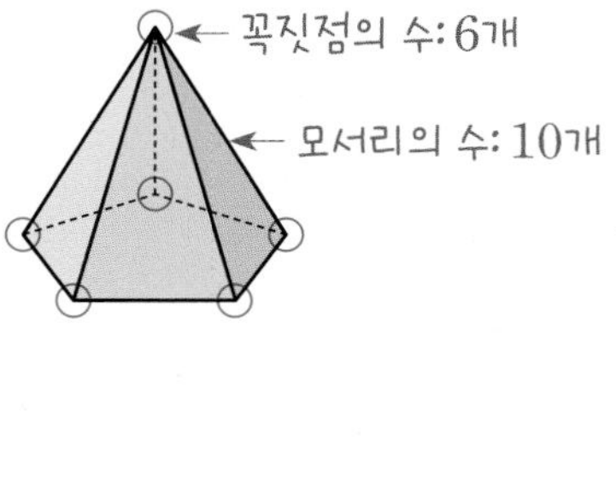

2-1 밑면: 오각형, 옆면: 직사각형 → 오각기둥

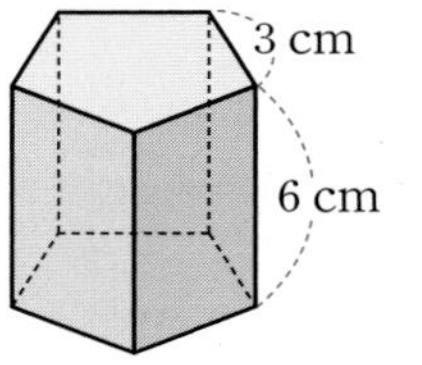

⇨ $3\times5\times2+6\times5=30+30=60$ (cm)

2-2 밑면: 사각형, 옆면: 삼각형 → 사각뿔

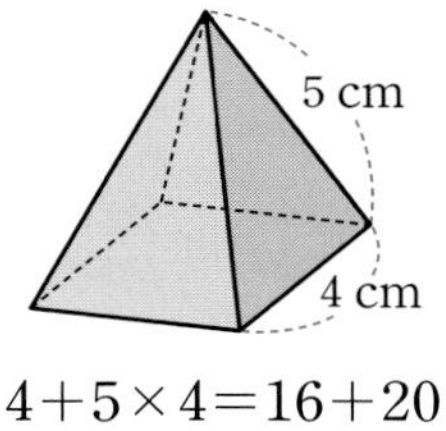

⇨ $4\times4+5\times4=16+20=36$ (cm)

2-5 밑면: 육각형, 옆면: 직사각형 → 육각기둥

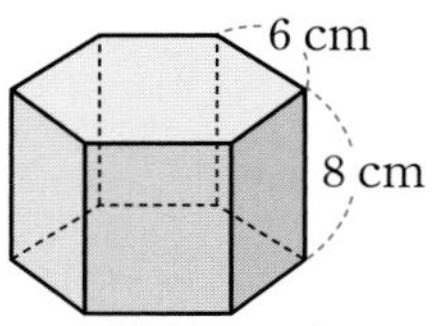

⇨ $6\times6\times2+8\times6=72+48=120$ (cm)

16 ~ 17 쪽

2일 입체도형을 여러 방향에서 본 모양

활동을 통하여 **개념**을 알아보아요.

- 입체도형을 위, 앞에서 본 모양

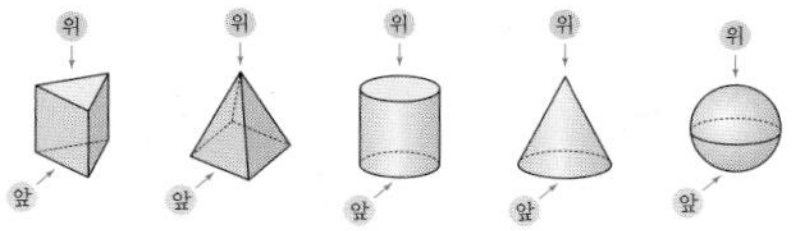

삼각기둥 | 사각뿔 | 원기둥 | 원뿔 | 구

활동 1 앞에서 본 모양

삼각기둥	사각뿔	원기둥	원뿔	구

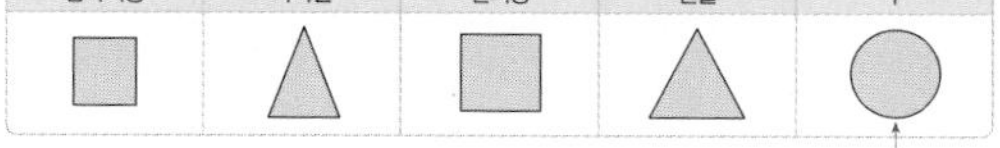

구는 앞과 위에서 본 모양이 같습니다.

활동 2 위에서 본 모양

삼각기둥	사각뿔	원기둥	원뿔	구

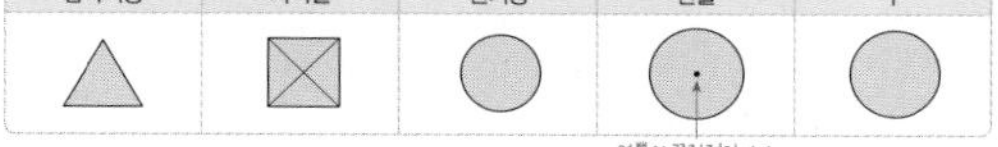

원뿔의 꼭짓점입니다.

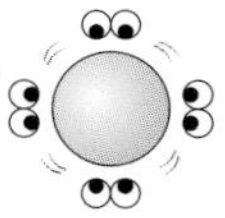

구는 어느 방향에서 보아도 모두 원 모양으로 보여요.

활동 개념 확인

밑면의 모양이 정다각형인 입체도형입니다. 입체도형을 앞에서 본 모양을 찾아 ○표 하세요.

1-1

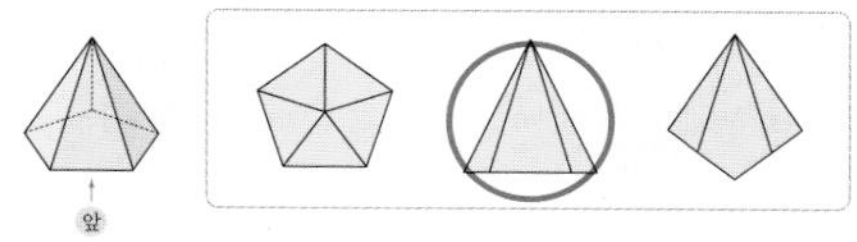

1-2

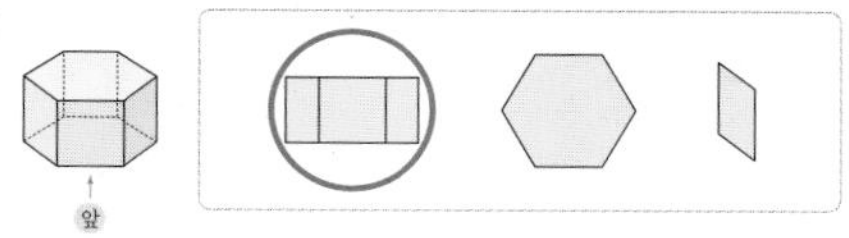

밑면의 모양이 정다각형인 입체도형입니다. 입체도형을 위에서 본 모양을 찾아 ○표 하세요.

2-1

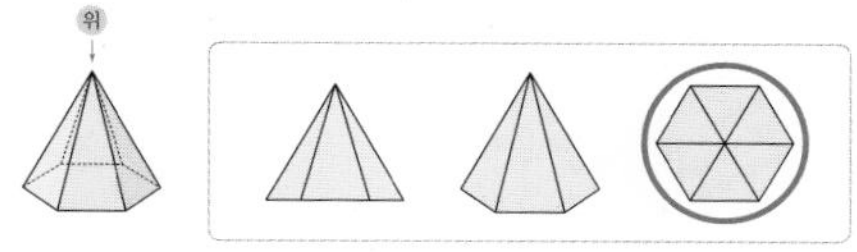

2-2

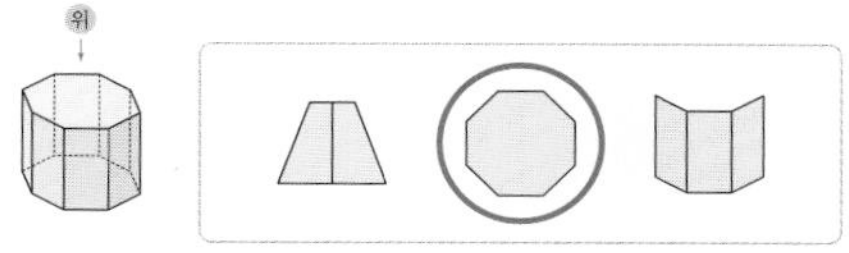

1주 2일

18 ~ 19 쪽

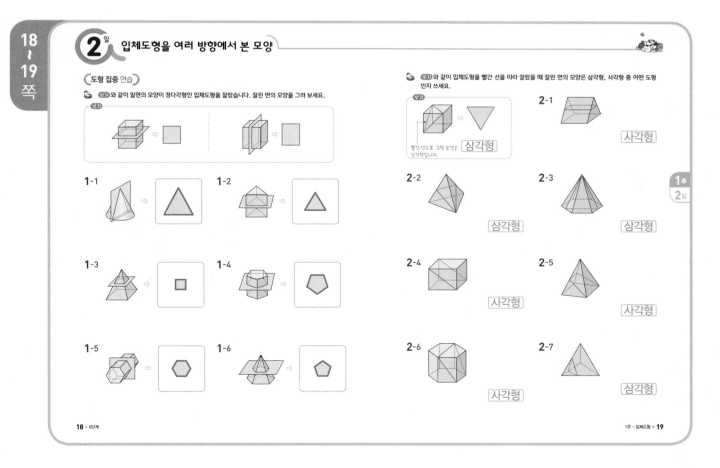

2일 입체도형을 여러 방향에서 본 모양

도형 집중 연습

보기 와 같이 밑면의 모양이 정다각형인 입체도형을 잘랐습니다. 잘린 면의 모양을 그려 보세요.

보기

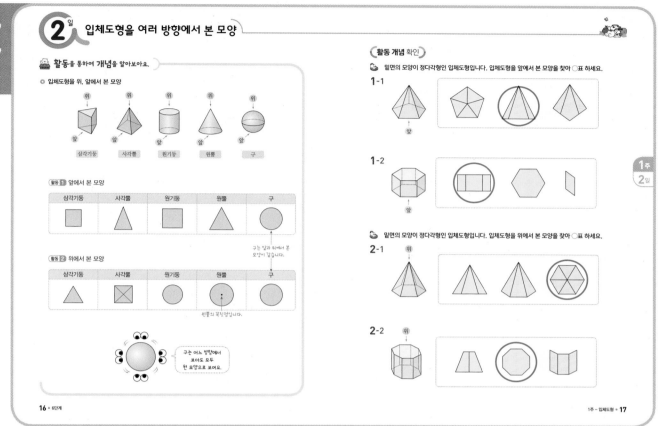

1-1

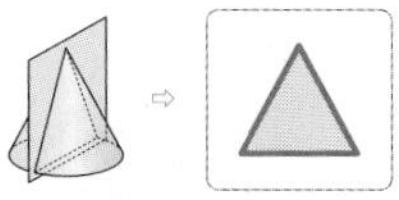

1-2

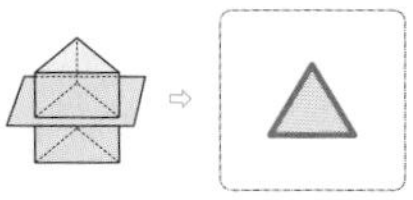

1-3

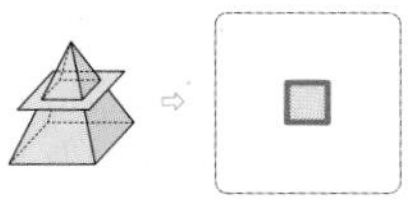

1-4

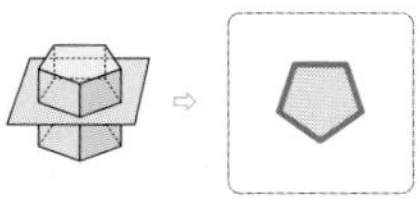

1-5

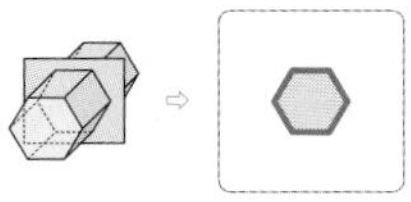

1-6

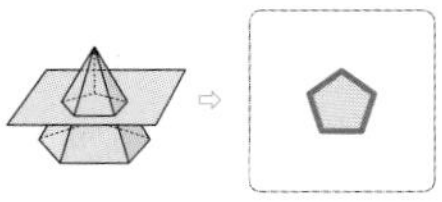

보기 와 같이 입체도형을 빨간 선을 따라 잘랐을 때 잘린 면의 모양은 삼각형, 사각형 중 어떤 도형인지 쓰세요.

보기

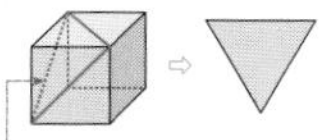

빨간 선으로 그린 모양은 삼각형입니다. 삼각형

2-1

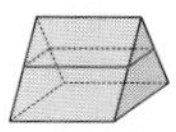

사각형

2-2

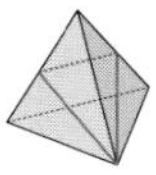

삼각형

2-3

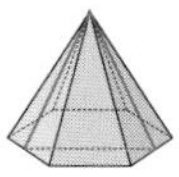

삼각형

2-4

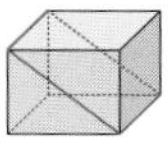

사각형

2-5

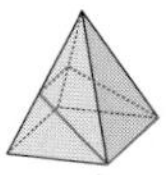

사각형

2-6

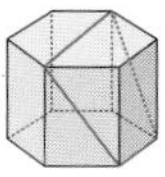

사각형

2-7

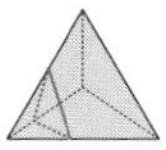

삼각형

1주 2일

3일 잘린 도형의 모양 알아보기

활동을 통하여 개념을 알아보아요.

◦ 선을 따라 잘린 도형의 모양 알아보기

오각기둥을 선을 따라 잘랐을 때 잘린 도형의 모양을 알아볼까?

빨간 선과 파란 선을 따라 각각 잘라 알아볼게요.

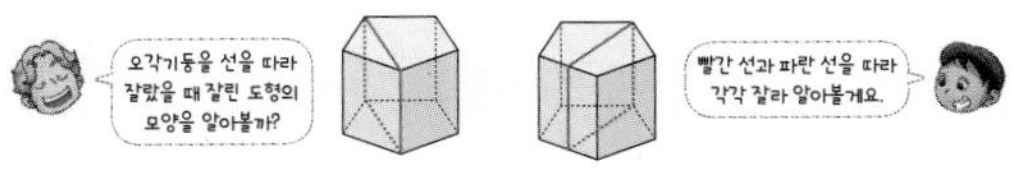

활동 1 빨간 선을 따라 두 도형으로 자르기

밑면의 모양이 삼각형이고 옆면의 모양이 직사각형이에요.

밑면의 모양이 사각형이고 옆면의 모양이 직사각형이에요.

삼각기둥　　사각기둥

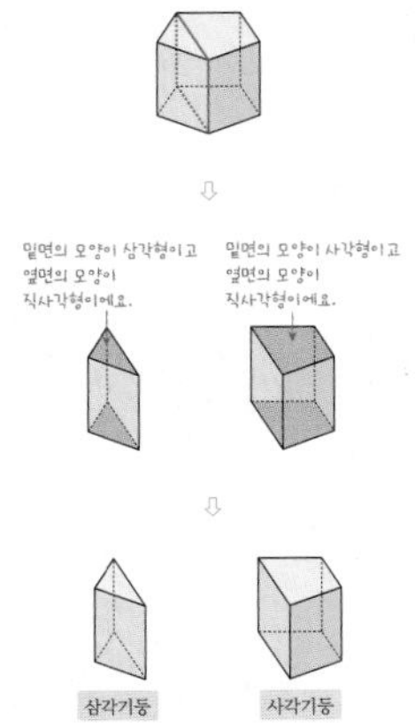

활동 2 파란 선을 따라 두 도형으로 자르기

밑면의 모양이 사각형이고 옆면의 모양이 직사각형이에요.

밑면의 모양이 사각형이고 옆면의 모양이 직사각형이에요.

사각기둥　　사각기둥

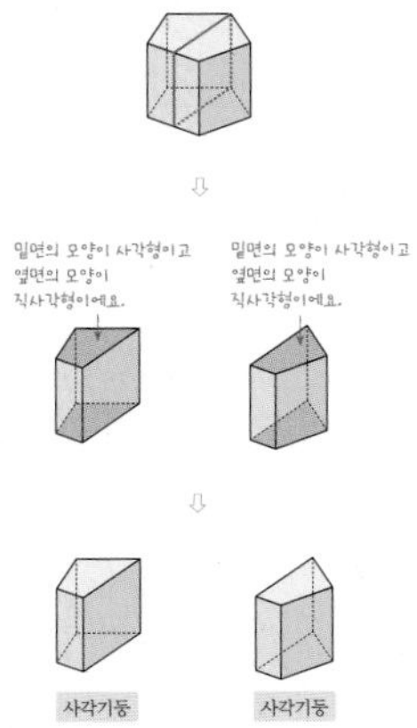

활동 개념 확인

입체도형을 빨간 선을 따라 잘랐습니다. 잘라서 생긴 두 도형의 이름을 쓰세요.

1-1
㉠: 오각기둥
㉡: 삼각기둥

1-2
㉠: 삼각기둥
㉡: 사각기둥

1-3
㉠: 사각기둥
㉡: 사각기둥

1-4
㉠: 삼각기둥
㉡: 오각기둥

1-5
㉠: 삼각기둥
㉡: 사각기둥

1-6
㉠: 사각기둥
㉡: 삼각기둥

1주
3일

3일 잘린 도형의 모양 알아보기

도형 집중 연습

입체도형의 일부를 잘라 내었을 때, 잘라 낸 입체도형의 면의 수는 몇 개인지 구하세요.

1-1 → 잘라 낸 입체도형
4 개

1-2
4 개

1-3
7 개

1-4
5 개

1-5
6 개

1-6
5 개

입체도형의 일부를 삼각뿔 모양으로 잘라 냈을 때 남은 입체도형의 꼭짓점의 수를 구하세요.

2-1
6 개

2-2
10 개

2-3
8 개

2-4
8 개

2-5 삼각뿔 모양 2개를 잘라냅니다.
12 개

2-6 삼각뿔 모양 2개를 잘라냅니다.
9 개

1주

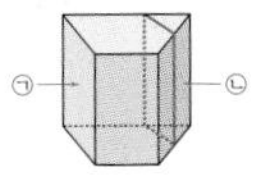

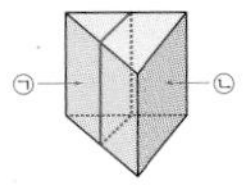

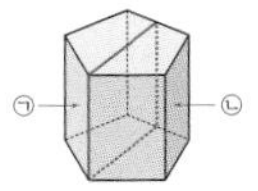

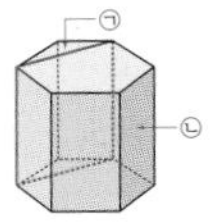

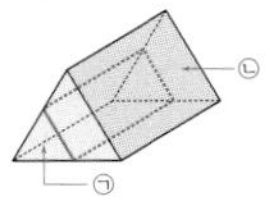

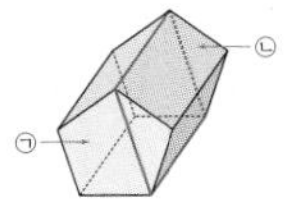

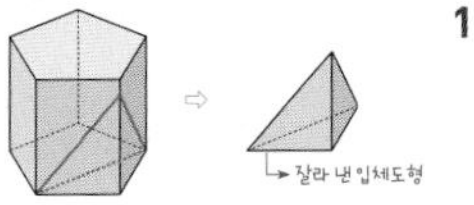

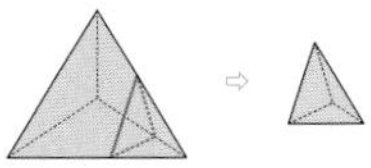

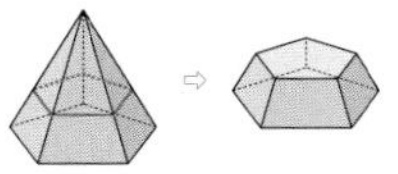

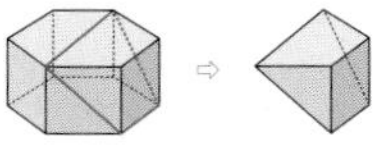

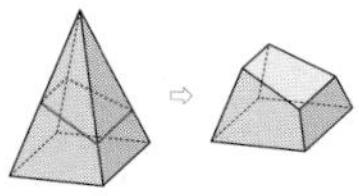

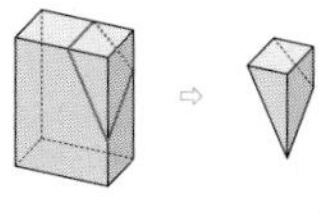

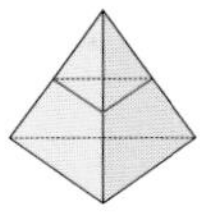

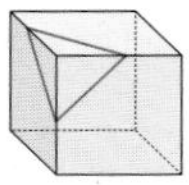

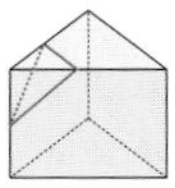

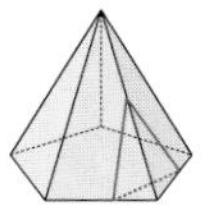

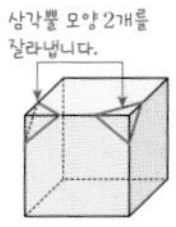

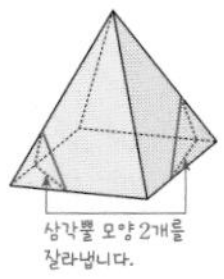

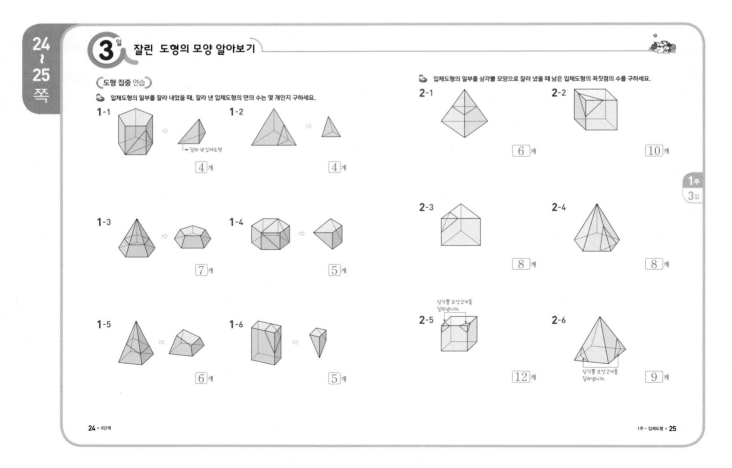

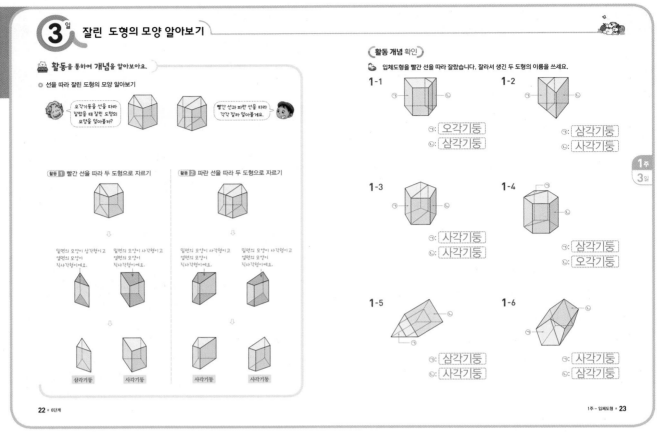

28 ~ 29 쪽

4일 각기둥의 전개도 알아보기

활동을 통하여 개념을 알아보아요.

○ 오각기둥의 옆면에 있는 모양(●)을 전개도에 그려 보기

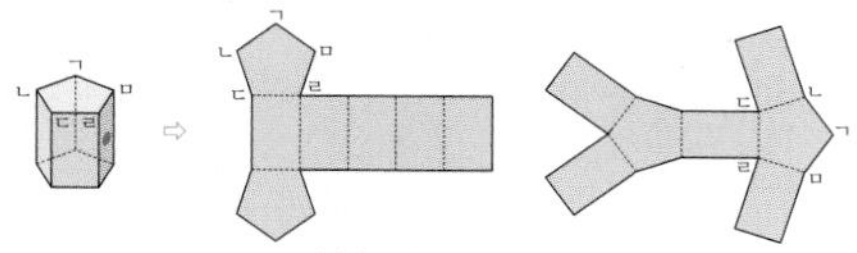

〈전개도 1〉 〈전개도 2〉

활동 1 〈전개도 1〉에 모양(●) 그리기

① 서로 맞닿는 꼭짓점을 찾아 표시해 봅니다.

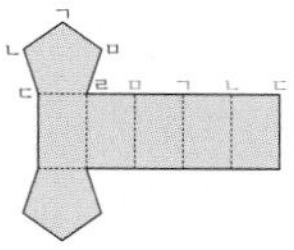

② 선분 ㄹㅁ이 있는 옆면을 찾아 모양(●)을 그립니다.

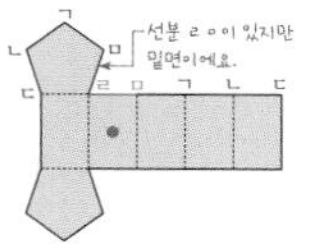
선분 ㄹㅁ이 있지만 밑면이에요.

활동 2 〈전개도 2〉에 모양(●) 그리기

① 서로 맞닿는 꼭짓점을 찾아 표시해 봅니다.

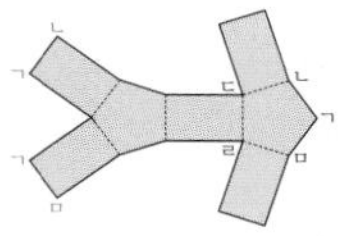

② 선분 ㄹㅁ이 있는 옆면을 찾아 모양(●)을 그립니다.

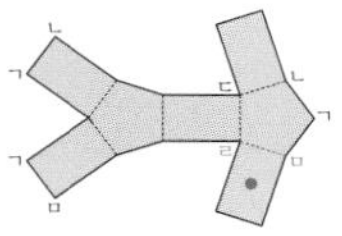

활동 개념 확인

각기둥에 색칠된 빨간색 옆면을 전개도에서 찾아 색칠하세요.

1-1

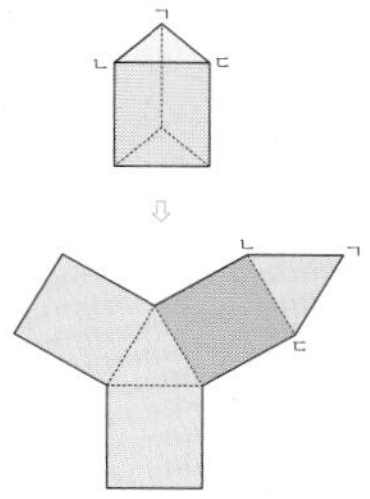

1-2

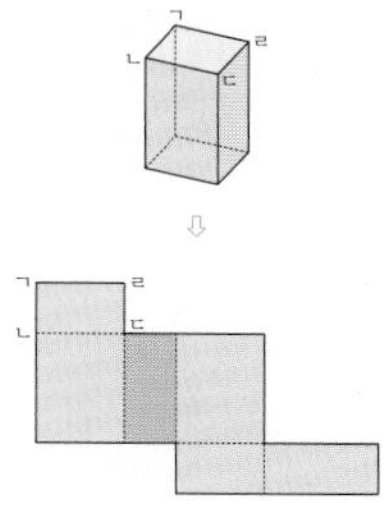

1-3

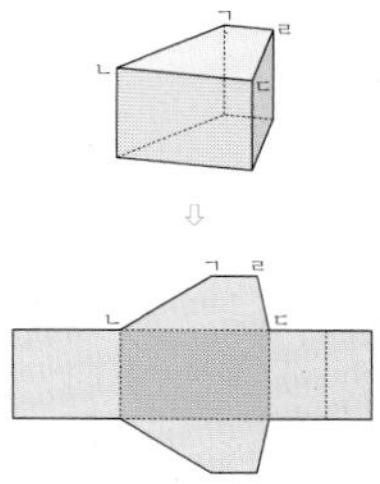

1-4

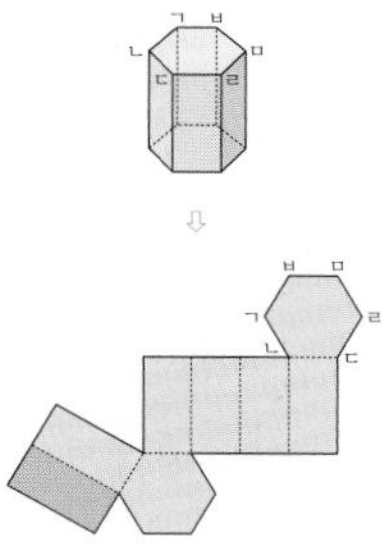

1주 4일

30 ~ 31 쪽

4일 각기둥의 전개도 알아보기

도형 집중 연습

각기둥에 그려진 초록색 선을 전개도에 그려 보세요.

1-1

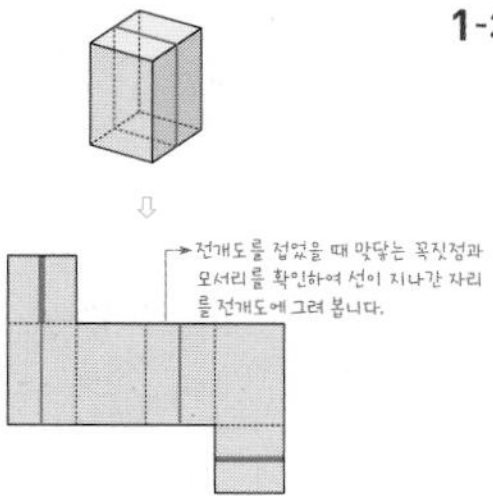
전개도를 접었을 때 맞닿는 꼭짓점과 모서리를 확인하여 선이 지나간 자리를 전개도에 그려 봅니다.

1-2

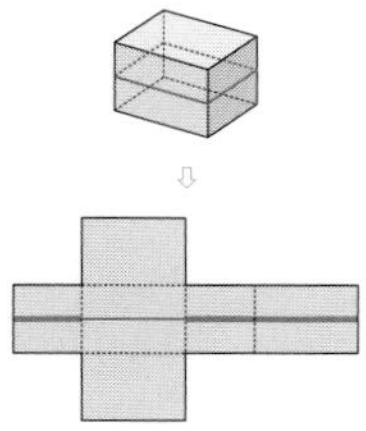

1-3

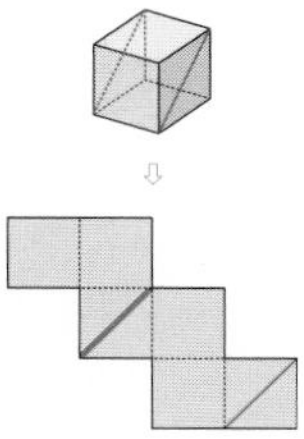

1-4

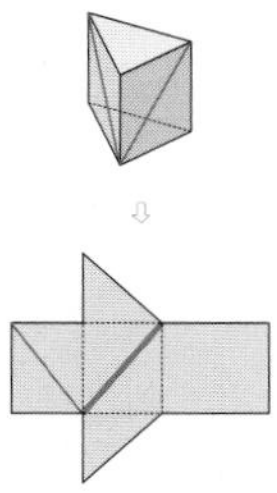

각기둥의 점 ㄱ에서 점 ㄴ까지 옆면을 지나는 초록색 선이 그어져 있습니다. 보기와 같이 초록색 선의 길이가 가장 짧게 되도록 전개도에 그려 보세요.

보기

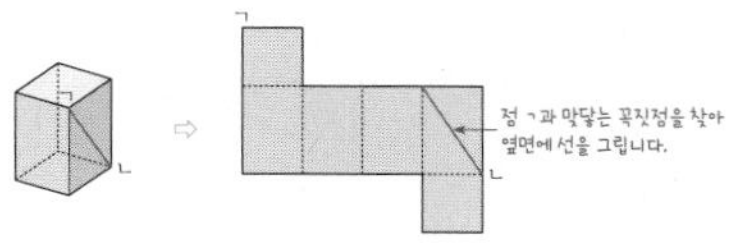
점 ㄱ과 맞닿는 꼭짓점을 찾아 옆면에서 선을 그립니다.

2-1

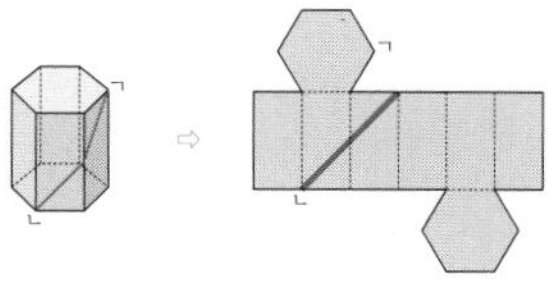

2-2

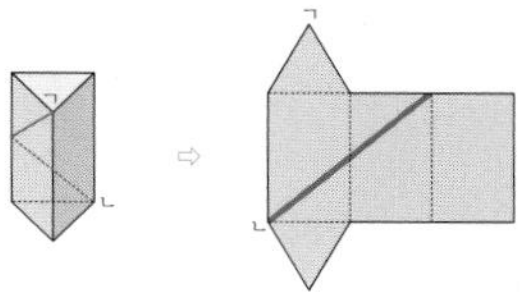

2-3

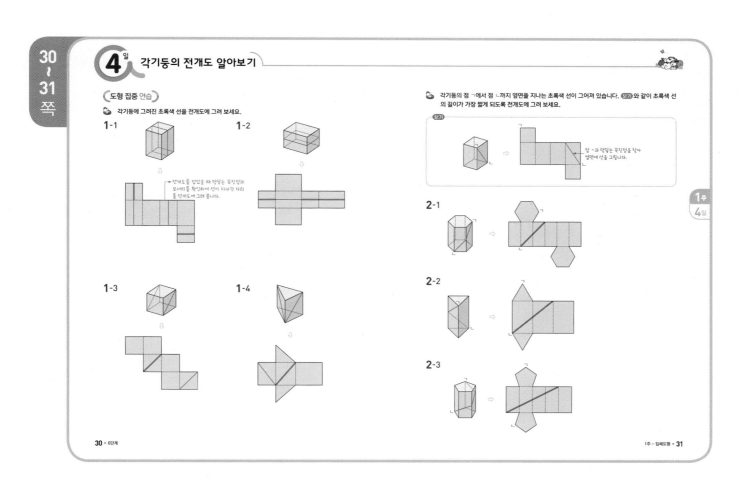

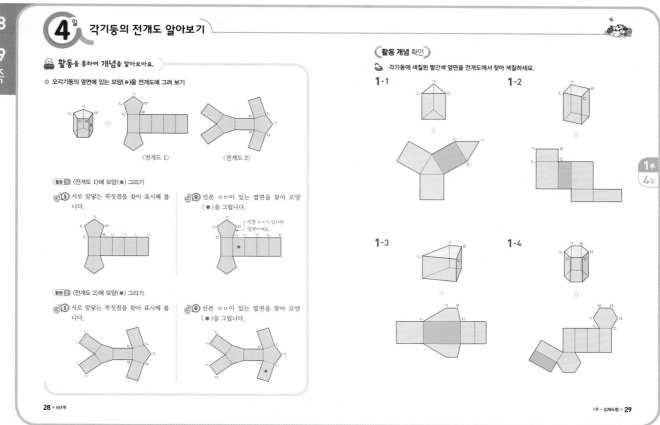

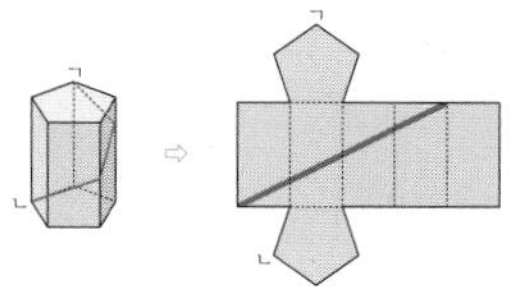

1주 4일

34 ~ 35 쪽

5일 전개도에서 둘레 구하기

활동을 통하여 해결 방법을 알아보아요.

○ 각기둥의 전개도에서 둘레 구하기

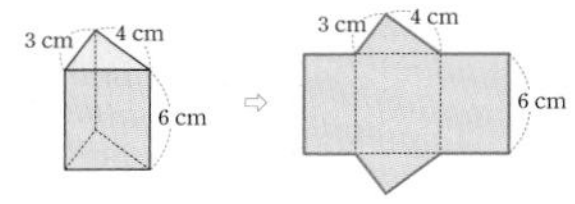

빨간색 테두리의 길이가 각기둥의 전개도의 둘레예요.

① 길이가 같은 선분 알아보기

3 cm, 4 cm, 6 cm인 선분이 각각 몇 개씩인지 세어 봐요.

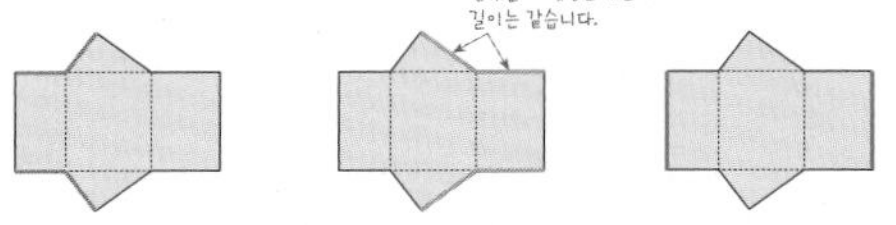

⇨ 3 cm짜리 선분 4개 ⇨ 4 cm짜리 선분 4개 ⇨ 6 cm짜리 선분 2개

② 전개도의 둘레 구하기

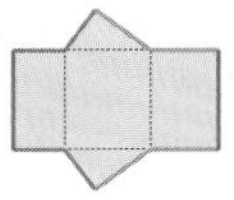

3 cm짜리 선분 4개

⇨ (전개도의 둘레) $=(3\times4)+(4\times4)+(6\times2)$
$=12+16+12=40$ (cm)

해결 방법 확인

각기둥의 전개도의 둘레는 몇 cm인지 구하세요.

1-1

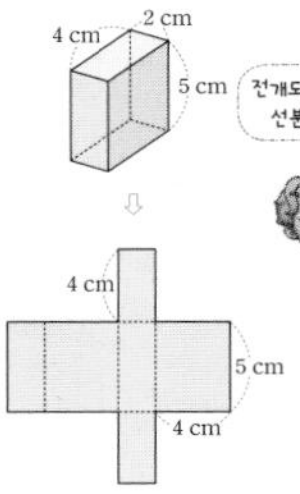

전개도를 접었을 때 맞닿는 선분의 길이는 같아요.

50 cm

1-2

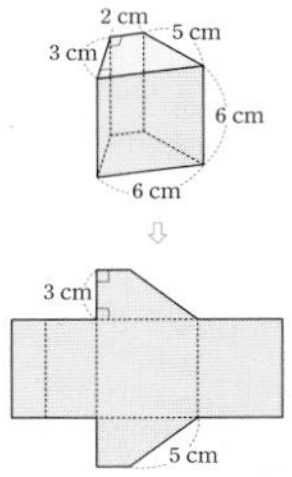

52 cm

1-3

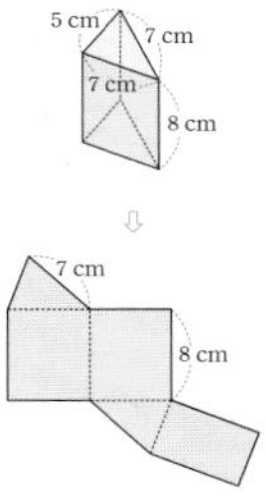

70 cm

1-4

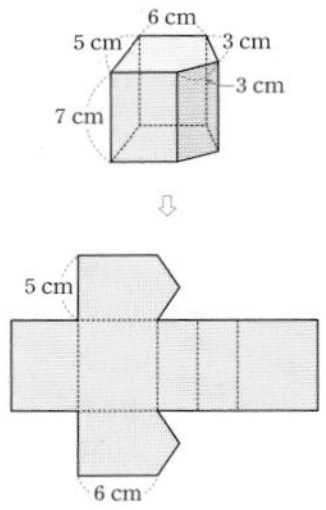

82 cm

1주 5일

36 ~ 37 쪽

5일 전개도에서 둘레 구하기

도형 집중 연습

어떤 각기둥의 옆면만 그린 전개도의 일부분입니다. 전개도를 완성했을 때 전개도의 둘레는 몇 cm인지 구하세요. (단, 옆면은 모두 합동입니다.)

1-1

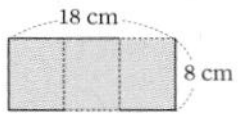

64 cm

옆면이 모두 합동일 때에는 두 밑면의 모양은 정다각형이에요.

1-2

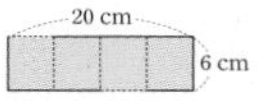

72 cm

1-3

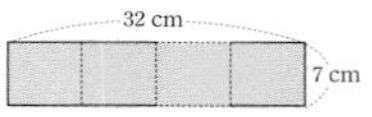

110 cm

1-4

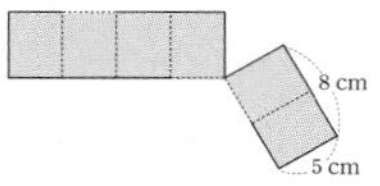

92 cm

1-5

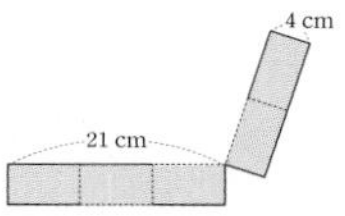

114 cm

주어진 각기둥의 전개도를 완성하고 완성된 전개도의 둘레는 몇 cm인지 구하세요. (단, 각기둥의 밑면은 정다각형입니다.)

2-1

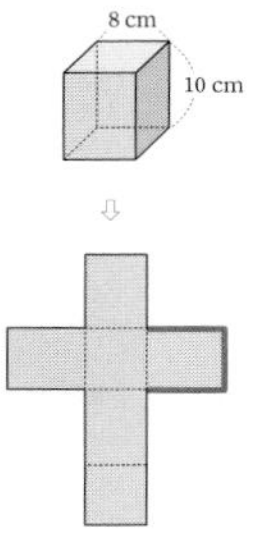

128 cm

2-2

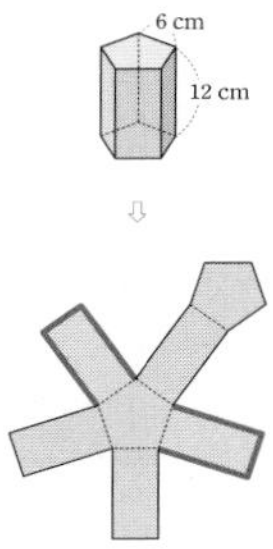

168 cm

2-3

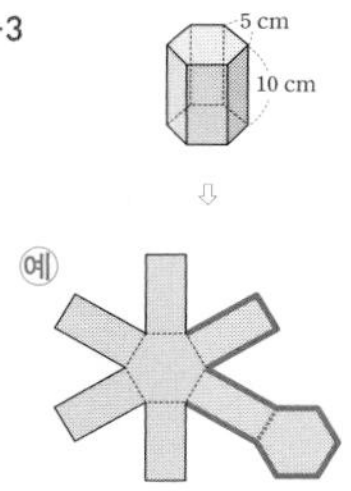

170 cm

2-4

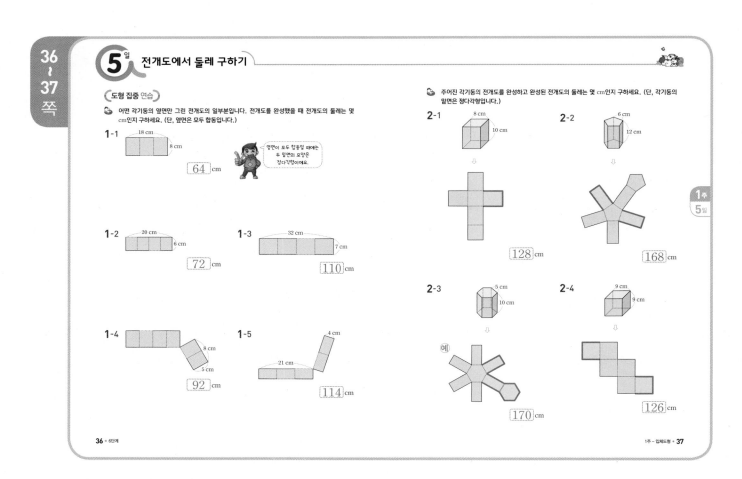

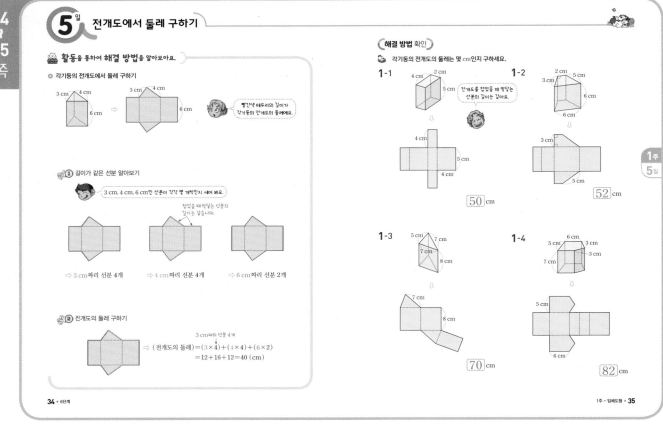

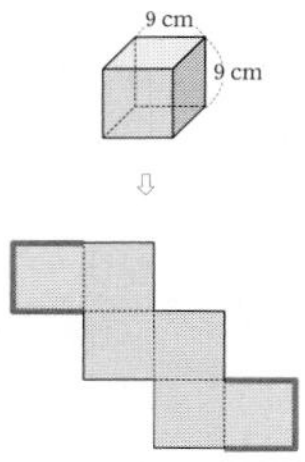

126 cm

1주 5일

38 ~ 39 쪽

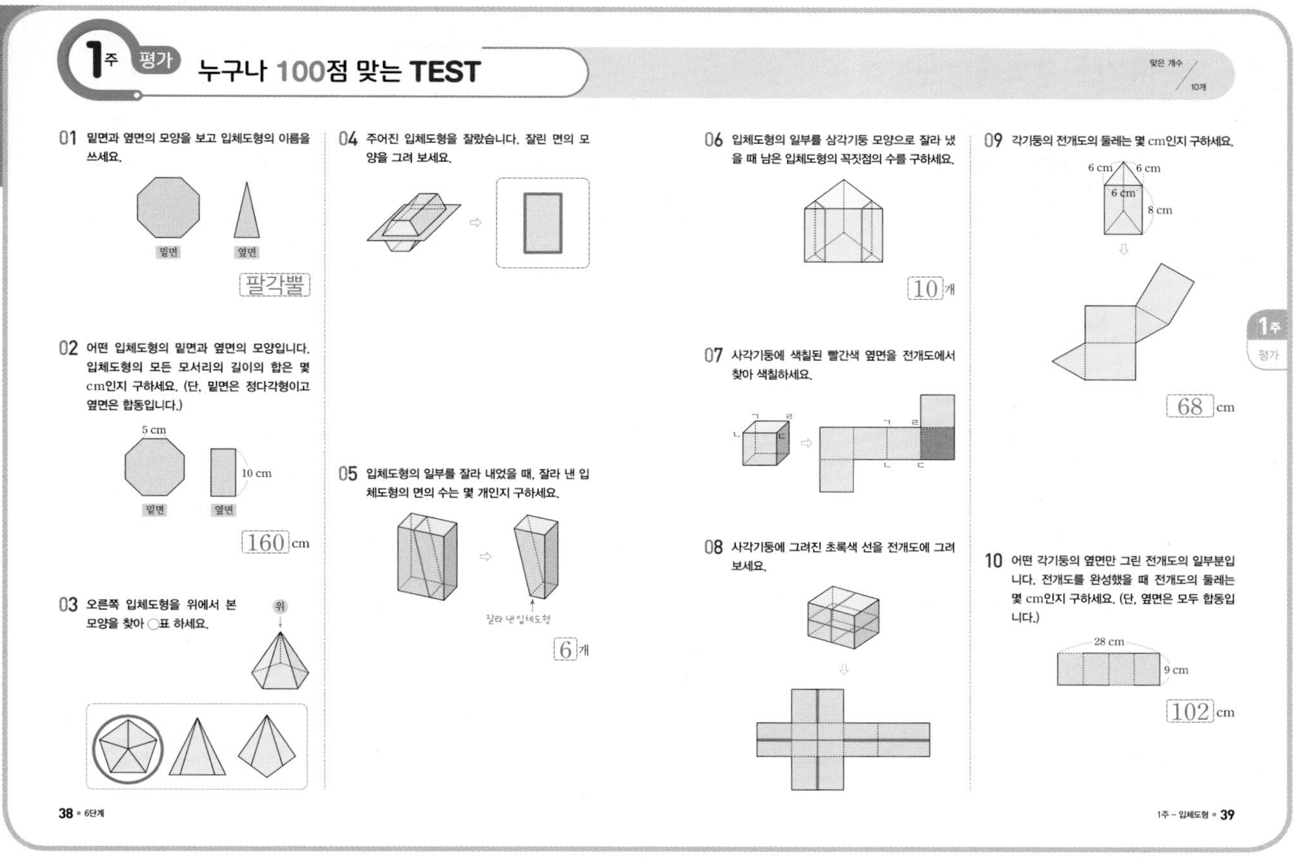
1주 평가 누구나 100점 맞는 TEST

맞은 개수 / 10개

01 밑면과 옆면의 모양을 보고 입체도형의 이름을 쓰세요.

밑면 옆면

팔각뿔

02 어떤 입체도형의 밑면과 옆면의 모양입니다. 입체도형의 모든 모서리의 길이의 합은 몇 cm인지 구하세요. (단, 밑면은 정다각형이고 옆면은 합동입니다.)

5 cm 10 cm 밑면 옆면

160 cm

03 오른쪽 입체도형을 위에서 본 모양을 찾아 ○표 하세요.

위

04 주어진 입체도형을 잘랐습니다. 잘린 면의 모양을 그려 보세요.

05 입체도형의 일부를 잘라 내었을 때, 잘라 낸 입체도형의 면의 수는 몇 개인지 구하세요.

잘라 낸 입체도형

6 개

06 입체도형의 일부를 삼각기둥 모양으로 잘라 냈을 때 남은 입체도형의 꼭짓점의 수를 구하세요.

10 개

07 사각기둥에 색칠된 빨간색 옆면을 전개도에서 찾아 색칠하세요.

ㄱ ㄹ ㄴ ㄷ

08 사각기둥에 그려진 초록색 선을 전개도에 그려 보세요.

09 각기둥의 전개도의 둘레는 몇 cm인지 구하세요.

6 cm 6 cm 6 cm 8 cm

68 cm

10 어떤 각기둥의 옆면만 그린 전개도의 일부분입니다. 전개도를 완성했을 때 전개도의 둘레는 몇 cm인지 구하세요. (단, 옆면은 모두 합동입니다.)

28 cm 9 cm

102 cm

38 ◦ 6단계

1주 – 입체도형 ◦ 39

풀이

01 옆면의 모양은 모두 삼각형이고 밑면의 모양이 팔각형이므로 팔각뿔입니다.

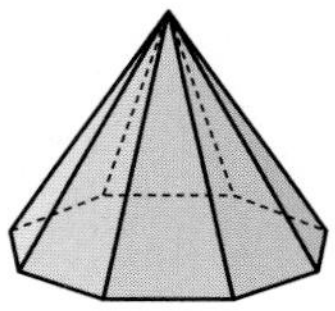

02 옆면의 모양은 모두 직사각형이고 밑면의 모양이 팔각형이므로 팔각기둥입니다.

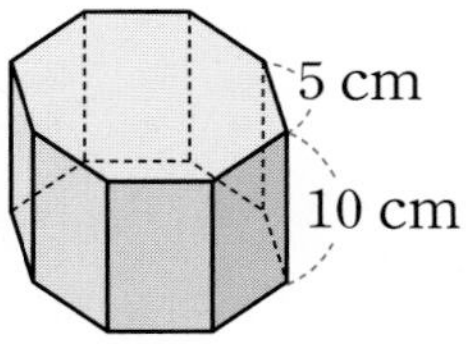

⇨ (모든 모서리의 길이의 합)

$=5\times8\times2+10\times8$

$=80+80=160$ (cm)

09

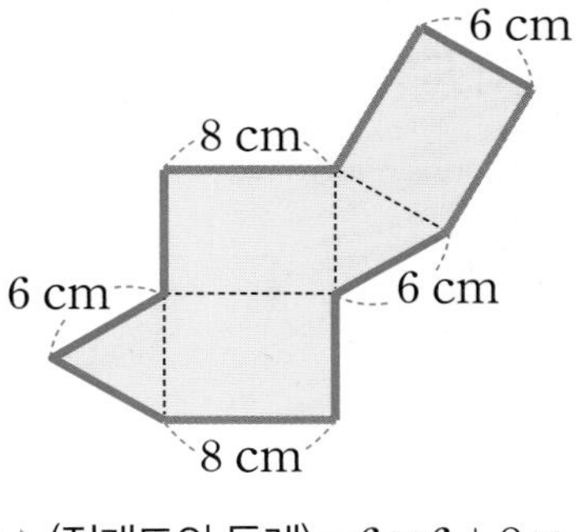

⇨ (전개도의 둘레)$=6\times6+8\times4$

$=36+32=68$ (cm)

10

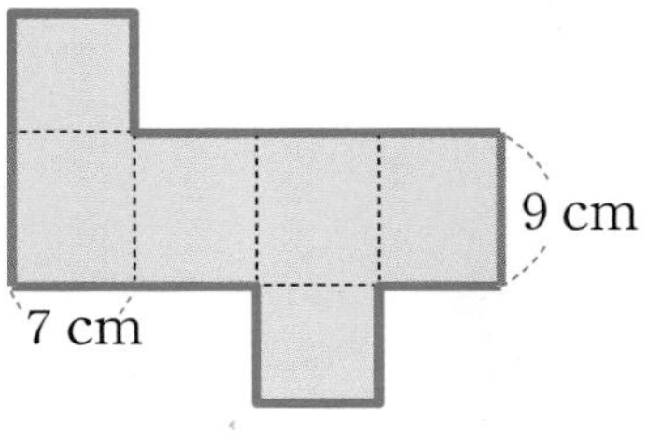

⇨ (전개도의 둘레)$=7\times12+9\times2$

$=84+18=102$ (cm)

42~43쪽

특강 중학 도형 맛보기

◎ 회전체 알아보기

회전문이 빙그르르
회전하면서 원기둥 모양의
입체도형이 되네.

다른 도형도 회전하면 어떤 모양이 생기는지 알아볼까요?

첫째, 직각삼각형, 반원 모양의 종이를 각각 빨대에 붙여요.
둘째, 빨대를 한 바퀴 회전시켜 만들어지는 입체도형을 알아봐요.

속이 비었으니 꽃을 심어 볼까?

⇨ 위와 같이 한 직선을 축으로 1회전 시킬 때 생기는 입체도형을 회전체라고 합니다.

다음 입체도형이 회전체이면 ○표, 회전체가 아니면 ×표 하세요.

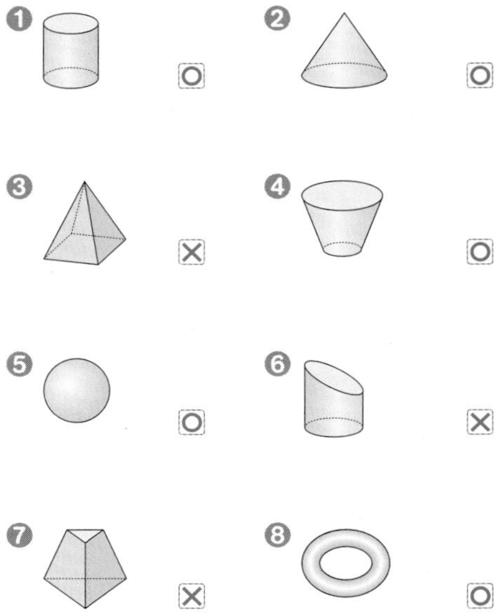

❶ ○ ❷ ○
❸ × ❹ ○
❺ ○ ❻ ×
❼ × ❽ ○

44~45쪽

특강 중학 도형 맛보기

그림자를 한 직선을 축으로 1회전 시켰을 때 생기는 모양을 찾아 선으로 이으세요.

❾

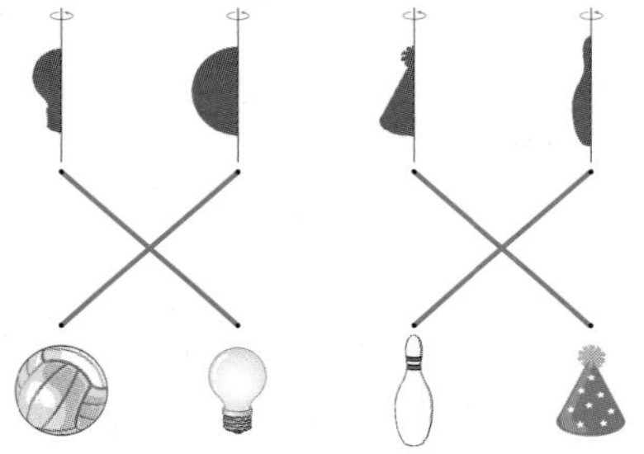

❿

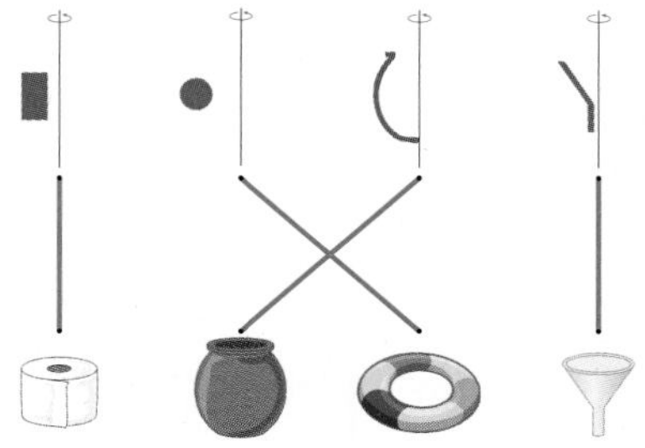

평면도형을 1회전 시켰을 때 만들어지는 입체도형을 그려 보세요.

⓫ ⓬ ⓭ ⓮

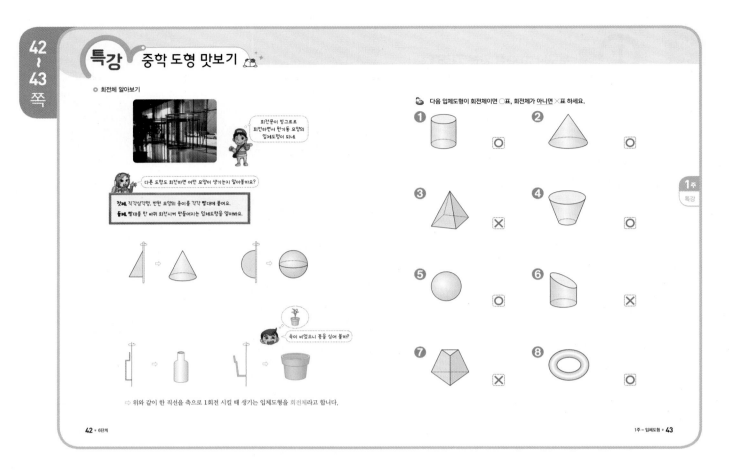

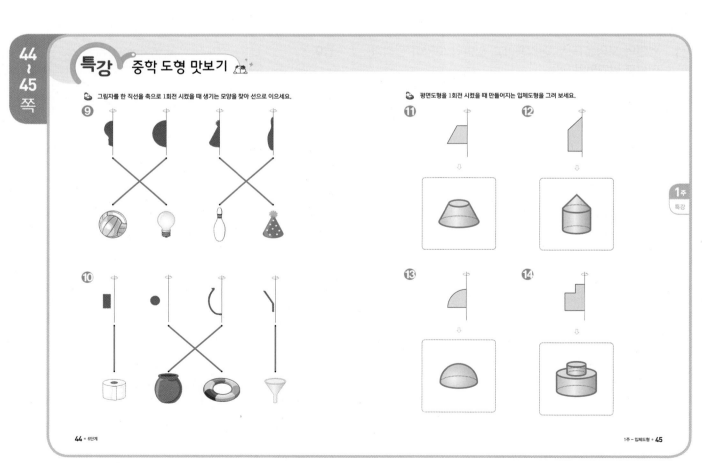

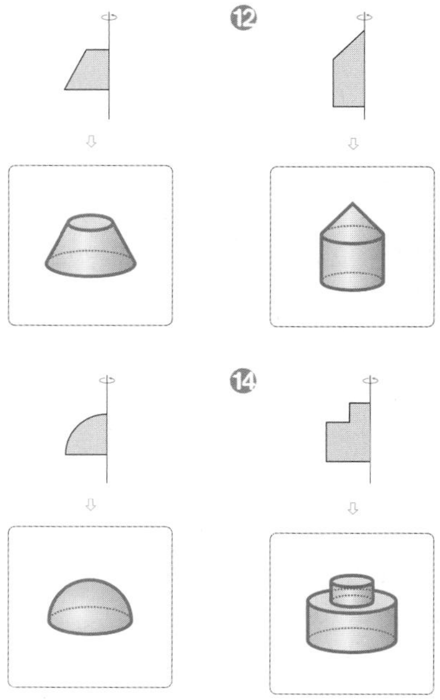

2주 | 원의 둘레와 넓이

48~49쪽

이번 주에는 무엇을 공부할까요? ②

원주 구하기

원의 둘레를 원주라고 해.
원주는 어떻게 잴 수 있어? 자로 재는 거야?
원의 지름을 이용하여 구하면 돼.
(원주율)=(원주)÷(지름)
(원주)=(지름)×(원주율)

원의 넓이 구하기

원을 잘라서 이어 붙이면 직사각형에 가까워지므로 원의 넓이를 구할 수 있다.
원을 한없이 자를수록 직사각형에 더 가까워진다는 거네.
더 잘게 더 잘게…….
(원주)×$\frac{1}{2}$
반지름
(원의 넓이)=(반지름)×(반지름)×(원주율)

동전의 원주는 몇 mm인지 구하세요. (원주율: 3)

1-1

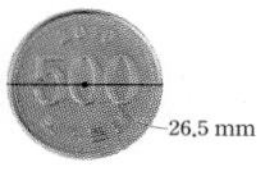

26.5 mm

79.5 mm
→ 26.5×3

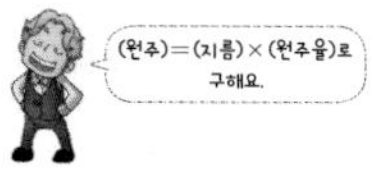

(원주)=(지름)×(원주율)로 구해요.

1-2

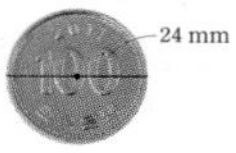

24 mm

72 mm

1-3

21.6 mm

64.8 mm

1-4

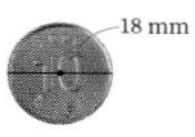

18 mm

54 mm

원의 넓이는 몇 cm^2인지 구하세요. (원주율: 3.1)

2-1

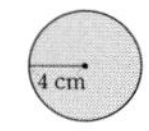

4 cm

49.6 cm^2
→ 4×4×3.1

2-2

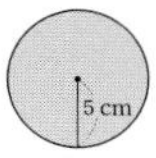

5 cm

77.5 cm^2

2-3

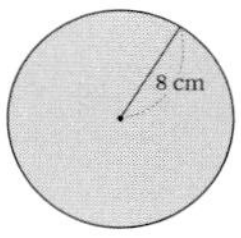

8 cm

198.4 cm^2

2-4

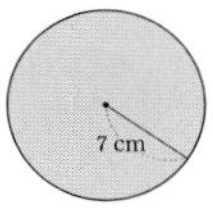

7 cm

151.9 cm^2

52~53쪽

1일 원을 이용하여 길이 구하기

활동을 통하여 해결 방법을 알아보아요.

색칠한 부분의 둘레 구하기 (원주율: 3.14)

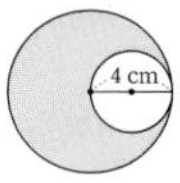

4 cm

참고
(원주)=(지름)×(원주율)

순서 1 색칠한 부분의 둘레 알아보기

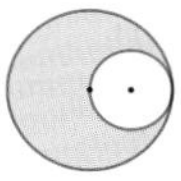

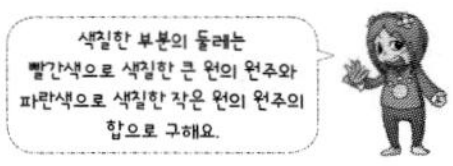

색칠한 부분의 둘레는 빨간색으로 색칠한 큰 원의 원주와 파란색으로 색칠한 작은 원의 원주의 합으로 구해요.

순서 2 큰 원과 작은 원의 원주 구하기

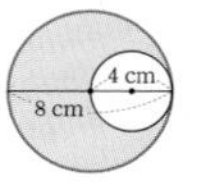

4 cm
8 cm

(큰 원의 원주)=(지름)×(원주율)
=8×3.14
=25.12 (cm)

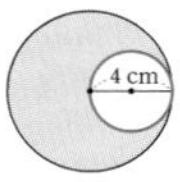

4 cm

(작은 원의 원주)=(지름)×(원주율)
=4×3.14
=12.56 (cm)

순서 3 색칠한 부분의 둘레 구하기

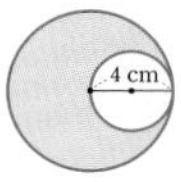

4 cm

(색칠한 부분의 둘레)=(큰 원의 원주)+(작은 원의 원주)
=25.12+12.56
=37.68 (cm)

해결 방법 확인

색칠한 부분의 둘레는 몇 cm인지 구하세요. (원주율: 3)

1-1

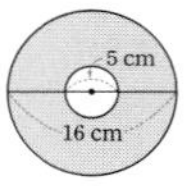

5 cm
16 cm

63 cm

1-2

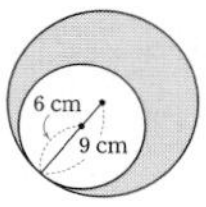

6 cm
9 cm

90 cm

1-3

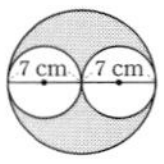

7 cm
7 cm

84 cm

1-4

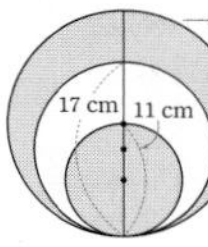

17 cm
11 cm

→ 큰 원, 중간 원, 작은 원의 원주의 합을 구합니다.

150 cm

1-5

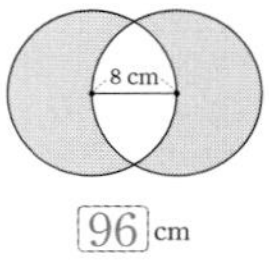

8 cm

96 cm

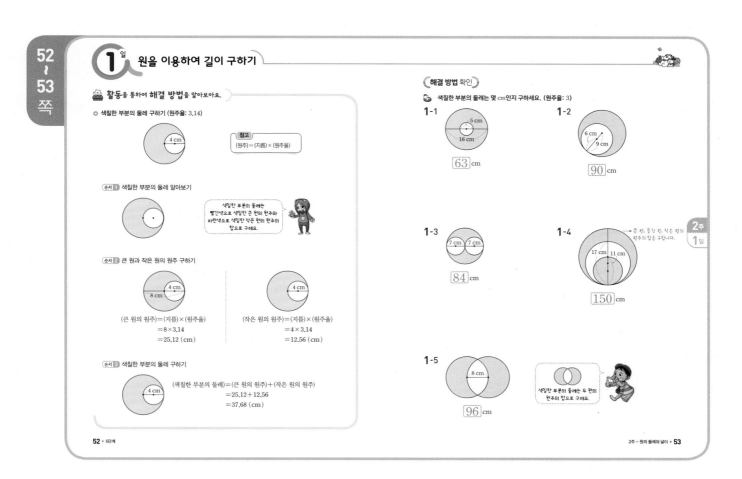

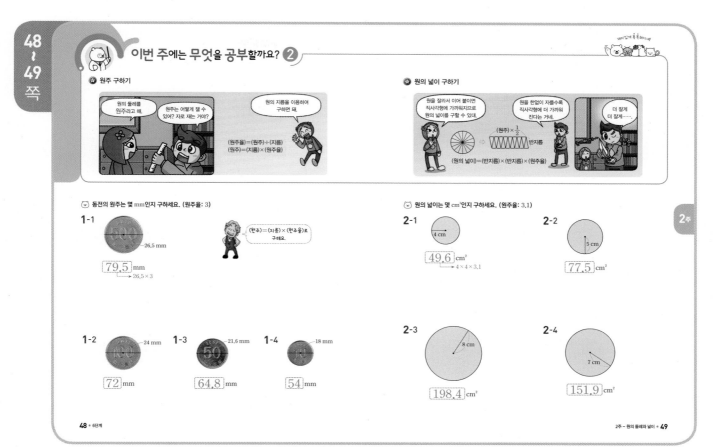

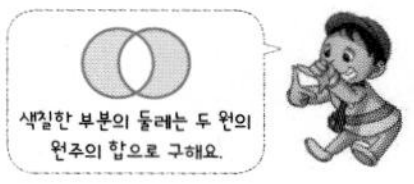

색칠한 부분의 둘레는 두 원의 원주의 합으로 구해요.

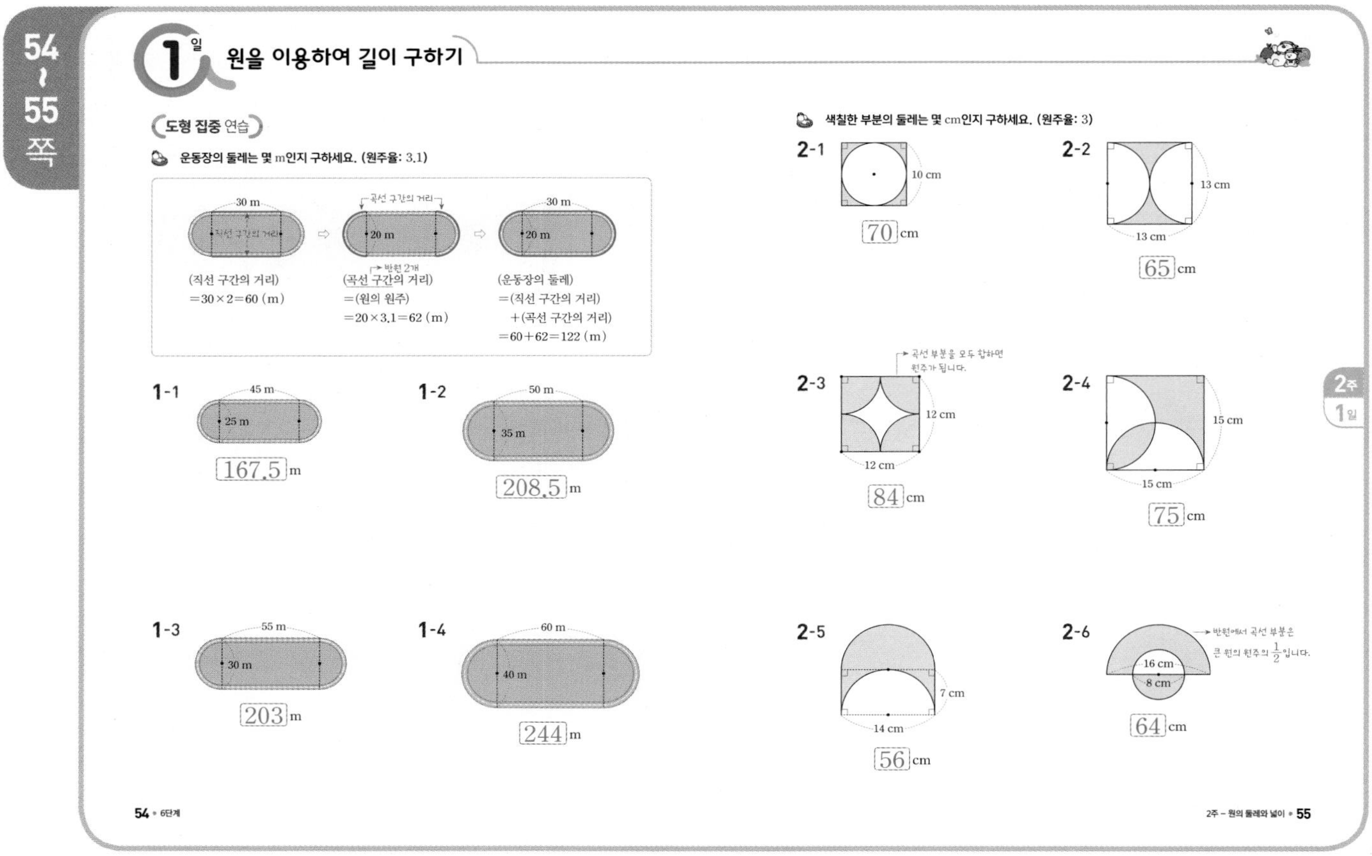

1일 원을 이용하여 길이 구하기

도형 집중 연습

운동장의 둘레는 몇 m인지 구하세요. (원주율: 3.1)

(직선 구간의 거리)
=30×2=60 (m)

(곡선 구간의 거리)
=(원의 원주)
=20×3.1=62 (m)

(운동장의 둘레)
=(직선 구간의 거리)
+(곡선 구간의 거리)
=60+62=122 (m)

1-1 167.5 m

1-2 208.5 m

1-3 203 m

1-4 244 m

색칠한 부분의 둘레는 몇 cm인지 구하세요. (원주율: 3)

2-1 70 cm

2-2 65 cm

2-3 84 cm

2-4 75 cm

2-5 56 cm

2-6 64 cm

풀이

1-1 (직선 구간의 거리)=45×2=90 (m)
(곡선 구간의 거리)=25×3.1=77.5 (m)
⇨ (운동장의 둘레)=90+77.5=167.5 (m)

1-3 (직선 구간의 거리)=55×2=110 (m)
(곡선 구간의 거리)=30×3.1=93 (m)
⇨ (운동장의 둘레)=110+93=203 (m)

1-4 (직선 구간의 거리)=60×2=120 (m)
(곡선 구간의 거리)=40×3.1=124 (m)
⇨ (운동장의 둘레)=120+124=244 (m)

2-2

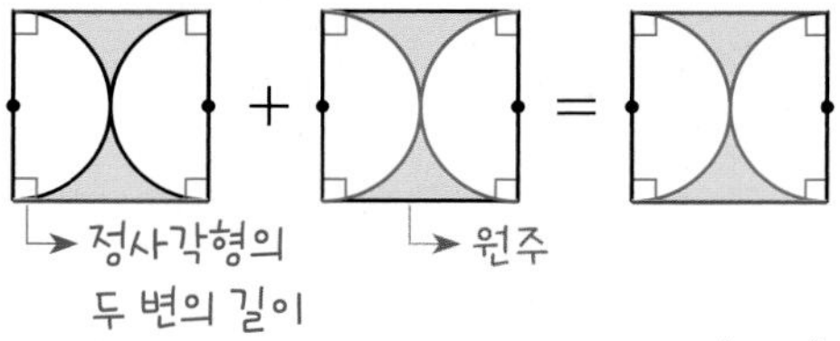

정사각형의 두 변의 길이 + 원주
⇨ 13×2+13×3=26+39=65 (cm)

2-3

정사각형의 네 변의 길이 + 원주
⇨ 12×4+12×3=48+36=84 (cm)

2-4

정사각형의 두 변의 길이 + 원주
⇨ 15×2+15×3=30+45=75 (cm)

2-5

직사각형의 세로의 2배 + 원주
⇨ 7×2+14×3=14+42=56 (cm)

2-6

큰 반원의 지름 + 작은 원의 원주와 큰 반원에서 곡선 부분
⇨ $16+8×3+16×3×\frac{1}{2}$
$=16+24+24=64$ (cm)

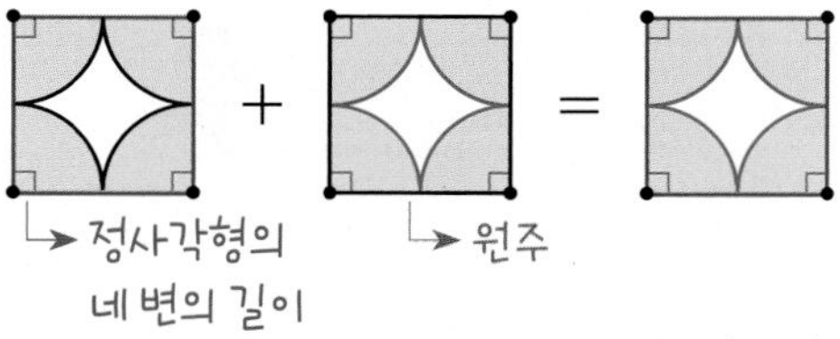

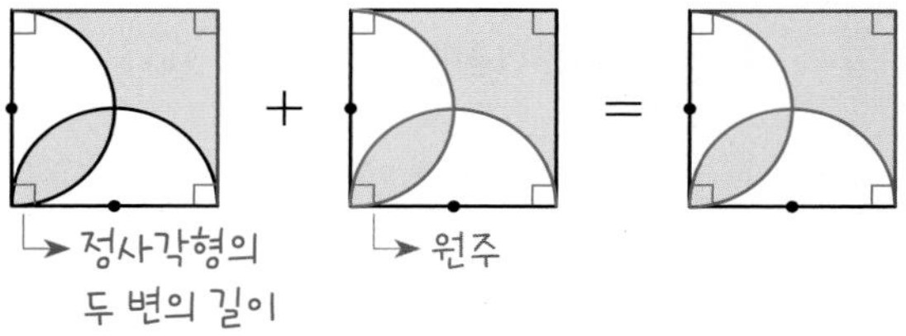

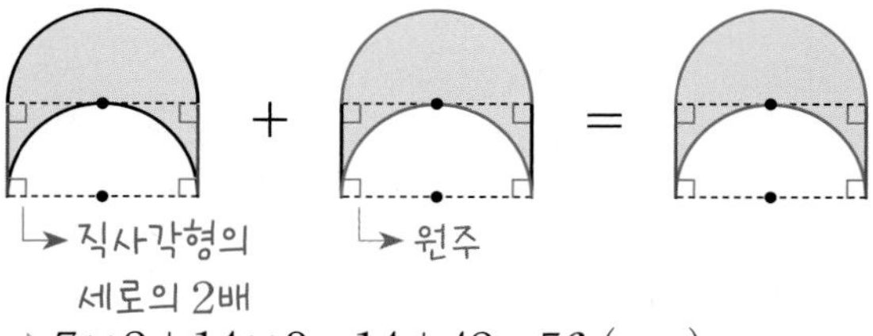

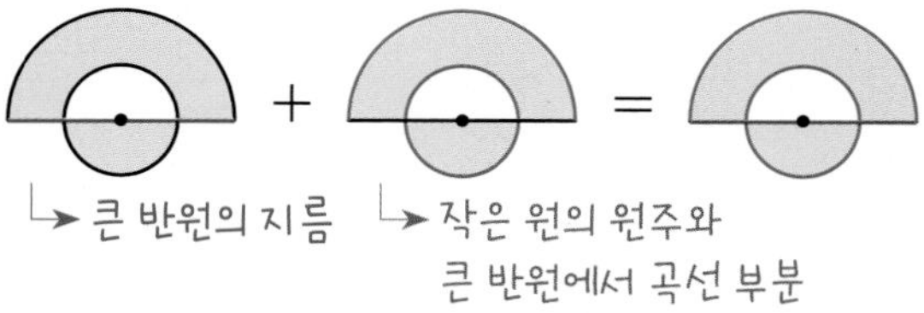

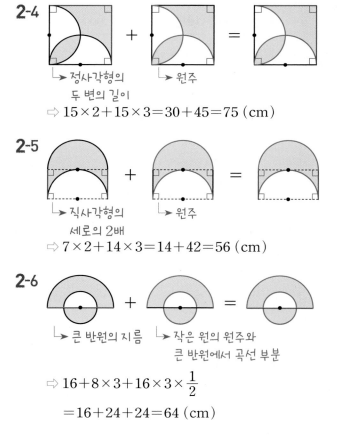

58 ~ 59 쪽

2일 원을 이용하여 넓이 구하기

활동을 통하여 해결 방법을 알아보아요.

◎ 직사각형 모양의 종이에서 원을 잘라내고 남은 넓이 구하기 (원주율: 3.14)

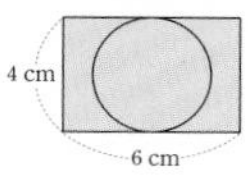

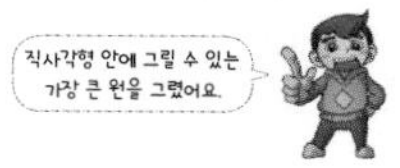

순서 1 원을 잘라내고 남은 부분 알아보기

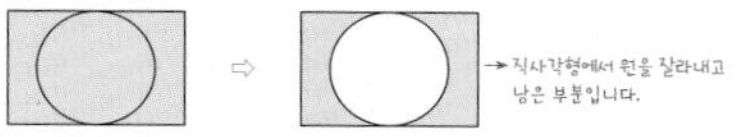

⇨ 남은 부분의 넓이는 직사각형의 넓이에서 원의 넓이를 뺀 것과 같습니다.

순서 2 직사각형과 원의 넓이 구하기

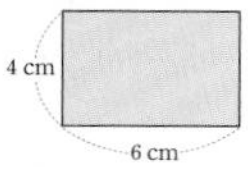

(직사각형의 넓이)=(가로)×(세로)
=6×4
=24 (cm²)

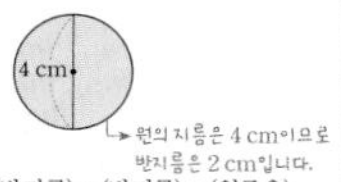

(원의 넓이)=(반지름)×(반지름)×(원주율)
=2×2×3.14
=12.56 (cm²)

순서 3 원을 잘라내고 남은 부분의 넓이 구하기

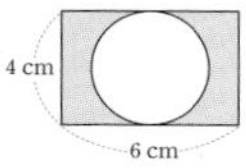

(남은 부분의 넓이)=(직사각형의 넓이)−(원의 넓이)
=24−12.56
=11.44 (cm²)

해결 방법 확인

직사각형에 그릴 수 있는 가장 큰 원을 그린 것입니다. 원을 잘라냈을 때 남은 부분의 넓이는 몇 cm² 인지 구하세요. (원주율: 3.1)

1-1

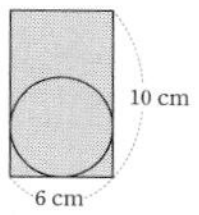

32.1 cm²
→ (직사각형의 넓이)−(원의 넓이)

1-2

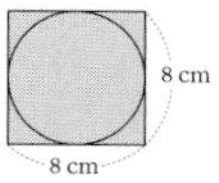

14.4 cm²
→ (정사각형의 넓이)−(원의 넓이)

2주 2일

직사각형에 그릴 수 있는 가장 큰 원을 그려 잘라냈을 때 남은 부분의 넓이는 몇 cm²인지 구하세요. (원주율: 3)

2-1

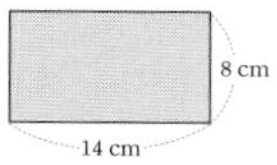

64 cm²

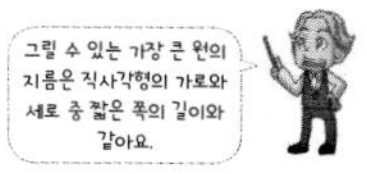

2-2

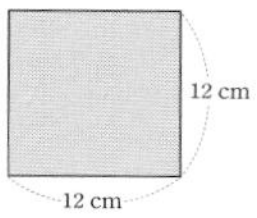

36 cm²

2-3

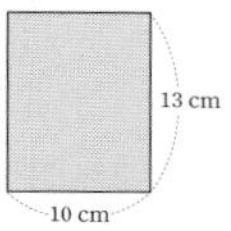

55 cm²

60 ~ 61 쪽

2일 원을 이용하여 넓이 구하기

도형 집중 연습

색칠한 부분의 넓이는 몇 cm²인지 구하세요. (원주율: 3)

1-1

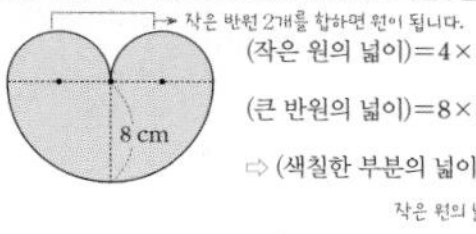

(작은 원의 넓이)=4×4×3=48 (cm²)
(큰 반원의 넓이)=8×8×3×$\frac{1}{2}$=96 (cm²)
⇨ (색칠한 부분의 넓이)=48+96=144 (cm²)
작은 원의 넓이 / 큰 반원의 넓이

1-2

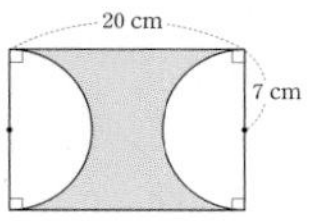

(직사각형의 넓이)=20×14=280 (cm²)
(원의 넓이)=7×7×3=147 (cm²)
⇨ (색칠한 부분의 넓이)
=280−147=133 (cm²)
직사각형의 넓이 / 원의 넓이

1-3

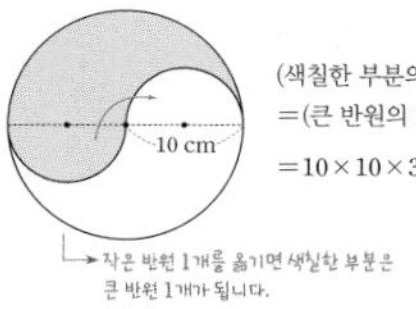

(색칠한 부분의 넓이)
=(큰 반원의 넓이)
=10×10×3×$\frac{1}{2}$=150 (cm²)

색칠한 부분의 넓이는 몇 cm²인지 구하세요. (원주율: 3)

2-1

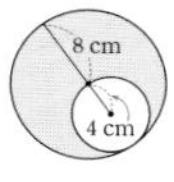

144 cm²

2-2

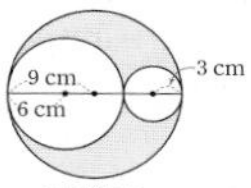

108 cm²

2-3

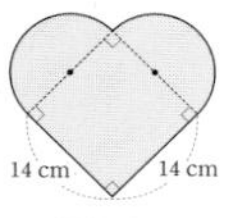

343 cm²

2-4

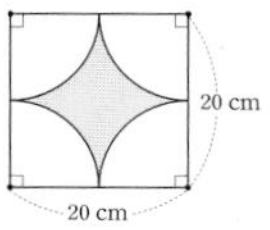

100 cm²

2주 2일

2-5

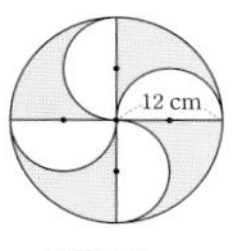

216 cm²

2-6

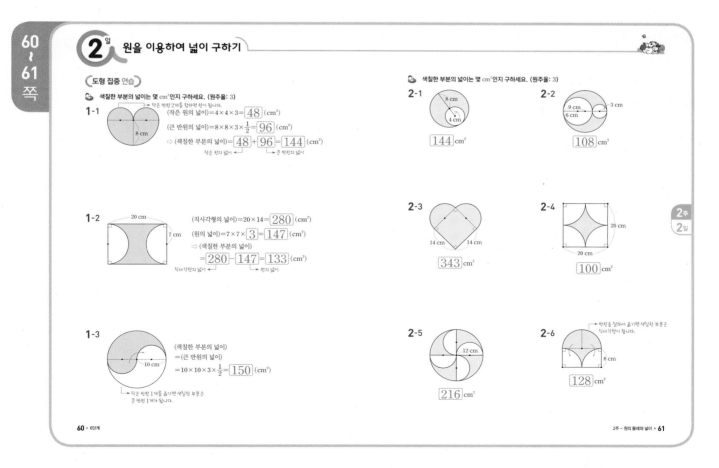

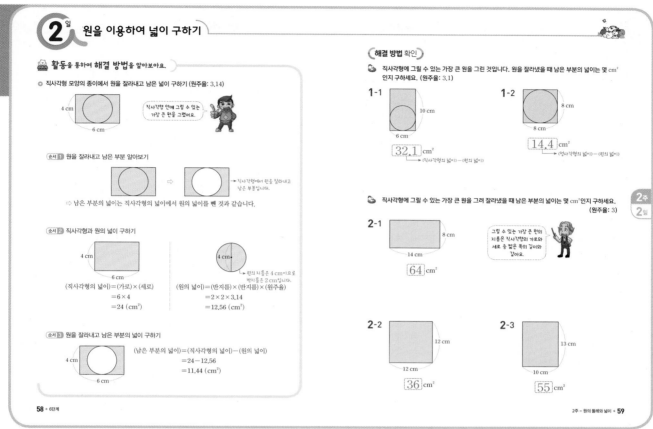

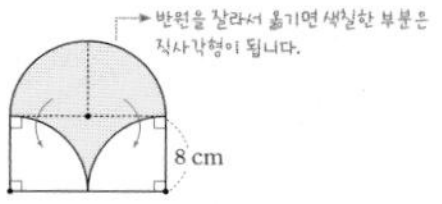

128 cm²

64 ~ 65 쪽

3일 원이 굴러간 거리와 넓이 구하기

활동을 통하여 개념을 알아보아요.

- 원이 굴러간 거리 구하기 (원주율: 3.14)

순서 1 원이 한 바퀴 굴러간 거리 알아보기

⇨ 원이 한 방향으로 한 바퀴 굴러간 거리는 원의 원주와 같습니다.

순서 2 원이 한 바퀴 굴러간 거리는 몇 cm인지 구하기

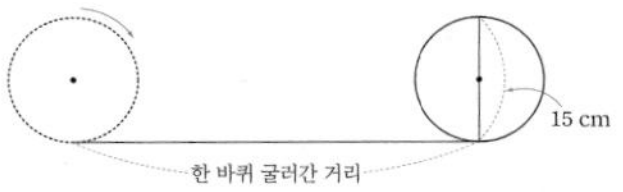

⇨ (원이 한 바퀴 굴러간 거리)=(원의 원주)
=15×3.14=47.1 (cm)

개념 짚어 보기

- 원이 한 방향으로 한 바퀴 굴러간 거리는 원의 원주와 같습니다.
- 원이 한 방향으로 ■바퀴 굴러간 거리는 원의 원주의 ■배와 같습니다.

활동 개념 확인

원을 한 방향으로 굴린 바퀴 수입니다. 원이 굴러간 거리는 몇 cm인지 구하세요. (원주율: 3.1)

1-1

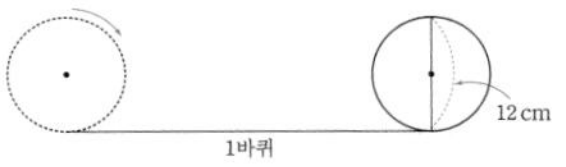

37.2 cm

1-2

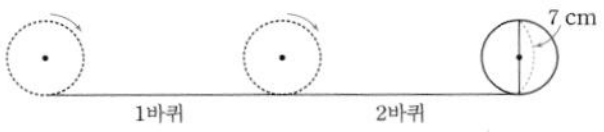

43.4 cm

1-3

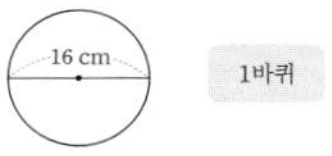

1바퀴

49.6 cm

1-4

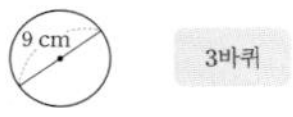

3바퀴

83.7 cm

1-5

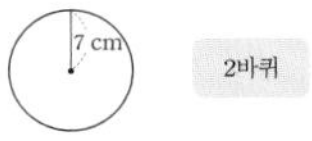

2바퀴

86.8 cm

1-6

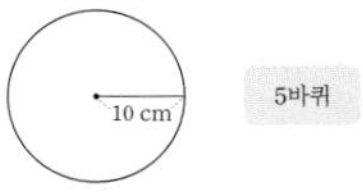

5바퀴

310 cm

66 ~ 67 쪽

3일 원이 굴러간 거리와 넓이 구하기

도형 집중 연습

원을 한 방향으로 한 바퀴 굴려 이동했습니다. 원이 지나간 부분의 넓이는 몇 cm^2인지 구하세요. (원주율: 3)

1-1

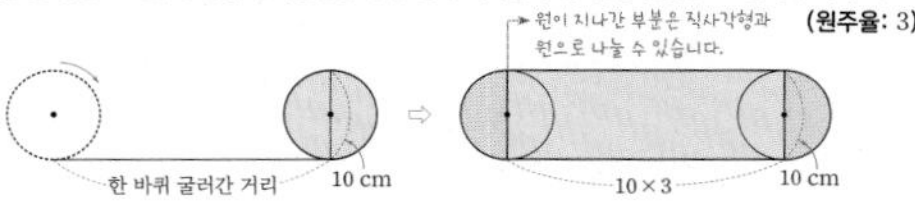

(직사각형의 넓이)=(10×3)×10=300 (cm^2) (원의 원주)

(원의 넓이)=5×5×3=75 (cm^2)

⇨ (원이 지나간 부분의 넓이)=300+75=375 (cm^2)
(직사각형의 넓이, 원의 넓이)

1-2

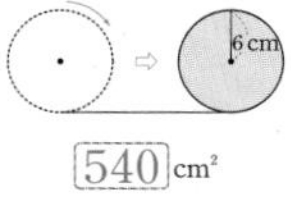

540 cm^2

1-3

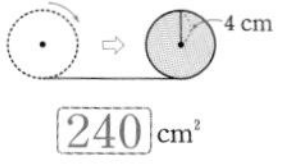

240 cm^2

1-4

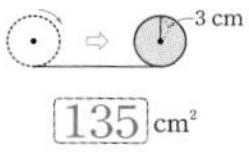

135 cm^2

1-5

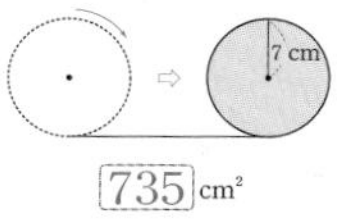

735 cm^2

주어진 원의 둘레를 따라 노란색 원을 굴려 이동했습니다. 노란색 원이 지나간 부분의 넓이는 몇 cm^2인지 구하세요. (원주율: 3)

2-1

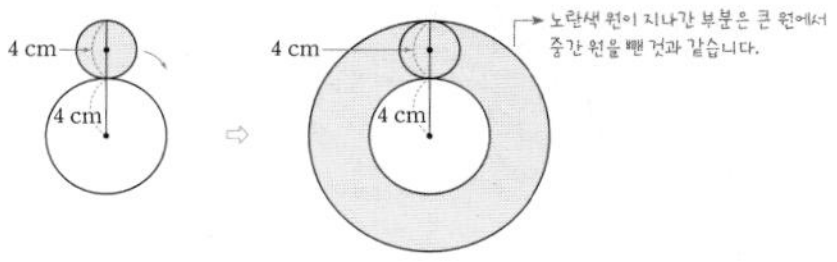

(큰 원의 넓이)=8×8×3=192 (cm^2)

(중간 원의 넓이)=4×4×3=48 (cm^2)

⇨ (노란색 원이 지나간 부분의 넓이)=192−48=144 (cm^2)
(큰 원의 넓이, 중간 원의 넓이)

2-2

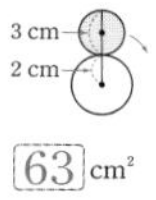

63 cm^2

2-3

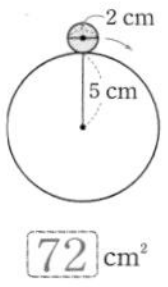

72 cm^2

2-4

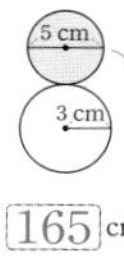

165 cm^2

2-5

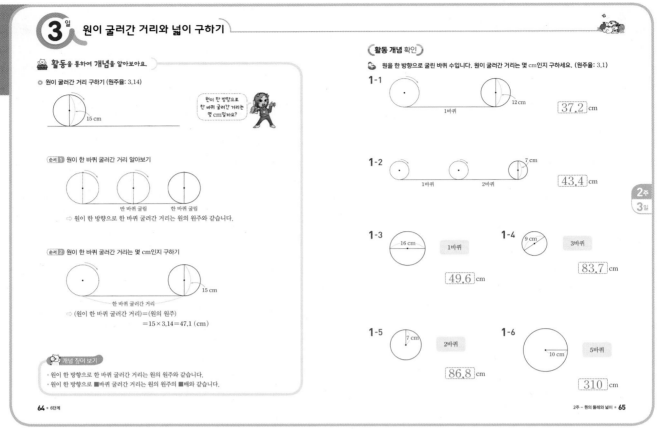

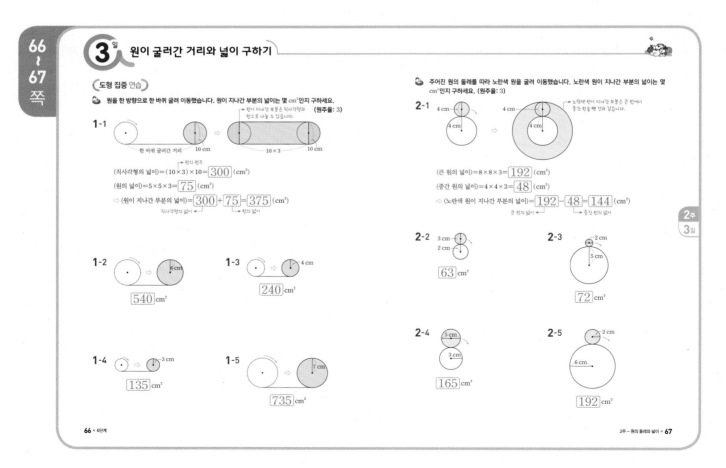

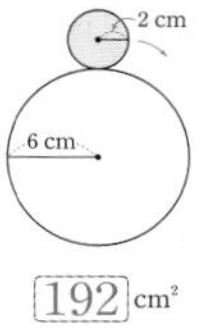

192 cm^2

70 ~ 71 쪽

4일 사용한 끈의 길이 구하기

활동을 통하여 해결 방법을 알아보아요.

○ 크기가 같은 원기둥 모양의 통조림통을 끈으로 1바퀴 돌려 묶었을 때 사용한 끈의 길이 구하기 (원주율: 3.14)

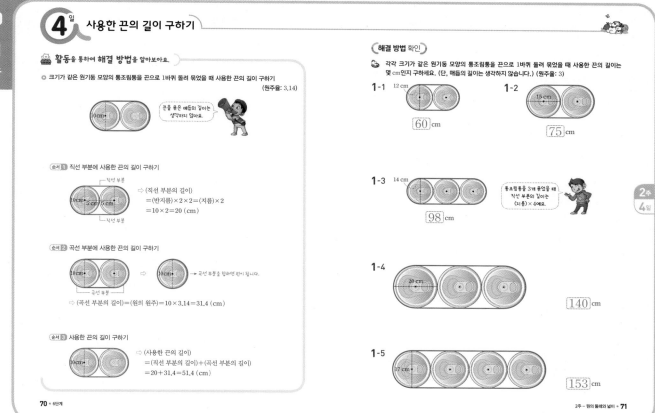

순서 1 직선 부분에 사용한 끈의 길이 구하기

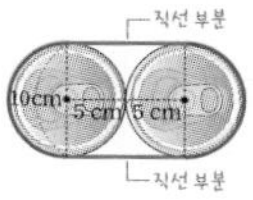

⇨ (직선 부분의 길이)
=(반지름)×2×2=(지름)×2
=10×2=20 (cm)

순서 2 곡선 부분에 사용한 끈의 길이 구하기

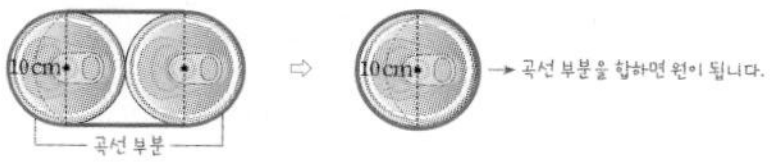

⇨ (곡선 부분의 길이)=(원의 원주)=10×3.14=31.4 (cm)

순서 3 사용한 끈의 길이 구하기

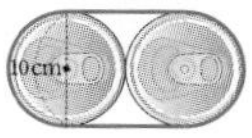

⇨ (사용한 끈의 길이)
=(직선 부분의 길이)+(곡선 부분의 길이)
=20+31.4=51.4 (cm)

해결 방법 확인

각각 크기가 같은 원기둥 모양의 통조림통을 끈으로 1바퀴 돌려 묶었을 때 사용한 끈의 길이는 몇 cm인지 구하세요. (단, 매듭의 길이는 생각하지 않습니다.) (원주율: 3)

1-1
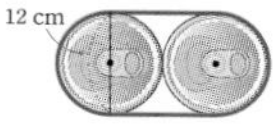

60 cm

1-2
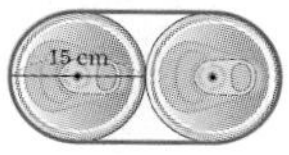

75 cm

1-3

98 cm

1-4
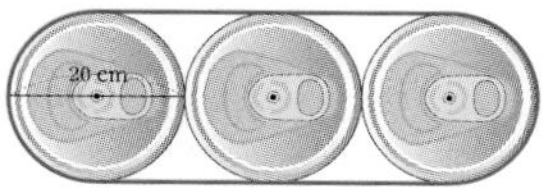

140 cm

1-5
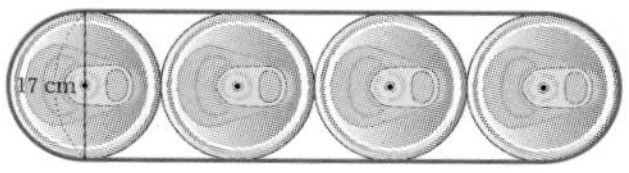

153 cm

72 ~ 73 쪽

4일 사용한 끈의 길이 구하기

도형 집중 연습

보기 와 같이 크기가 같은 원기둥을 각각 끈으로 1바퀴 돌려 묶었을 때 사용한 끈의 길이는 몇 cm인지 구하세요. (단, 매듭의 길이는 생각하지 않습니다.) (원주율: 3)

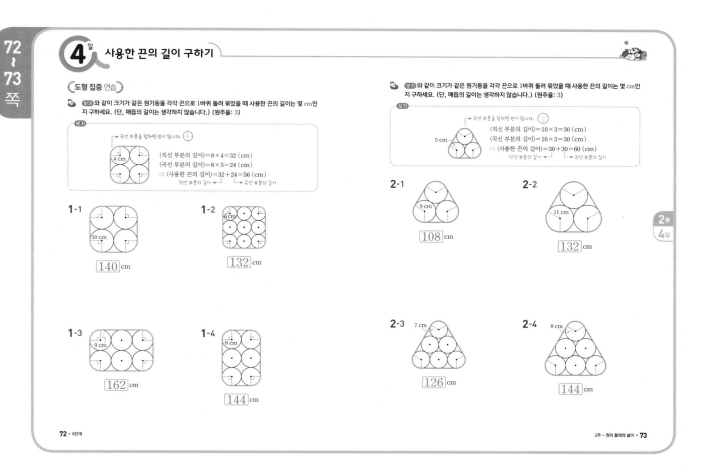

보기

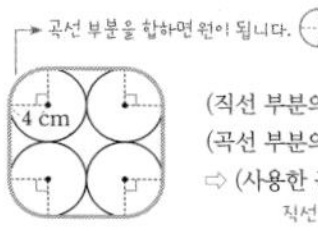

(직선 부분의 길이)=8×4=32 (cm)
(곡선 부분의 길이)=8×3=24 (cm)
⇨ (사용한 끈의 길이)=32+24=56 (cm)
직선 부분의 길이 / 곡선 부분의 길이

1-1
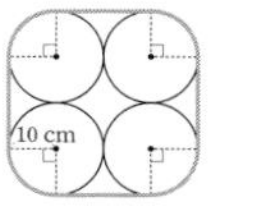

140 cm

1-2
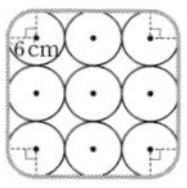

132 cm

1-3
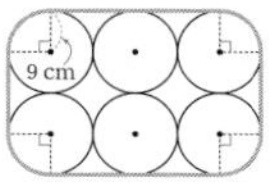

162 cm

1-4
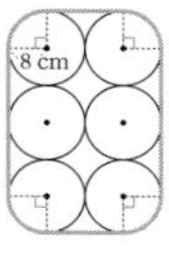

144 cm

보기 와 같이 크기가 같은 원기둥을 각각 끈으로 1바퀴 돌려 묶었을 때 사용한 끈의 길이는 몇 cm인지 구하세요. (단, 매듭의 길이는 생각하지 않습니다.) (원주율: 3)

보기

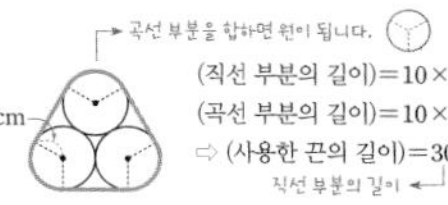

(직선 부분의 길이)=10×3=30 (cm)
(곡선 부분의 길이)=10×3=30 (cm)
⇨ (사용한 끈의 길이)=30+30=60 (cm)
직선 부분의 길이 / 곡선 부분의 길이

2-1
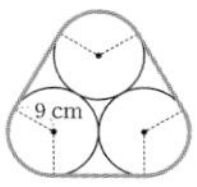

108 cm

2-2
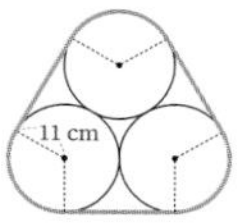

132 cm

2-3
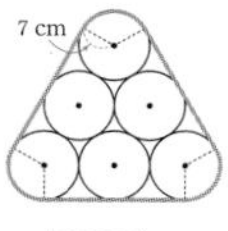

126 cm

2-4
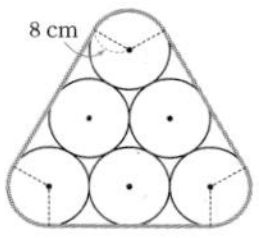

144 cm

76~77쪽

5일 움직일 수 있는 부분의 넓이 구하기

활동을 통하여 해결 방법을 알아보아요.

- 염소가 움직일 수 있는 부분의 넓이 구하기 (원주율: 3.14)

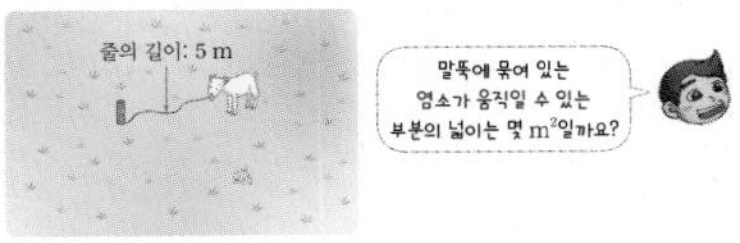

줄의 길이: 5 m
말뚝에 묶여 있는 염소가 움직일 수 있는 부분의 넓이는 몇 m²일까요?

순서 1 염소가 움직일 수 있는 부분의 모양 알아보기

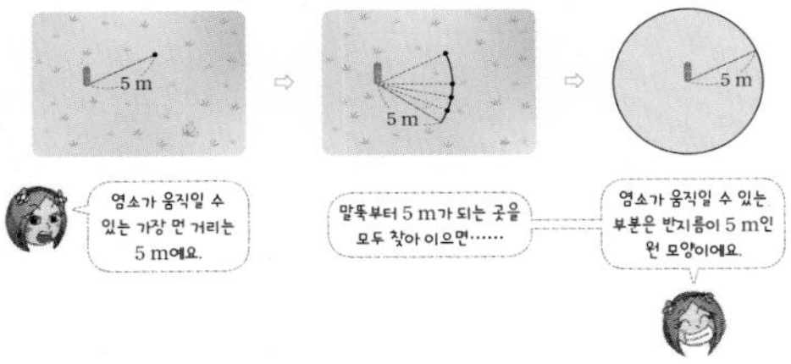

5 m
5 m
5 m
염소가 움직일 수 있는 가장 먼 거리는 5 m예요.
말뚝부터 5 m가 되는 곳을 모두 찾아 이으면……
염소가 움직일 수 있는 부분은 반지름이 5 m인 원 모양이에요.

참고
염소가 움직일 수 있는 부분의 넓이를 구할 때 염소의 몸의 길이와 묶은 부분의 길이는 생각하지 않습니다.

순서 2 염소가 움직일 수 있는 부분의 넓이 구하기

⇨ (염소가 움직일 수 있는 부분의 넓이)
=(반지름이 5 m인 원의 넓이)
$=5\times5\times3.14=78.5\ (m^2)$

해결 방법 확인

그림과 같이 말뚝에 묶여 있는 염소가 있습니다. 염소가 움직일 수 있는 부분의 넓이는 몇 m^2인지 구하세요. (원주율: 3.1)

1-1 줄의 길이: 4 m — 49.6 m^2

1-2 줄의 길이: 7 m — 151.9 m^2

1-3 줄의 길이: 2 m — 12.4 m^2

1-4 줄의 길이: 8 m — 198.4 m^2

1-5 줄의 길이: 3 m — 27.9 m^2

1-6 줄의 길이: 6 m — 111.6 m^2

76 • 6단계 2주 – 원의 둘레와 넓이 • 77

78~79쪽

5일 움직일 수 있는 부분의 넓이 구하기

도형 집중 연습

그림과 같이 직사각형 모양 울타리의 한 꼭짓점에 묶여 있는 젖소가 있습니다. 젖소가 울타리 안에서 움직일 수 있는 부분의 넓이는 몇 m^2인지 구하세요. (원주율: 3)

1-1 줄의 길이: 10 m, 10 m, 15 m — 75 m^2

젖소가 울타리 안에서 움직일 수 있는 부분은 $\frac{1}{4}$원 모양이에요. (10 m)

1-2 줄의 길이: 12 m, 12 m, 12 m — 108 m^2

1-3 줄의 길이: 8 m, 16 m, 10 m — 48 m^2

1-4 줄의 길이: 14 m, 14 m, 15 m — 147 m^2

1-5 줄의 길이: 6 m, 9 m, 9 m — 27 m^2

그림과 같이 직사각형 모양 울타리의 한 꼭짓점에 묶여 있는 말이 있습니다. 말이 울타리 밖에서 움직일 수 있는 부분의 넓이는 몇 m^2인지 구하세요. (원주율: 3)

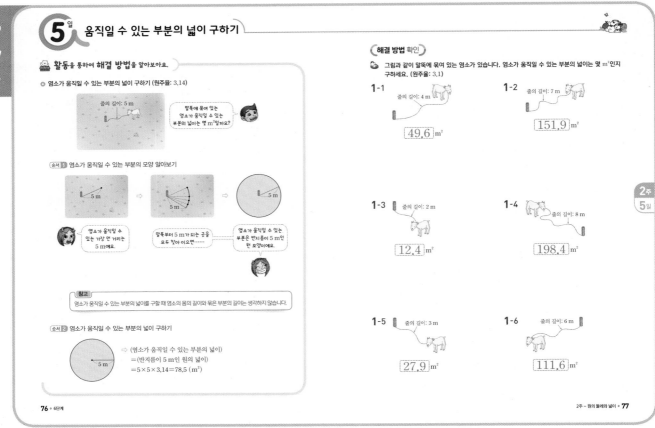

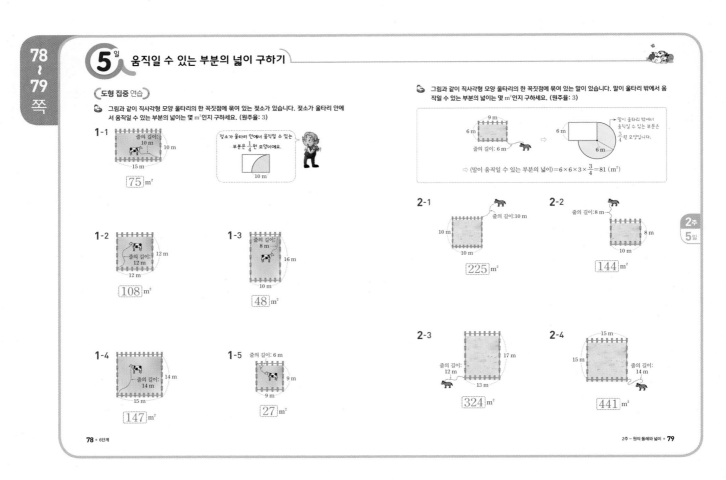

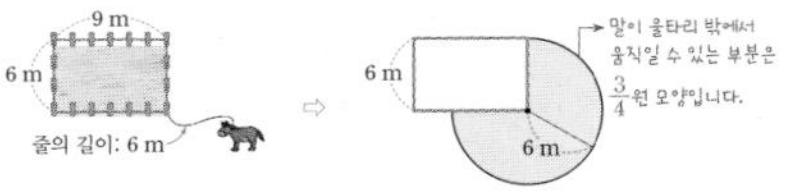

9 m
6 m
줄의 길이: 6 m
6 m
6 m
말이 울타리 밖에서 움직일 수 있는 부분은 3/4원 모양입니다.

⇨ (말이 움직일 수 있는 부분의 넓이)$=6\times6\times3\times\frac{3}{4}=81\ (m^2)$

2-1 줄의 길이: 10 m, 10 m, 10 m — 225 m^2

2-2 줄의 길이: 8 m, 8 m, 10 m — 144 m^2

2-3 줄의 길이: 12 m, 17 m, 13 m — 324 m^2

2-4 15 m, 15 m, 줄의 길이: 14 m — 441 m^2

78 • 6단계 2주 – 원의 둘레와 넓이 • 79

80~81쪽

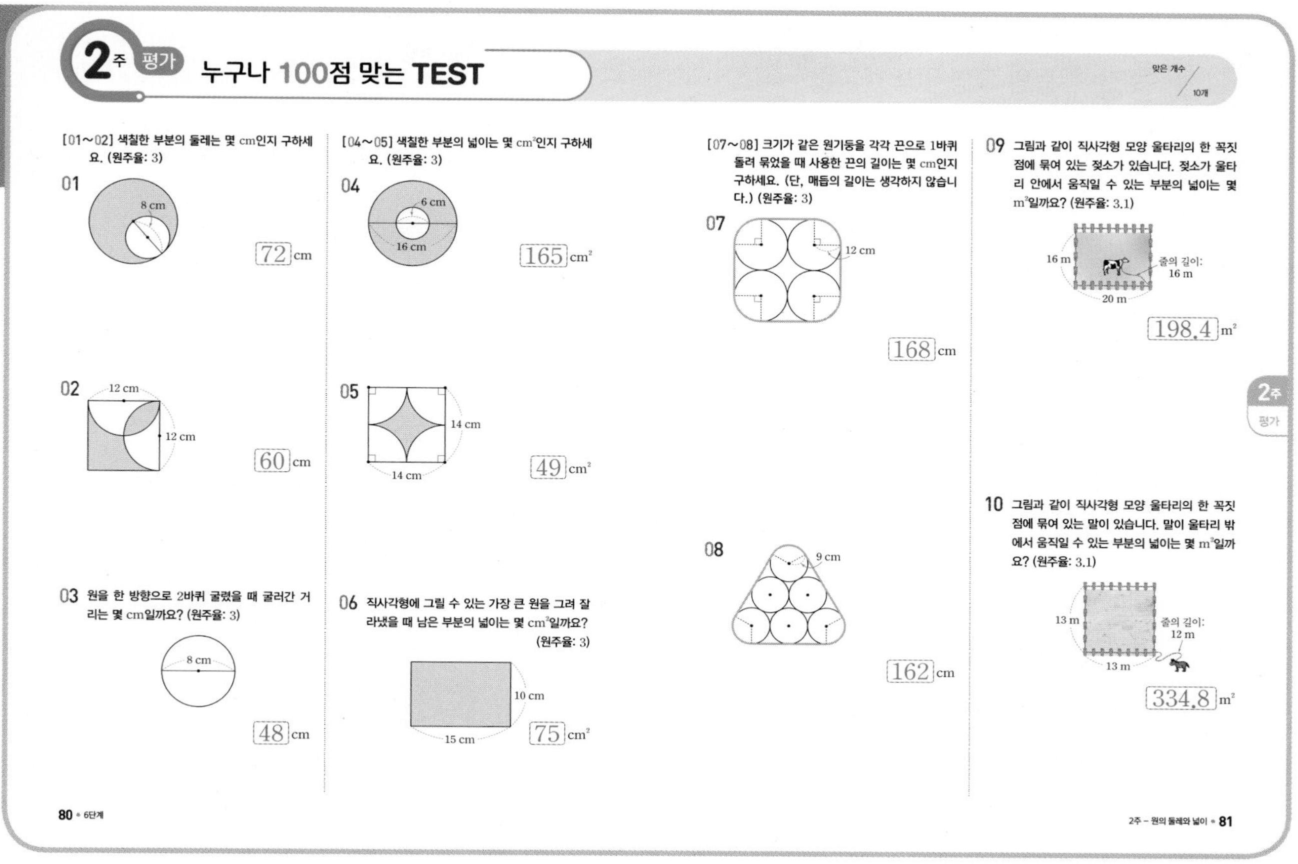
2주 평가 누구나 100점 맞는 TEST

맞은 개수 / 10개

[01~02] 색칠한 부분의 둘레는 몇 cm인지 구하세요. (원주율: 3)

01 [72] cm

02 [60] cm

03 원을 한 방향으로 2바퀴 굴렸을 때 굴러간 거리는 몇 cm일까요? (원주율: 3)

[48] cm

[04~05] 색칠한 부분의 넓이는 몇 cm^2인지 구하세요. (원주율: 3)

04 [165] cm^2

05 [49] cm^2

06 직사각형에 그릴 수 있는 가장 큰 원을 그려 잘라냈을 때 남은 부분의 넓이는 몇 cm^2일까요? (원주율: 3)

[75] cm^2

[07~08] 크기가 같은 원기둥을 각각 끈으로 1바퀴 둘러 묶었을 때 사용한 끈의 길이는 몇 cm인지 구하세요. (단, 매듭의 길이는 생각하지 않습니다.) (원주율: 3)

07 [168] cm

08 [162] cm

09 그림과 같이 직사각형 모양 울타리의 한 꼭짓점에 묶여 있는 젖소가 있습니다. 젖소가 울타리 안에서 움직일 수 있는 부분의 넓이는 몇 m^2일까요? (원주율: 3.1)

[198.4] m^2

10 그림과 같이 직사각형 모양 울타리의 한 꼭짓점에 묶여 있는 말이 있습니다. 말이 울타리 밖에서 움직일 수 있는 부분의 넓이는 몇 m^2일까요? (원주율: 3.1)

[334.8] m^2

80 ◦ 6단계

2주 – 원의 둘레와 넓이 ◦ 81

풀이

03 원이 굴러간 거리는 원주의 2배와 같습니다.

⇨ $8\times3\times2=48$ (cm)

04 (큰 원의 넓이)$=8\times8\times3=192$ (cm^2)

(작은 원의 넓이)$=3\times3\times3=27$ (cm^2)

⇨ (색칠한 부분의 넓이)$=192-27=165$ (cm^2)

05 (정사각형의 넓이)$=14\times14=196$ (cm^2)

(원의 넓이)$=7\times7\times3=147$ (cm^2)

⇨ (색칠한 부분의 넓이)$=196-147=49$ (cm^2)

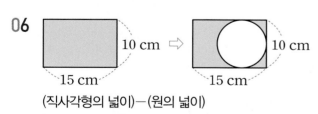

06

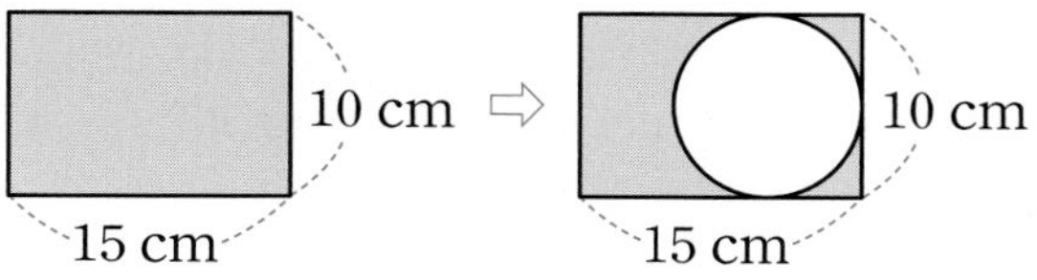

(직사각형의 넓이)−(원의 넓이)

$=15\times10-5\times5\times3=150-75=75$ (cm^2)

07 (직선 부분의 길이)$=24\times4=96$ (cm)

(곡선 부분의 길이)$=24\times3=72$ (cm)

⇨ (사용한 끈의 길이)$=96+72=168$ (cm)

08 (직선 부분의 길이)$=18\times6=108$ (cm)

(곡선 부분의 길이)$=18\times3=54$ (cm)

⇨ (사용한 끈의 길이)$=108+54=162$ (cm)

09

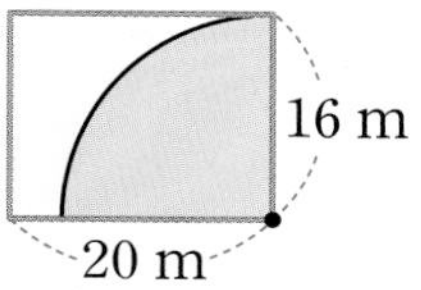

젖소가 울타리 안에서 움직일 수 있는 부분은 $\frac{1}{4}$원 모양입니다.

⇨ $16\times16\times3.1\times\frac{1}{4}=198.4$ (m^2)

10

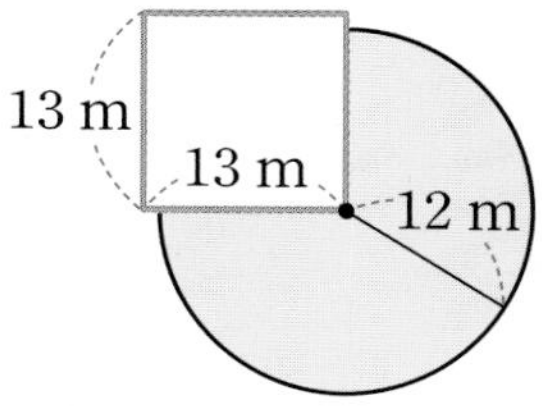

말이 울타리 밖에서 움직일 수 있는 부분은 $\frac{3}{4}$원 모양입니다.

⇨ $12\times12\times3.1\times\frac{3}{4}=334.8$ (m^2)

특강 중학 도형 맛보기

피자 조각의 수를 이용하여 피자 조각의 넓이는 몇 cm²인지 구하세요. (원주율: 3.1)

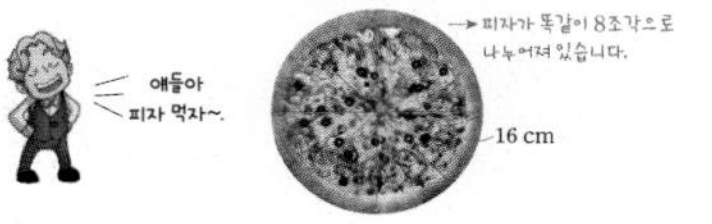

❶ 나는 1조각을 먹을 거야.

$\frac{1}{8}$ → 8조각으로 나눈 것 중의 1조각

(피자 1조각의 넓이)
$=16\times16\times3.1\times\frac{1}{8}$
$=$ 99.2 (cm²)

❷ 나는 2조각을 먹겠어.

$\frac{2}{8}$ → 8조각으로 나눈 것 중의 2조각

(피자 2조각의 넓이)
$=16\times16\times3.1\times\frac{2}{8}$
$=$ 198.4 (cm²)

❸ 남은 피자 5조각의 넓이도 구해 보겠니?

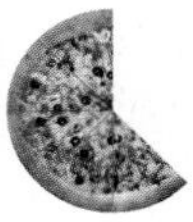

$\frac{5}{8}$

(피자 5조각의 넓이)
$=16\times16\times3.1\times\frac{5}{8}=$ 496 (cm²)

피자가 각각 똑같이 나누어져 있습니다. 남은 피자 조각의 넓이는 몇 cm²인지 구하세요. (원주율: 3)

❹

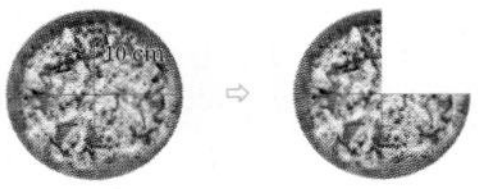

225 cm²

❺

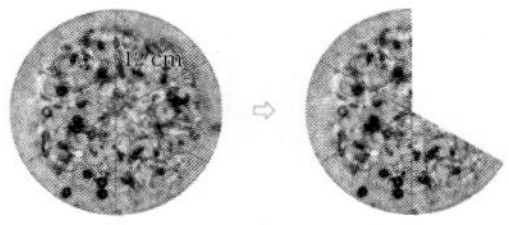

288 cm²

❻

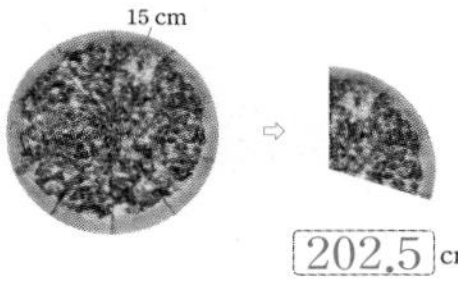

202.5 cm²

특강 중학 도형 맛보기

◎ 피자 전체의 중심각이 360°임을 이용하여 다음과 같이 피자 조각의 넓이를 구할 수 있습니다. (원주율: 3.1)

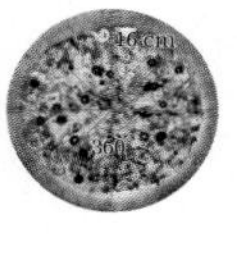

(피자 1조각의 넓이)$=16\times16\times3.1\times\frac{45^\circ}{360^\circ}$
$=99.2$ (cm²) → 약분하면 $\frac{1}{8}$입니다.

(피자 3조각의 넓이)$=16\times16\times3.1\times\frac{135^\circ}{360^\circ}$
$=297.6$ (cm²) → 약분하면 $\frac{3}{8}$입니다.

⇨ 피자 조각과 같은 부채 모양의 도형을 부채꼴이라고 합니다.

중심각의 크기만 알면 부채꼴의 넓이는 쉽게 구할 수 있으니 한번 구해 볼까요?

부채꼴의 넓이는 몇 cm²인지 구하세요. (원주율: 3)

❼

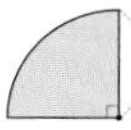

(부채꼴의 넓이)$=8\times8\times3\times\frac{90^\circ}{360^\circ}=$ 48 (cm²)

❽

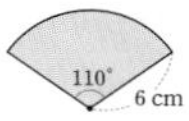

(부채꼴의 넓이)$=6\times6\times3\times\frac{110^\circ}{360^\circ}=$ 33 (cm²)

부채꼴의 넓이는 몇 cm²인지 구하세요. (원주율: 3)

❾

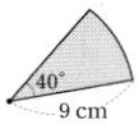

27 cm²

❿

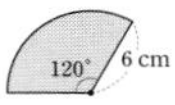

36 cm²

⓫

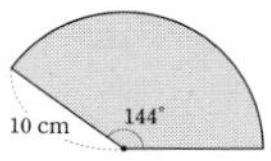

120 cm²

⓬

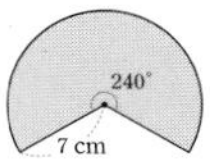

98 cm²

⓭

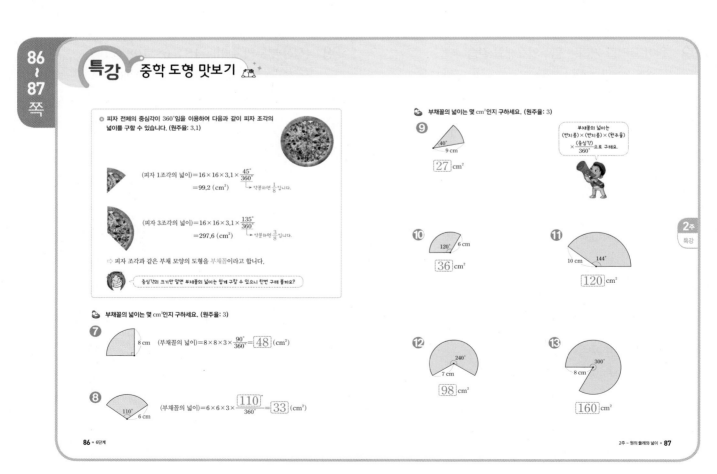

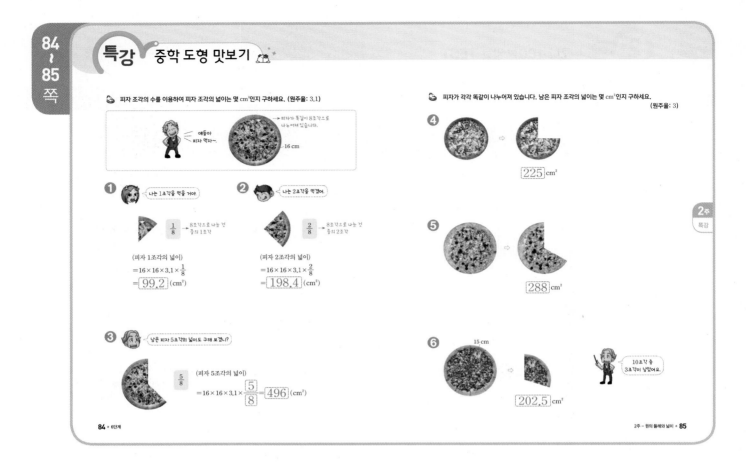

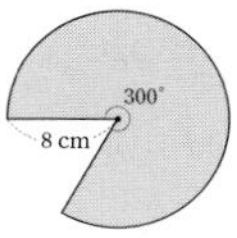

160 cm²

90~91쪽

이번 주에는 무엇을 공부할까요? ②

재미있게 공부합시다

◎ 직육면체의 부피

◎ 직육면체의 겉넓이

직육면체의 부피를 구하세요.

1-1

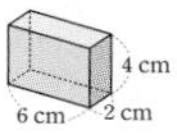

48 cm^3

1-2

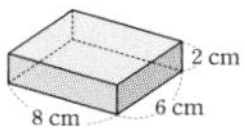

96 cm^3

1-3

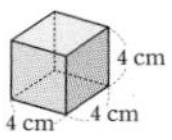

64 cm^3

1-4

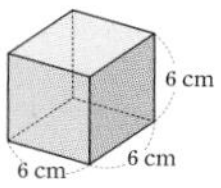

216 cm^3

직육면체의 겉넓이를 구하세요.

2-1

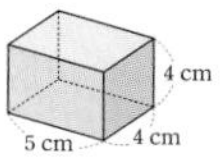

112 cm^2

2-2

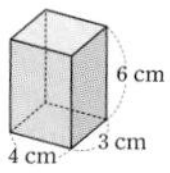

108 cm^2

2-3

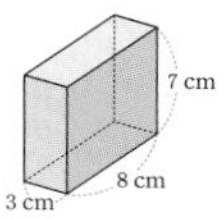

202 cm^2

2-4

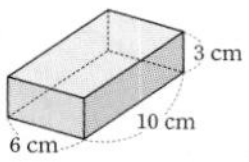

216 cm^2

94~95쪽

1일 직육면체를 이용하여 부피 구하기

활동을 통하여 해결 방법을 알아보아요.

○ 물의 부피 구하기 (단, 그릇의 두께는 생각하지 않습니다.)

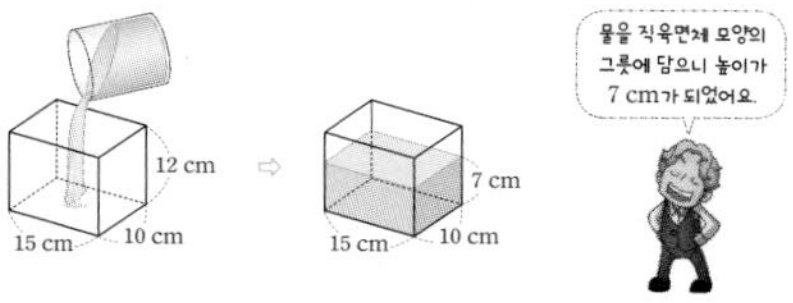

순서 1 직육면체 모양의 그릇에 담긴 물의 부피를 구하는 방법

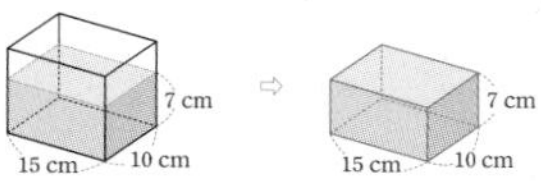

(물의 부피)=(가로 15 cm, 세로 10 cm, 높이 7 cm인 직육면체의 부피)

순서 2 물의 부피 구하기

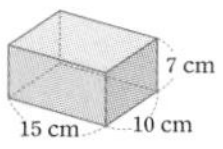

(물의 부피)=(가로)×(세로)×(높이)
$=15\times10\times7$
$=1050\ (cm^3)$

해결 방법 짚어 보기

· 직육면체 모양의 그릇에 담긴 물의 부피는 (가로)×(세로)×(물의 높이)로 구할 수 있습니다.

해결 방법 확인

직육면체 모양의 그릇에 담긴 물의 부피를 구하세요. (단, 그릇의 두께는 생각하지 않습니다.)

1-1

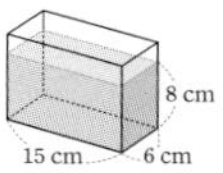

720 cm^3

1-2

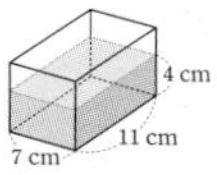

308 cm^3

1-3

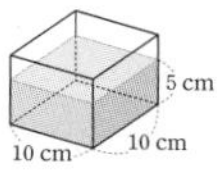

500 cm^3

1-4

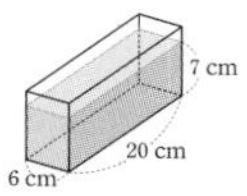

840 cm^3

1-5

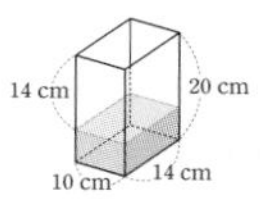

840 cm^3

1-6

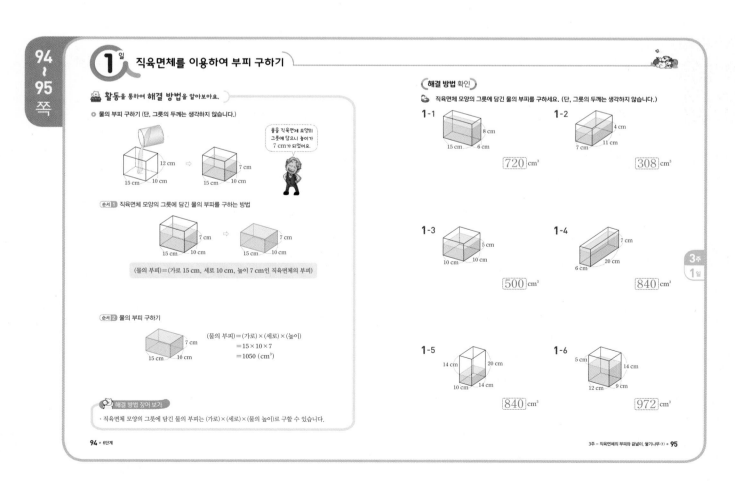

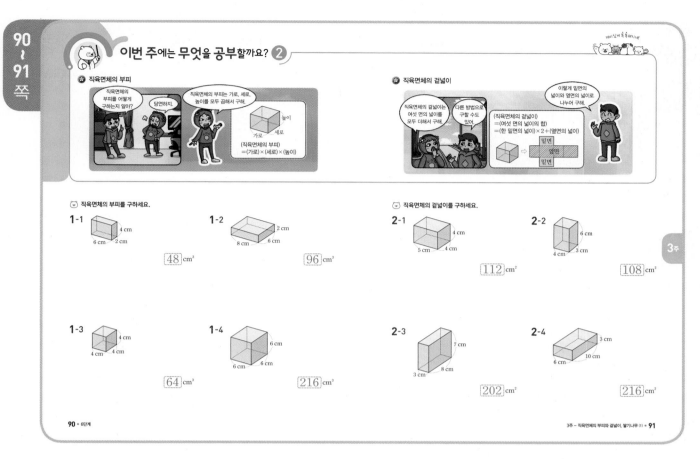

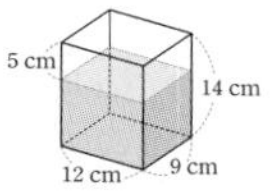

972 cm^3

96 ~ 97 쪽

1일 직육면체를 이용하여 부피 구하기

(도형 집중 연습)

직육면체 모양의 그릇에 돌을 완전히 잠기도록 넣었습니다. 보기와 같이 높아진 물의 높이를 이용하여 돌의 부피를 구하세요. (단, 그릇의 두께는 생각하지 않습니다.)

보기

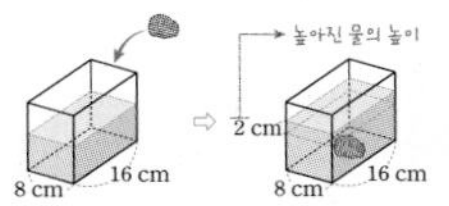

(돌의 부피)=8×16×2=256 (cm³)
높아진 물의 높이

돌의 부피는 (가로)×(세로)에 높아진 물의 높이를 곱해요.

1-1
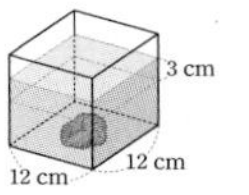

432 cm³

1-2
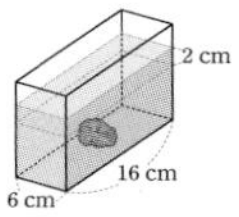

192 cm³

1-3
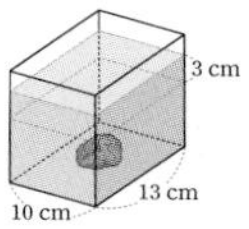

390 cm³

1-4
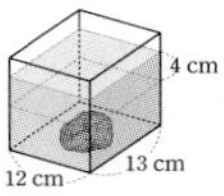

624 cm³

직육면체 모양의 그릇이 있습니다. 여기에 완전히 잠겨 있던 구슬을 꺼냈습니다. 구슬의 부피를 구하세요. (단, 그릇의 두께는 생각하지 않습니다.)

구슬의 부피는 줄어든 물의 높이를 이용하여 구해요.

2-1
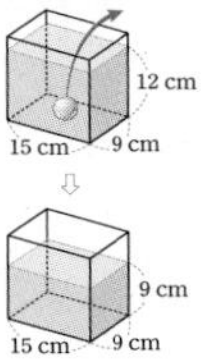

405 cm³

2-2
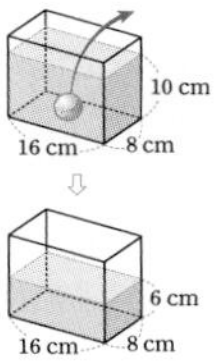

512 cm³

2-3
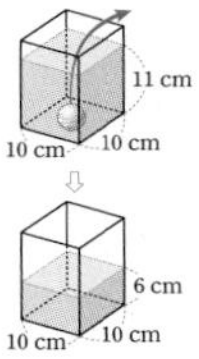

500 cm³

2-4
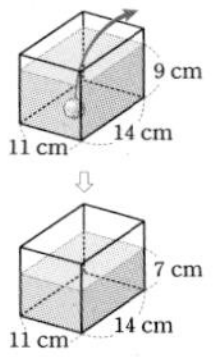

308 cm³

2-5
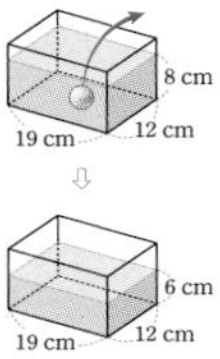

456 cm³

2-6
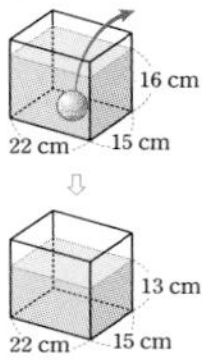

990 cm³

3주 1일

100 ~ 101 쪽

2일 위, 앞, 옆에서 본 모양으로 겉넓이 구하기

활동을 통하여 해결 방법을 알아보아요.

○ 직육면체의 겉넓이 구하기

직육면체를 위, 앞, 옆에서 본 모양이에요.

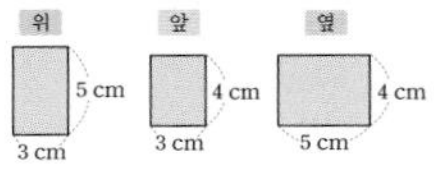

활동 1 직육면체의 겨냥도를 그려서 겉넓이 구하기

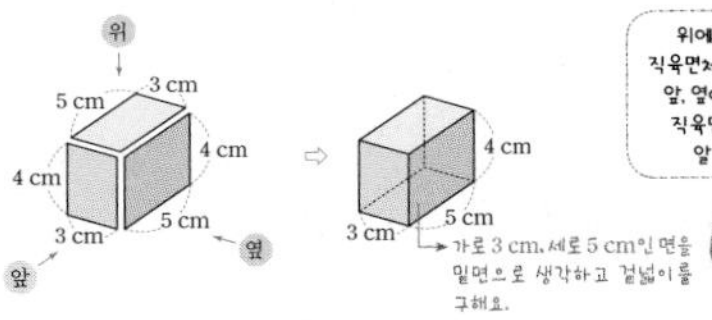

위에서 본 모양은 직육면체의 가로, 세로를, 앞, 옆에서 본 모양은 직육면체의 높이를 알 수 있어요.

(직육면체의 겉넓이)=(한 밑면의 넓이)×2+(옆면의 넓이)
=(3×5)×2+(3+5+3+5)×4
=94 (cm²)

활동 2 합동인 면을 이용하여 겉넓이 구하기

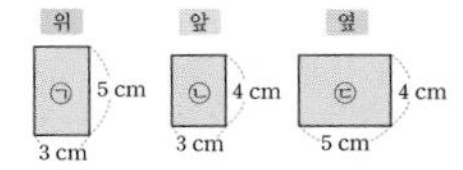

직육면체는 합동인 면이 2개씩 3쌍 있으니까 겉넓이는 ㉠, ㉡, ㉢의 넓이를 2배하여 구해요.

(직육면체의 겉넓이)=(㉠+㉡+㉢)×2
=(3×5+3×4+5×4)×2
=94 (cm²)

(해결 방법 확인)

직육면체를 위, 앞, 옆에서 본 모양이 다음과 같습니다. 직육면체의 겉넓이를 구하세요.

1-1
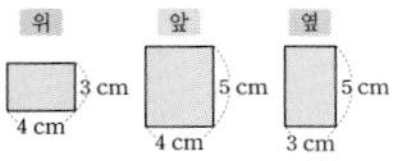

94 cm²

1-2
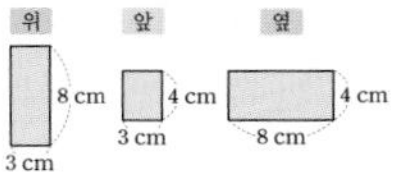

136 cm²

1-3
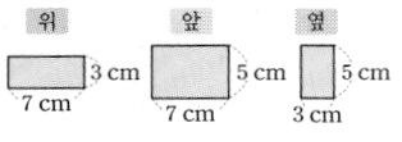

142 cm²

1-4
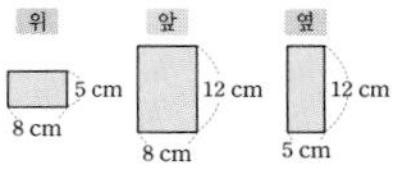

392 cm²

1-5
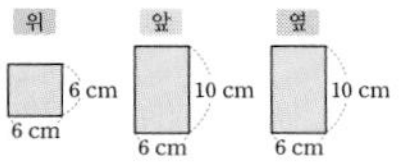

312 cm²

1-6
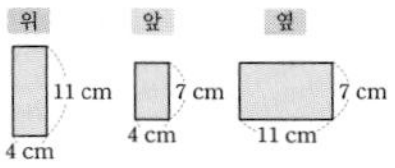

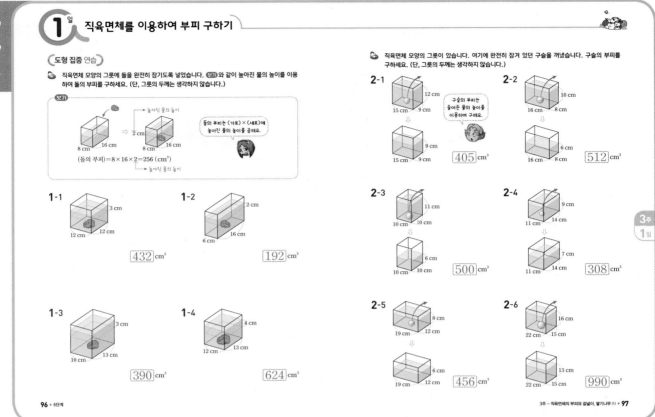

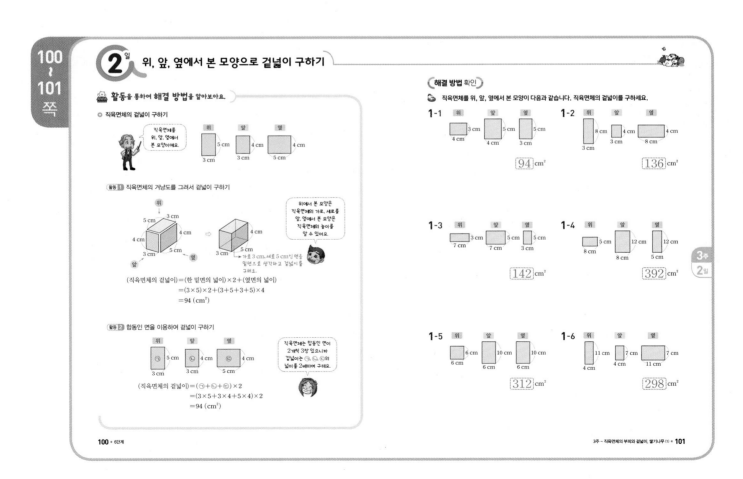

298 cm²

3주 2일

102 ~ 103 쪽

2일 위, 앞, 옆에서 본 모양으로 겉넓이 구하기

(도형 집중 연습)

직육면체를 위와 앞에서 본 모양입니다. 직육면체의 겉넓이를 구하세요.

겨냥도와 위, 앞에서 본 모양을 이용하여 모서리의 길이를 알아보고 겉넓이를 구해 봐요.

1-1

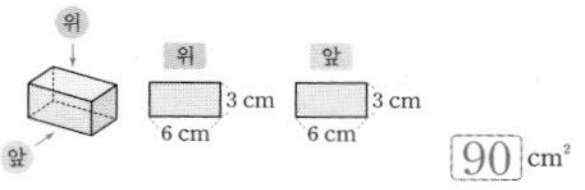

90 cm^2

1-2

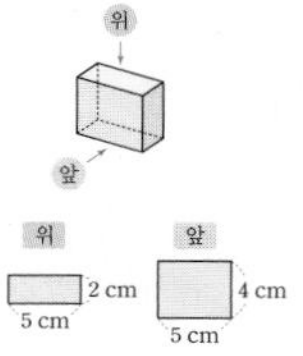

76 cm^2

1-3

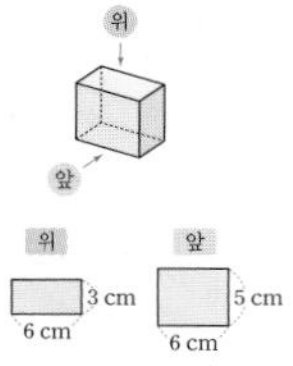

126 cm^2

1-4

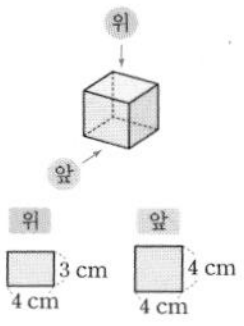

80 cm^2

1-5

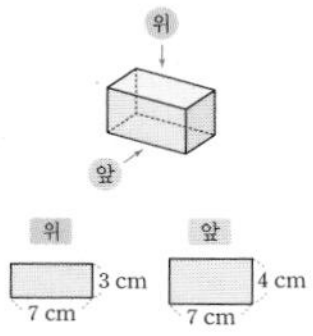

122 cm^2

직육면체를 앞과 옆에서 본 모양입니다. 보기와 같이 직육면체의 겉넓이를 구하세요.

보기

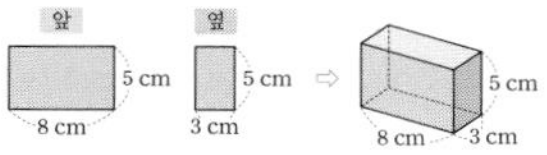

(직육면체의 겉넓이)$=(8\times5+3\times5+8\times3)\times2$
$=158\ (cm^2)$

앞, 옆에서 본 모양을 이용하면 가로 8 cm, 세로 3 cm, 높이 5 cm인 직육면체의 겨냥도를 그릴 수 있어요.

2-1

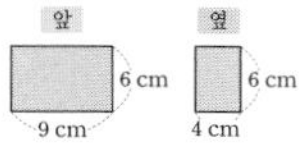

228 cm^2

2-2

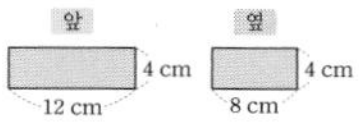

352 cm^2

2-3

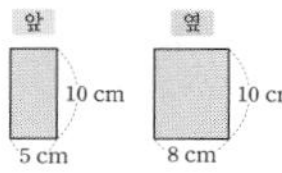

340 cm^2

2-4

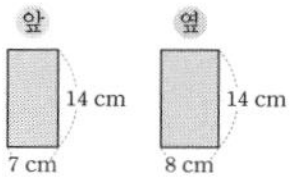

532 cm^2

2-5

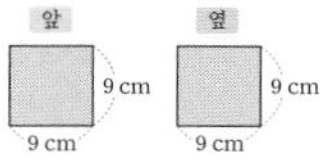

486 cm^2

앞, 옆에서 본 모양을 보니 한 모서리의 길이가 9 cm인 정육면체를 본 것이군요.

106 ~ 107 쪽

3일 여러 가지 입체도형의 겉넓이와 부피

활동을 통하여 해결 방법을 알아보아요.

- 복잡한 입체도형의 겉넓이 구하기

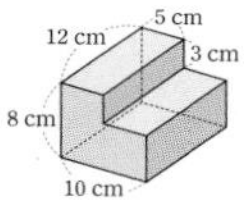

직육면체 2개를 붙여서 만든 입체도형이에요.

순서 1 입체도형의 겉넓이를 구하는 방법 알아보기

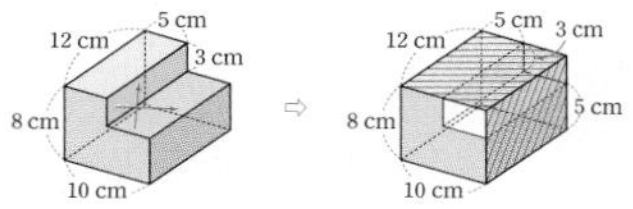

초록색 두 면을 옮겨 빗금친 두 면으로 만들 수 있어요.

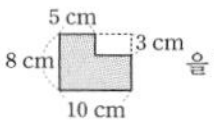

을 밑면으로 생각하기

초록색 두 면을 옮겨

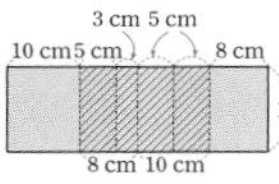

12 cm 을 옆면으로 생각하기

순서 2 입체도형의 겉넓이 구하기

(입체도형의 겉넓이)$=$(한 밑면의 넓이)$\times2+$(옆면의 넓이)
$=(10\times8-5\times3)\times2+(10+5+3+5+5+8)\times12$
$=562\ (cm^2)$

(해결 방법 확인)

입체도형의 겉넓이를 구하세요.

1-1

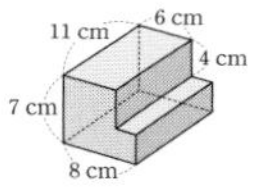

426 cm^2

1-2

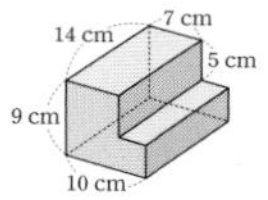

682 cm^2

1-3

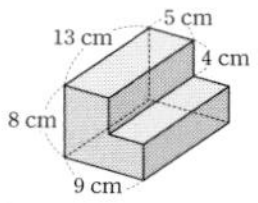

554 cm^2

1-4

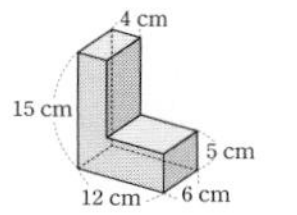

524 cm^2

1-5

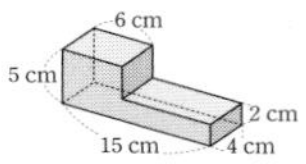

256 cm^2

1-6

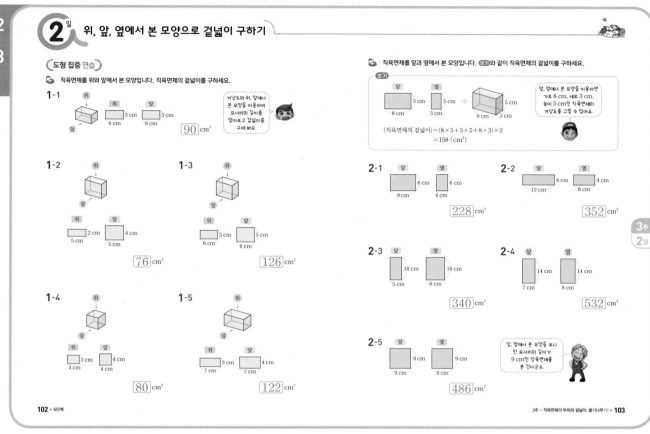

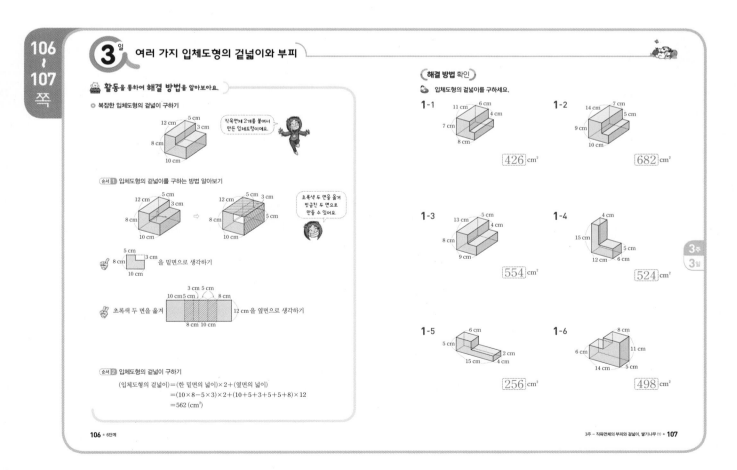

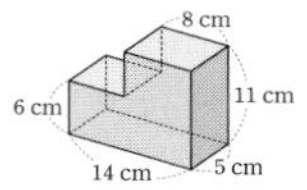

498 cm^2

108
~
109
쪽

3일 여러 가지 입체도형의 겉넓이와 부피

(도형 집중 연습)

다음 2가지 (방법)을 보고 입체도형의 부피를 구하세요.

(방법 1) 두 개의 직육면체로 나누어 부피 구하기

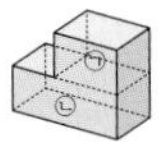

(입체도형의 부피)
=(㉠의 부피)+(㉡의 부피)

(방법 2) 큰 직육면체에서 작은 직육면체를 빼서 부피 구하기

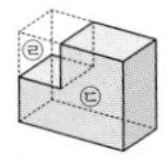

(입체도형의 부피)
=(㉢+㉣의 부피)−(㉣의 부피)

1-1

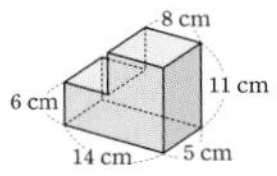

[620] cm^3

1-2

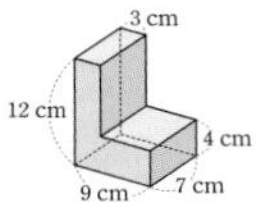

[420] cm^3

1-3

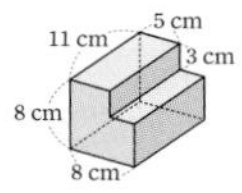

[605] cm^3

1-4

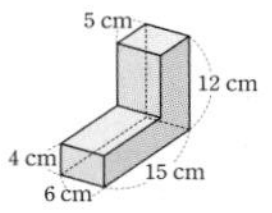

[600] cm^3

(보기)와 같은 방법으로 입체도형의 부피를 구하세요.

(보기)

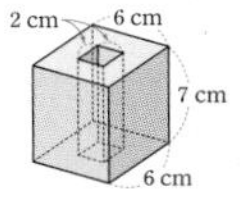

큰 직육면체의 부피에서 안쪽 작은 직육면체 모양 구멍의 부피를 빼서 구해요.

- (큰 직육면체의 부피)$=6\times6\times7=252\ (cm^3)$
- (작은 직육면체 모양 구멍의 부피)$=2\times2\times7=28\ (cm^3)$

⇨ (입체도형의 부피)=(큰 직육면체의 부피)−(작은 직육면체 모양 구멍의 부피)
$=252-28=224\ (cm^3)$

2-1

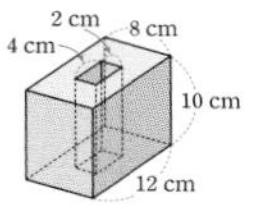

[880] cm^3

2-2

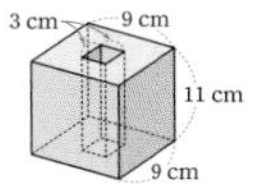

[792] cm^3

2-3

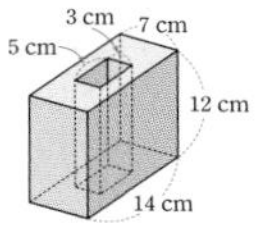

[996] cm^3

2-4

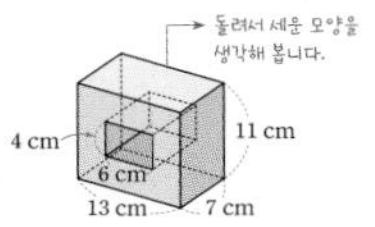

[833] cm^3

3주 3일

112
~
113
쪽

4일 빼거나 더 필요한 쌓기나무의 개수

활동을 통하여 해결 방법을 알아보아요.

○ 빼낸 쌓기나무의 개수 구하기

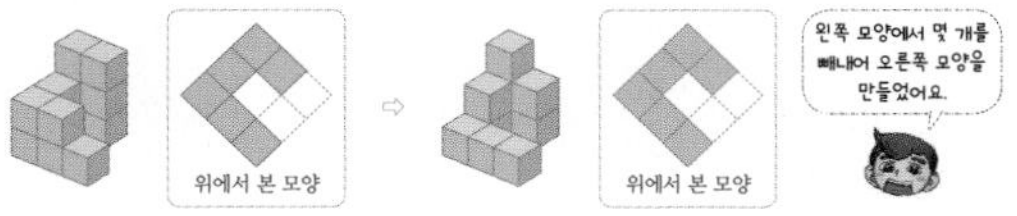

왼쪽 모양에서 몇 개를 빼내어 오른쪽 모양을 만들었어요.

(순서 1) 각 모양에서 쌓기나무의 개수 구하기

왼쪽 모양

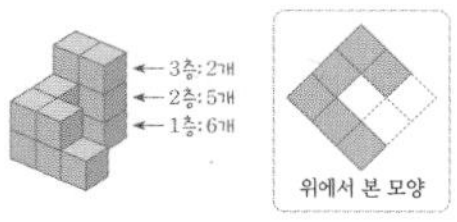

(쌓기나무의 개수)$=6+5+2=13$(개)

위에서 본 모양으로 1층에 쌓인 쌓기나무는 6개인 것을 알 수 있어요.

오른쪽 모양

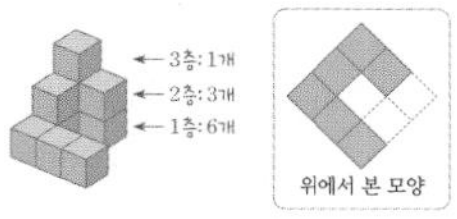

(쌓기나무의 개수)$=6+3+1=10$(개)

(순서 2) 빼낸 쌓기나무의 개수 구하기

(빼낸 쌓기나무의 개수)=(왼쪽 모양의 쌓기나무의 개수)−(오른쪽 모양의 쌓기나무의 개수)
$=13-10=3$(개)

(해결 방법 확인)

왼쪽 모양에서 쌓기나무 몇 개를 빼냈더니 오른쪽 모양이 되었습니다. 빼낸 쌓기나무는 몇 개인지 구하세요.

1-1

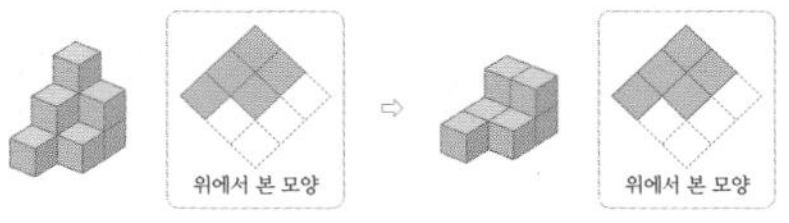

[2] 개

1-2

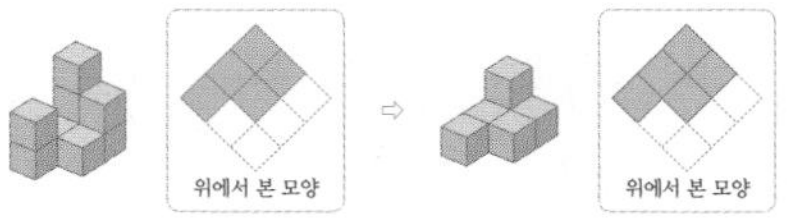

[3] 개

1-3

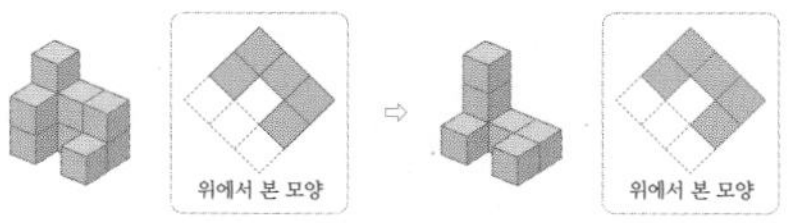

[3] 개

1-4

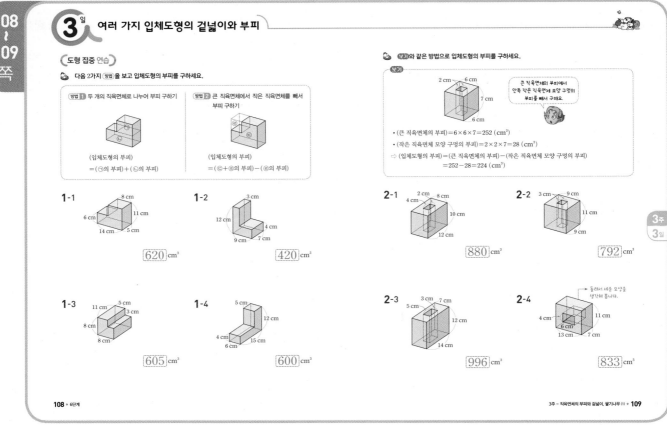

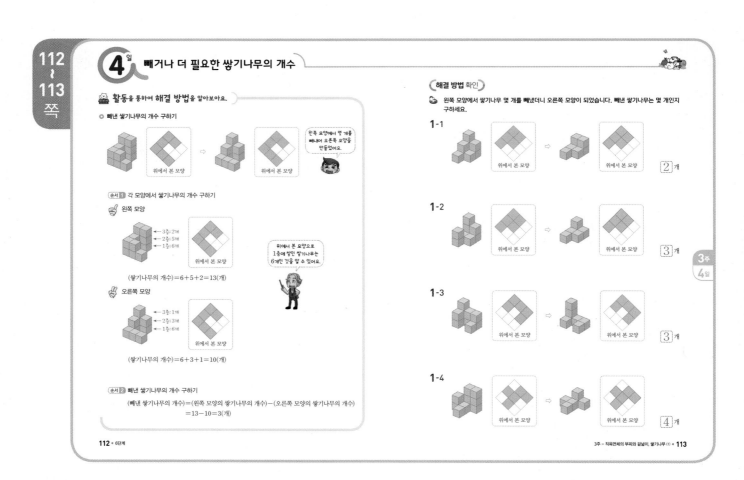

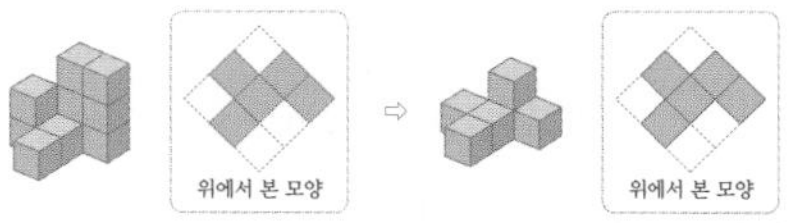

[4] 개

3주 4일

114~115쪽

4일 빼거나 더 필요한 쌓기나무의 개수

도형 집중 연습

왼쪽 정육면체 모양에서 쌓기나무 몇 개를 빼냈더니 오른쪽 모양이 되었습니다. 빼낸 쌓기나무는 몇 개인지 구하세요.

1-1

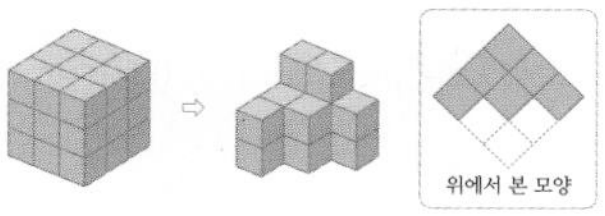

13 개

1-2

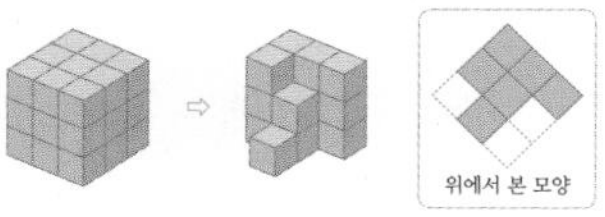

12 개

1-3

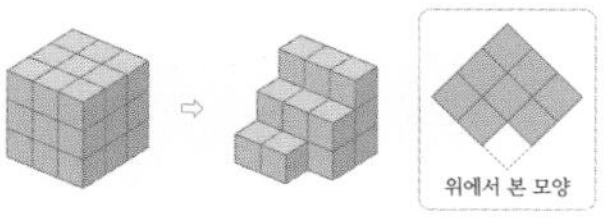

10 개

1-4

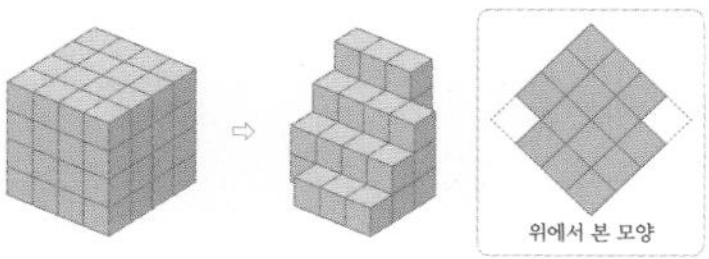

29 개

다음과 같은 모양으로 쌓기나무를 쌓았습니다. 여기에 쌓기나무를 더 쌓아 가장 작은 정육면체를 만들려고 합니다. 보기와 같이 더 필요한 쌓기나무의 개수를 구하세요.

보기

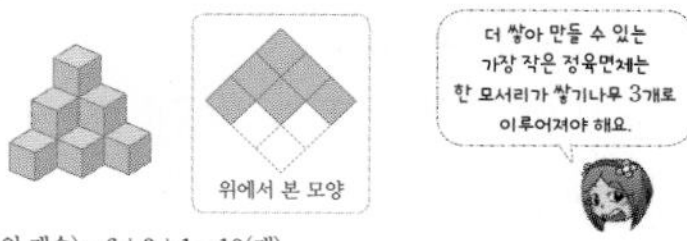

(쌓기나무의 개수)$=6+3+1=10$(개)

(가장 작은 정육면체의 쌓기나무의 개수)$=3\times3\times3=27$(개) → 한 모서리가 쌓기나무 3개

⇨ (더 필요한 쌓기나무의 개수)$=27-10=17$(개)

2-1

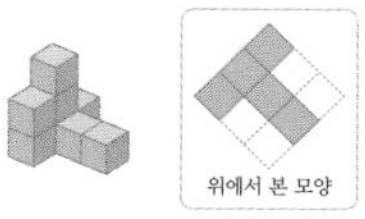

19 개

2-2

17 개

2-3

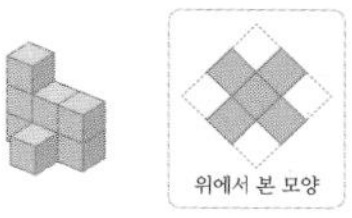

18 개

2-4

4층까지 있으므로 가장 작은 정육면체를 만들려면 한 모서리가 쌓기나무 4개로 이루어져야 해요.

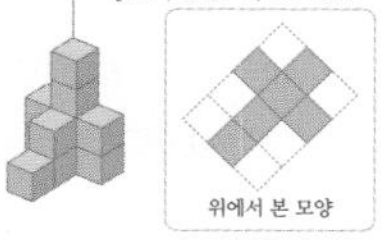

52 개

3주 4일

118~119쪽

5일 위, 앞, 옆에서 본 모양

활동을 통하여 해결 방법을 알아보아요.

위, 앞, 옆(오른쪽)에서 본 모양을 보고 똑같은 모양으로 쌓는 데 필요한 쌓기나무의 개수 구하기

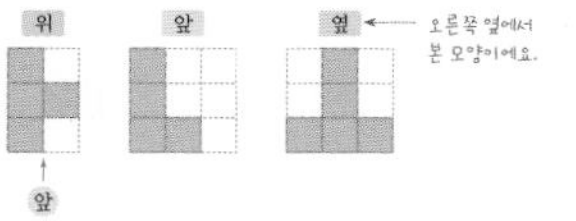

순서 1 위에서 본 모양에서 각 자리에 쌓인 쌓기나무의 개수 알아보기

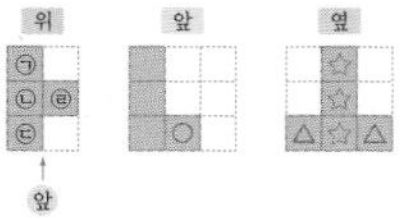

앞 에서 본 모양의 ○인 곳을 이용하면 ㉣에는 쌓기나무가 1개 쌓여 있습니다.

옆 에서 본 모양의 △인 곳을 이용하면 ㉠, ㉢에는 쌓기나무가 1개씩 쌓여 있습니다.

옆 에서 본 모양의 ☆인 곳을 이용하면 ㉡에는 쌓기나무가 3개 쌓여 있습니다.

순서 2 필요한 쌓기나무의 개수 구하기

위에서 본 모양의 각 자리에 쌓인 쌓기나무의 개수를 써요.

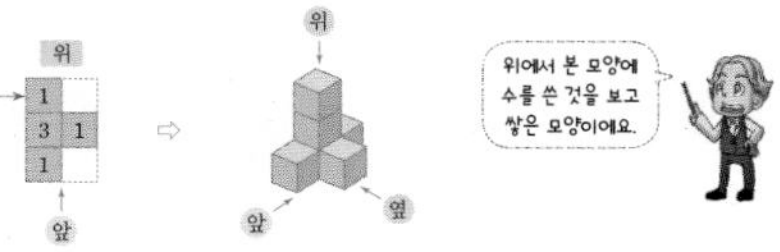

⇨ (필요한 쌓기나무의 개수)$=1+3+1+1=6$(개)

해결 방법 확인

쌓기나무로 쌓은 모양을 위, 앞, 옆(오른쪽)에서 본 모양입니다. 위에서 본 모양의 각 자리에 쌓인 쌓기나무의 개수를 써넣으세요.

1-1

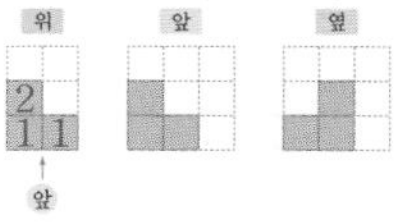

1-2

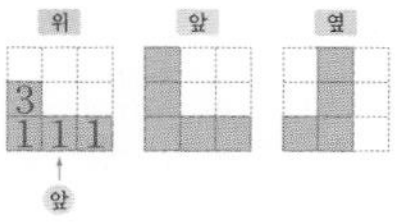

1-3

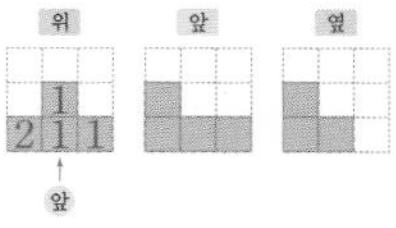

1-4

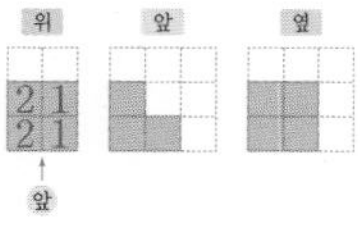

1-5

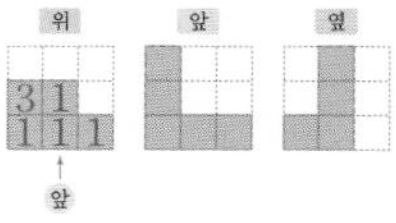

1-6

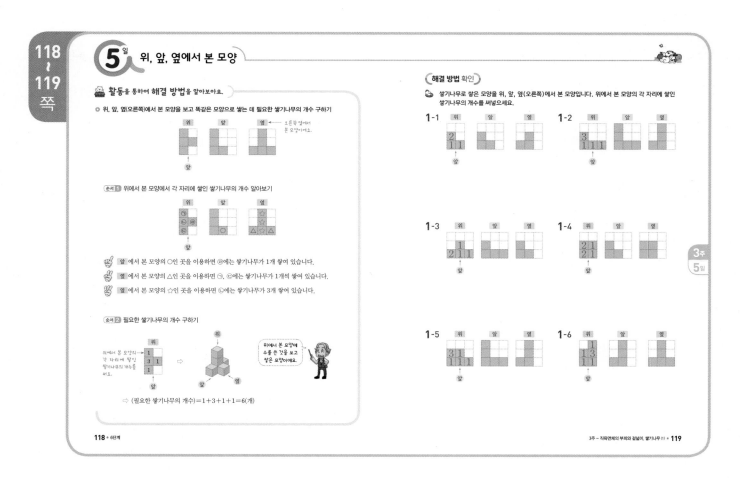

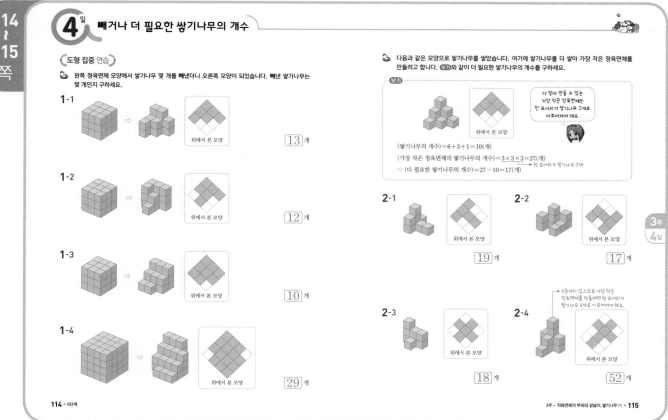

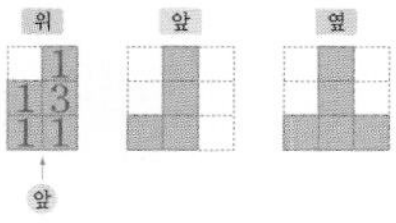

3주 5일

풀이

1-3

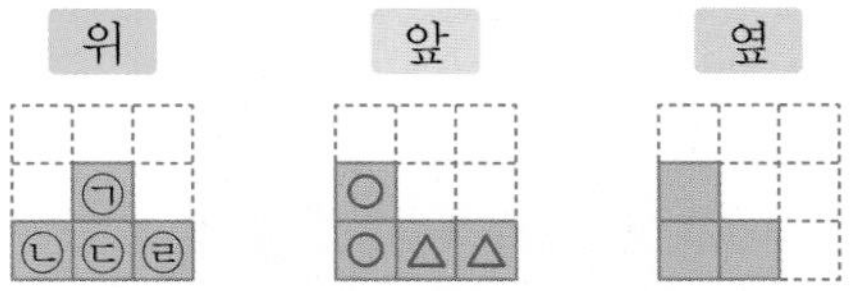

- ○인 곳을 이용하면 ㉡에는 쌓기나무가 2개 쌓여 있습니다.
- △인 곳을 이용하면 ㉠, ㉢, ㉣에는 쌓기나무가 1개씩 쌓여 있습니다.

1-4

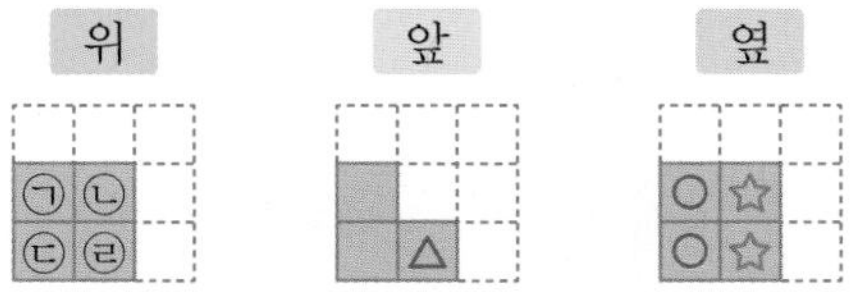

- △인 곳을 이용하면 ㉡, ㉣에는 쌓기나무가 1개씩 쌓여 있습니다.
- ○, ☆인 곳을 이용하면 ㉠, ㉢에는 쌓기나무가 2개씩 쌓여 있습니다.

1-5

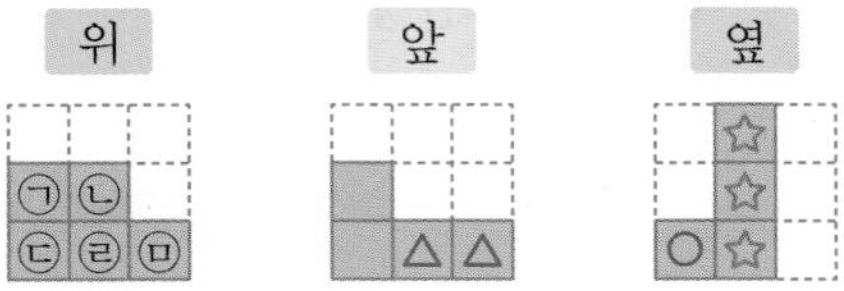

- △인 곳을 이용하면 ㉡, ㉣, ㉤에는 쌓기나무가 1개씩 쌓여 있습니다.
- ○인 곳을 이용하면 ㉢에는 쌓기나무가 1개 쌓여 있습니다.
- ☆인 곳을 이용하면 ㉠에는 쌓기나무가 3개 쌓여 있습니다.

1-6

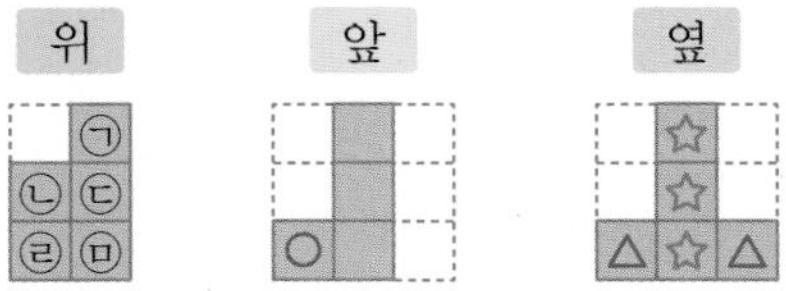

- ○인 곳을 이용하면 ㉡, ㉣에는 쌓기나무가 1개씩 쌓여 있습니다.
- △인 곳을 이용하면 ㉠, ㉤에는 쌓기나무가 1개씩 쌓여 있습니다.
- ☆인 곳을 이용하면 ㉢에는 쌓기나무가 3개 쌓여 있습니다.

120~121쪽

5일 위, 앞, 옆에서 본 모양

도형 집중 연습

쌓기나무로 쌓은 모양을 위, 앞, 옆(오른쪽)에서 본 모양입니다. 똑같은 모양으로 쌓는 데 필요한 쌓기나무의 개수를 구하세요.

1-1

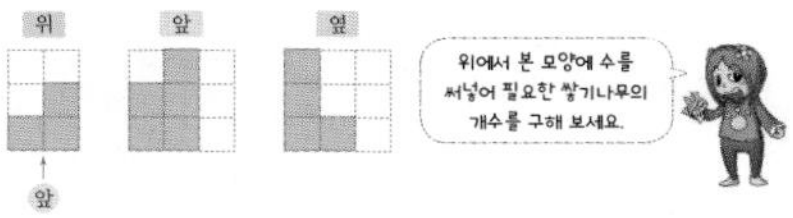

6개

1-2

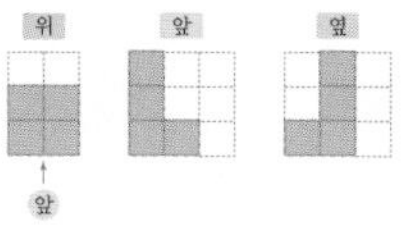

6개

1-3

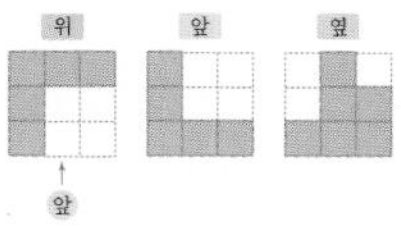

8개

1-4

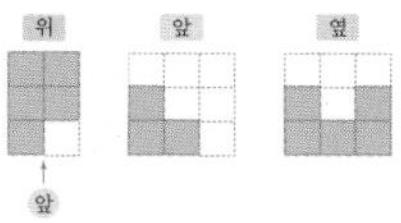

7개

1-5

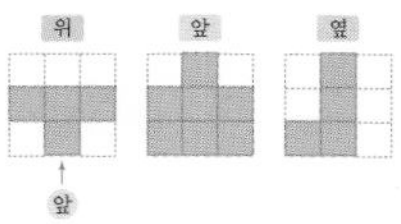

8개

위, 앞, 옆(오른쪽)에서 본 모양이 다음과 같도록 쌓기나무를 쌓으려고 합니다. 보기와 같이 쌓은 쌓기나무의 수가 가장 많은 경우와 가장 적은 경우는 각각 몇 개인지 구하세요.

보기

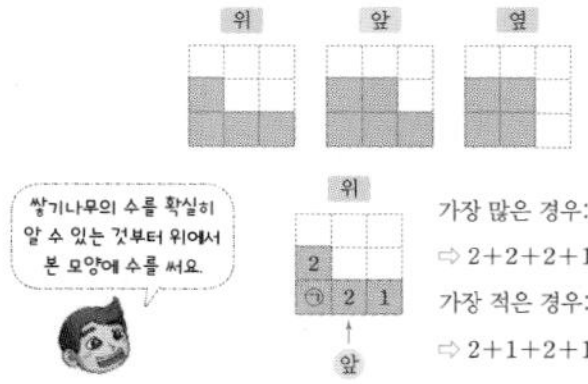

가장 많은 경우: ㉠에 2개 쌓기

⇨ 2+2+2+1=7(개)

가장 적은 경우: ㉠에 1개 쌓기

⇨ 2+1+2+1=6(개)

2-1

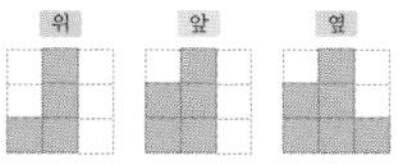

가장 많은 경우: 8개

가장 적은 경우: 7개

2-2

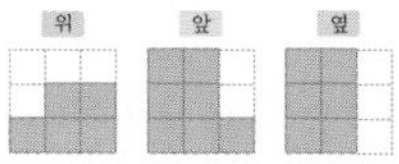

가장 많은 경우: 11개

가장 적은 경우: 9개

2-3

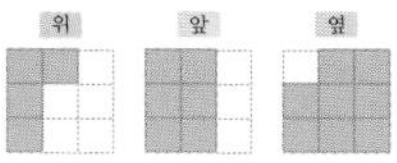

가장 많은 경우: 11개

가장 적은 경우: 9개

2-4

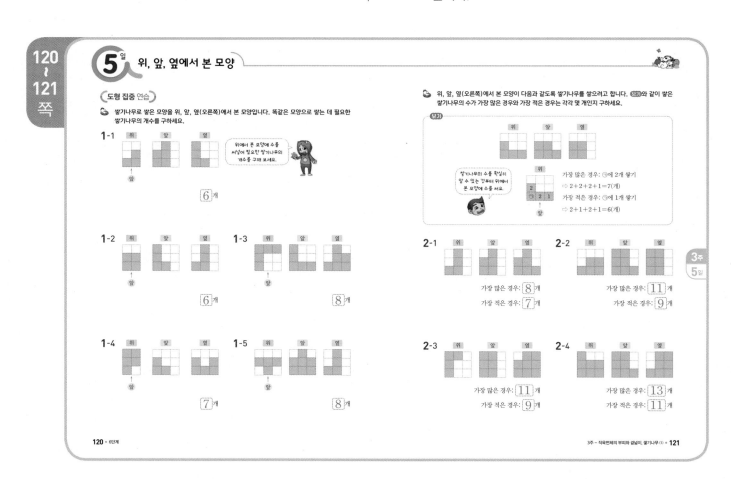

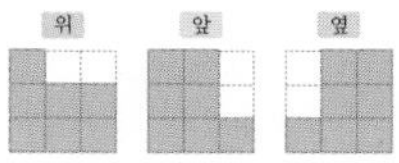

가장 많은 경우: 13개

가장 적은 경우: 11개

풀이

1-3 위

2	1	1
3		
1		

↑ 앞

2+3+1+1+1
=8(개)

1-4 위

2	1
1	1
2	

↑ 앞

2+1+2+1+1
=7(개)

1-5 위

2	3	2
	1	

↑ 앞

2+3+1+2=8(개)

2-1 위

	1	
	3	
2	㉠	

↑ 앞

가장 많은 경우: ㉠에 2개
⇨ 2+1+3+2=8(개)
가장 적은 경우: ㉠에 1개
⇨ 2+1+3+1=7(개)

2-2 위

	3	1
3	㉠	1

↑ 앞

가장 많은 경우: ㉠에 3개
⇨ 3+3+3+1+1=11(개)
가장 적은 경우: ㉠에 1개
⇨ 3+3+1+1+1=9(개)

2-3 위

㉠	3	
3		
2		

↑ 앞

가장 많은 경우: ㉠에 3개
⇨ 3+3+2+3=11(개)
가장 적은 경우: ㉠에 1개
⇨ 1+3+2+3=9(개)

2-4 위

3		
㉠	3	1
1	1	1

↑ 앞

가장 많은 경우: ㉠에 3개
⇨ 3+3+1+3+1+1+1=13(개)
가장 적은 경우: ㉠에 1개
⇨ 3+1+1+3+1+1+1=11(개)

122~123쪽

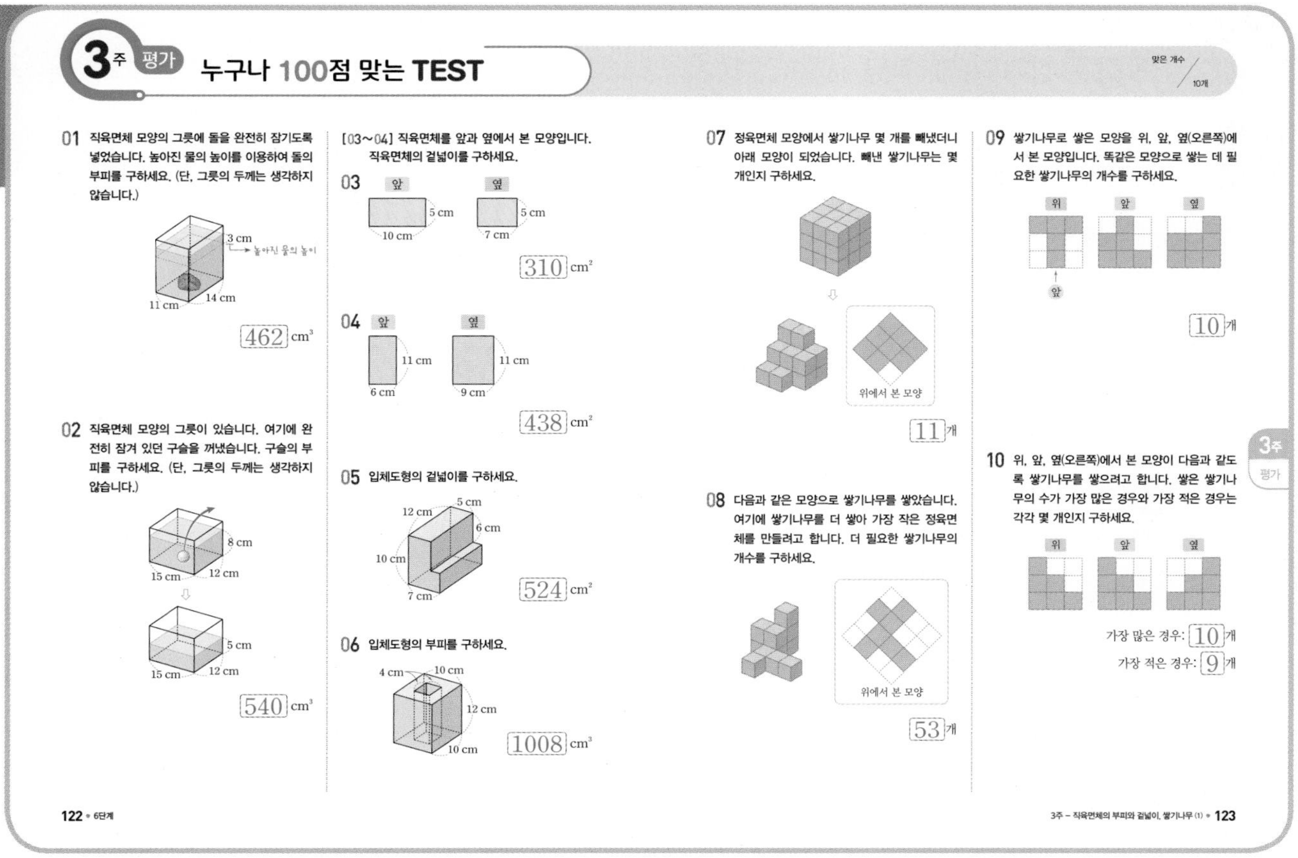
3주 평가 누구나 100점 맞는 TEST

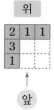

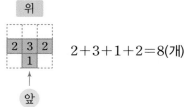

맞은 개수 / 10개

01 직육면체 모양의 그릇에 돌을 완전히 잠기도록 넣었습니다. 높아진 물의 높이를 이용하여 돌의 부피를 구하세요. (단, 그릇의 두께는 생각하지 않습니다.)

3 cm → 높아진 물의 높이, 11 cm, 14 cm

462 cm³

02 직육면체 모양의 그릇이 있습니다. 여기에 완전히 잠겨 있던 구슬을 꺼냈습니다. 구슬의 부피를 구하세요. (단, 그릇의 두께는 생각하지 않습니다.)

8 cm, 15 cm, 12 cm ⇩ 5 cm, 15 cm, 12 cm

540 cm³

[03~04] 직육면체를 앞과 옆에서 본 모양입니다. 직육면체의 겉넓이를 구하세요.

03 앞: 10 cm, 5 cm / 옆: 7 cm, 5 cm

310 cm²

04 앞: 6 cm, 11 cm / 옆: 9 cm, 11 cm

438 cm²

05 입체도형의 겉넓이를 구하세요.

12 cm, 5 cm, 6 cm, 10 cm, 7 cm

524 cm²

06 입체도형의 부피를 구하세요.

4 cm, 10 cm, 12 cm, 10 cm

1008 cm³

07 정육면체 모양에서 쌓기나무 몇 개를 빼냈더니 아래 모양이 되었습니다. 빼낸 쌓기나무는 몇 개인지 구하세요.

위에서 본 모양

11개

08 다음과 같은 모양으로 쌓기나무를 쌓았습니다. 여기에 쌓기나무를 더 쌓아 가장 작은 정육면체를 만들려고 합니다. 더 필요한 쌓기나무의 개수를 구하세요.

위에서 본 모양

53개

09 쌓기나무로 쌓은 모양을 위, 앞, 옆(오른쪽)에서 본 모양입니다. 똑같은 모양으로 쌓는 데 필요한 쌓기나무의 개수를 구하세요.

위 앞 옆 / 앞

10개

10 위, 앞, 옆(오른쪽)에서 본 모양이 다음과 같도록 쌓기나무를 쌓으려고 합니다. 쌓은 쌓기나무의 수가 가장 많은 경우와 가장 적은 경우는 각각 몇 개인지 구하세요.

위 앞 옆

가장 많은 경우: 10개
가장 적은 경우: 9개

3주 평가

122 • 6단계

3주 – 직육면체의 부피와 겉넓이, 쌓기나무 (1) • 123

특강 창의·융합·코딩

◎ 소마 큐브는 덴마크의 수학자인 피에트 하인이 개발한 3차원 입체 퍼즐입니다. 정육면체 3개 또는 4개를 이어 붙여 만든 일곱 개의 조각으로 다음과 같이 큰 정육면체를 만들 수 있습니다. 가장 작은 정육면체의 한 모서리의 길이가 2 cm일 때, 소마 큐브 조각의 겉넓이를 어떻게 구하는지 알아볼까요?

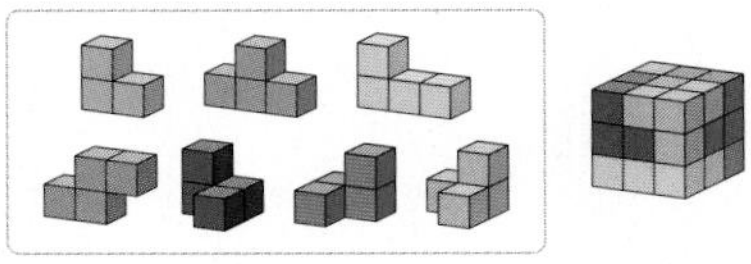

방법

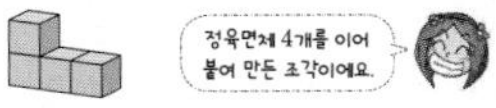

가장 작은 정육면체의 한 면의 넓이 구하기
$2\times2=4$ (cm²)

조각의 보이는 면의 수 구하기

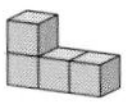

(보이는 면의 수)$=3\times2+4\times2+2\times2=18$(개)
(위, 아래 / 앞, 뒤 / 양 옆)

⇨ (겉넓이)=(가장 작은 정육면체의 한 면의 넓이)×(보이는 면의 수)
$=4\times18=72$ (cm²)

융합

1 가장 작은 정육면체의 한 모서리의 길이가 2 cm일 때, 다음 조각의 겉넓이는 몇 cm²인지 구하세요.

(겉넓이)=(가장 작은 정육면체의 한 면의 넓이)×(보이는 면의 수)
$=4\times$ 14 $=$ 56 (cm²)

융합

소마 큐브 조각 2개를 붙여 만든 모양입니다. 가장 작은 정육면체의 한 모서리의 길이가 2 cm일 때, 다음 모양의 겉넓이는 몇 cm²인지 구하세요.

2 

(겉넓이)=(가장 작은 정육면체의 한 면의 넓이)×(보이는 면의 수)
= 104 (cm²)

3 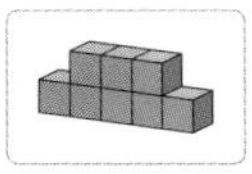

120 cm²

4 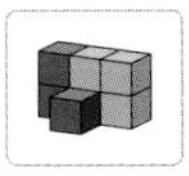

104 cm²

5 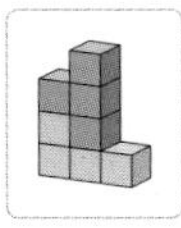

120 cm²

6 

120 cm²

특강 창의·융합·코딩

◎ 원기둥을 한없이 잘라서 엇갈리게 이어 붙이면 직육면체를 만들 수 있습니다. 직육면체의 부피를 이용하여 오른쪽 원기둥의 부피를 구하는 방법을 알아볼까요? (원주율: 3)

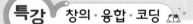

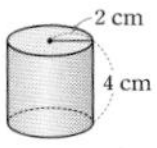

방법

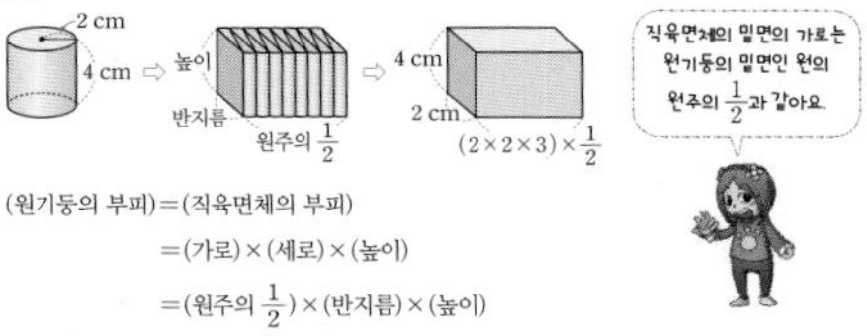

(원기둥의 부피)=(직육면체의 부피)
=(가로)×(세로)×(높이)
=(원주의 $\frac{1}{2}$)×(반지름)×(높이)
$=(2\times2\times3)\times\frac{1}{2}\times2\times4$
$=48$ (cm³)

창의

7 다음 원기둥의 부피를 구하세요. (원주율: 3)

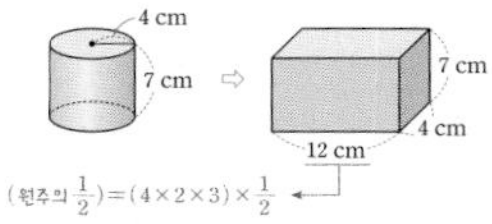

(원기둥의 부피)=(직육면체의 부피)
=(가로)×(세로)×(높이)
$=12\times4\times7$
= 336 (cm³)

창의

직육면체의 부피를 이용하여 원기둥의 부피를 구하세요. (원주율: 3)

8 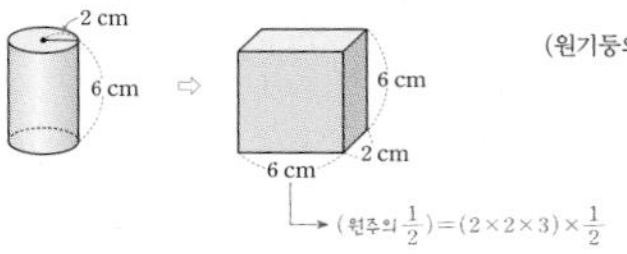

(원기둥의 부피)=(직육면체의 부피)
$=6\times2\times6$
= 72 (cm³)

9 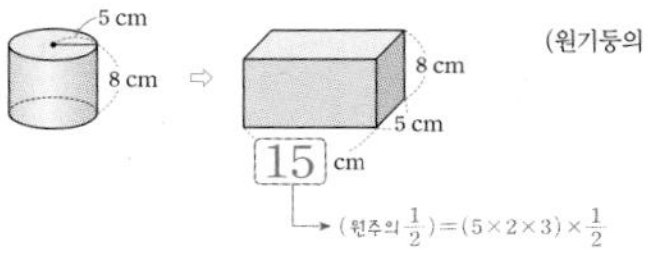

(원기둥의 부피)=(직육면체의 부피)
= 15 ×5×8
= 600 (cm³)

10 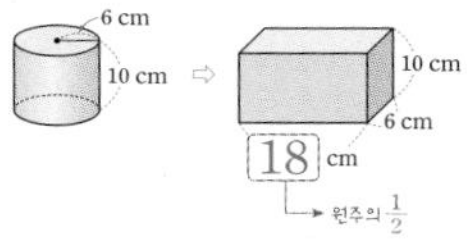

1080 cm³

11 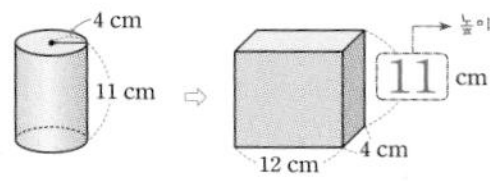

528 cm³

4주 | 쌓기나무 (2)

132~133쪽

이번 주에는 무엇을 공부할까요? ②

✿ 쌓기나무의 개수를 층별로 구하기

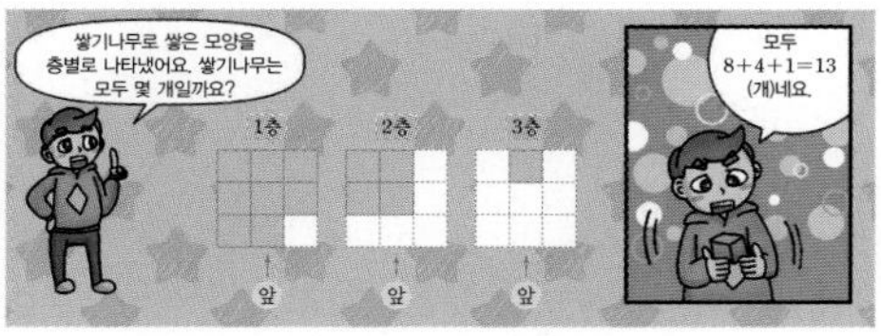

✿ 같은 모양 찾기

쌓기나무로 쌓은 모양을 층별로 나타낸 모양입니다. 똑같은 모양으로 쌓는 데 필요한 쌓기나무는 모두 몇 개인지 구하세요.

1-1
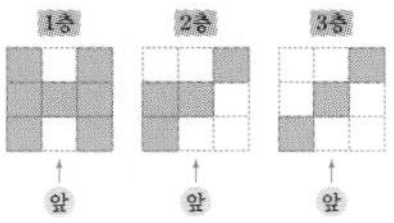

14개

1-2
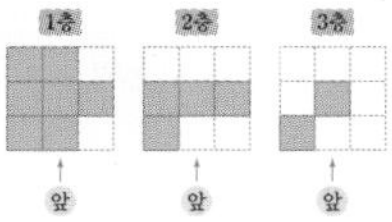

13개

1-3
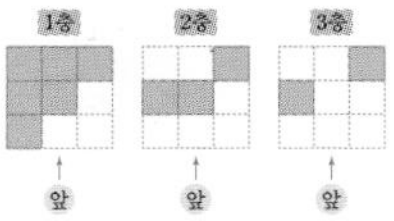

11개

1-4
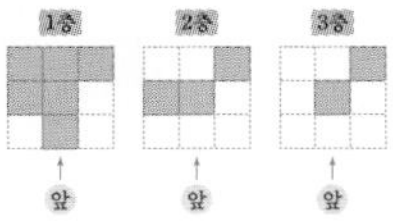

11개

뒤집거나 돌렸을 때 같은 모양이 되는 것을 찾아 선으로 이으세요.

2-1
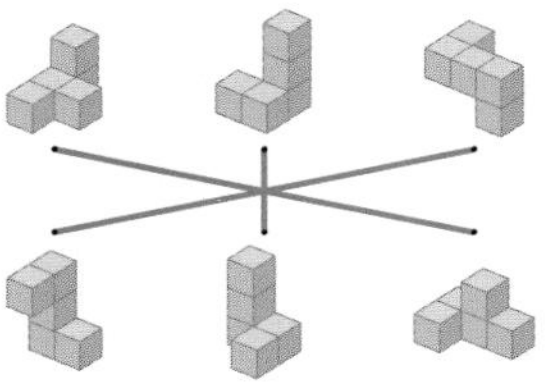

2-2
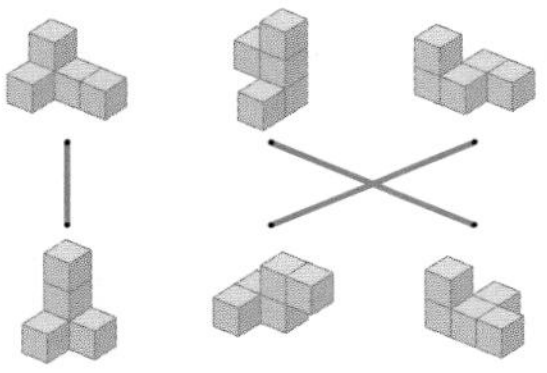

136~137쪽

1일 규칙에 따라 쌓기나무 쌓기

활동을 통하여 해결 방법을 알아보아요.

○ 규칙에 따라 쌓을 때 다섯 번째 모양의 쌓기나무의 개수 구하기

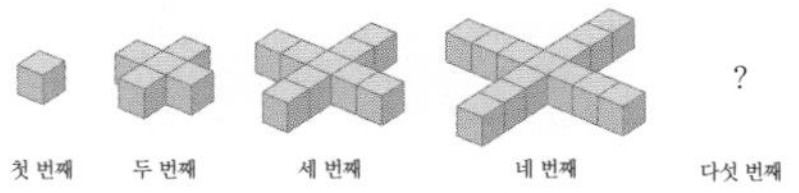

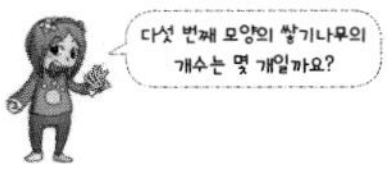

① 쌓기나무를 쌓은 규칙 찾기

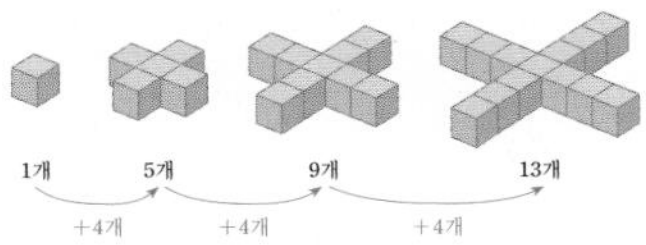

⇨ 쌓기나무의 개수가 4개씩 늘어나는 규칙입니다.

② 다섯 번째 모양의 쌓기나무의 개수 구하기

다섯 번째 모양의 쌓기나무의 개수는 13개에서 4개가 늘어나므로 13+4=17(개)이고 모양은 오른쪽과 같습니다.

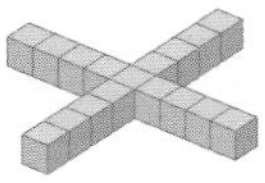

참고
첫 번째 모양의 쌓기나무의 개수 1개에서 4개씩 몇 번 늘어났는지 확인하고 다섯 번째 모양의 개수를 구합니다.
다섯 번째 모양의 쌓기나무의 개수: 1+4×4=17(개)

해결 방법 확인

규칙에 따라 쌓기나무를 쌓을 때 다섯 번째 모양의 쌓기나무는 몇 개인지 구하세요.

1-1
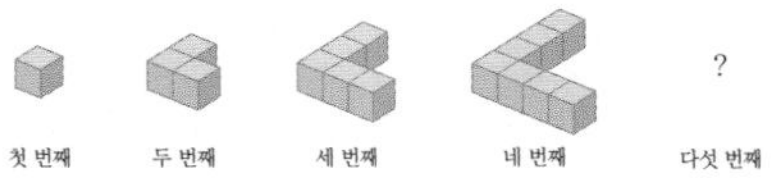

9개

1-2
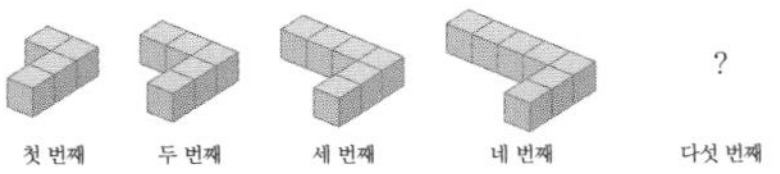

8개

1-3
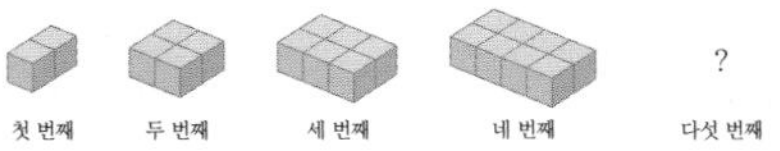

10개

1-4
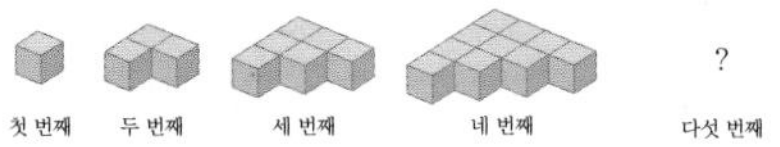

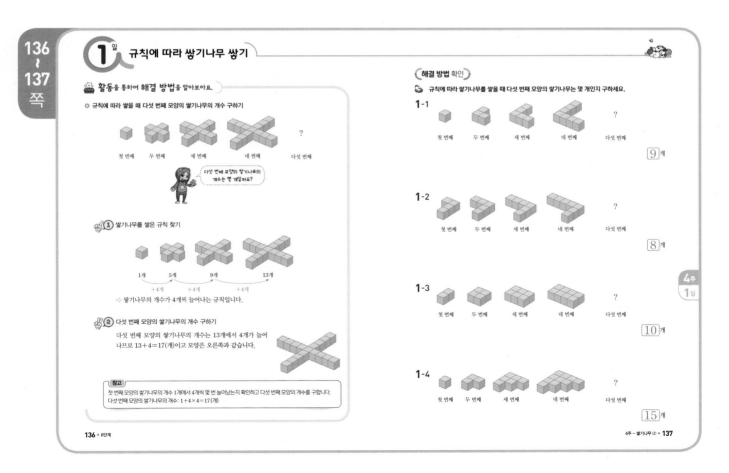

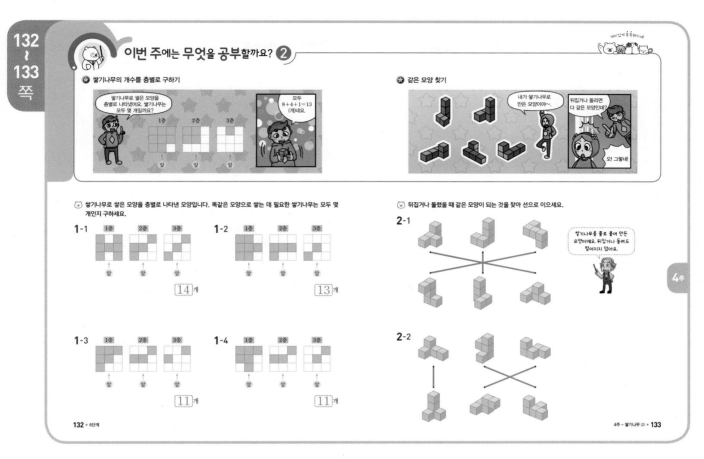

15개

138 ~ 139 쪽

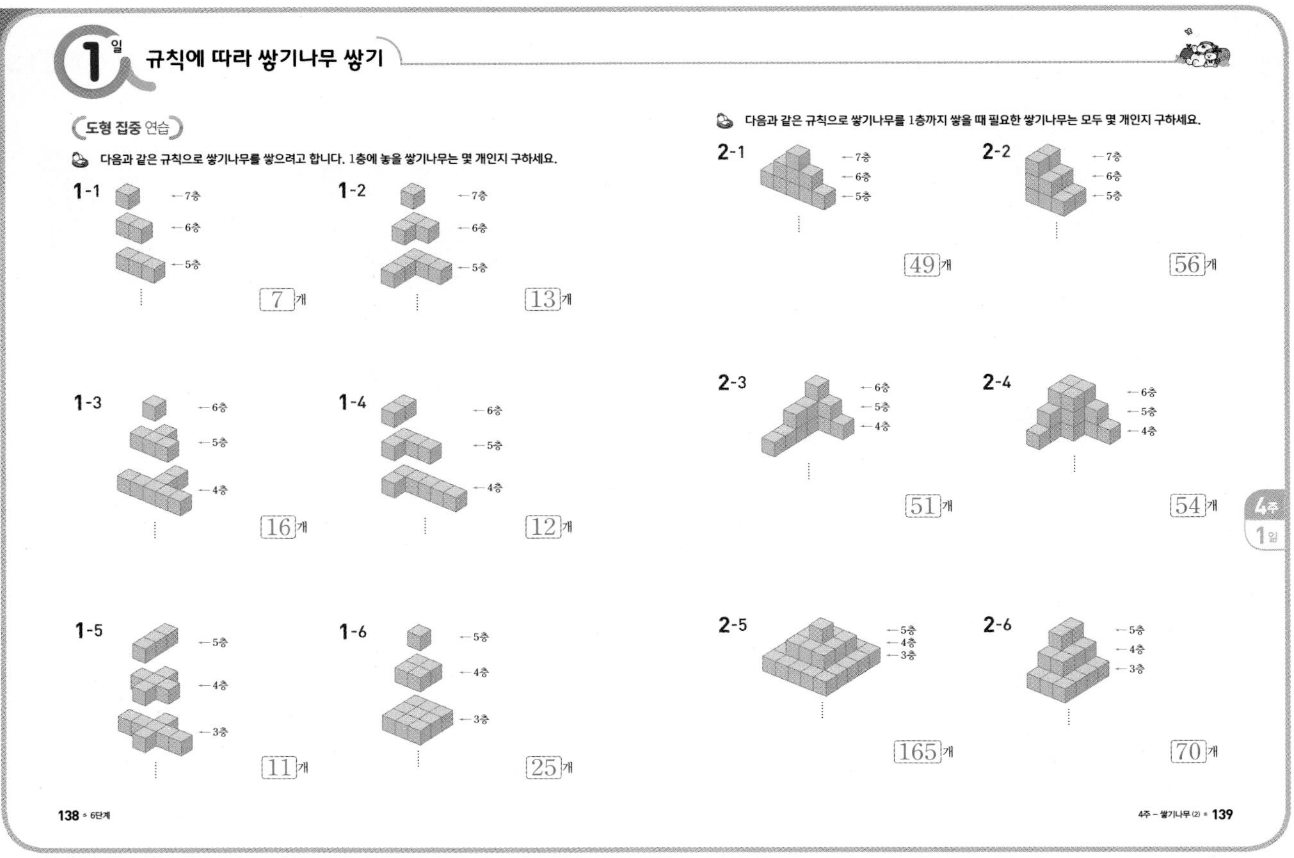
1일 규칙에 따라 쌓기나무 쌓기

도형 집중 연습

다음과 같은 규칙으로 쌓기나무를 쌓으려고 합니다. 1층에 놓을 쌓기나무는 몇 개인지 구하세요.

1-1 ←7층 ←6층 ←5층 7개

1-2 ←7층 ←6층 ←5층 13개

1-3 ←6층 ←5층 ←4층 16개

1-4 ←6층 ←5층 ←4층 12개

1-5 ←5층 ←4층 ←3층 11개

1-6 ←5층 ←4층 ←3층 25개

다음과 같은 규칙으로 쌓기나무를 1층까지 쌓을 때 필요한 쌓기나무는 모두 몇 개인지 구하세요.

2-1 ←7층 ←6층 ←5층 49개

2-2 ←7층 ←6층 ←5층 56개

2-3 ←6층 ←5층 ←4층 51개

2-4 ←6층 ←5층 ←4층 54개

2-5 ←5층 ←4층 ←3층 165개

2-6 ←5층 ←4층 ←3층 70개

138 • 6단계

4주 - 쌓기나무 (2) • 139

4주 1일

풀이

1-1 아래로 갈수록 1개씩 늘어나는 규칙입니다.

7층	6층	5층	4층	3층	2층	1층
1개	2개	3개	4개	5개	6개	7개

1-2 아래로 갈수록 2개씩 늘어나는 규칙입니다.

7층	6층	5층	4층	3층	2층	1층
1개	3개	5개	7개	9개	11개	13개

1-3 아래로 갈수록 3개씩 늘어나는 규칙입니다.

6층	5층	4층	3층	2층	1층
1개	4개	7개	10개	13개	16개

1-4 아래로 갈수록 2개씩 늘어나는 규칙입니다.

6층	5층	4층	3층	2층	1층
2개	4개	6개	8개	10개	12개

1-5 아래로 갈수록 2개씩 늘어나는 규칙입니다.

5층	4층	3층	2층	1층
3개	5개	7개	9개	11개

1-6 아래로 갈수록 3개, 5개, 7개……씩 늘어나는 규칙입니다.

5층	4층	3층	2층	1층
1개	4개	9개	16개	25개

2-1 $1+3+5+7+9+11+13=49$(개)

2-2 $2+4+6+8+10+12+14=56$(개)

2-3 $1+4+7+10+13+16=51$(개)

2-4 $4+6+8+10+12+14=54$(개)

2-5 $1+9+25+49+81=165$(개)

2-6 $2+6+12+20+30=70$(개)

2일 2층에 알맞은 모양

활동을 통하여 해결 방법을 알아보아요.

○ 쌓기나무로 쌓은 모양에서 2층에 알맞은 모양 찾기

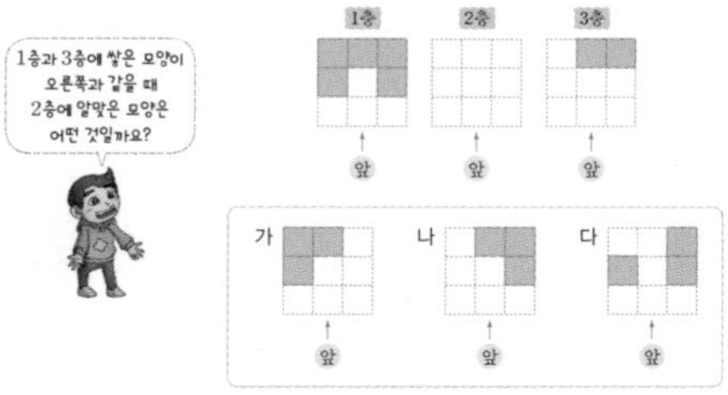

해결 1 2층에 쌓기나무를 반드시 놓아야 하는 곳 알아보기

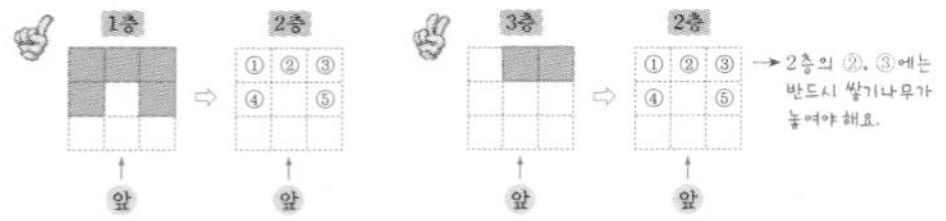

1층에 놓인 곳 중에서 2층을 놓을 수 있으므로 2층에 놓을 수 있는 자리는 ①~⑤까지입니다.

3층에 쌓기나무가 놓인 곳에는 2층에도 반드시 쌓기나무가 놓여야 합니다.

해결 2 2층에 알맞은 모양 찾기

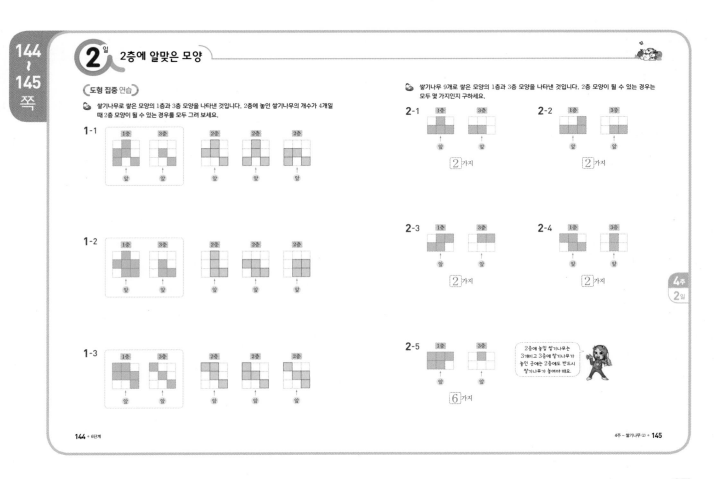

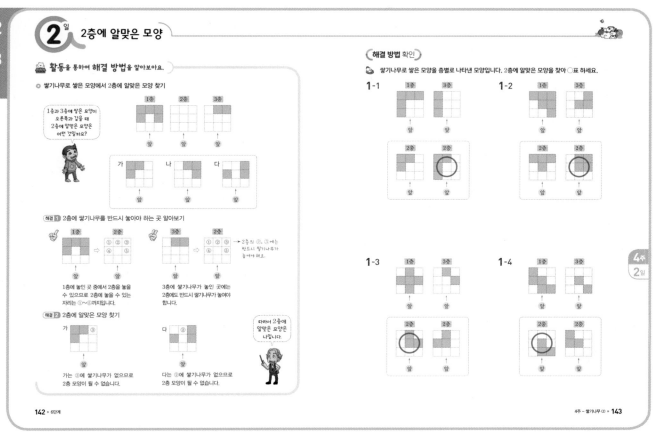

가는 ③에 쌓기나무가 없으므로 2층 모양이 될 수 없습니다.

다는 ②에 쌓기나무가 없으므로 2층 모양이 될 수 없습니다.

해결 방법 확인

쌓기나무로 쌓은 모양을 층별로 나타낸 모양입니다. 2층에 알맞은 모양을 찾아 ○표 하세요.

1-1

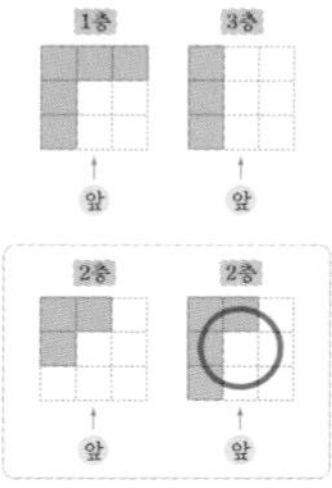

1-2

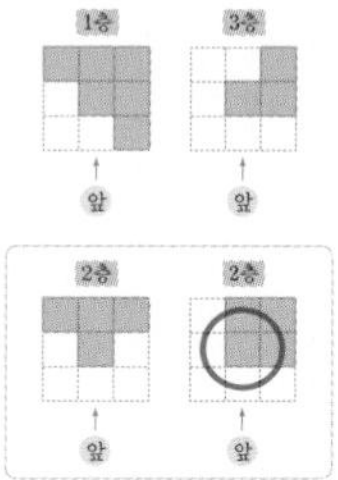

1-3

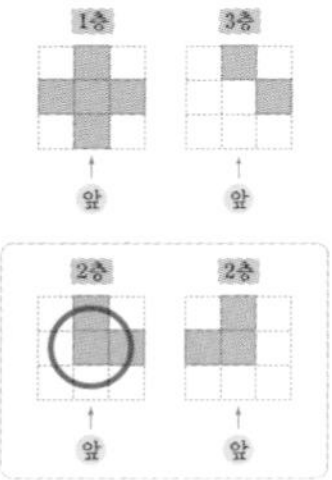

1-4

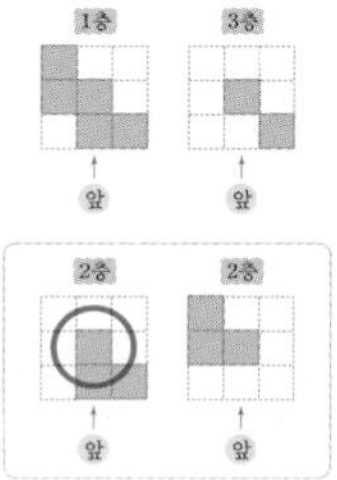

2일 2층에 알맞은 모양

도형 집중 연습

쌓기나무로 쌓은 모양의 1층과 3층 모양을 나타낸 것입니다. 2층에 놓인 쌓기나무의 개수가 4개일 때 2층 모양이 될 수 있는 경우를 모두 그려 보세요.

1-1

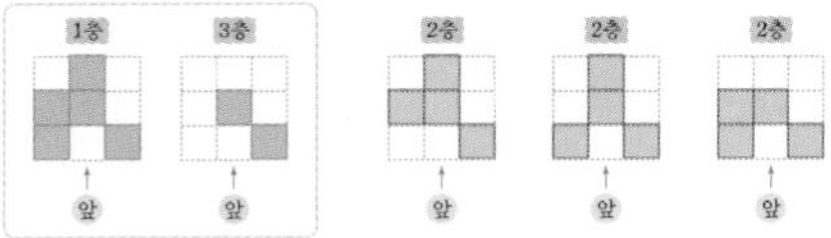

1-2

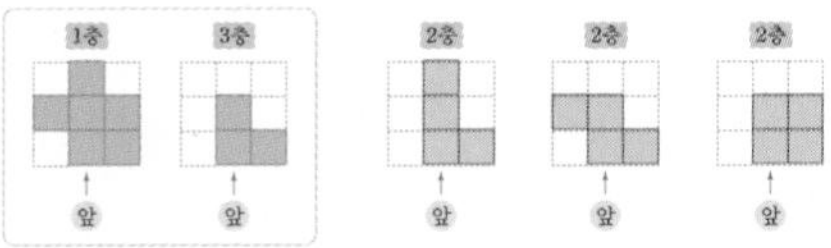

1-3

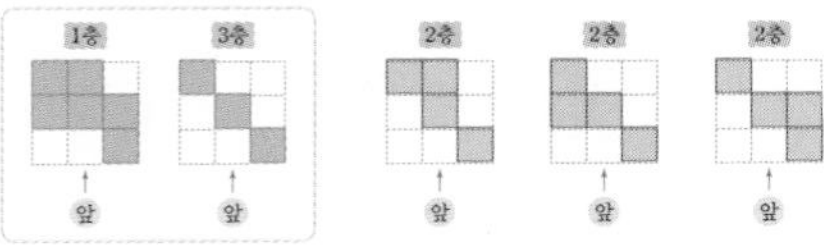

쌓기나무 9개로 쌓은 모양의 1층과 3층 모양을 나타낸 것입니다. 2층 모양이 될 수 있는 경우는 모두 몇 가지인지 구하세요.

2-1

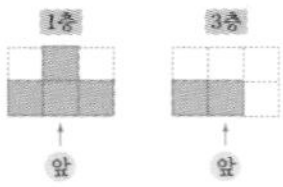

2 가지

2-2

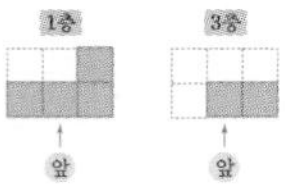

2 가지

2-3

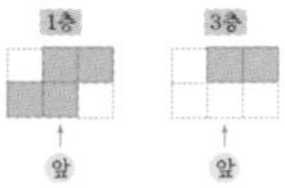

2 가지

2-4

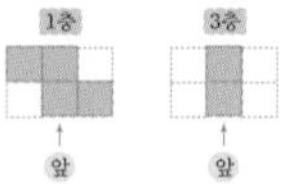

2 가지

2-5

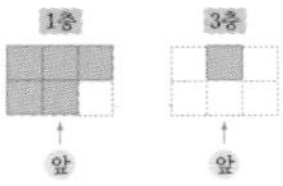

6 가지

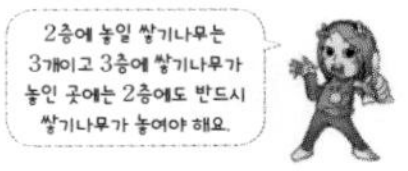

풀이

2-1

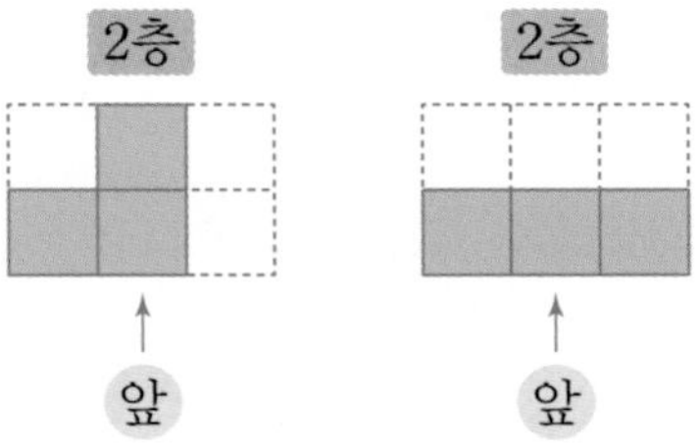

2-2

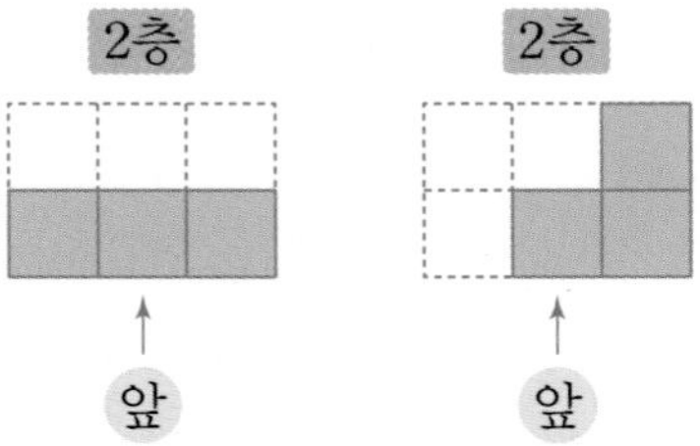

2-3

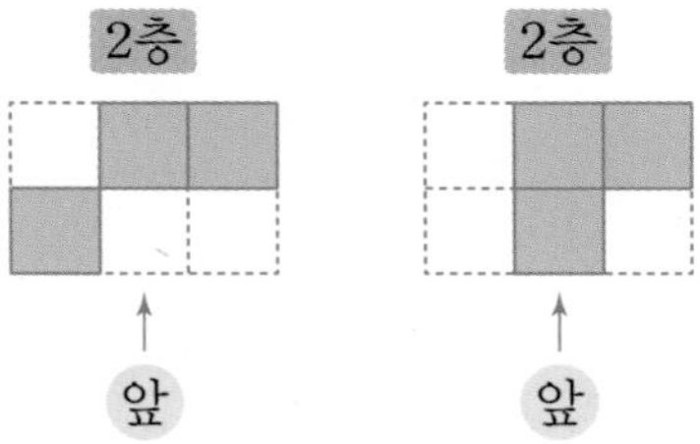

2-4

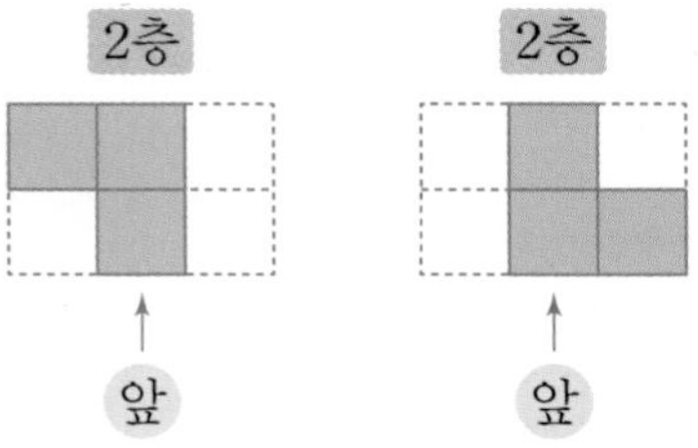

2-5

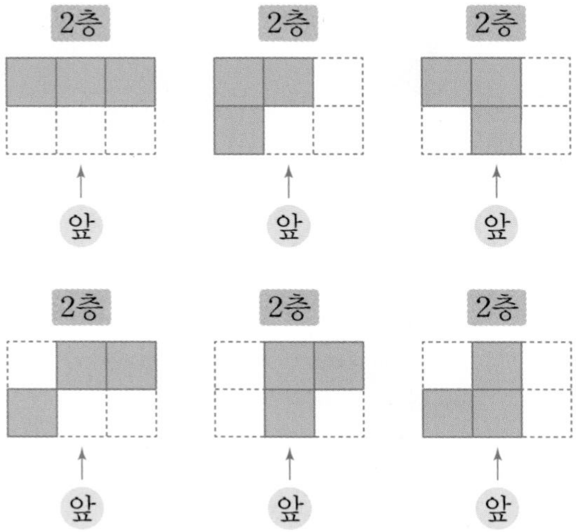

148~149쪽

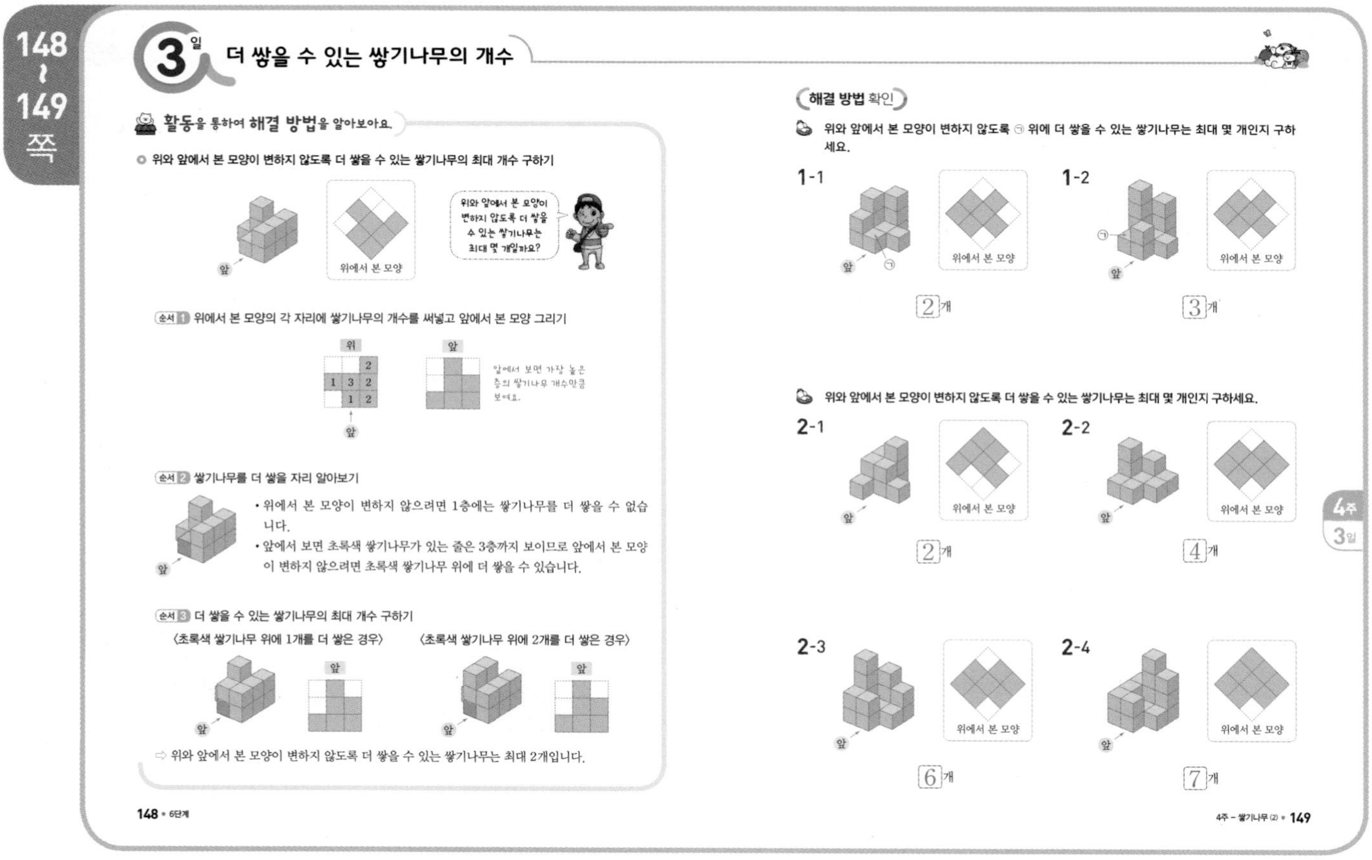

3일 더 쌓을 수 있는 쌓기나무의 개수

활동을 통하여 해결 방법을 알아보아요.

◎ 위와 앞에서 본 모양이 변하지 않도록 더 쌓을 수 있는 쌓기나무의 최대 개수 구하기

위와 앞에서 본 모양이 변하지 않도록 더 쌓을 수 있는 쌓기나무는 최대 몇 개일까요?

순서 1 위에서 본 모양의 각 자리에 쌓기나무의 개수를 써넣고 앞에서 본 모양 그리기

앞에서 보면 가장 높은 층의 쌓기나무 개수만큼 보여요.

순서 2 쌓기나무를 더 쌓을 자리 알아보기

- 위에서 본 모양이 변하지 않으려면 1층에는 쌓기나무를 더 쌓을 수 없습니다.
- 앞에서 보면 초록색 쌓기나무가 있는 줄은 3층까지 보이므로 앞에서 본 모양이 변하지 않으려면 초록색 쌓기나무 위에 더 쌓을 수 있습니다.

순서 3 더 쌓을 수 있는 쌓기나무의 최대 개수 구하기

〈초록색 쌓기나무 위에 1개를 더 쌓은 경우〉 〈초록색 쌓기나무 위에 2개를 더 쌓은 경우〉

⇨ 위와 앞에서 본 모양이 변하지 않도록 더 쌓을 수 있는 쌓기나무는 최대 2개입니다.

148 • 6단계

해결 방법 확인

위와 앞에서 본 모양이 변하지 않도록 ㉠ 위에 더 쌓을 수 있는 쌓기나무는 최대 몇 개인지 구하세요.

1-1 2개

1-2 3개

위와 앞에서 본 모양이 변하지 않도록 더 쌓을 수 있는 쌓기나무는 최대 몇 개인지 구하세요.

2-1 2개

2-2 4개

2-3 6개

2-4 7개

4주 - 쌓기나무 (2) • 149

150 ~ 151 쪽

3일 더 쌓을 수 있는 쌓기나무의 개수

도형 집중 연습

쌓기나무를 주어진 개수만큼 사용하여 만든 모양입니다. 보기와 같이 위, 앞, 옆에서 본 모양이 변하지 않도록 쌓기나무를 더 쌓을 수 있는 곳에 쌓기나무를 모두 그려 보세요.

보기

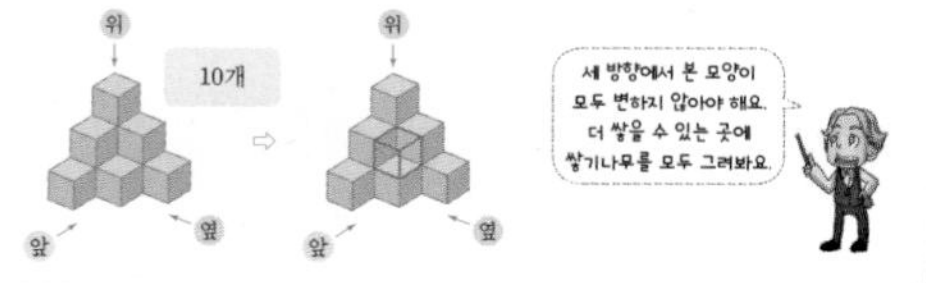
위
10개
앞
옆
세 방향에서 본 모양이 모두 변하지 않아야 해요. 더 쌓을 수 있는 곳에 쌓기나무를 모두 그려봐요.

1-1 9개

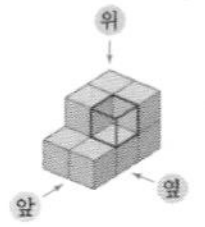

1-2 10개

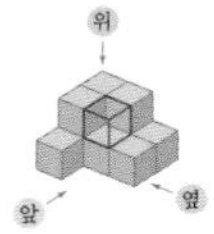

1-3 10개

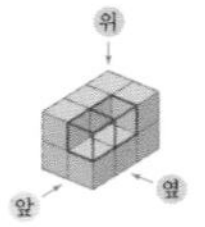

1-4 11개

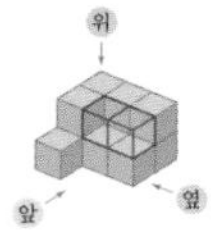

1-5 12개

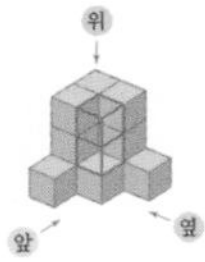

1-6 16개

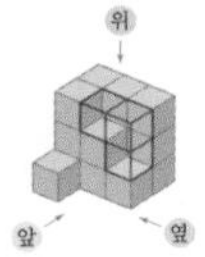

쌓기나무를 주어진 개수만큼 사용하여 만든 모양입니다. 위, 앞, 옆에서 본 모양이 변하지 않도록 쌓기나무를 빼내려고 합니다. 빼낼 수 있는 쌓기나무는 최대 몇 개인지 구하세요.

2-1 14개

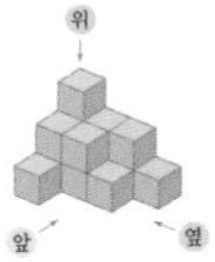

2개

2-2 13개

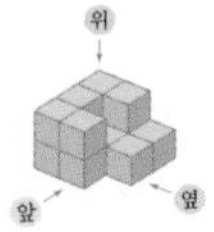

2개

2-3 13개

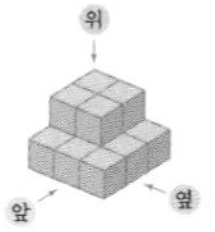

2개

2-4 12개

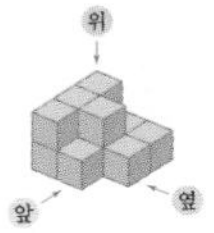

1개

2-5 10개

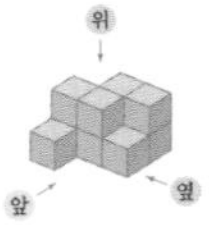

1개

2-6 10개

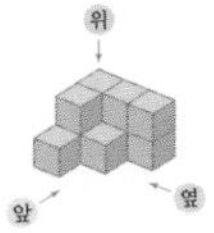

1개

2-7 15개

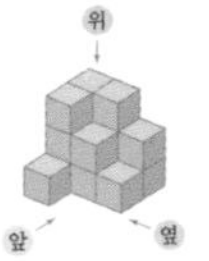

3개

2-8 17개

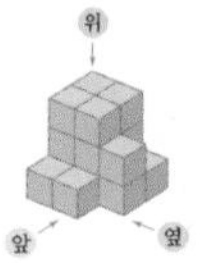

4개

4주 3일

154 ~ 155 쪽

4일 색칠된 쌓기나무의 개수 구하기

활동을 통하여 개념을 알아보아요.

○ 색칠된 쌓기나무의 개수 구하기

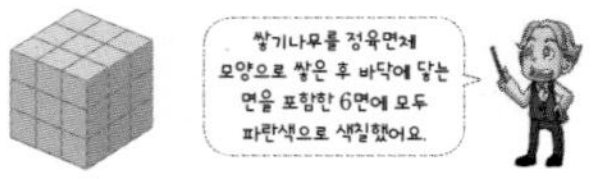
쌓기나무를 정육면체 모양으로 쌓은 후 바닥에 닿는 면을 포함한 6면에 모두 파란색으로 색칠했어요.

활동 1 한 면에만 색칠된 쌓기나무의 개수 구하기

정육면체의 각 면에서 한가운데에 있는 쌓기나무는 한 면에만 칠해져요.

한 면에만 색칠된 것
⇨ 6개

활동 2 두 면에 색칠된 쌓기나무의 개수 구하기

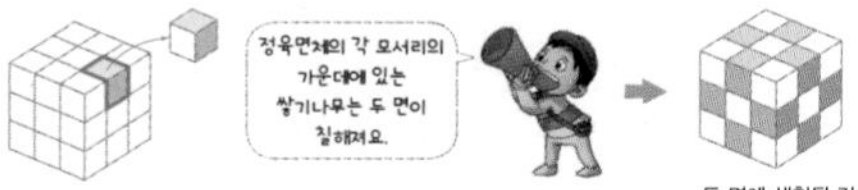
정육면체의 각 모서리의 가운데에 있는 쌓기나무는 두 면이 칠해져요.

두 면에 색칠된 것
1층 4개, 2층 4개, 3층 4개
⇨ 12개

활동 3 세 면에 색칠된 쌓기나무의 개수 구하기

정육면체의 꼭짓점에 위치한 8개의 쌓기나무는 세 면이 칠해져요.

세 면에 색칠된 것
⇨ 8개

활동 개념 확인

다음과 같이 정육면체 모양으로 쌓기나무를 쌓고 바닥에 닿는 면을 포함한 6면에 모두 색칠하려고 합니다. 색칠되는 면의 개수에 따라 쌓기나무의 개수를 각각 구하세요.

1-1

한 면	24	개
두 면	24	개
세 면	8	개

참고

정육면체의 위에 보이는 면에서 가운데 4개는 한 면만 색칠됩니다.

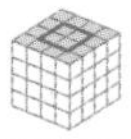

정육면체는 면이 6개이므로 한 면에만 색칠되는 쌓기나무의 개수는 (4×6)개입니다.

1-2

한 면	54	개
두 면	36	개
세 면	8	개

1-3

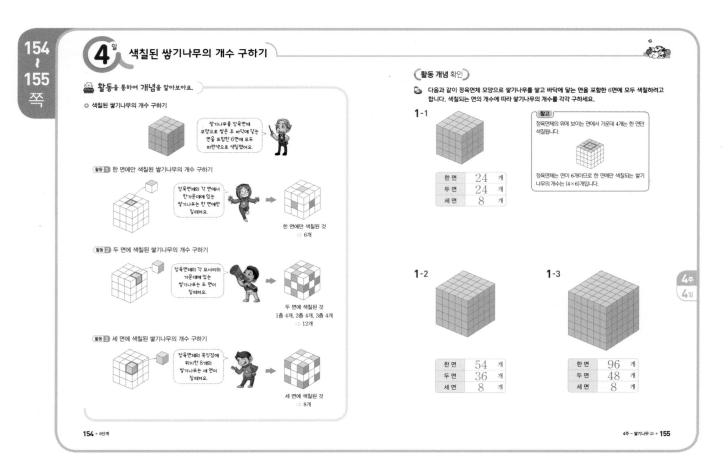

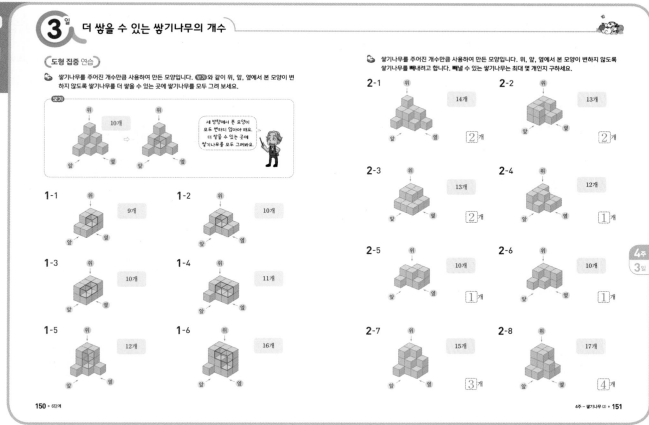

한 면	96	개
두 면	48	개
세 면	8	개

4주 4일

4일 색칠된 쌓기나무의 개수 구하기

도형 집중 연습

다음과 같이 직육면체 모양으로 쌓기나무를 쌓고 바닥에 닿는 면을 포함한 6면에 모두 색칠하려고 합니다. 색칠되는 면의 개수에 따라 쌓기나무의 개수를 각각 구하세요.

1-1

한 면	16	개
두 면	20	개
세 면	8	개

1-2

한 면	22	개
두 면	24	개
세 면	8	개

1-3

한 면	42	개
두 면	32	개
세 면	8	개

1-4

한 면	38	개
두 면	32	개
세 면	8	개

다음과 같이 직육면체 모양으로 쌓기나무를 쌓고 바닥에 닿는 면을 포함한 6면에 모두 파란색을 칠했습니다. 보기와 같이 색칠된 면이 없는 쌓기나무의 개수를 구하세요.

맨 위층과 맨 아래층을 제외한 중간층의 가운데 부분에 색칠된 면이 없는 쌓기나무가 있어요.

⇒ (색칠된 면이 없는 쌓기나무의 개수)=2×1=2(개)

2-1 9 개

2-2 8 개

2-3 18 개

2-4 24 개

5일 새로운 모양 만들기

활동을 통하여 해결 방법을 알아보아요.

◦ 주어진 모양에 쌓기나무 1개를 더 붙여서 만들 수 있는 모양 알아보기

뒤집거나 돌려서 같은 모양이 되면 한 가지로 생각해요.

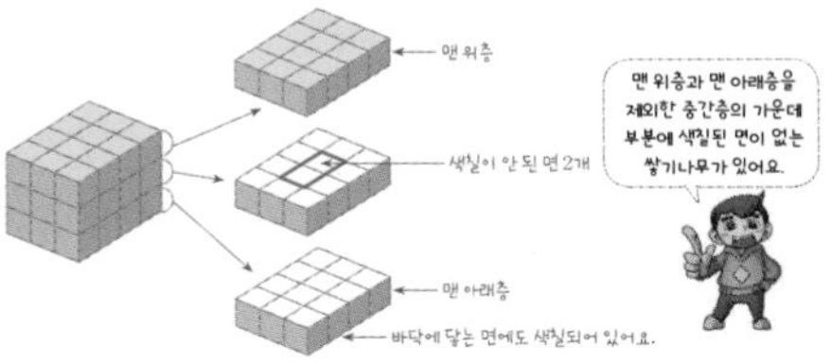

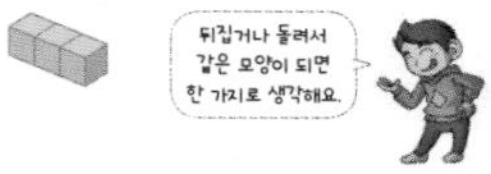

방법 1 왼쪽 또는 오른쪽에 한 줄로 1개 더 붙이기

같은 모양이므로 한 가지로 생각해요.

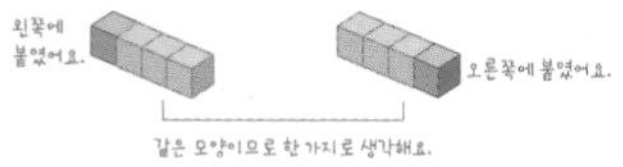

방법 2 왼쪽 또는 오른쪽에 꺾어서 1개 더 붙이기

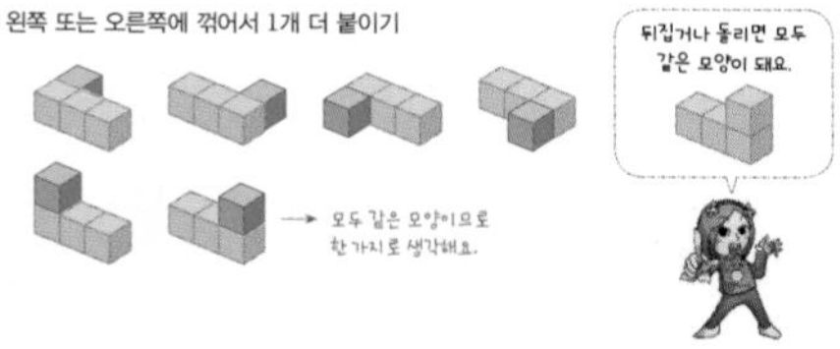

뒤집거나 돌리면 모두 같은 모양이 돼요.

모두 같은 모양이므로 한 가지로 생각해요.

방법 3 가운데에 1개 더 붙이기

모두 같은 모양이므로 한 가지로 생각해요.

⇒ 더 붙여서 만들 수 있는 모양은 모두 3가지입니다.

해결 방법 확인

왼쪽 모양에 쌓기나무 1개를 더 붙여서 만들 수 있는 모양을 찾아 ○표 하세요.

쌓기나무 4개에 1개를 더 붙이면 5개가 돼요.

1-1

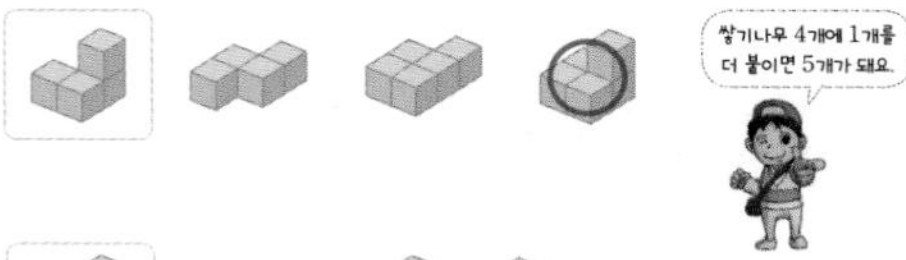

1-2

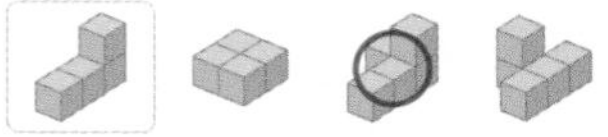

1-3

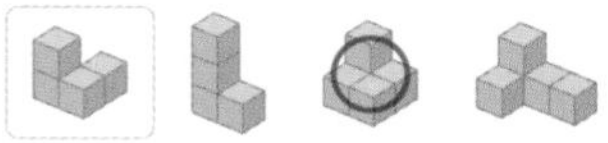

1-4

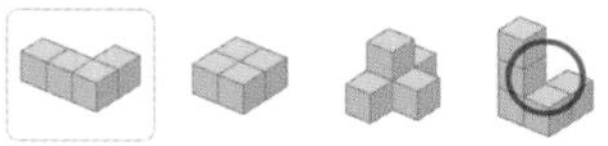

1-5

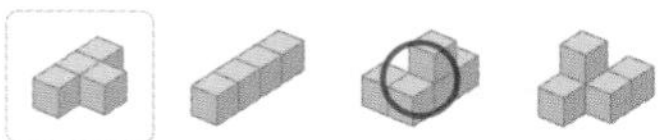

1-6

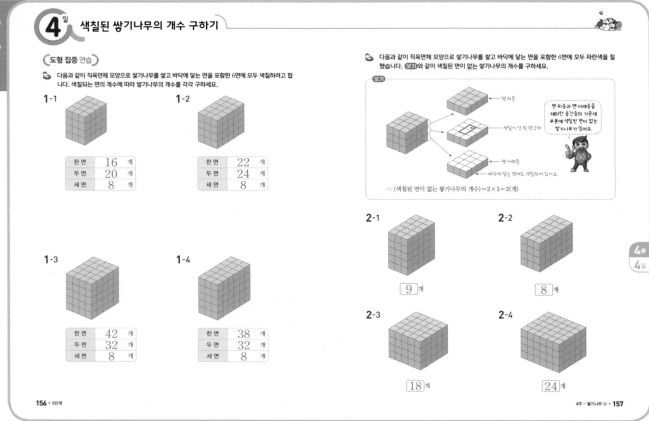

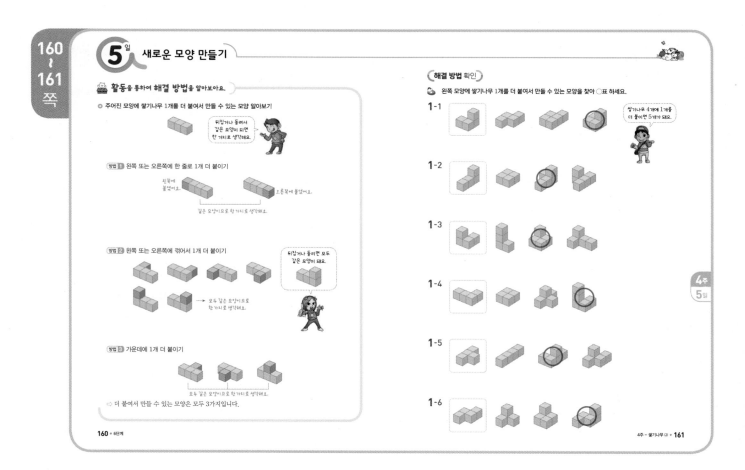

162~163쪽

5일 새로운 모양 만들기

(도형 집중 연습)

쌓기나무 4개로 만든 두 가지 모양을 사용하여 새로운 모양을 만들었습니다. 어떻게 만들었는지 구분하여 색칠해 보세요.

1-1

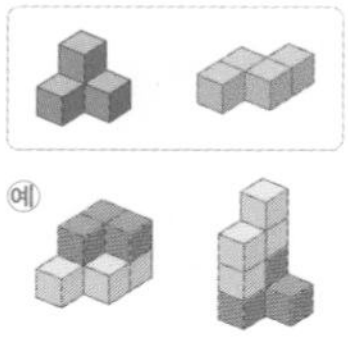

1-2

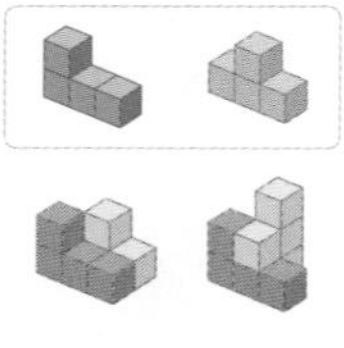

1-3

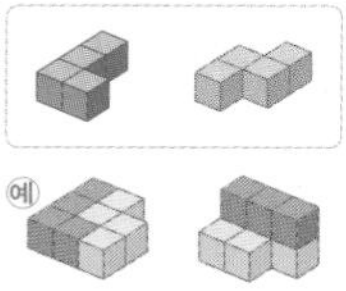

1-4

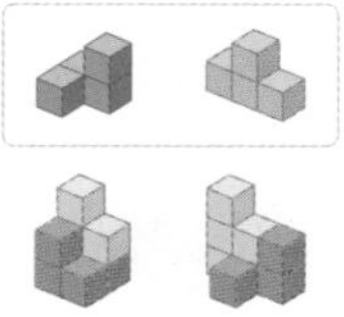

1-5

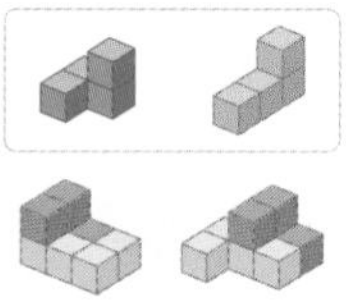

쌓기나무로 만든 모양 중 2개를 골라 오른쪽과 같은 정육면체 모양을 만들려고 합니다. 알맞은 두 모양을 찾아 ○표 하세요.

2-1

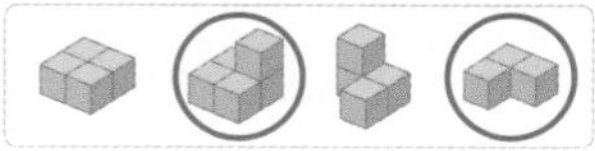

2-2

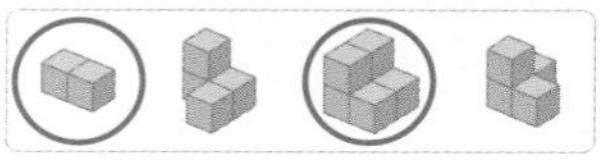

2-3

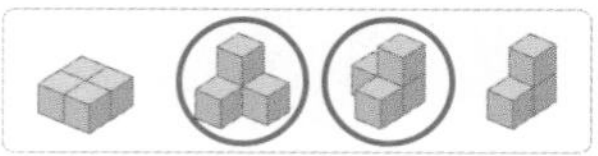

2-4

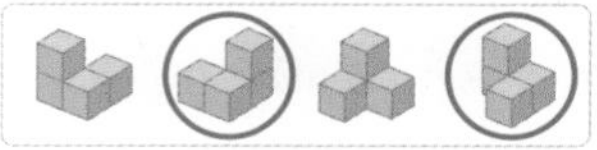

4주 5일

164~165쪽

4주 평가 누구나 100점 맞는 TEST

맞은 개수 / 10개

01 다음과 같은 규칙으로 쌓기나무를 쌓으려고 합니다. 1층에 놓을 쌓기나무는 몇 개인지 구하세요.

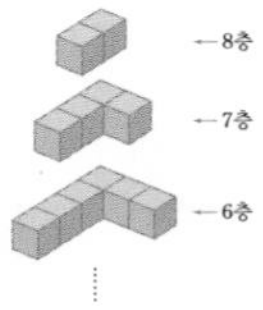

16개

02 다음과 같은 규칙으로 쌓기나무를 1층까지 쌓을 때 필요한 쌓기나무는 모두 몇 개인지 구하세요.

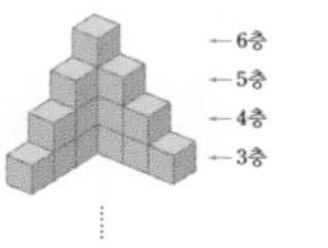

36개

03 직육면체 모양으로 쌓기나무를 쌓은 후 바닥에 닿는 면을 포함한 6면에 모두 색칠하려고 합니다. 한 면에 색칠되는 쌓기나무의 개수를 구하세요.

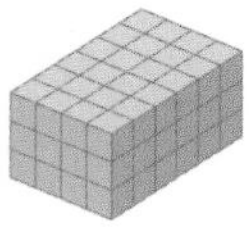

28개

04 직육면체 모양으로 쌓기나무를 쌓은 후 바닥에 닿는 면을 포함한 6면에 모두 색칠하려고 합니다. 색칠되는 면이 없는 쌓기나무의 개수를 구하세요.

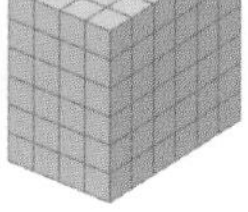

32개

05 쌓기나무 4개로 만든 두 가지 모양을 사용하여 새로운 모양을 만들었습니다. 어떻게 만들었는지 구분하여 색칠하세요.

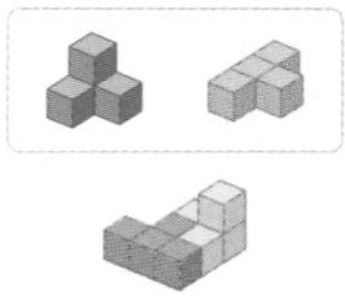

06 왼쪽 모양에 쌓기나무를 1개 더 붙여서 만들 수 있는 모양을 찾아 ○표 하세요.

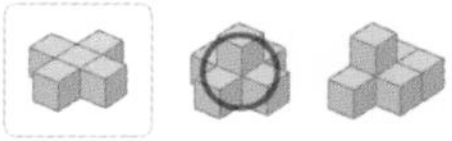

07 쌓기나무로 쌓은 모양의 1층과 3층 모양을 나타낸 것입니다. 2층에 놓인 쌓기나무의 개수가 4개일 때 2층 모양이 될 수 있는 경우는 모두 몇 가지인지 구하세요.

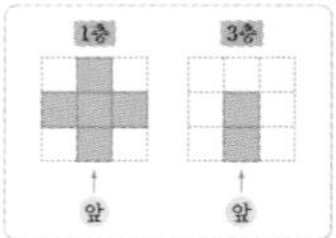

3가지

08 위와 앞에서 본 모양이 변하지 않도록 더 쌓을 수 있는 쌓기나무는 최대 몇 개인지 구하세요.

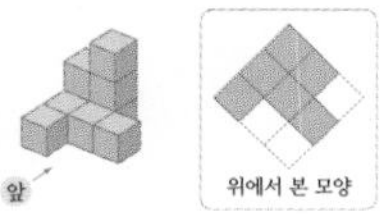

4개

[09~10] 쌓기나무를 주어진 개수만큼 사용하여 만든 모양입니다. 위, 앞, 옆에서 본 모양이 변하지 않도록 쌓기나무를 빼내려고 합니다. 빼낼 수 있는 쌓기나무는 최대 몇 개인지 구하세요.

09

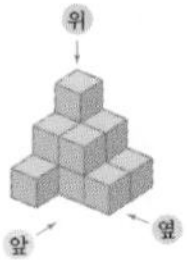

12개

2개

10

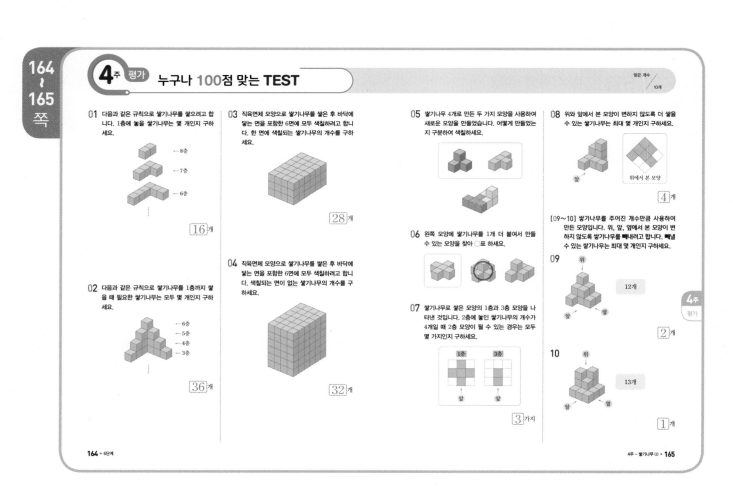

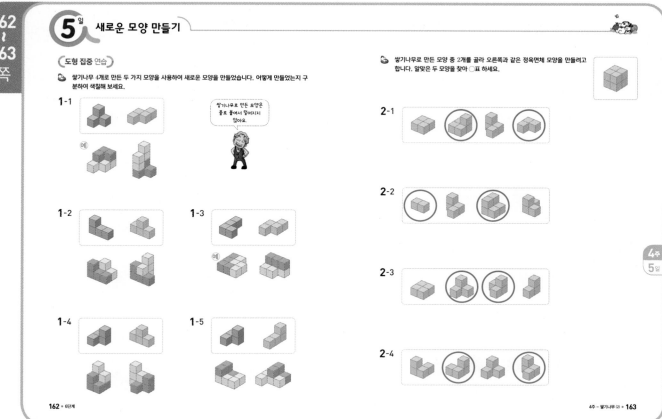

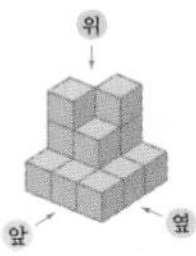

13개

1개

4주 평가

특강 창의·융합·코딩

창의

연결큐브 4개로 만든 모양입니다. 뒤집거나 돌렸을 때 왼쪽과 같은 모양을 찾아 ○표 하세요.

❶

❷

❸
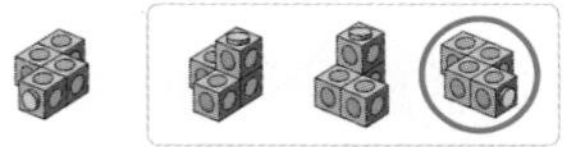

❹
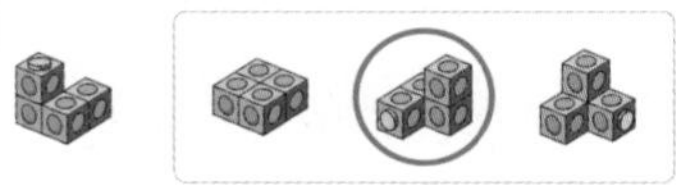

창의

연결큐브 5개로 만든 모양입니다. 뒤집거나 돌렸을 때 왼쪽과 같은 모양을 찾아 ○표 하세요.

❺

❻

❼
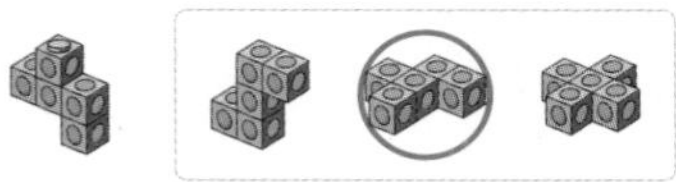

❽

특강 창의·융합·코딩

융합

주어진 모양을 뒤집거나 돌렸을 때 같은 모양을 찾아 가려고 합니다. 도착했을 때 만나는 친구의 이름에 ○표 하세요.

❾
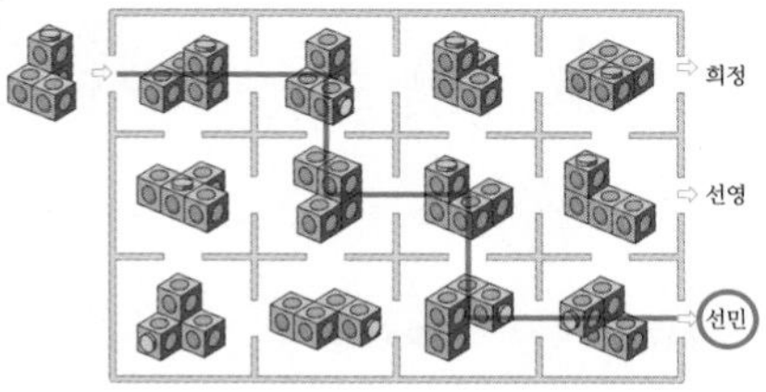

❿
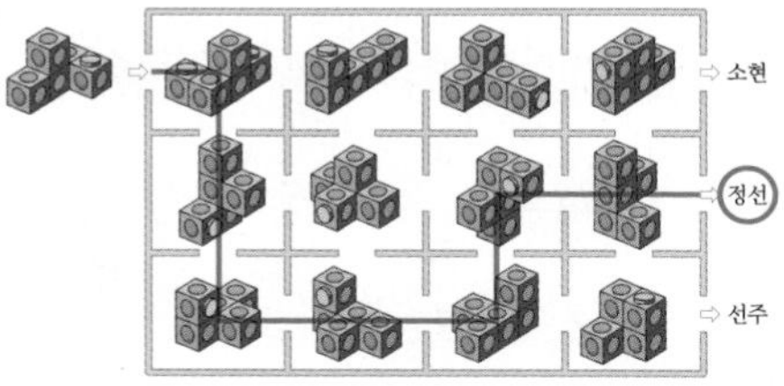

융합

⓫ 연결큐브 6개로 만든 모양입니다. 주어진 모양을 뒤집거나 돌렸을 때 같은 모양을 찾아 가려고 합니다. 도착했을 때 만나는 친구의 이름에 ○표 하세요.

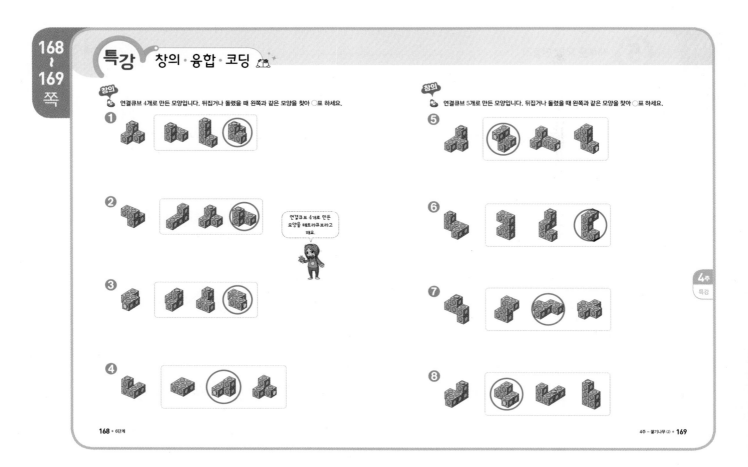

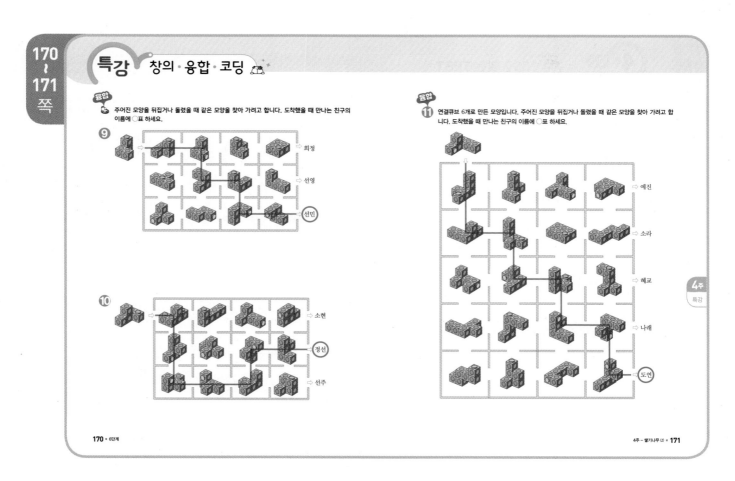

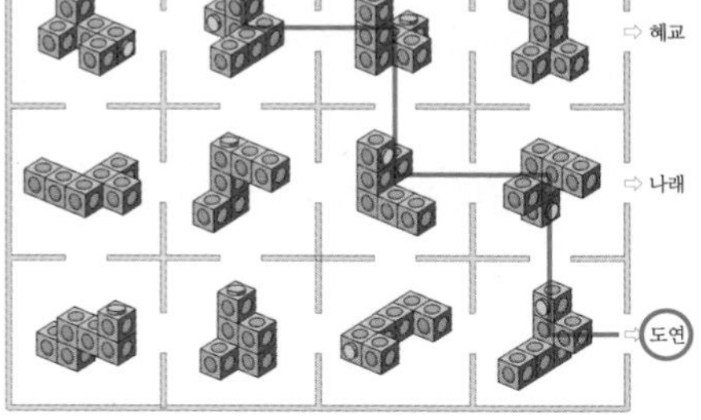

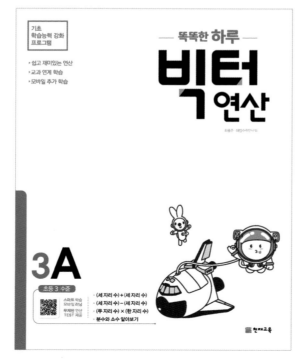

정답은
이안에
있어!

기초 학습능력 강화 프로그램

매일 조금씩 공부력 UP!

하루 독해

하루 어휘

하루 VOCA

하루 수학

하루 계산

하루 도형

과목	교재 구성	과목	교재 구성
하루 수학	1~6학년 1·2학기 12권	하루 사고력	1~6학년 A·B단계 12권
하루 VOCA	3~6학년 A·B단계 8권	하루 글쓰기	1~6학년 A·B단계 12권
하루 사회	3~6학년 1·2학기 8권	하루 한자	1~6학년 A·B단계 12권
하루 과학	3~6학년 1·2학기 8권	하루 어휘	예비초~6학년 1~6단계 6권
하루 도형	1~6단계 6권	하루 독해	예비초~6학년 A·B단계 12권
하루 계산	1~6학년 A·B단계 12권		

※ 각 교재별 출간 시기는 조금씩 다릅니다.

힘이 되는
좋은 말

나는 그 누구보다도 실수를 많이 한다.
그리고 그 실수들 대부분에서
특허를 받아낸다.

I make more mistakes than anybody
and get a patent from those mistakes.

토마스 에디슨

실수는 '이제 난 안돼, 끝났어'라는 의미가 아니에요.
성공에 한 발자국 가까이 다가갔으니, 더 도전해보면 성공할 수 있다는
메시지랍니다. 그러니 실수를 두려워하지 마세요.